作家の旅
ライターズ・ジャーニー

神話の法則で読み解く
物語の構造

クリストファー・ボグラー＝著
府川由美恵＝訳

MYTHIC STRUCTURE FOR WRITERS
~25TH ANNIVERSARY EDITION
CHRISTOPHER VOGLER

フィルムアート社

THE WRITER'S JOURNEY — 25TH ANNIVERSARY EDITION
by Christopher Vogler

First Printing October 1998
Japanese translation published by arrangement with
Michael Wiese Productions through The English Agency (Japan) Ltd.

母さんと父さんに

目次

第二部　旅のステージ

エピローグ

付録　物語の続き

凡例

本書は、二〇二〇年にアメリカで刊行された『The Writer's Journey: Mythic Structure for Writers — 25th Anniversary Edition』（第4版・刊行二五周年記念）を日本で初訳したものである。二〇〇二年に日本で刊行された『神話の法則』の底本は第2版（二〇〇〇年刊）であり、本書はそこから大幅増補改訂が加えられた「二五周年記念版」を底本に新たに訳し直した。

・文中の〔 〕は訳者による補足説明を表す。ただしそれ以外にも、文意に即して最低限の範囲で語を補う。

・映画作品、テレビ番組、楽曲、詩、書籍、雑誌のタイトルは『 』、シリーズタイトルは「 」で示した。

・本文中に言及される映画作品で、日本未公開作品は、訳者による日本語訳タイトルの後に（ ）で原題を併記する。

・本文中において映画『スター・ウォーズ』の表記に関して、特に明記がない限り、『スター・ウォーズ』は一九七七年公開の第一作目『スター・ウォーズ　エピソード4／新たなる希望』のことを指す。

カバー・本文イラスト
Fritz Springmeyer & Michele Montez
本文五三〇頁イラスト
Alexander Ward

はじめに　旅の準備

「これは私が聖なるミューズに語ってほしいと祈る物語だ。始めてください、女神よ、どこからでもかまいません」

――ホメロス『オデュッセイア』

私は読者の皆さんを〈作家の旅〉《ライターズ・ジャーニー》にお誘いしたい。神話と現代的なストーリーテリングのあいだのとらえどころのない領域を探求し、地図を作るための発見の使命をおびた旅だ。私たちを導くのはひとつの単純な観念である。**すべての物語はいくつかの共通の構造的要素からできており、これらは、神話、おとぎ話、夢、映画などに普遍的に見いだされる。**これらはまとめて**〈英雄の旅〉**《ヒーローズ・ジャーニー》と呼ばれている。こうした要素や、現代的なライティングにおける使用法を理解することが、私たちの探求の目的だ。賢く使えば、この古くからのストーリーテリングのツールは、人々を癒やしたり、世界をよりよい場所に変える、途方もない力を持ちつづける。

私自身の〈ライターズ・ジャーニー〉は、ストーリーテリングがいつもわたしにもたらす奇妙な力によって始まった。母や祖母に読んでもらったおとぎ話や、リトル・ゴールデン・ブックス〔訳注：米国の児童書シリーズ〕は私をとりこにした。一九五〇年代は、テレビからあふれるアニメーションや映画、ドライブイン・シアターのスリリングな冒険映画、けばけばしいコミックブック、想像力を広げる当時のサイエンス・フィクションなどを貪り尽くした。足首のねんざで動けないでいるときには、父が地元の図書館で北欧神話やケルト神話の本を借りてきてくれ、おかげで痛みを忘れることができた。

ストーリー・アナリストとしてハリウッドの映画会社のためのリーディングで生計を立てられるようになったのも、物語の導きのおかげだ。何千もの小説や脚本を評価してきたが、びっくりするほど何度もくり返されるパターン、気が遠くなるほどの無数のバリエーション、不可解な謎を提示してくる物語の迷宮の探索に、飽きることはまるでなかった。

物語はどこからやってくるのか？　どう機能するのか？　人間について何を伝えているのか？　何を意味するのか？　人にはなぜ物語が必要なのか？　どうすれば物語を使って世の中をよりよくできるのか？

何より、ストーリーテラーはどうしたら意味のある物語を生みだせるのか？　優れた物語は、満足のいく完璧な体験をしたような気にさせてくれる。泣いたり、笑ったり、ときには両方を味わえる。物語が終わると、人生や自分自身について学んだような気持ちになれる。自分の人生の手本となるような、新しい意識、新しい性質や態度を手に入れられることもある。どうしたらそんな物語を語れるのか？　古くからあるこの手仕事に、コツはあるのだろうか？　決まりごとや設計原理はあるのだろうか？

何年もたつにつれ、私は冒険譚や神話にある共通の要素、興味深いほどなじみのある登場人物や小道具や場所や状況があることに気づき始めた。物語の筋書を導くパターンやテンプレートのようなものがあると、漠然と意識するようになった。パズルのピースはいくつか手にしたものの、それでも全体像まではつかみきれなかった。

その後私は幸運にも、ＵＳＣ（南カリフォルニア大学）の映画学部で、神話学者ジョーゼフ・キャンベルの研究と出会った。キャンベルとの出会いは、私や数多くの人々にとって、人生を変えるような体験だった。キャンベルの著書『千の顔をもつ英雄』の迷宮を探索した何日かの時間で、私の人生や考えかたに電撃的な再編が生じた。徹底的な探求で、これぞ私が感じてきたパターンだと確信した。キャンベルは、物語の秘密の暗号を解読したのだ。キャンベルの研究は、暗い風景を突然に照らした光のようなものだった。

私はキャンベルの〈ヒーローズ・ジャーニー〉のアイデアを用いて、『スター・ウォーズ』や『未知との遭遇』などの映画が著しいリピーターを獲得している理由を理解してみようとした。観客は、ある種の宗教的体験を求めるかのように、こうした映画をくり返し観る。これらの映画は、キャンベルが神話のなかで見つけた、あまねく人を満足させるパターンを反映しているからこそ、特別な方法で人を惹きつけているような気がした。これらの作品には、人が必要とする何かがあるのだ。

『千の顔をもつ英雄』は、大手映画会社のストーリー・アナリストとして働き始めた私の救世主となった。キャンベルの著作は、初期の私の仕事において、ストーリーの問題点を突きとめ、解決策を提示するための頼れるツールとなってくれたし、それには大いに感謝している。キャンベルと神話学の導きがなければ、私は失敗していたかもしれない。

〈ヒーローズ・ジャーニー〉は、物語のエキサイティングで有益なテクノロジーであり、映画製作者や映画会社の幹部の当てずっぽうな議論や、映画化用の物語を育てるコストを減らすことにも使える。何年かたつうちに、ジョーゼフ・キャンベルとの出会いに影響を受けたという人間にも何度か出会った。われわれはまるで、「神話の力」に同じ信仰を抱く、秘密結社の信者のようだった。

ウォルト・ディズニー・カンパニーのストーリー・アナリストを務めるようになって間もなく、私は七ページにわたる『千の顔をもつ英雄』実践ガイド」という覚書を書き、〈ヒーローズ・ジャーニー〉のアイデアについて、古典的な映画や現代映画の事例による説明を試みた。私はこの覚書を、友人や同僚、それに何人かのディズニー社の幹部に見せ、フィードバックを受けて検証し磨いていった。「実践ガイド」は少しずつ発展し、もっと長い小論となり、やがて私はこれを、UCLA（カリフォルニア大学ロサンゼルス校）の公開講座のライターズ・プログラムで、ストーリー分析クラスの教材として使うようになった。

全米各地のライターが集まるカンファレンスの場でも、脚本家、ロマンス小説家、児童文学者などのさまざまなストーリーテラー向けのセミナーで、私はこのアイデアを検証した。神話、物語、心理学が絡み合う道筋を探求する人々は、ほかにもたくさんいることがわかった。

〈ヒーローズ・ジャーニー〉は、神話に隠されたパターンの説明にとどまるものではない。これは人生、とりわけライターの人生の有益な指針だ。私自身の執筆活動という危険な冒険のなかでも、〈ヒーローズ・ジャーニー〉のステージは、本、神話、映画のなかと同じように頼れる有益なものとして現れてきた。私生活のなかでも私の冒険を導き、次の曲がり角を曲がれば何があるかの予測を助けてくれるこの地図には、本当に感謝している。

〈ヒーローズ・ジャーニー〉の人生ガイドとしての有能さは、私がUCLAの大きなセミナーで、初めて公に〈ヒーローズ・ジャーニー〉の話をする準備をしていたときにも思い知らされた。セミナーの二週間ほど前、『ロサンゼルス・ヘラルド・エグザミナー』紙に、ジョージ・ルーカスと彼のプロデュース映画『ウィロー』（現在ディズニープラスのテレビシリーズが制作中）が、評論家にこきおろされる記事が載った。その評論家はどこからか「実践ガイド」を手に入れ、それがハリウッドのストーリーテラーたちにひどい悪影響を与えていると主張していた。『イシュタール』や『ハワード・ザ・ダック』、さらに大ヒット作の『バック・トゥ・ザ・フューチャー』まで、あらゆる失敗作はあの「実践ガイド」のせいだと言い張った。この評論家によれば、なまけ者で教養のない映画会社のお偉方は、すぐ金になるマニュアル欲しさに、万能薬としての「実践ガイド」を手に入れてライターたちにせっせとのみ込ませ、そのせいでライターの創造性は、お偉方がよく理解してもいないテクノロジーによって窒息させられてしまったというのだ。

自分がハリウッドでそこまで広い影響力を持っていると思われることに悪い気はしないが、それでも私は打ちのめされた。このアイデアに取り組むための新しいステージの入口で、私は始める前から撃ち落とされた。少なくともそう感じた。

長年こうした論争に慣れている友人たちからは、こう指摘された。こうして挑まれているのも、私はただ単に、〈ヒーローズ・ジャーニー〉の背景にいるなじみ深い登場人物、すなわち**〈アーキタイプ〉**のひとつである**〈戸口の番人〉**に出会っただけなのだと。

おかげで私はすぐに自分の置かれた立場を把握し、この状況をどう切りぬけるかを決めることができた。キャンベルによれば、「英雄はしばしば、なじみがないのに奇妙なほどなれなれしい、ときにはひどく威嚇してくる」相手に出会う。〈番人〉は、旅のさまざまな**〈戸口〉**や、人生のステージから次のステージに続く狭くて危険な通路に現れる。キャンベルは、〈戸口の番人〉を〈英雄〉がどう扱うか、さまざまな事例を示している。旅人である〈英雄〉は、敵対勢力に真っ向から攻撃するのではなく、相手を出しぬいたり、相手と力を合わせたりして、相手方のエネルギーに倒されることを避け、そのエネルギーを吸収することを学ぶ。

一見すると攻撃に見える〈戸口の番人〉の仕打ちは、災いではなく天恵だと私は気づいた。この評論家に決闘でも申し込もうかと考えていたが（ノートパソコンで）、考えなおすことにした。態度をちょっと変えるだけでも、相手の敵意を私に役立つものに変えることができる。私はその評論家に連絡を取り、セミナーでわれわれの意見の相違を議論しないかと持ちかけた。相手はこれを受けてパネルディスカッションに参加し、われわれは活発で楽しいディベートをくり広げた。私もそれまで気づかずにいた、物語世界のすみずみを照らすようなディベートにすることができた。セミナーはより充実し、私の見解もさらに強固で検証に耐えうるものとなった。私は〈戸口の番人〉と戦うかわりに、〈番人〉を私の冒険に引き込むことに成功したのだ。致命的と見えた一撃を、有益で健全なものに変えることができた。神話学的アプローチは、物語だけでなく、人生においても価値があるということを証明できたのだ。

「実践ガイド」とキャンベルのアイデアが、本当にハリウッドに影響を与えていることに気づいたのもこのころだ。映画会社のストーリー部門から、「実践ガイド」が欲しいという連絡がよく来るようになった。ほかの映画会社の幹部が、普遍的で商業的なストーリーのパターンを作るガイドをパンフレットにして、脚本家や監督やプロデューサーに配っているという話も聞いた。どうやらハリウッドは、〈ヒーローズ・ジャーニー〉が役に立つことに気づきだしたようだった。

一方、ジョーゼフ・キャンベルのアイデアは、ＰＢＳで放送されるビル・モイヤーズのインタビュー番組、『神話の力』で大きな反響を呼んだ。この番組は、視聴者の心にじかに訴え、年齢層や政治・宗教思想を超えたヒットとなった。このインタビューの書籍版は、一年以上も『ニューヨーク・タイムズ』紙のベストセラーリストをにぎわせた。四〇年にもわたりゆっくりと着実に売れていたキャンベルの偉大なるおなじみの教科書、『千の顔をもつ英雄』も、突然に話題のベストセラーとなった。

ＰＢＳの番組は、何百万人の人々にキャンベルのアイデアを紹介し、ジョージ・ルーカス、ジョン・ブアマン、スティーブン・スピルバーグ、ジョージ・ミラーなどの映画制作者に与えた影響を明らかにした。突然、キャンベルのアイデアがハリウッドで急激に認識され、受け入れられたことが私にもわかった。このコンセプトに精通した映画会社の幹部や脚本家が増え、みんながそれを映画制作や脚本術にどう適用すべきか関心を寄せるようになった。

〈ヒーローズ・ジャーニー〉のモデルは、引きつづき私の役に立っていた。私は数社の映画会社の依頼を受け、一万作以上の脚本を読んで評価した。このモデルは、自分の執筆の旅に使う地図帳のようなものだ。『リトル・マーメイド』や『美女と野獣』が制作段階にあった時期、ディズニー社でのストーリー・コンサルタントという私の新しい役割において、ガイドとなってくれたのもこのモデルだ。おとぎ話、神話、SF、コミック、歴史冒険ものなどをベースにした物語を、リサーチし発展させるうえで、キャンベルのアイデアは途方もなく価値のあるものだった。

ジョーゼフ・キャンベルは一九八七年に亡くなった。キャンベルとはセミナーで二、三度、短時間だが会うことができた。八〇代になっても人目を惹く人物で、背が高く、元気いっぱいで、雄弁で、愉快で、エネルギーと情熱にあふれ、本当にチャーミングな人だった。亡くなる少し前、キャンベルは私にこう言った。「このテーマを追いつづけなさい。とても長い道のりになるよ」

最近になって私は、「実践ガイド」がしばらくのあいだ、ディズニー社の映画制作幹部の必読資料となっていたことを知った。ガイドが欲しいという日常的な要請に加え、小説家や脚本家、プロデューサーやライターや役者からの無数の手紙や電話は、〈ヒーローズ・ジャーニー〉のアイデアがこれまで以上に活用され発展していることの証しだった。

そんなわけで私は、「実践ガイド」からの派生物として、本書を執筆することにした。本書は、少し易経を手本とした形式になっていて、序文としての概略説明のあと、〈ヒーローズ・ジャーニー〉の典型的なステージの注釈へと続く。第一部の「**旅の地図を作る**」では、全体を概観する。第一章は「実践ガイド」の修正版で、〈ヒーローズ・ジャーニー〉の12のステージに焦点を絞る。これから一緒に旅をする、物語の特別な世界の地図だと考えてもらってもいい。第二章は、〈アーキタイプ〉、すなわち神話や物語の登場人物《ドラマティス・ペルソネ》を紹介する。多くの物語に共通して見られる8つの登場人物のタイプと、その心理学的な機能を説明していく。

第二部の「**旅のステージ**」では、〈ヒーローズ・ジャーニー〉の12ステージについてさらに詳しい検討をおこなう。各章の末尾には、さらに深い探求のための「**考察**」セクションを提示する。エピローグ「**旅を振り返って**」

では、〈ライターズ・ジャーニー〉独自の冒険や、その途中で避けるべき落とし穴について扱う。『タイタニック』、『ライオン・キング』、『パルプ・フィクション』、『シェイプ・オブ・ウォーター』、『スター・ウォーズ』といった、有名な映画における〈ヒーローズ・ジャーニー〉分析もおこなう。なかでも『ライオン・キング』は、映画の制作期間中、私がストーリー・コンサルタントとして〈ヒーローズ・ジャーニー〉のアイデアを適用する機会を得て、この原理がどれだけ役立つかを自分の目で見ることができた作品である。

古典的な映画も現代映画も、本書全体にわたり引用する。〈ヒーローズ・ジャーニー〉が実際にどう機能しているのか、作品を観たくなる読者もいるかもしれない。巻末の映画作品リストに代表的な映画を一覧にするので、参考にしてほしい。

ひとつの映画作品か物語を自分で選び、それを念頭においた〈ライターズ・ジャーニー〉をしてみてもいい。選んだ物語を何度か読んだり鑑賞したりして内容をよく理解し、各場面で何が起きたか、それがドラマのなかでどう機能するかメモを取ってみよう。自分の好みの機器で映画を観れば、自由に一時停止をかけ、各場面の内容を書きとめたり、意味を把握し、残りのストーリーとの関連を見いだしたりすることができる。

ひとつの物語や映画を使ってこのプロセスを実践し、本書のアイデアを検証してみてほしい。選んだ物語が〈ヒーローズ・ジャーニー〉のステージやアーキタイプを反映しているか考えてみてほしい。物語そのもの、あるいはその物語が作られた特定の文化の必要に応じ、どうステージを取り入れているのか検討してみてほしい。アイデアを検証し、実際に試し、自分のニーズに合わせて適用し、自分のものにしてもらいたい。自分の物語を磨いたり生みだしたりするために、これらのコンセプトをぜひ活用してもらいたい。

〈ヒーローズ・ジャーニー〉は、この世で最初の物語が語られたときから語り手と聴き手に奉仕し、そして現在でも使い古されることなく使われている。私とともに〈ライターズ・ジャーニー〉をスタートさせ、このアイデアを探索していこう。物語の世界や人生の迷宮を解き明かす魔法の鍵として、実に役立つことがわかってもらえればうれしい。

出版二五周年記念版によせて

私が出版者のマイケル・ウィースに初めて会ったのは、もう四半世紀前のことだ。私は、神話学者ジョーゼフ・キャンベルの理論と、ハリウッドの映画会社のために脚本や小説を批評してきた自分の体験をまとめた本を書くという、クレイジーなアイデアをあたためていた。背が高くて物静かにしゃべるウィースは、ドキュメンタリー映像作家でもあり、先見の明を持ち、「デスクトップ・パブリッシング」と呼ばれる業種の事業を立ち上げたばかりで、コンピュータ時代の新しいツールを使って伝統的な出版を出しぬき、インディペンデントの映像作家が夢をかなえるのを手助けできる書籍を自分で出版していた。あの日ウィースは、私のナーバスな売り込みに耳をかたむけ、映画の脚本家やさまざまなストーリーテラーたちがキャンベルのアイデアに触れられるようにするための本、というアイデアを気に入ってくれた。そして、私のはったりを実行させるべく、私が長年にわたって書きたいと考えてきたこの本を、書いてほしいと言った。

私たちはどちらもこの本のコンセプトをおもしろがっていたし、このアイデアが作家の役に立つという確信もあったが、出版される膨大な書籍の大半がそうであるように、この本もせいぜい一、二シーズン流通する程度だと思っていた。世界中の脚本家の書棚に置ける本の数など、多くて二、三千冊ぐらいなのだから。

いまだに驚くことだが、この本は大人気となり、何年にもわたって新しい読者を獲得する、働き者の書籍となってくれた。ハリウッドのストーリーテリングの教えにも組み込まれ、世界中の映画制作や創作ライティングプログラムの教科書にも採用された。私たちが想定していた読者は脚本家だったが、小説家、アニメーター、コンピュータゲームのデザイナー、劇作家、役者、ダンサー、ソングライター、兵士、旅行代理店業者、ソーシャルワーカーなどにも読まれるようになった。12ステージの旅のモデルは、マーケティングやプロダクトデザインなどのさまざまな原理においても、困難を引き受けるときの浮き沈みを正確に予測する誘導システムとして機能した。この本は人々に、自分が努力するなかで、状況をコントロールしているという感触を得るための言語やメタファーをもたらした。さらにこの本は、物事の壮大な構想や試練を予想し、その対処に当たる方法に方向性を与え、たくさんの人々の人生の一部ともなった。

そしていま、この『作家の旅　ライターズ・ジャーニー』は、英雄学《ヒロイズム・サイエンス》と呼ばれる新しい学術分野にも組み込まれている。英雄学とは、英雄のパターンや、それが生物学や芸術や人の心理学にどのように現れるかを研究するものだ。フィリップ・ジンバルドー、ジーノ・フランコ、オリビア・イフシミオー、スコット・T・アリソン、ジョージ・R・ゴーサルズなどの博士たちが創設した学際的な探求分野で、英雄の存在を基本的な細胞のレベルまでさかのぼって探求する。英雄サイクルというものは、まさに生命が始まる時点から動きだしていると見る人々もいる。英雄サイクルを、人間性の進化の重要要因、あるいは個人生活にとっての価値あるツールと見なす、楽観論的な学問だ。そして、本書が提示した12ステージの物語パターンは、キャンベルの17ステージからなる〈ヒーローズ・ジャーニー〉サイクルと並び、研究者たちが英雄研究に適用するテンプレートのひとつとなっているのである。

その後の変化

ストーリーテリングの環境は、この二五年で進化をとげた。ゲームや大予算のスーパーヒーロー映画の大作など、英雄伝説はよかれ悪しかれ、世界の物語形式のエンターテインメントを支配している。理由は簡単だ。英雄伝説はどんな文化においても理解しやすく、身近な文化の伝説や神話が持つ側面と共鳴し合うことも多く、おなじみのものであるにもかかわらず人を夢中にさせ喜ばせる。死の危険をものともしない人物がたえず登場し、人々の心の奥にある願いを満たし、決して観客を飽きさせない。

また英雄の物語は、社会そのものや、社会が必要とし望むものを反映することで、人々の精神衛生にも役立つ。神々しいばかりのスーパーヒーローが闘って勝利をおさめる姿に、人々は自分自身の闘いの拡大版を見いだし、人生のゲームをうまくやりとげる戦略を考えることができる。英雄の物語は社会の形成に影響を与え、助けをもたらし、人々をひとつにまとめる共通の文化基準、集団的な信条体系、社交儀礼、ロールモデルを与えてくれる。

だが、スーパーヒーロー映画のジャンルはお粗末な定型パターンに陥る危険もあるため、つねに新鮮なものを求めて実験し、古い物語モデルを打ち破る意志を持たなければならない。つねに観客を引き込んでおくため、ストーリーテラーは、長年くり返されたパターンを熟知したうえで、あえてそれを、どの構成要素においても多少は壊していかなければならない。こうした大胆さの基準を高めたのがテレビシリーズの『ゲーム・オブ・スローンズ』で、登場人物の行動における暗黙のタブーをくつがえし、これまでなら物語が終わるまで観客の代表として生き残るはずの愛すべき主人公を突然死なせ、びっくりするような高視聴率を叩きだした。番組の忠実なファンのなかには、衝撃を受け、裏切られたと感じて完全に背を向けた視聴者もいたが、ほかにもタブーが破られるのではと、嬉々として番組に群がった視聴者はそれ以上にいた。私が本書を読むライターたちに望むことは、ただ無心に厳格な枠組やテンプレートや形式に従うのではなく、タブーを打破するための柔軟なガイドラインを、本書から見つけてだしてくれることである。

もちろん、スーパーヒーローものやファンタジーばかりが物語ではない。叙事詩的で壮大な物語だけでなく、人の弱さや闘争にまつわる個人的な物語を改善するうえでも、本書のガイドラインやパターンは役立つので、そうしたものも読者が見つけだしてくれることを願っている。

変わりゆくテクノロジーや、新たなエンターテインメントの提供方法により、物語は長くも短くもなっている。HBO、BBC、ショータイム、ヒストリーチャンネル、ディズニープラスなどが質の高い長編シリーズを生みだしている現在の潮流においては、観客は最終結論に向かって進む長い物語、あるいは、『スター・ウォーズ』や『スタートレック』の世界のように、決して終わらなそうな長編作品を好んでいる。一方で、非常に対極的に、二分か三分で終わる物語を楽しむ視聴者もいて、こうした物語はスマートフォンやスマートウォッチの小さな画面で消費されている。

本書に示す〈ヒーローズ・ジャーニー〉モデルは、当初は九〇分から二時間程度の長編映画の道筋を説明したものだったが、このモデルには、超長編であれ超短編であれ、どんなストーリーテリングにも適応する柔軟性がある。何十年もかかって展開する物語世界でも、別の〈ヒーローズ・ジャーニー〉の全ステージをたどっていく新鮮なサブストーリーを使って観客の注意をとらえつつ、家族、国家、あるいは生きかたを求める〈ヒーローズ・ジャーニー〉を形作る、大きなひとつの〝物語の問い〟に観客を巻き込むことができる。一方、短い物語であっても、英雄の試練や復活や帰還など、パターンのうちのひとつか二つの重要な要素だけを効果的にドラマ化することで、〈ヒーローズ・ジャーニー〉と共鳴する物語は作れる。そもそも、古代の世界の人々も、彫像や花瓶の人物画として描かれたイメージだけで、神話の本質をすべて伝えることができると固く信じていたのだから。

『作家の旅　ライターズ・ジャーニー』を探求し、大衆エンターテインメントへの影響をたどってきたこの二五年を振り返ってみても、私の心強さと楽観主義は変わらない。物語には耐久力があるし、断片的な要素をまとめるため、意外なやりかたをつねに探すライターたちの手を借りれば、新しい時代や新しい現実にも順応できそうに見える。ストーリーテリングや映画制作のメカニズムにこれまで以上に強い意識を持つようになった観客も、同じように順応していくだろう。これはチャレンジと同時にチャンスでもある。伝統的な動きをすべて知っている観客を驚かせ、純粋なスリルを感じさせるというのは難しいチャレンジだが、物語にまったく予期せぬ仕掛けを作って観客を驚かせることができるなら、これは観客に大いなる楽しさや喜びを体験させるチャンスとなる。また、観客が伝統的なストーリーテリングの方法を知っているのなら、表現を省略したアプローチも可能になるため、ちょっとした合図だけで転換点としたり、観客を皮肉っぽく扱ったり、身内受けジョークの仲間入りをさせたりすることもできる。

本書を読んでいくにつれ、〈ヒーローズ・ジャーニー〉は、それが普通の人々であれ、神や王であれ、スーパーヒーローであれ、死や破壊の無慈悲な力に抗う登場人物たちの闘争を描いた、太古のパターンの永続的な更新であることがわかると思う。永遠の闘いは何度もくり返され、いつまでも続く。『アベンジャーズ』では、サノスが指を鳴らすだけで、宇宙の半数の生命が消えてしまう。『ゲーム・オブ・スローンズ』では、よみがえったゾンビの軍隊を率いて、夜の王がやってくる。死は最後に必ず勝利をおさめる恐ろしい敵だが、人間もまた猛々しい戦士であり、ときには破壊的な力を退却させ、英雄としてしばしの栄光を味わうこともできる。

ミズーリの農場で育った私は、物語とは何か、物語はなぜ私の精神を揺さぶるのか、なぜ私の思考を広げてくれるのかをよく考えていた。こうした疑問の答えを求めて旅立った私は、ハリウッドでの物語開発の道に私を導いてくれた、予期せぬ力の源に出会うことができた。読者の皆さんが本書のなかで、自分の道を照らす光を見いだし、人を楽しませ、傷ついた心を癒やし、人生を変えてしまうような物語の限りない力を知って、大きな喜びを感じてくれることが、私の心からの望みである。

新版に追加されたもの

二五周年記念版で新しくなった部分について述べておく。

ここ何年かの私は、物語のさらに深いところに目を向け、観客の意識を高める仕掛け、つまり、一九六〇年代や七〇年代のサイケデリック・ムーブメントの言葉を使えば、観客のバイブレーション率を上げる仕掛けとしての物語について考えてきた。「すべてはバイブスだ」という章では、古代のスピリチュアルな伝統から生まれたチャクラの概念を探り、目に見えないエネルギーの中心部がストーリーテラーの役に立ち、物語の感情的な効果のターゲットとして働くということを伝えていきたい。チャクラとは、人の体のさまざまな部分で、感情がどう感じられるかを示す地図のようなものだ。より高次の意識への道筋を教えてくれるもので、それはまさに物語がやろうとすることでもある。

前の版では扱わなかったストーリーテリングの重要な問題のひとつに、「シーンとは何か?」がある。物語の紡ぎ手用道具箱のこの部分を埋めるため、デイビッド・マッケナとの共著『物語の法則――強い物語とキャラを作れるハリウッド式創作術』の一章を借用することにした。「重要な取引は何か?」というこの一章は、シーンというものについての考えかたを述べたもので、シーンがなすべき仕事をいつやらせ、いつシーンを終わらせるかを決める手助けとなる。そのほかにも、ストーリーテラーの技巧の熟練度を深めてくれる、私が集めた追加のツールを、「物語の続き」というセクションでお見せしようと思う。

登場人物のアーキタイプ（原型）のパターンを説明したセクションには、「アーキタイプを超えて」と題した、登場人物についてのチェックリストを追加した。

特定の映画の〈ヒーローズ・ジャーニー〉をたどるセクションでは、魔法の夢を見るようなギレルモ・デル・トロ監督の映画、『シェイプ・オブ・ウォーター』の分析を追加した。この映画の人間性や映像表現は、ここ何年かでもまれに見る衝撃だった。旧版のぎこちない言葉使いや誤りも削除し、全体を見なおしたつもりだが、残ってしまったものもあるだろう。これからもきっと、注意深く親切な読者が、誤りを見つけて指摘してくれるにちがいない。

第一部

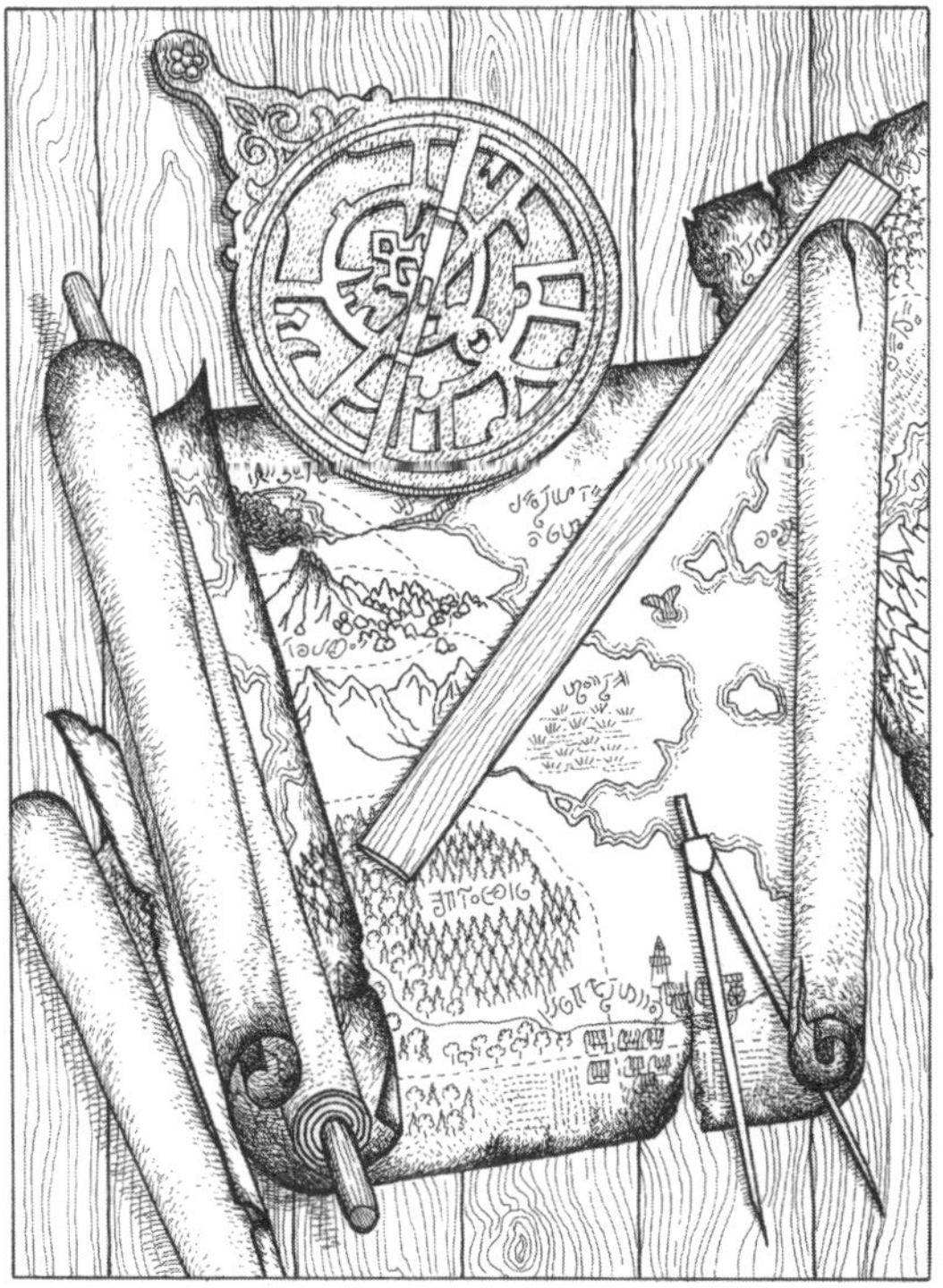

旅の地図を作る

BOOK ONE: MAPPING THE JOURNEY

実践ガイド

実践ガイド

「人間の物語は二つか三つしか存在せず、人々はそれを、あたかも一度も起きたことのない物語のように熱心にくり返している」

——ウィラ・キャザー『おお開拓者よ！』

結局のところ、二〇世紀で最も影響力のあった書物のひとつは、ジョーゼフ・キャンベルの『千の顔をもつ英雄』なのかもしれない。

キャンベルの著書に書かれたアイデアは、ストーリーテリングに大きな影響を与えてきた。ライターたちは、キャンベルが見いだした永久不変のパターンを意識するようになり、それによって作品を豊かなものにしていった。

当然ながらハリウッドも、キャンベルの研究の有益さに気づいた。ジョージ・ルーカスやジョージ・ミラーなどの映画制作者は、キャンベルが自分の助けになったことを認めており、その影響力は、スティーブン・スピルバーグ、ジョン・ブアマン、フランシス・コッポラ、ダーレン・アロノフスキー、ジョン・ファブローなどの映画作品からもうかがわれる。

キャンベルが著書のなかで提示したアイデアを、ハリウッドが受け入れたことにそう驚きはない。ライター、プロデューサー、ディレクター、あるいはデザイナーにとって、キャンベルのコンセプトは歓迎すべきツールキットであり、ストーリーテリング術には理想的なしっかりとした道具としてたくわえられてきたものだ。こうしたツールを使えば、ほぼどんな状況にも合わせることができ、ドラマティックで、人を楽しませ、心理学的にも嘘のない物語を構築することができる。これを使えば、行き詰まったプロットの問題を診断し、修正して最高の作品に仕上げることもできる。

このツールは、長い年月の試練を生きのびてきた。ピラミッドよりも、ストーンヘンジよりも、初期の洞窟絵画よりも古くから存在するツールだ。

このツールキットに対するジョーゼフ・キャンベルの功績は、アイデアをひとつにまとめ、理解し、統合し、名前をつけ、組織化したことだ。これまで語られてきたすべての物語の裏にあるパターンを、キャンベルが初めて陽のもとにさらしたのだ。

『千の顔をもつ英雄』は、口述伝承の物語や記録された文学においてくり返されてきたテーマ、すなわち、英雄伝説についてキャンベルが陳述したものだ。世界の英雄伝説を研究するなかで、キャンベルは、そうした物語の基本がすべて同じものであり、無限のバリエーションで何度となく語られているということを発見した。

キャンベルが見いだしたのは、意識的か否かに関係なく、すべてのストーリーテリングは神話の古くからのパターンを踏襲しているということだ。粗野な冗談から高尚な文学まで、すべての物語は〈英雄の旅《ヒーローズ・ジャーニー》〉と呼ばれる「原質神話」の観点から理解できる。キャンベルは自著のなかで、その原理を展開させていった。

〈ヒーローズ・ジャーニー〉とは、あらゆる時代のどんな文化のなかでも生じる、普遍的なパターンだ。人種と同じぐらい無限に種類があるが、人間と同じように基本的な形は変わらない。人の思考領域の最も深いところから永久的に湧きだしてくる、驚くほど頑強な要素の枠組だ。細かい点は文化により異なるが、基本的なところは同じだ。

キャンベルの考察は、スイスの心理学者カール・G・ユングの「**アーキタイプ**」とも似ている。アーキタイプとは、人々が見る夢や、あらゆる文化の神話のなかでくり返し現れる、登場人物や力のことだ。ユングによれば、アーキタイプとは、人間の思考のさまざまな側面を反映したものだ。人間のパーソナリティがこうした登場人物に分割され、人生のドラマを演じる。ユングは、自分の患者の夢に出てくる人物と、神話に共通するアーキタイプとのあいだに、かなりの類似性があることを発見した。どちらも心の深い源、人類の「集合的無意識」からやってくるものだというのがユングの主張だ。

若い英雄、老賢者、変身する者、陰のある競争者など、世界の神話にくり返し出てくる登場人物は、人の夢や空想に何度も出てくる人物像と同じものだ。神話モデルに基づいて構築されている神話や物語の多くが、心理的な真実の響きを感じさせるのはそのためだ。

こうした物語は、人の思考の働き、精神の真実の地図を正確に反映したモデルである。空想的で、実際にはありえないような非現実的な出来事を描いていても、心理的には妥当で、感情にも現実味を感じさせる。

これができるのは、こうした物語に普遍的な力がそなわっているからだ。〈ヒーローズ・ジャーニー〉のモデルに基づいて組み立てられた物語は、誰もが惹かれる魅力をそなえている。なぜならこれらの物語は、共有される無意識のなかにある普遍的な源から湧きあがってくるものであり、万人の関心が反映されたものだからだ。

こうした物語では、誰もが考えるような無邪気な疑問が扱われる。私は誰？　どこから来たの？　死んだらどこへ行くの？　何がいいことで何が悪いこと？　しなければならないことは何？　明日はどんな日になるの？　昨日はどこへ行ってしまうの？　そこにはほかの人もいるの？

キャンベルが『千の顔をもつ英雄』で明らかにした、神話に埋め込まれたアイデアは、ほとんどすべての人間が抱える問題を理解するためにも活用できる。大勢の観客を効果的に惹きつける重要な道具になるばかりでなく、人生の重要な鍵にもなる。

〈ヒーローズ・ジャーニー〉の裏にあるアイデアを理解したければ、自分でキャンベルの著作を読むのがいちばんだと思う。人生が変わるような体験ができるかもしれない。

たくさんの神話を読んでみるのもいいが、キャンベルは優れたストーリーテラーであり、大量の神話の在庫から例をあげて要点を説明してくれるので、キャンベルの著書を読んでも得るものは同じだと思う。

〈ヒーローズ・ジャーニー〉の概略は、キャンベルの『千の顔をもつ英雄』の第四章「鍵」に書かれている。私は最近の映画やいくつかの古典作品からの実例を引き、映画によくあるテーマを反映させ、この概略を少しだけ修正させてもらった。本書と『千の顔』の概略や用語のちがいを表に示しておく［表1］。

私は私なりのやりかたで英雄伝説を語りなおしてみるつもりだし、読者の皆さんも自由に考えてほしい。どんなストーリーテラーも、神話のパターンを自分の目的や特定の文化が求めるものに合わせて変形させるものだ。

だからこそ英雄は千の顔を持つ。

ちなみに、本書で使う「英雄《ヒーロー》」という言葉は、「医師《ドクター》」、「詩人《ポエット》」などと同じで、どんな性別も含まれるものとする。

表1　概略と用語の比較

『作家の旅　ライターズ・ジャーニー』	『千の顔をもつ英雄』〔用語は新訳版（早川書房）に準拠〕
第一幕	**出立、分離**
日常世界	日常の世界
冒険への誘い	冒険への召命
冒険の拒否	召命拒否
師との出会い	自然を超越した力の助け
最初の戸口の通過	最初の境界を越える
	クジラの腹の中
第二幕	**試練への降下、イニシエーション**
突入	
試練、仲間、敵	試練の道
最も危険な場所への接近	
最大の苦難	女神との遭遇
	誘惑する女
	父親との一体化
	神格化
報酬	究極の恵み
第三幕	**帰還**
帰路	帰還の拒絶
	魔術による逃走
	外からの救出
	帰還の境界越え
	帰還
復活	二つの世界の導師
宝を持っての帰還	生きる自由

英雄の旅

英雄の物語とは、種類は無限にあるにしても、実のところはつねに旅の物語である。英雄は居心地のいい通常の環境を離れ、試練の多い未知の世界へ踏みだす。迷宮、森、洞穴、見知らぬ街や国など、現実の場所を文字どおり旅する場合もあり、英雄にとっての新たな場所とは、自分に敵対し挑んでくる勢力を退治するための闘技場だ。

一方、英雄が内なる旅に出る物語もたくさんある。思考の旅、心の旅、精神の旅。よくできた物語の英雄は、ある状態から次の状態へと旅するなかで、成長し変化する——絶望から希望へ、弱さから強さへ、愚かさから賢さへ、愛から憎しみへ。そしてその逆もある。観客をとらえ、物語を味わう価値のあるものにするのは、こうした感情の旅だ。

物語が「英雄的」なアクションや冒険を題材としていないものも含め、あらゆる物語が〈ヒーローズ・ジャーニー〉の各ステージをたどっていく。主人公の探るものが自分の心の内や人との関係であろうとも、物語の主人公は誰でも旅する英雄だ。

〈ヒーローズ・ジャーニー〉の途中駅は書き手が意識せずとも自然に現れるものだが、ストーリーテリングの最古の指針について多少でも知っておけば、問題を追求したり、より良質の物語を語るために役に立つ。〈ヒーローズ・ジャーニー〉の地図を形づくるのは12のステージだ。物語の世界をあちこち移動するための、たくさんある方法のひとつではあるが、柔軟で耐久性があり、非常に頼りになる地図だ。

〈ヒーローズ・ジャーニー〉の12のステージ

1 日常世界
2 冒険への誘い
3 冒険の拒否
4 師との出会い
5 最初の戸口の通過
6 試練、仲間、敵
7 最も危険な場所への接近
8 最大の苦難
9 報酬(剣を手に入れる)
10 帰路
11 復活
12 宝を持っての帰還

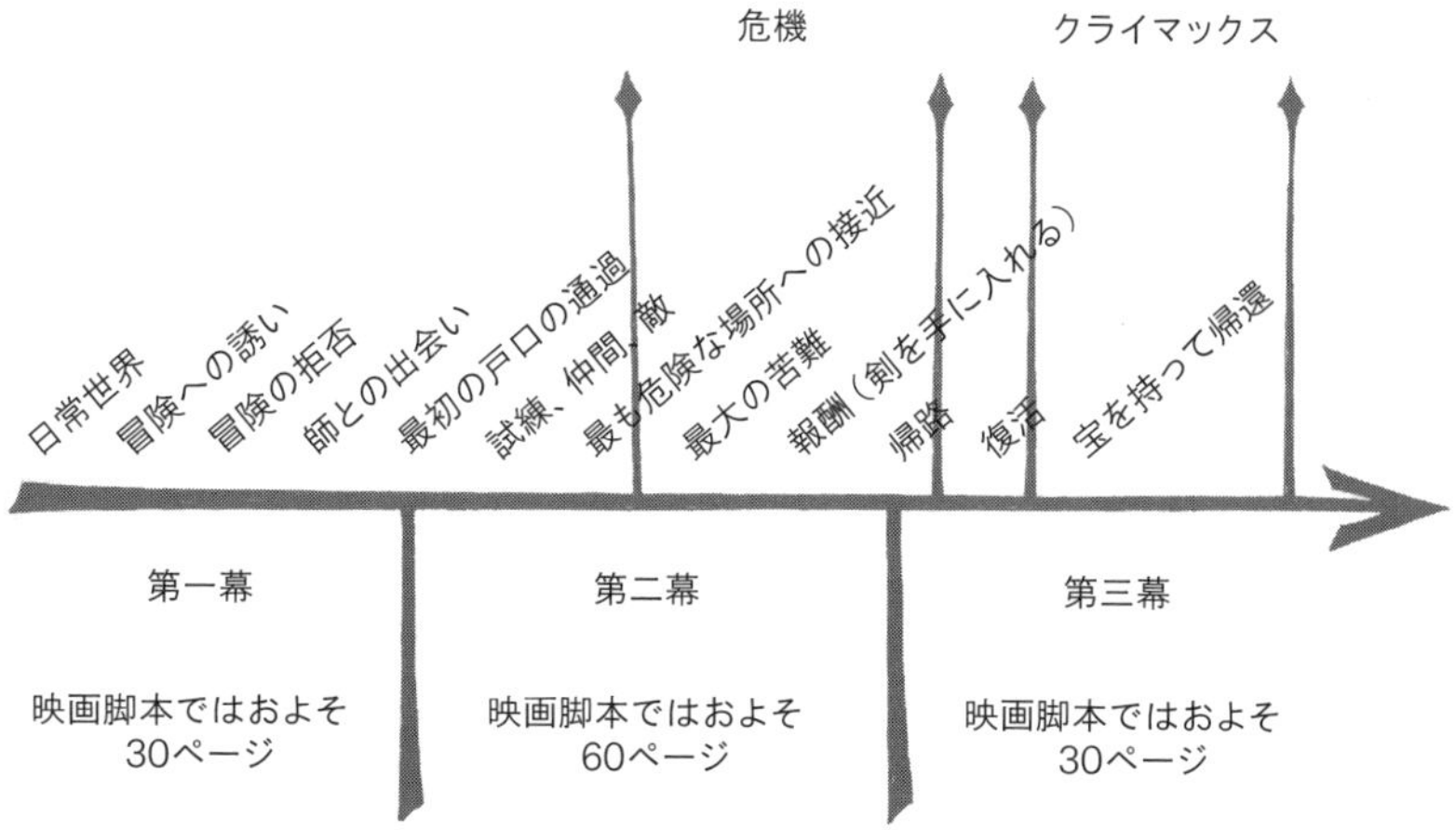

〈ヒーローズ・ジャーニー〉

1　日常世界

多くの物語は、〈英雄〉を日常の平凡な世界から追い立て、新参のよそ者として〈特別な世界〉へ送り込む。さまざまな映画やテレビ番組（テレビドラマ『逃亡者』『じゃじゃ馬億万長者』、映画『スミス都へ行く』『アーサー王宮廷のコネチカット・ヤンキー』『オズの魔法使』『刑事ジョン・ブック　目撃者』『48時間』『大逆転』『ビバリーヒルズ・コップ』など）を生みだしてきた、おなじみの「陸に揚がった魚」という発想だ。

もし普段の環境から出た魚を描きたければ、まずは主人公に〈**日常世界**〉を示し、これから足を踏み入れる未知の新世界との鮮明なコントラストを作っておく必要がある。

『刑事ジョン・ブック　目撃者』では、いつもの正常な世界からまったくなじみのない環境に押しだされる、都会の警官とアーミッシ

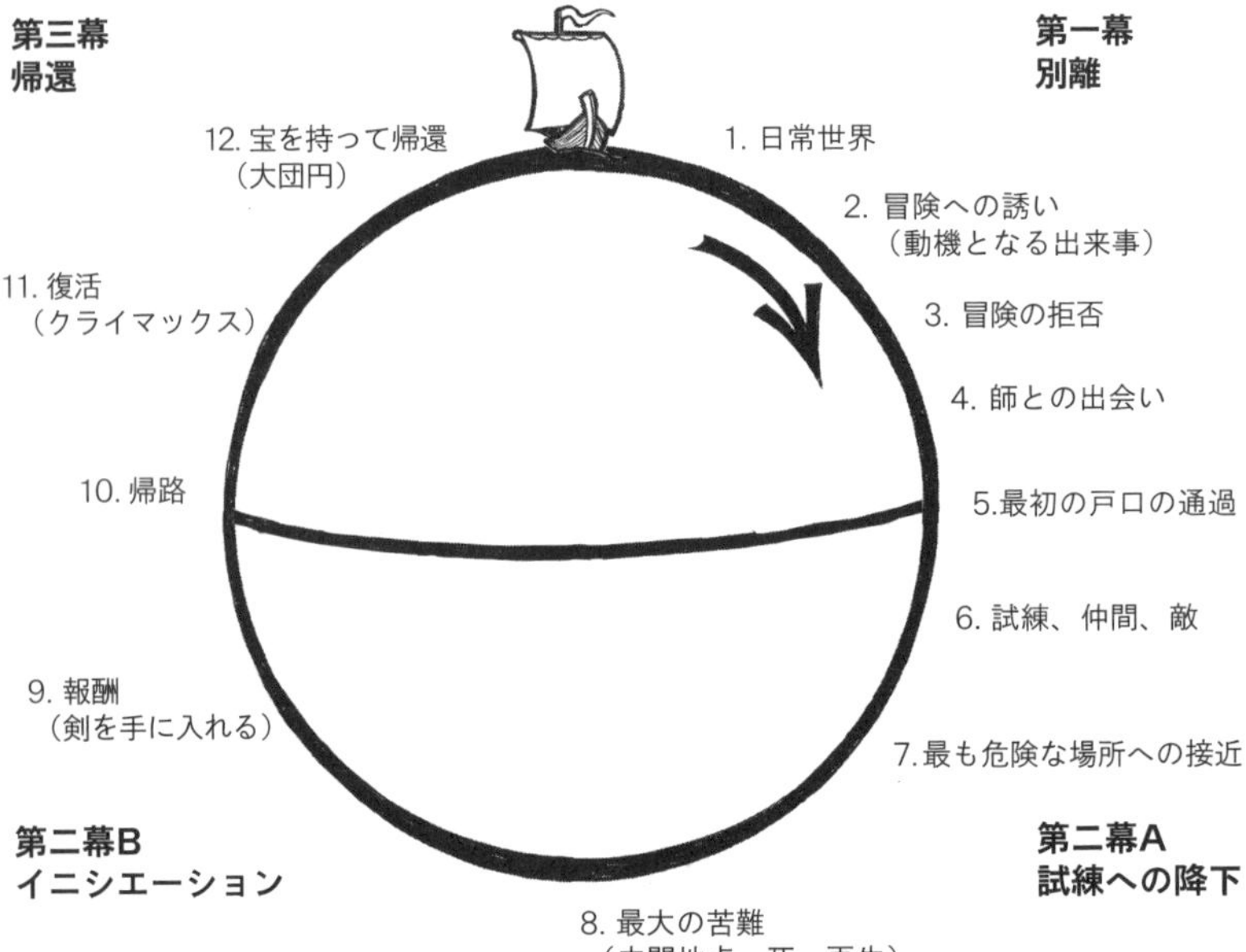

〈ヒーローズ・ジャーニー〉のモデル

ユ〔訳注：電気や自動車を使わない生活様式で知られるキリスト教の一派〕の母子が登場する。アーミッシュが都会に圧倒される一方で、都会の警官はアーミッシュの生きる一九世紀の世界に遭遇する。映画『スター・ウォーズ　エピソード4／新たなる希望』（最初に公開された『スター・ウォーズ』作品）の主人公ルーク・スカイウォーカーが宇宙での戦いに身を投じる前は、農場暮らしで死ぬほど退屈している。

『オズの魔法使』でも同様で、まずかなりの時間を割いて、ドロシーのカンザスでの単調な生活が描かれ、それからドロシーはオズの不思議な世界に吹っ飛ばされる。カンザスの場面は陰気な白黒、オズの世界はあざやかなテクニカラーで撮影され、そのコントラストはますます際立つ。

『愛と青春の旅だち』の冒頭も同じだ。主人公――酒飲みで娼婦を追いかけまわす父親を持った、タフな海軍の若者――の〈日常世界〉と、主人公が入学する、規律の厳格な海軍士官学校の〈特別な世界〉との、鮮明なコントラストが描写される。

2　冒険への誘い

〈英雄〉は、自分が取り組むべき問題、挑戦、冒険を提示される。いったん**〈冒険への誘い〉**がやってくると、〈英雄〉は二度と居心地のいい〈日常世界〉にとどまることができなくなる。

アーサー王伝説の聖杯探求のような物語では、まず荒れ果てた土地があり、それをよみがえらせることができるのは宝物だけだ。『スター・ウォーズ』の〈冒険への誘い〉は、レイア姫のホログラムがオビ＝ワン・ケノービに送る必死のメッセージだ。ルークはオビ＝ワンから、レイアの探索に加わってほしいと頼まれる。レイア姫は、ギリシャ神話で冥界の神ハデスにさらわれた春の女神ペルセポネのように、邪悪なダース・ベイダーにとらわれている。レイアの救出は、宇宙の正常なバランスを取り戻すにはどうしても必要なのだ。

ミステリーにおける〈冒険への誘い〉では、私立探偵が新規の依頼を受け、秩序を乱す犯罪の解決を求められる。有能な探偵は、事件を解決し、悪事を正さなければならない。

復讐劇における〈冒険への誘い〉は、正されるべき悪事や物事の自然な秩序を乱す何かの形をとることが多い。映画『モンテ・クリスト伯』では、エドモン・ダンテスがいわれなき罪で投獄され、逃亡して復讐に乗りだす。『ビバリーヒルズ・コップ』では、主人公の親友が殺害されることで事態が動きだす。『ランボー』の主人公は、狭量な保安官に受けた不当な扱いが行動の動機となる。

ロマンティック・コメディでは、少々うっとうしいが特別な誰かとの出会いが〈冒険への誘い〉となり、主人公はその相手を追いかけたり、相手と小競り合いをくり広げたりする。

〈冒険への誘い〉により、ゲームの賞金が設定される。宝物や恋人を勝ち取る、復讐をやりとげ悪事を正す、夢をかなえる、挑戦に立ち向かう、人生を変化させるなど、主人公のゴールも明白なものになる。

勝ち取るべきものはしばしば、〈誘い〉によって生じる疑問の形で表現される。E．T．や『オズの魔法使』のドロシーは、家に帰れるのか？　ルークはレイア姫を救出し、ダース・ベイダーを倒せるのか？　『愛と青春の旅だち』の主人公は、自分の身勝手さや荒っぽい教官の嫌がらせのせいで海軍士官学校を追いだされるのか、それとも〝紳士たる士官〟になる権利を勝ち取るのか？　愛する人とは出会ったが、果たしてその人を勝ち取れるのだろうか？

3　冒険の拒否（乗り気でない英雄）

拒否は恐れからくるものだ。この時点では、〈英雄〉は冒険の戸口でしりごみし、〈冒険の拒否〉をしたり、乗り気でないことを訴える。要するに〈英雄〉は、恐れのなかでも最も大きなもの、未知への恐怖に直面しているのだ。〈英雄〉にはまだ旅をする覚悟がなく、引き返すことを考えている。〈英雄〉が恐れの気持ちを乗り越えて進むには、ほかからの影響——状況の変化、物事の自然な秩序をさらに乱す何か、〈師〉の励ましなど——が必要になる。

ロマンティック・コメディでは、主人公は関わり合いになるのを避けるため、気が乗らないことを表明する（以前の恋愛の傷があるのかもしれない）。探偵ものでは、私立探偵は事件の捜査を拒むが、のちに自分の賢明な判断に反して捜査を引き受ける。

『スター・ウォーズ』では、ルークはオビ＝ワンの〈冒険への誘い〉を拒んでおじ夫婦の農場に戻るが、農場はすでに帝国軍のストームトルーパーに焼かれていた。ルークは突然にしりごみをやめ、冒険にうってでる。帝国の邪悪さはルーク個人の問題となる。モチベーションが生まれたのだ。

4 師との出会い（老賢者）

このステージでは、アーサー王伝説の魔術師マーリンのような、〈英雄〉の〈師〉となる人物が登場してくることが多い。〈英雄〉と〈師〉の関係は、神話のなかでは最もよく見られるテーマのひとつであり、そこには非常に豊かな象徴的価値がある。両親と子ども、先生と生徒、医師と患者、神と人間といった、誰かと誰かの絆を象徴している。

〈師〉は、年老いた賢者（『スター・ウォーズ』）、厳しい訓練教官（『愛と青春の旅だち』）、白髪まじりの年老いたボクシングコーチ（『ロッキー』）などの姿をとって現れる。テレビコメディ『メアリー・タイラー・ムーア・ショー』を神話学でとらえれば、メアリーの上司で、気むずかしいが善良なルー・グラントがこの役割だ。『ジョーズ』では、ロバート・ショウが演じる、サメのすべてを知る無愛想な男がこれに当てはまる。

〈師〉の機能は、〈英雄〉が未知のものに立ち向かう準備をさせることだ。助言や導き、あるいは魔法の道具を与えることもある。『スター・ウォーズ』のオビ＝ワンは、ルークがフォースの暗黒面と戦うときに必要となる、ルークの父親のライトセーバーを与える。『オズの魔法使』では、よい魔女のグリンダがドロシーに導きとルビーの靴を与え、ドロシーはそのおかげで最後には家に帰ることができる。

とはいえ、〈師〉が〈英雄〉のためにできることはそこまでだ。最終的に〈英雄〉は、ひとりで未知に立ち向かわなければならない。ときには〈師〉が〈英雄〉に厳しい仕打ちをして、冒険に追い立てなければいけないこともある。

5　最初の戸口の通過

〈英雄〉はようやく冒険に出る気になり、**〈最初の戸口の通過〉**を果たし、初めて物語の〈特別な世界〉へと入っていく。問題や〈冒険への誘い〉で与えられた挑戦に取り組み、その結果に向き合うことに同意する。この瞬間、物語は離陸し、実際に冒険が始まる。気球が上がり、船が出航し、ロマンスが始まり、飛行機や宇宙船が飛び立ち、幌馬車隊が動きだす。

映画は、①主人公による行動の決意、②実際の行動、③行動の結果、という三部構成で作られることが多い。〈最初の戸口〉は、第一幕と第二幕のあいだの転換点となる。主人公は恐れを乗り越え、問題に向き合う決意をし、行動を起こす。いまや〈英雄〉は旅に専心し、二度と引き返すことはない。

ドロシーが〝黄色いレンガ道〟を歩きだすのもここからだ。『ビバリーヒルズ・コップ』の主人公のアクセル・フォーリーは、上司の命令を無視して、デトロイトのストリートの〈日常世界〉を去り、殺された友人の捜査をしにビバリーヒルズの〈特別な世界〉へ向かう。

6　試練、仲間、敵

一度〈最初の戸口〉を越えた〈英雄〉は、当然ながら新しい挑戦や〈試練〉に出会い、〈仲間〉や〈敵〉を作り、そして〈特別な世界〉のルールを学び始める。

こうした取引には、酒場やみすぼらしいバーが似つかわしい。主人公が酒場に行き、勇敢さや覚悟を試されたり、友人や悪党と出会ったりする西部劇は無数にある。主人公が情報を得たり、〈特別な世界〉の決まりごとを学んだりするにも、バーは実に便利な場所だ。

『カサブランカ』の〝リックの店〟は策略の巣窟で、ここで協力関係や敵対関係が生まれ、主人公の道義がたえず試される。『スター・ウォーズ』の酒場は、ハン・ソロとの協力関係が結ばれ、ジャバ・ザ・ハットとの重要な敵対関係が生まれる場所で、二作あとの『エピソード6／ジェダイの帰還』ではこれが意味を持つ。奇妙なエイリアンたちが群がる、超現実的で暴力的で浮かれた酒場の空気のなかで、ルークはたったいま自分が足を踏み入れた、エキサイティングで危ない〈特別な世界〉の味を知ることになる。

こうした場面では、主人公やその仲間たちが圧力下でどう反応するかが見られ、登場人物の成長を表現することもできる。『スター・ウォーズ』の酒場では、ルークは緊迫した状況に対処するハン・ソロのやりかたを目にし、オビ＝ワンが強大な力を持つ凄腕の戦士であることを知る。

『愛と青春の旅だち』の同じステージでも似た場面があり、主人公はそこで仲間や敵を作り、〝恋の相手〟に出会う。主人公の性質のさまざまな面――攻撃性、敵愾心、喧嘩の強さ、女性への態度――が、こうした場面で圧力を受けて明らかになり、そのひとつが実際にバーで披露される。

もちろん、〈試練、仲間、敵〉に出会う場所は酒場だけではない。『オズの魔法使』の出会いの場は道ばただ。ドロシーは〝黄色のレンガ道〟で、かかし、ブリキ男、ライオンと仲間になり、果樹園でぶつぶつしゃべる木などの敵を作る。ドロシーは、かかしをさおからはずしたり、ブリキ男に油をさしたり、臆病なライオンが恐れを乗り越える手助けをしたりして、いくつもの〈試練〉を乗りきっていく。

『スター・ウォーズ』では、酒場の場面のあとも〈試練〉は続く。オビ＝ワンはフォースについて教えるため、ルークに目かくしをして戦わせる。序盤に登場する帝国軍の兵士とのライトセーバーの戦いも、ルークはうまく乗り越える。

7　最も危険な場所〈最深部の洞穴〉への接近

〈英雄〉はついに危険な場所のそばまでやってくる。ときには地下の奥深くということもあり、探しているものが隠されていたりする。そこは最大の敵の本拠地でもあることが多く、〈特別な世界〉のいちばん危険な場所、**〈最深部の洞穴〉**である。〈英雄〉は、その恐ろしげな場所に入っていくことで、第二の重要な戸口を越える。その前に門口で立ち止まり、準備や計画を整えたり、敵の門番を出しぬいたりすることもある。これが**〈接近〉**のステージである。

神話のなかの〈最深部の洞穴〉は、荒廃した土地を象徴している場合もある。〈英雄〉が地獄へおりていき、愛する者を救ったり（オルフェウス）、洞穴に踏み込んでドラゴンと戦い、宝を勝ち取ったり（北欧神話のシグルズ）、迷宮に入って怪物と対決することもある（テセウスとミノタウロス）。

アーサー王伝説における〈最深部の洞穴〉は、聖杯が隠された危険な部屋のある、〝危難の礼拝堂〟だ。

『スター・ウォーズ』を現代の神話と見るなら、〈最深部の洞穴への接近〉はルーク・スカイウォーカーと仲間たちがデス・スターに吸い込まれたときで、彼らはそこでダース・ベイダーと対決し、レイア姫を救う。『オズの魔法使』では、ドロシーは悪い魔女の不気味な城にさらわれ、ドロシーを救おうと城に忍び込んだ仲間たちもつかまってしまう。『インディ・ジョーンズ／魔宮の伝説』の場合、〈最深部の洞穴〉がどこなのかはタイトルを見れば明らかだ。

〈接近〉のステージには、〈最深部の洞穴〉に突入し、死、もしくは究極の危険に直面するための、すべての準備段階も含まれる。

8　最大の苦難

〈英雄〉が最大の恐怖と直接的に向き合っているとき、最悪の不運が訪れる。〈英雄〉は死の可能性に直面し、敵対勢力との戦いに追い込まれる。**〈最大の苦難〉**は、観客にとっては〝暗黒の瞬間〟であり、〈英雄〉の生死もわからないまま、サスペンスと緊迫感を味わうことになる。〈英雄〉は旧約聖書のヨナのように〝怪物の腹のなか〟だ。

『スター・ウォーズ』では、ルークとレイアと仲間たちが、デス・スターの内部で巨大なゴミ圧縮機にとらわれるという痛ましい場面がやってくる。ルークは下水に住む怪物の触手に引きずりおろされて長いこと押さえつけられ、観客はルークが死んでしまったのではとハラハラしはじめる。『E．T．』でも、愛すべきエイリアンE．T．が、手術台の上で死んでいるように見える場面がしばらく続く。『オズの魔法使』のドロシーは、仲間たちとともに悪い魔女につかまり、逃げだす方法も見つからない。『ビバリーヒルズ・コップ』では、アクセル・フォーリーが悪党の手中に落ち、銃口を頭に突きつけられる。

『愛と青春の旅だち』のザック・メイヨの〈最大の苦難〉は、ザックを学校から追いだそうとする海軍の訓練教官が全力で浴びせてくる、責め苦や侮辱に耐えることだ。これは精神的な生か死かの瞬間であり、屈したら士官になるチャンスは消える。ザックは退学を拒むことで〈最大の苦難〉を生きのび、そしてこの〈苦難〉がザックを変える。訓練教官、すなわち狡猾な〈老賢者〉は、ザックに他人への依存心があることを認めさせ、その瞬間からザックは、自己中心的な人間から協調性のある人間に変わっていく。

ロマンティック・コメディで主人公が直面する死とは、一時的な関係の「死」であり、昔ながらのプロットである「少年は少女に出会い、少年は少女を失い、少年は少女を獲得する」の二番目がこれに当たる。主人公が愛情の対象とつながりを持つことが、いちばん望み薄に見えるときだ。

〈最大の苦難〉では、〈英雄〉が死ぬ、もしくは死んだように見える状況になり、そしてそこからもう一度生を受ける必要がある。英雄伝説の持つ魔力の源は、まさにここにあると言ってもいい。ここまでのステージの体験が観客を導き、観客は主人公の運命を知らされることになる。主人公に起きたことは観客に起きたことに等しい。観客も、主人公とともに生死の境目を体験することになる。観客は一時的につらい思いを味わうが、主人公が死から帰還すれば観客の感情も生き返る。主人公の再生により、観客も高揚感や興奮を感じることができる。

アミューズメントパークの乗り物の設計者は、この原理の生かしかたをよく知っている。ジェットコースターは乗客に、いまにも死にそうな思いをさせる。死の間際まで行きながら、そこから生還するのは大きなスリルだ。死を目の当たりにしたときほど、生きているという気持ちを強く感じるものだ。

友愛会や秘密結社のような集団に仲間入りするための通過儀礼や入会儀式《イニシエーション》においても、これは重要な要素となる。新規の入会者は、なんらかの恐ろしい体験のなかで死の感覚を味わい、その後グループの新しいメンバーとして生き返ることで再生を体験する。どんな物語の主人公も、生や死の謎について手ほどきを受ける、新規の入会者なのだ。

生か死かの瞬間はどんな物語にも必要で、主人公、もしくは主人公のゴールは、そのなかで死の危険にさらされることになる。

9　報酬〈剣を手に入れる〉

死から逃れ、ドラゴンを倒したり、ミノタウロスを殺すことができれば、〈英雄〉も観客も大喜びとなる。〈英雄〉は探していた宝、すなわち〈報酬〉を手に入れる。魔法の剣などの特別な武器、聖杯のような記念の品、あるいは荒れた土地を癒やすための万能薬ということもある。

「武器」が知識や体験を意味することもある。物事への深い理解や、敵対勢力との和解を助けてくれる「武器」だ。

『スター・ウォーズ』では、ルークはレイア姫を救出し、デス・スターのたくらみを知り、ダース・ベイダーを倒す鍵を手に入れる。

『オズの魔法使』のドロシーは、家に帰るための鍵となる悪い魔女のほうきとルビーの靴を手に入れ、魔女の城を逃げだす。

このステージで、主人公が対立していた親と和解することもある。『ジェダイの帰還』では、ルークは自分の父親であり、本当はそこまで悪党ではなかったダース・ベイダーと和解する。

ロマンティック・コメディでは、異性との和解にいたることもある。主人公が勝ち取ったり救いだしたりする宝は、愛する人そのものである物語も多く、このステージで勝利を祝うラブシーンが登場したりする。

主人公の視点から見た異性は、**〈変身する者《シェイプシフター》〉**、つまり変化するアーキタイプに見える。異性は外観や年齢をたえず変化させるように見えるが、これはつまり、主人公から見たもう一方の性が、たえず変化しては混乱を招く面を持っているということだ。吸血鬼や狼男など、変身する生き物の物語は、男と女がおたがいのなかに見る変化の性質を象徴している。

主人公は〈最大の苦難〉により異性をもっと理解できるようになり、外面の変化以上のものを見ぬく力を得る。これが和解につながる。

また、〈最大の苦難〉を生きのびたことで、主人公はより魅力的な人物になる。共同体の代表として究極の危険を引き受けたことで、〈英雄〉の称号を獲得するのだ。

10　帰路

〈英雄〉はまだ森を出ていない。第三幕への突入はここからで、〈英雄〉は〈最大の苦難〉で闇の勢力と対決した結果に対処することになる。〈英雄〉が、親や神々、敵対勢力と和解できていないなら、彼らは怒り狂って〈英雄〉を追ってくる。ここで最大のチェイスシーンが登場することもあり、〈英雄〉が剣や万能薬や宝を手にしたことに腹を立てて報復にやってくる勢力のせいで、〈英雄〉は**〈帰路〉**に追い込まれる。

かくしてルークとレイアは、怒り狂ったダースベイダーに追われながらデス・スターを逃げる。『E．T．』の〈帰路〉は、抑圧的な政府当局代表者の〝キーズ〟（ピーター・コヨーテ）からエリオットとE．T．が逃げるときの、月明かりのなかを飛んでいく自転車の場面だ。

このステージでは、〈日常世界〉へ戻るという決断がくだされる。〈英雄〉は、いずれは〈特別な世界〉を去らなければならないことに気づくが、危険や誘惑や試練はまだこの先も待っている。

11　復活

古代の狩人や戦士は、自分の手を血で汚したあとは、自分の共同体に戻る前に身を清めなければならなかった。

死の世界へ足を踏み入れた〈英雄〉も、生の〈日常世界〉へ戻る前に生まれ変わり、最後の死の〈苦難〉と〈**復活**〉のなかで身を清めなければならない。

ここで再び生か死かの瀬戸際がやってくることも多い。〈最大の苦難〉における死と再生の再演だ。最後にもう一度やってきた死と闇が、一か八かの攻撃を試み、そしてようやく敗北する。〈英雄〉にとっては、〈最大の苦難〉の教訓を本当に学んだかどうかを試される、最終試験のようなものだ。

〈英雄〉はこの死と再生によって変化し、新たな見識を持った新たな存在に生まれ変わり、普通の生活へと戻ることができる。

『スター・ウォーズ』シリーズは、この要素がたえずくり返される。シリーズのオリジナル三部作〔訳注：エピソード4〜6〕では、最後の戦闘シーンでルークが殺されそうになり、一度は死んだと見えるものの、奇跡的に生きのびる。それぞれの〈苦難〉が、ルークに新たな知識とフォースを支配する力をもたらす。ルークは経験によって新しい存在へと変化する。

『ビバリーヒルズ・コップ』のクライマックス場面では、アクセル・フォーリーは再び悪党の手に落ちて死に直面するが、ビバリーヒルズの警察の介入により助けだされる。アクセルは、協力関係を尊重するという体験を経て、より完成された人間となる。

『愛と青春の旅だち』の最後の〈苦難〉はもう少し複雑で、主人公はさまざまな形の死に直面する。別の士官候補生が障害を乗り越えるのを助けるため、ザックが訓練競技の勝利をあきらめたとき、彼の自己中心的な部分は死ぬ。ガールフレンドとの関係もいったん終わるうえ、親友の自殺による打撃からも生きのびなければならない。それでもまだ足りないとばかりに、ザックは訓練教官との最後の生か死かの戦いもやりぬかねばならないが、それを生きのび、雄々しい〝紳士たる士官〟の肩書きを獲得できるまでになる。

12　宝（霊薬）を持っての帰還

〈英雄〉は〈日常世界〉に〈帰還〉するが、〈特別な世界〉から持ち帰った〈宝（霊薬）〉、教訓などがなければ、旅をした意味はない。〈霊薬〉とは、癒やしの力を持つ魔法の水薬のことだ。荒れた土地を魔法で癒やす聖杯のような宝物、あるいは、いつか共同体で役立てることのできる知識や経験なども含まれる。

ドロシーはカンザスへ戻り、自分が愛されていることに気づき、「おうちがいちばん」だと悟る。E．T．は人間と友情を育んだ体験とともに故郷へ帰る。ルーク・スカイウォーカーは、ダース・ベイダーに（ひとまず）勝利し、平和と秩序を取り戻す。

ザック・メイヨは将校の地位を獲得し、新たな物の見かたを得て訓練基地の〈特別な世界〉をあとにする。輝くような新しい士官の制服（とそれにふさわしい物腰）を身につけたザックは、ガールフレンドの前に現れ、文字どおり彼女をさらっていく。

〈宝〉は冒険の過程で勝ち取るものだが、愛、自由、知恵、あるいは〈特別な世界〉を自分が生きのびたという意識もそこに含まれる。ときには、語ることのできるすばらしい物語を手に、家に戻れたことそのものが〈宝〉だということもある。

〈最深部の洞穴〉での〈最大の苦難〉から何かを持ち帰ることができなければ、〈英雄〉は冒険をくり返す運命にある。このエンディングを使っているコメディはたくさんあり、主人公は愚かさゆえに教訓を学ぶことを拒み、最初からトラブルになるとわかっている同じ愚行に乗りだしていくことになる。

〈ヒーローズ・ジャーニー〉の要約

1 **〈日常世界〉**にいる〈英雄〉が紹介され、
2 そこで〈英雄〉は**〈冒険への誘い〉**を受ける。
3 〈英雄〉は最初は冒険に**〈乗り気でない〉**、もしくは**〈冒険の拒否〉**をおこなうが、
4 **〈師〉**にうながされ、
5 **〈最初の戸口の通過〉**をし、〈特別な世界〉に入っていき、
6 そこで**〈試練、仲間、敵〉**に出会う。
7 〈英雄〉は第二の戸口を越え、**〈最も危険な場所へ接近〉**する。
8 そこで〈英雄〉は**〈最大の苦難〉**を乗り越える。
9 〈英雄〉は**〈報酬〉**を獲得し、
10 〈日常世界〉への**〈帰路〉**につく。
11 さらに第三の戸口を越え、**〈復活〉**を体験し、その体験によって変化する。
12 〈日常世界〉に役立つ恩恵、すなわち**〈宝を持って帰還〉**する。

〈ヒーローズ・ジャーニー〉は骨格となる枠組であり、個々の物語の詳細や驚きのエピソードをそこに肉づけしていくべきものだ。構造自体が注目を集めるべきものでもなく、正確に従うべきものでもない。ここに示したステージの順序は、たくさんある可能なバリエーションのうちのひとつにすぎない。削ったり追加したりすること

も可能で、ステージの持つ力を維持したまま、思いきってシャッフルしてみてもかまわない。

重要なのは、〈ヒーローズ・ジャーニー〉に登場する価値観だ。基本バージョンのイメージ――年老いた魔術師の魔法の剣を探す若い英雄、命を賭けて愛する者を救おうとする乙女、深い洞穴に住む邪悪なドラゴンを討伐すべく馬を駆る騎士など――は、普遍的な人生経験の単なる象徴にすぎない。こうした象徴は、創作中の物語や社会のニーズに合わせて無限に変化させることができる。

〈ヒーローズ・ジャーニー〉は、〈英雄〉の物語に登場する象徴的な人物や小道具を現代的なものに置き換えていくことで、たやすく現代のドラマやコメディ、ロマンスやアクション活劇に移し替えていくことができる。老賢者を実際のシャーマンや魔術師にしてもいいが、なんらかの〈師〉や先生、医者やセラピスト、「気むずかしいが親切な」上司、厳しいが公平な曹長、親、祖父母、そのほか導き助けてくれる人物にしてかまわない。

現代の〈英雄〉は、神話の怪物と戦うために洞穴や迷宮に入ったりはせず、宇宙や海の底、近代的な都市の奥深く、あるいは自分自身の心のなかの〈特別な世界〉や〈最深部の洞穴〉に入っていくことになる。

神話のパターンは、単純なコミックのストーリーにも、洗練されたドラマにも使うことができる。〈ヒーローズ・ジャーニー〉は、その枠組内で新しい実験を試みるうちに、育ち、成熟していく。アーキタイプの伝統的な性別や相対的な年代を変えるだけでも興味深いものになるし、そのなかでより複雑な解釈の糸を張りめぐらせることもできる。基本的な人物像を組み合わせたり、逆にいくつかの登場人物に振り分けたりして、ひとつのアイデアの異なる側面を示すこともできる。

〈ヒーローズ・ジャーニー〉は、非常に柔軟だ。それが持つ魔法を犠牲にすることなく、無限に変化させることができ、いつまでも生き残っていくものなのだ。

さて、地図を見終わったところで、今度はストーリーテリング界の住人、**アーキタイプ**を見ていくことにしよう。

アーキタイプ

アーキタイプ

「呼ぼうが呼ぶまいが、神はやってくる」

——カール・ユングの家の玄関に刻まれたモットー

おとぎ話や神話の世界に足を踏み入れてすぐに気づくのは、登場人物のタイプや関係が何度もくり返されるということだ。冒険する英雄、英雄を冒険に誘う使者、英雄に魔法の贈り物を与える老賢者、英雄の道をふさぐ戸口の番人、変身の技能を持ち英雄を混乱させ惑わせる旅仲間、英雄を倒そうとする影をまとった悪党、現状をくつがえしたり息抜きを提供するトリックスター。こうした共通の登場人物のタイプ、その象徴、関係を説明するうえで、スイスの心理学者カール・G・ユングは、人類共有の遺産である古くからのパーソナリティのパターンを意味する、「アーキタイプ」という言葉を使っている。

ユングは、「集合的無意識」と呼ばれる、「個人的無意識」と似たものの存在を主張している。おとぎ話や神話は、あらゆる文化圏で見られる夢のようなもので、集合的無意識から生まれてくる。個人レベルでも集合レベルでも、同じ登場人物のタイプがそこから生じてくる。このアーキタイプは、どんな時代のどんな文化においても一定で、全世界の神話的な空想ばかりか、夢や個人のパーソナリティにおいても同様だ。こうした力を理解することは、現代のストーリーテラーが知っておくべき秘訣のなかでも、何よりも強力な要素のひとつである。

アーキタイプという概念は、物語における登場人物の目的や機能を理解するうえで、必要不可欠なツールだ。ひとりの登場人物のアーキタイプ機能を把握できれば、その登場人物が物語のなかで果たすべき役割を決める助けとなる。アーキタイプはストーリーテリングの普遍的な言語の一部をなし、そのエネルギーを使いこなすことは、ライターにとっては呼吸と同じぐらい不可欠なことなのである。

ジョーゼフ・キャンベルはアーキタイプのことを、生物学的な、全人類の神経系統に組み込まれた身体器官の表現ととらえている。これらのパターンの普遍性が、ストーリーテリングの共有体験を可能にする。ストーリーテラーは、登場人物とアーキタイプの力が共鳴するような関係性を本能的に選び、誰にでも認識できる劇的な体験を生みだす。アーキタイプを意識すれば、創作技巧をさらに拡大していくことができるのである。

機能としてのアーキタイプ

こうした発想と取り組み始めたころの私は、アーキタイプとは、ひとりの登場人物が物語全体で独占的に演じる、固定の役割のことだと思っていた。ある登場人物を〈師〉と決めたら、その人物はずっと〈師〉で、〈師〉のままでしかいられないと考えていた。しかし、ディズニー・アニメーションのストーリー・コンサルタントとしておとぎ話のモチーフに触れるうち、私はアーキタイプの別の役割に気づいた――登場人物の固定の役割としてだけではなく、複数の登場人物が一時的にその機能を果たすことでも、物語のなかで一定の効果を生みだせることがわかったのだ。これは、ロシアの昔話の専門家、ウラジーミル・プロップの研究からヒントを得たもので、プロップは著書『昔話の形態学』で、たくさんのロシアの物語に見られるモチーフやパターンを分析している。

決まった登場人物のタイプとしてよりも、登場人物の柔軟な機能としてアーキタイプを見ることにより、ストーリーテリングはもっと自由になる。物語の登場人物が、複数のアーキタイプの性質を示すことがあるのもこのためだ。いわばアーキタイプとは、登場人物が物語を進めるため、必要に応じて一時的にかぶる仮面のようなものだ。使者の役目を演じるために登場してきた登場人物が、仮面を替え、〈トリックスター〉や〈師〉や〈影〉になる場合もあるということだ。

主人公のパーソナリティのさまざまな側面

古典的なアーキタイプは、主人公（あるいは書き手）のパーソナリティのさまざまな側面だと考えることもできる。ほかの登場人物は、よかれ悪しかれ、主人公に可能性を提示する。主人公は、物語のなかを進みながら、ときにはほかの登場人物から力や特性を集め、それを自分に統合することもある。ほかの登場人物から学んだり、出会った人々から手に入れたものを自分に融合させ、完成された人間となっていくのだ。

〈英雄〉を起点に広がるアーキタイプ

アーキタイプは、人間のさまざまな性質が人格化された象徴と見なすこともできる。タロット占いの大アルカナカードのように、アーキタイプは人間のパーソナリティの各側面を表している。優れた物語は、人間の物語の全体像、すなわち、この世に生まれ育ち、学び、個の人間となるためにもがき、そして死んでいく人間の普遍的なありようを反映しているものだ。物語は人間の全般的状況のメタファーであり、登場人物は、個人のみならず集団にも理解されやすい、普遍的でアーキタイプ的な性質を具現化している。

役に立つ一般的なアーキタイプ

ストーリーテラーの創作に不可欠なツールとなるアーキタイプがいくつかある。それ抜きに物語を語ることはできない。物語にいちばんよく登場してくる、書き手が理解しておけば必ず役に立つアーキタイプを以下にあげる。

英雄
師（老賢者）
戸口の番人
使者
変身する者
影
仲間
トリックスター

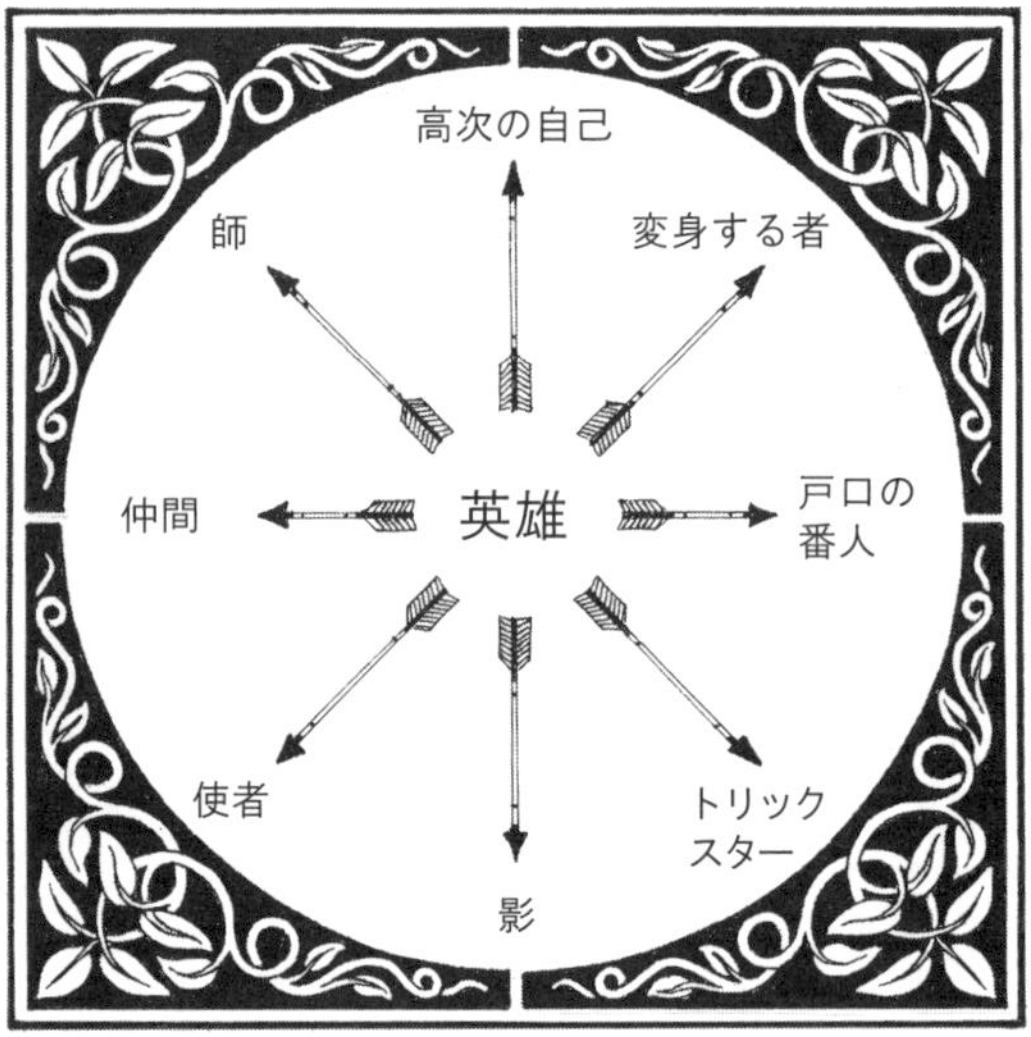

〈英雄〉を起点に広がるアーキタイプ

そのほかにもアーキタイプはたくさんある。物語のなかで表現すべき人間の性質の数だけアーキタイプがあると言ってもいい。おとぎ話にもアーキタイプがたくさん登場する。オオカミ、狩人、善良な母親、悪い継母、親切な妖精や魔法使い、魔女、王子または姫君、欲ばりの宿の主人などは、どれも特化された機能を持っている。ユング等の心理学者たちはたくさんの心理学的アーキタイプを見つけていて、たとえば「プエル・エテルヌス〈永遠の少年〉」は、神話ならいつまでも若いクピド〈キューピッド〉、物語の登場人物ならピーター・パン、人生においては決して成長しようとしない男性がこれに当たる。

現代の物語にも、ジャンルならではの登場人物のタイプがある。たとえば、西部劇には「心の美しい娼婦」や「傲慢な陸軍の中尉」、バディもの映画には「よい警官・悪い警官」のコンビ、戦争映画には「厳しいが公平な軍曹」などがよく登場する。

とはいえ、これらはすべて、次章で説明するアーキタイプの変形や改訂版にすぎない。これから論じていくアーキタイプは最も基本的なパターンで、それ以外はすべて、そこから特定の物語やジャンルの必要に応じて形を整えたものだ。

書き手がアーキタイプの性質を突きとめるうえで、次の二つの問いが役に立つ。①そのアーキタイプはどんな心理的機能やパーソナリティの役割を持っているだろうか？ ②そのアーキタイプが物語において持っている演劇的機能はどのようなものだろうか？

この問いを念頭に置き、〈ヒーローズ・ジャーニー〉によく見られる人物や力のタイプ、8種類の基本アーキタイプを見ていこう。

英雄

1 英雄

「われわれには神から与えられた使命がある」
——映画『ブルース・ブラザーズ』、ダン・エイクロイド、ジョン・ランディス脚本

〈英雄《ヒーロー》〉という言葉はギリシャ語から来たもので、元の意味は「守り奉仕すること」である（偶然だがロサンゼルス市警のモットーもこれだ）。〈英雄〉という概念は、最初から自己犠牲と結びついている。〈英雄〉とは、誰かのために自分を犠牲にする人物で、孤独、不安、危険に耐え、家畜の群れを保護し面倒を見る羊飼いのようなものだ。

心理的機能

心理学的観点からの〈英雄〉のアーキタイプは、フロイトが言うところの「自我」——母親と自分を切り離すパーソナリティの一部——に当たり、ほかの人間と自分を識別するものと考えられている。〈英雄〉とは、最終的には自我の限界や幻想を超越できる者のことだが、最初のうちの〈英雄〉は自我のかたまりで、「私」、「唯一の自分」、自分以外の人々から切り離されていると考えるパーソナル・アイデンティティにとらわれている。〈英雄〉

の旅物語の多くは、家族や種族との別離の物語であり、母親離れする子どもの感覚に似ている。

〈英雄〉のアーキタイプは、アイデンティティや完全性を探求する自我の象徴だ。完成され統合された人間になる過程においては、誰もが内面の番人や怪物や協力者に向き合っていく〈英雄〉である。誰もが自分自身の心を探り、自分の見る夢に出てくる自分のパーソナリティや登場人物の側面として、教師、案内人、悪魔、神、友人、使用人、スケープゴート、主人、誘惑者、裏切り者、仲間などを見いだしていく。英雄が出会うすべての悪党、トリックスター、恋人、友人、敵などはどれも、人が自分の内面で見つけるものでもある。こうした別個の部分を完全でバランスのとれたひとつの存在に統合することが、人間誰もが直面する心理的な課題だ。自分自身のこうした別個の部分すべてから切り離されていると感じる自我、それが〈英雄〉であり、〈英雄〉はそれを統合させて「自己」にしなければならない。

演劇的機能

観客の同一視対象

〈英雄〉の演劇的役割は、観客が物語に入っていくための入口を与えることだ。物語の聴き手も、芝居や映画の観客も、物語の早い段階で、〈英雄〉と自分を**「同一視」**し、〈英雄〉と一体化し、その視点を通して物語の世界を見るよううながされる。そのためストーリーテラーは、さまざまな性質の組み合わさった、普遍性と独自性を兼ねそなえた〈英雄〉を提供しなければならない。

〈英雄〉には、観客が自分と同一視し、自分の内面にもあると認識できる性質がそなわっている。〈英雄〉の行動は、誰もが理解できる普遍的な動因、すなわち、愛され理解されたい、成功したい、生きのびたい、自由になりたい、復讐したい、悪を正したい、自己表現の方法を見つけたいといった欲求により駆り立てられる。

物語が続いているあいだ、観客は自分個人と〈英雄〉との一体化をうながされる。ある意味観客は、しばらくのあいだ〈英雄〉になる。〈英雄〉の精神に自分を投影し、その目を通じて世界を見る。〈英雄〉には、観客がこの人みたいになりたいと思うような、優れた性質が必要だ。キャサリン・ヘップバーンの自信、フレッド・アステアの優雅さ、ケーリー・グラントのウィット、マリリン・モンローのセクシーさ、どれも観客が体験してみたくなるものだ。

〈英雄〉には、普遍的な性質や感情のほか、復讐心、怒り、欲望、競争心、なわばり意識、愛国心、理想主義、冷笑、絶望など、誰もが一度や二度は持ったことのあるような動機が必要だ。その一方で、ステレオタイプな人物や、欠点がなく言動が予想しにくい権力者などよりも、独自性をそなえている必要もある。優れた芸術作品と同じで、〈英雄〉には普遍性と独創性の両方がなければならない。人の形をしているだけの抽象的な性質についての物語など、誰も観たり読んだりしたがらないだろう。求められるのは、本物の人間の物語だ。実在する人物のようにリアルな登場人物とは、ひとつ特徴があればいいわけではなく、さまざまな性質や動機が、ときには矛盾し合いながらも独創的に組み合わさった人物のことだ。矛盾はあればあるほどいい。愛と使命のあいだで葛藤し心引き裂かれる登場人物は、おのずから観客の興味を惹く。相反する動機の興味深い組み合わせ、たとえば信頼と疑い、希望と絶望などを同時に抱えている登場人物は、ひとつの特徴しか持たない登場人物よりも、本物らしく人間味があるように見える。

バランスのとれた〈英雄〉は、潔く、不安定で、魅力的で、忘れっぽく、せっかちで、体は頑健でも心が弱い、といった性質をすべて併せ持つことができる。〈英雄〉を、単なる典型的な人物ではなく、個性的な本物の人間のように見せるためには、いくつかの性質を組み合わせることが重要だ。

成長

物語における〈英雄〉の役目のひとつとして、学ぶ、あるいは成長するということがある。脚本のリーディングをしていると、誰がこの作品の主人公なのか、あるいは誰が主人公になるべきなのかわからないことがある。たいていの場合は、物語の過程で最も学んだ、あるいは成長した人物が主人公だ。〈英雄〉は障害を乗り越えて目標を達成するものだが、同時に新たな知識や知恵も手に入れる。物語の中心をなすのは、〈英雄〉と師、〈英雄〉と恋人、ときには〈英雄〉と悪役のあいだで進行する学びだ。人は誰でも、誰かの教師なのである。

行動

さらにもうひとつの〈英雄〉の役目は、行動したり何かをするということだ。〈英雄〉は通常、物語のなかでいちばんよく動く人物となる。たいていの場合、〈英雄〉の意志や欲求が物語の原動力となる。脚本によく見られる欠陥なのだが、物語の全体にわたりよく動いていた〈英雄〉が、最重要場面で受け身になり、タイミングよくやってきた外部の力に助けられるようではだめだ。こうしたときこそ〈英雄〉は全力で動き、自分の運命をコントロールしなければならない。〈英雄〉は物語を左右する行動をみずからとるべきだし、その行動は最大のリスクや責任がともなうものでなければならない。

犠牲

〈英雄〉は強く勇敢な人物と思われがちだが、こうした性質は二の次で、〈英雄〉の真の特徴は犠牲である。犠牲とは、〈英雄〉が理想もしくは集団のために、価値のあるもの、ときには自分の命までも投げだそうとする意志のことだ。

犠牲《サクリファイス》の元来の意味は「神聖化する」ということだ。古代の人々は、霊的な世界、神々、自然などに恩義があることを認め、ときには人間を犠牲にして供物とし、そうした強大な力をなだめ、日常生活のプロセスを聖なるものにしようとした。死さえも清められた聖なるおこないとされたのだ。

死に対処する

どんな物語でも重要な部分となるのが、死との対峙だ。〈英雄〉が実際の死に直面しないとしても、死もしくは象徴的な死の脅威は、一か八かの駆け引き、恋愛、冒険という形をとって現れ、〈英雄〉はそれに成功する（生きのびる）か失敗する（死ぬ）かのどちらかとなる。

〈英雄〉たちは、死にどう対処すべきかを見せてくれる。生きのびて、死はそれほど手強くないと教えてくれることもある。死んで（もしくは象徴的な死を迎えて）よみがえり、死は打ち勝つことができるものだと示してくれることもある。信念、理想、集団のためにみずから命を犠牲にして〈英雄〉的な死を迎え、それによって死を乗り越えることもある。

物語における真の英雄的行為は、〈英雄〉が危機や喪失や死を招くような冒険を求めて危険を冒し、賭けの祭壇におのれを捧げることによって示される。母国に求められれば命を差しだすことになるとわかっていて入隊する兵士のように、〈英雄〉は犠牲を払う可能性を受け入れている。

物語の過程で、〈英雄〉が愛する人や友人を失うという犠牲を払うこともある。人生の新しい道に進む代償として、ひそかな悪習慣や奇癖を捨てなければならないこともある。〈特別な世界〉で勝ち取ったり分け前として得た何かを、返上したり分け与えることもある。自分の種族や村など、物語の出発点に戻り、なんらかの恩恵、宝、食べ物、あるいは集団のほかの人々と共有できる知識をもたらすこともある。マーティン・ルーサー・キングやガンジーのような偉大な文化的〈英雄〉は、理想を追い求めるために自分の命を差しだす結果となった。

ほかのアーキタイプの英雄的行為

主役、すなわち悪者と勇敢に闘って勝つ主人公から、〈英雄〉のアーキタイプが表出してこない場合もある。ほかの登場人物に英雄的なふるまいをさせ、〈英雄〉のアーキタイプをその人物から表出させることがある。映画『ガンガ・ディン』では、タイトルになっている登場人物はトリックスターもしくは道化師として登場してくるが、〈英雄〉的に闘い、決定的な場面で友人たちのために自分を犠牲にし、〈英雄〉と呼ばれる権利を獲得する。『スター・ウォーズ』のオビ＝ワン・ケノービは、物語の大半にわたり、明らかな〈師〉のアーキタイプを演じる。しかし最後は、一時的に〈英雄〉の仮面をかぶり、英雄的に**ふるまい**、自分を犠牲にしてルークをデス・スターから逃がす。

悪役や敵対する登場人物に意外な英雄的な性質を持たせるのも、非常に効果的な手法となる。シットコムの例だと、テレビシリーズ『タクシー』で、ダニー・デビート演じるさもしいタクシー配車係が、急に優しいところを見せたり高潔なおこないをしてみせるエピソードがあり、この作品はエミー賞を受賞した。勇敢な悪党や、ときには英雄的でときには卑劣漢といった人物は、とても魅力的に映るものだ。アーキタイプとは完成されたパーソナリティを構成する各部分を表現したものなので、理想を言うなら、バランスのとれた登場人物は、すべてのアーキタイプを少しずつ表出することが望ましい。

登場人物の欠点

興味深い欠点は、登場人物の人間味を深める。胸中の疑念、誤った考え、過去の罪の意識やトラウマ、未来への恐れなどを乗り越えることを求められる〈英雄〉のなかに、観客は自分と似た部分を見いだすことがある。弱さ、不完全さ、奇癖、悪習などは、〈英雄〉、あるいはそれ以外の登場人物にも、現実味や魅力をもたらしてくれる。情緒不安定な登場人物ほど、観客は好意を抱き、自分と同一視するものである。

登場人物は、その欠点ゆえにどこかへ向かうことにもなる——登場人物は、いわゆる「登場人物の弧《キャラクター・アーク》」と呼ばれる一連の歩みを通じて、状態Aから状態Zへと成長していく。欠点とは、不完全、未完成といった領域から登場人物を成長させていくための出発点だ。何かの欠如がその人物の欠点という場合もある。ロマンスのパートナーがいない〈英雄〉が、「自分を埋め合わせる誰か」を探し、自分の人生を完成させようとする物語もある。おとぎ話では、〈英雄〉が家族と別れたり、家族が死んだりする体験が、欠如を象徴することが多い。親が死んだり、兄弟姉妹がさらわれたりするところから始まるおとぎ話はたくさんある。ひとつの家族から何かが差し引かれることで、物語の不安定なエネルギーが動きだし、新しい家族が生まれるか、元の家族が再会してバランスが回復するまでは、物語は止まらずに進む。

現代的な物語において再生する、もしくは完全な形に回復するのは、〈英雄〉のパーソナリティである。この場合の「自分を埋め合わせるもの」とは、愛し信頼する能力といった、重要なパーソナリティ要素だ。〈英雄〉は、忍耐や決断力のなさといった問題に打ち勝たなければならない。観客は〈英雄〉がパーソナリティの問題をつかみ、それを乗り越えていくのを見たがる。『プリティ・ウーマン』に登場する裕福だが冷淡なビジネスマンのエドワードは、人生を愛するビビアンの影響で心あたたかい人間となって、彼女の白馬の王子になれるのだろうか？ビビアンは自尊心を獲得し、娼婦としての生活を抜けだせるのか？『普通の人々』に登場する、罪の意識を抱えたティーンエージャーのコンラッドは、愛や親密さを受け入れる力を取り戻すことができるだろうか?

さまざまな〈英雄〉

〈英雄〉にはさまざまなバリエーションがある。意欲的な〈英雄〉や乗り気でない〈英雄〉、集団志向の〈英雄〉や一匹狼の〈英雄〉、アンチヒーロー的〈英雄〉、悲劇の〈英雄〉、触媒としての〈英雄〉。ほかのアーキタイプもみなそうだが、〈英雄〉とはさまざまな力を表現できる柔軟なコンセプトである。ほかのアーキタイプと組み合わせ、たとえば〈トリックスター〉的な〈英雄〉を生みだすこともできるし、一時的にほかのアーキタイプの仮面をかぶらせ、たとえば〈変身する者〉にしたり、ほかの誰かの〈師〉となったり、ときには〈影〉の〈英雄〉を生みだすこともできる。

通常は前向きな人物として描かれる〈英雄〉だが、ときには暗い、ネガティブな自我の側面を表すこともある。〈英雄〉のアーキタイプは、一般的にはポジティブな行動における人間の精神を象徴するが、弱さや不本意な行動による結果を表すこともある。

意欲的な〈英雄〉、乗り気でない〈英雄〉

〈英雄〉には、①意欲的、行動的、熱血で、冒険に積極的に取り組み、疑いを持たず、つねに勇敢に前進し、みずから動機づけができる〈英雄〉と、②しぶしぶ行動し、つねに疑いとためらいを持ち、受け身で、外部の力の後押しなしに動機を得たり冒険に飛び込んだりすることができない〈英雄〉の二種類がある。どちらも同じようにおもしろい物語は作れるが、ずっと受け身の〈英雄〉は単純な劇作品に向いているかもしれない。通常は、受け身の〈英雄〉がある時点で変化し、必要な動機を得て冒険に没頭するようになるのが望ましい。

アンチヒーロー的な〈英雄〉

アンチヒーローという言葉は、つかみどころがなく、混乱を招くことも多い。簡単に言えば、アンチヒーローとは〈英雄《ヒーロー》〉の反対語ではなく、特殊な〈英雄〉の一種で、社会的な観点から見ればアウトローや悪党に見えるが、それでも観客が共感できる人物のことだ。自分がアウトサイダーだと感じることは、誰にでも一度や二度はあるもので、だから人々は自分を彼らと同一視するのだ。

アンチヒーローにも二つの種類がある。①普通の〈英雄〉と同じようにふるまうものの、映画『三つ数えろ』や『カサブランカ』のハンフリー・ボガートの役柄のように、かなりシニカルだったり、性格に難のある人物。②悲劇的な〈英雄〉の物語の主要人物で、あまり人には好かれず、尊敬も得られない人物。マクベス、アル・カポネ、『愛と憎しみの伝説』のジョーン・クロフォードなどがそれに当たる。

すねに傷持つアンチヒーローは、汚れた鎧をまとった英雄的な騎士であり、社会を拒む、あるいは社会から拒まれている。こうした人物は、最後には勝利をおさめ、観客からも完全な共感を得るものの、社会的にはのけ者として見られる、ロビン・フッドやごろつきの海賊や盗賊、あるいはボガートがよく演じるような〈英雄〉だ。腐敗した社会から身を引いた高潔な元警官や兵士が、私立探偵や密売人、ギャンブラーや傭兵として、法の裏で働いているというケースも多い。人々がこうした登場人物を好むのは、彼らが反逆者であり、誰もが一度やってみたいと思うやりかたで社会を嘲弄してみせるからだ。こうしたアーキタイプを体現したのが、『理由なき反抗』や『エデンの東』のジェームズ・ディーンや、『乱暴者《あばれもの》』に登場する、古い世代への不満を抱えた異なる新世代の男を演じた若きマーロン・ブランドだ。その後は、ミッキー・ローク、マット・ディロン、ショーン・ペンなどの俳優が、この伝統を引き継いできた。

もうひとつのアンチヒーローは、もっと古典的なタイプの悲劇の〈英雄〉だ。欠点のある〈英雄〉で、自分の内なる悪魔に打ち勝てず、悪魔によって引きずり下ろされ破壊される。魅力もあり、立派な性質も持っているのだが、最終的にはその欠点に屈してしまう。悲劇的アンチヒーローのなかには立派とは言えない人物もいるが、それでも観客は、「運が悪ければ自分もああなっていたかもしれない」と思いながら、〈英雄〉の転落を夢中になって見守ってしまう。オイディプスの転落を見守る古代ギリシャ人のように、現代の観客も、『スカーフェイス』のアル・パチーノや、『愛は霧のかなたに』でシガニー・ウィーバーが演じたダイアン・フォッシー、あるいは『ミスター・グッドバーを探して』のダイアン・キートンの破滅を見守りながら、自分の感情を浄化し、同じ落とし穴を避けることを学んでいく。

集団志向の〈英雄〉

もうひとつ、社会に対する志向性をもとにして、〈英雄〉の種別分けをしておきたい。初期のストーリーテラー、すなわち、狩りや食物の収穫をアフリカの平原でおこなっていた原始時代の人間たちがそうだったように、〈英雄〉の多くは集団志向である。彼らは物語の始まる時点では社会の一員であり、故郷から遠く離れた未知の地へと旅立つ。〈英雄〉たちは最初、一族、種族、村、町、家族などの一員として登場する。物語は、集団との離別（第一幕）、集団から離れた荒野でのひとりきりの冒険（第二幕）と続き、そして通常は、集団との再統合（第三幕）で終わる。

集団志向の〈英雄〉はしばしば、第一幕の〈日常世界〉へ戻るか、第二幕の〈特別な世界〉にとどまるかの選択を迫られる。〈特別な世界〉にとどまることを選択する〈英雄〉は、西洋文化においてはまれだが、アジアやインドの古典的な物語ではかなり一般的だ。

一匹狼の〈英雄〉

集団志向の〈英雄〉と対照的なのが、『シェーン』の主人公や、『ドル箱三部作』でクリント・イーストウッドが演じた男、あるいは『捜索者』でジョン・ウェインが演じたイーサン、そしてローン・レンジャーのような、西部劇の一匹狼的な〈英雄〉である。このタイプの〈英雄〉の物語では、〈英雄〉は社会と距離を置いている。彼らの本来の居住地は荒野であり、孤独でいるのが自然の状態だ。こうした〈英雄〉の旅路は、集団への再立ち入り（第一幕）、集団の内部、もしくは集団の日常領域での冒険（第二幕）、そして再びひとりきりの荒野への帰還（第三幕）となる。彼らにとっての第二幕の〈特別な世界〉は種族や村であり、短い訪問をすることはあるものの、いつも居心地の悪い場所だ。『捜索者』のラストシーン、ジョン・ウェインの見事なショットは、こうしたタイプの〈英雄〉の力を総括していると言ってもいい。ウェインの姿が小屋の戸口のドア枠に切り取られ、家族の喜びや満足感から永久に切り離されたアウトサイダーだということが表れている。こうした〈英雄〉が登場するのは西部劇だけではない。劇映画やアクション映画でも、一匹狼の刑事が冒険に誘い込まれたり、世捨て人や引退した人物が社会に呼び戻されたり、疎外感を味わっていた人物が人間関係の世界に再び入っていかざるを得なくなるといった形で、効果的に使われることがある。

集団志向の〈英雄〉と同じように、一匹狼の〈英雄〉も、最初の状況（孤独）に戻るか、それとも第二幕の〈特別な世界〉に残るか、最後に選択を迫られる。最初は一匹狼だった〈英雄〉が、集団とともに残ることを選び、集団志向の〈英雄〉として終わることもある。

触媒としての〈英雄〉

通常、大半の試練に耐えるのは〈英雄〉の役目だが、例外となる〈英雄〉もいる。英雄的なふるまいをする主要人物ではあるものの、ほかの人物に変化をもたらすことが主な機能であるために、自分自身はそれほど変化せず、触媒となる〈英雄〉だ。化学における触媒と同様、自分自身が変化することなく、周囲にのみ変化をもたらす。

たとえば『ビバリーヒルズ・コップ』でエディ・マーフィが演じるアクセル・フォーリーは、その好例である。アクセルのパーソナリティは、物語の初めから完全に固まった特徴的なものだ。アクセルには向かうべき先がないので、「キャラクター・アーク」もそれほどない。物語が進んでも、あまり学びもせず変化もしないが、ビバリーヒルズで警官仲間となるタガートやローズウッドに変化をもたらす。決まりごとに従順な型どおりの警官から、ノリのいい世慣れた警官へと変わっていくのは、アクセルの影響を受けるこの両者のほうだ。実際にはアクセルが主役であり、悪役にとっての最大の敵対者で、台詞も登場場面もいちばん多いのだが、彼は本当の〈英雄〉ではなくむしろ〈師〉であり、いちばん学ぶ若いローズウッド（ジャッジ・ラインホルド）のほうが真の〈英雄〉と考えられなくもない。

触媒としての〈英雄〉は、複数エピソードのテレビドラマや続編のあるシリーズなど、継続する物語のなかで特に効果を発揮する。『ローン・レンジャー』や『スーパーマン』もそうだが、こうした〈英雄〉は内的な変化がほとんどなく、他者を助けたり成長に導いたりするために行動することが多い。もちろん、こうした〈英雄〉にもときどき成長や変化の場面を与え、より新鮮で真実味のある人物に見せるのもいいだろう。

〈英雄〉の道

〈英雄〉とは、変容する魂の象徴、人それぞれの人生の旅路の象徴である。前進の過程、人生と成長の自然な過程が、〈ヒーローズ・ジャーニー〉を形づくっている。〈英雄〉のアーキタイプは、物語の書き手や精神の求道者が探索をおこなうための豊かな場となる。キャロル・S・ピアソンは、著書『英雄の旅 ヒーローズ・ジャーニー――12のアーキタイプを知り、人生と世界を変える』で〈英雄〉をさらにいくつかの使いやすいアーキタイプ（幼子《おさなご》、孤児、殉教者、放浪者、戦士、援助者、探求者、求愛者、破壊者、創造者、統治者、魔術師、賢者、道化）に分け、それぞれの感情の進行を図示している。たくさんの面を持つ〈英雄〉を心理学的に深く理解するうえで、とてもよくできたガイドだ。また、女性の〈英雄〉がたどる特殊な道のりについては、モーリーン・マードックの著書『ヒロインの旅――女性性から読み解く〈本当の自分〉と創造的な生き方』に詳しい。

師／老賢者

2 師／老賢者

「フォースとともにあらんことを！」

――ジョージ・ルーカス『スター・ウォーズ』

夢、神話、物語によく出てくるアーキタイプのひとつに〈師〉があり、通常は〈英雄〉を助けたり鍛えたりするポジティブな人物である。キャンベルはこの役目を担う人物を**〈老賢者〉**と呼んでいる。このアーキタイプは、〈英雄〉に教え、〈英雄〉を守り、贈り物を贈るすべての登場人物の形で表現される。エデンの園でアダムとともにいた神、アーサー王を導くマーリン、シンデレラを助ける魔法使い、新人警官に助言を与えるベテランの巡査部長など、〈英雄〉と〈師〉の関係は、文学や映画のエンターテインメントの豊かな源泉のひとつである。

〈師〉《メンター》という言葉は、ホメロスの『オデュッセイア』から来ている。〈ヒーローズ・ジャーニー〉へと乗りだした若き〈英雄〉のテレマコスを導くのは、メントルという人物だ。メントルの形を借りてテレマコスを助けているのは、実は女神アテナである（〈師〉の役割については本書の第二部第四章で詳述する）。〈師〉はしばしば神の声で話したり、聖なる知恵の霊感を受けたりする。優れた教師や〈師〉は、文字どおり**熱心**だ。「熱意《エンスージアズム》」という言葉の語源はギリシャ語の**「エン・テオス」**で、神に触発された、心に神を持つ、神とともにある、といった意味がある。

心理的機能

人の精神を解剖してみると、〈師〉とは自己、内なる神、パーソナリティのなかでもすべての物事につながっている側面の象徴と言えるだろう。この高次の自己は、人間のなかでもより賢明で高貴な、より神々しい部分だ。ディズニー版『ピノキオ』のジミニー・クリケットのように、自己は人生の道で自分を導く良心として働き、ブルー・フェアリーもゼペットもいないときでも、自分を守り、善悪の区別を知らせてくれる存在だ。

〈師〉とは、夢、おとぎ話、神話、映画脚本、そのどれに登場するものであれ、〈英雄〉の大志を表現する存在である。〈英雄〉が〈英雄の道〉を粘り強く進めば、いずれこうなれるかもしれないという存在が〈師〉である。〈師〉もかつては人生の初期の試練に耐えた〈英雄〉であることが多く、今度はその知識や知恵を贈り物として引き継ごうとしているのだ。

〈師〉のアーキタイプは、親のイメージとも密接に関連している。『シンデレラ』の魔法使いのように助け船を出してくれる人物は、死んだ母親の精霊が守ってくれているのだと解釈することもできる。マーリンも、父を失った若きアーサー王の代理父と言える。実の親がロールモデルとして不適切なために〈師〉を求める〈英雄〉も数多くいる。

演劇的機能

教え

〈英雄〉にとって学ぶことが重要な役目であるのと同様に、〈師〉の重要な役目は、教え、訓練することである。訓練教官、教練指導官、教授、牛追いの引率者、両親、祖父母、無愛想なボクシングのコーチなど、〈英雄〉に物事のコツを教える人々が、このアーキタイプとして登場する。もちろん、教えるという行為は双方向になることもある。何かを教えたことがある人間ならわかることだが、自分が教えるのと同じぐらい、自分も教え子から学ぶものだ。

贈り物

贈り物を授けることも、〈師〉のアーキタイプの重要な役目である。ウラジーミル・プロップがロシアのおとぎ話を分析した『昔話の形態学』では、一時的に〈英雄〉を助け、通常はなんらかの贈り物を授ける、「寄贈者」もしくは提供者がこの役目を負う。贈り物には、魔法の武器、重要な鍵や手がかり、魔法の薬や食べ物、人の命を救うような助言などが含まれる。おとぎ話の寄贈者は、たとえば、親切な小さな少女からタオルとくしをもらい、感謝する魔女の猫といった形をとる。のちにこの少女が魔女から追われたとき、タオルは激しい水流の川となり、くしが森となって、魔女の追跡を阻んでくれる。

こうした贈り物の例は、『民衆の敵』でジェームズ・キャグニーに最初の拳銃をやった小物ギャングのプティー・ノーズから、ルーク・スカイウォーカーに父親のライトセーバーを与えたオビ＝ワン・ケノービまで、映画にもたくさんの事例がある。かつてはドラゴンの住処に入るための鍵などが贈り物だったものだが、最近ではコンピュータのコードだというケースもめずらしくない。

神話学における贈り物

贈り物を与えるという行為は〈師〉の寄贈者としての役目だが、神話においても重要な機能である。〈師〉である神から贈り物を受ける〈英雄〉はたくさんいる。「すべてを与えられた」という意味の名を持つパンドラは、さまざまな贈り物を山ほどもらうが、そのなかにはゼウスが報復のために贈った、パンドラがあけてはならない箱があった。ヘラクレスなどの〈英雄〉も〈師〉からなんらかの贈り物をもらっているが、ギリシャ神話でいちばん贈り物を手に入れた〈英雄〉はペルセウスだろう。

ペルセウス

ギリシャの理想的な英雄像は、数々の怪物を討伐したペルセウスに表現されている。普通に歩けたのが不思議なぐらい、神々から大量にもらった贈り物で重装備した〈英雄〉だ。ヘルメスやアテナなどの〈師〉の助けでペルセウスが獲得したのは、翼のついたサンダル、魔法の剣、かぶると姿を消すことができる兜、魔法の鎌や鏡、見たものを石に変えるメドゥーサの首、首をしまうための魔法の袋などだ。これでも不充分だと言わんばかりに、ペルセウス物語の映画版である『タイタンの戦い』では、空飛ぶ馬ペガサスも手に入れている。

普通の物語ならさすがにやりすぎだろう。だが、〈英雄〉の模範例と言われるペルセウスが、冒険のなかで神々や〈師〉からたくさんの贈り物を提供されるのは当然のことなのだ。

贈り物を手に入れるための努力

プロップによるロシアのおとぎ話分析によれば、寄贈者を担う登場人物は〈英雄〉に魔法の贈り物を与えるが、それは通常、〈英雄〉がなんらかの試験に合格したあとのことだ。つまり、**贈り物や助けは、学んだり、犠牲を払**

ったり、責任を負って初めて得られるもの、というのが一般原則だ。おとぎ話の〈英雄〉は、最初に動物や魔法の生き物に親切にしたり、食べ物を分けてやったり、彼らを危害から守ったりすることで、あとでその助けを得ることができる。

発明家としての〈師〉

〈師〉は科学者や発明家の役目を担うこともあり、その場合は〈師〉の作った装置や設計図や発明品が贈り物となる。古典的な神話に登場する偉大な発明家のひとりに、クレタ島の王のために迷宮《ラビュリントス》やさまざまな驚くべきものを設計したダイダロスがいる。テセウスとミノタウロスの物語に登場する熟練職人のダイダロスは、怪物ミノタウロスの出生に関わり、その怪物の檻として迷宮を設計した。また、〈師〉としてアリアドネに糸玉を与え、テセウスが迷宮から生きて出られるよう手助けもした。

テセウスを助けた罰として自分の迷宮に閉じ込

『赤い河』（ハワード・ホークス監督、1948）より。〈師〉は〈英雄〉の良心としてふるまうことがある。

められたダイダロスは、かの有名な蝋と羽根の翼を作り、息子のイカロスとともに逃げようとした。イカロスの〈師〉として、太陽に近づきすぎないよう息子に助言もしている。迷宮の暗闇で育ったイカロスは、太陽に魅了され、父の助言を無視して太陽に近づき、そのせいで蝋がとけて墜落死した。どんなに優れた助言も、従わなければなんの価値もないということだ。

〈英雄〉の良心

〈英雄〉の良心として特別な役目を演じる〈師〉もいる。『ピノキオ』のジミニー・クリケットや、『赤い河』でウォルター・ブレナンが演じたグルートは、道をはずれた〈英雄〉に大事な道徳律を思いださせようとする。だが、口やかましい良心に〈英雄〉が反発することもある。誰かの〈師〉になりたいと思うなら、コッローディの原作のピノキオが、コオロギを黙らせるために叩きつぶしてしまったことを忘れないほうがいい。天使となって〈英雄〉の肩に乗っても、興味を惹く話題を提供することにかけては、反対側の肩にいる悪魔のほうが一段上だろう。

動機

〈師〉のアーキタイプのもうひとつの重要な役目は、〈英雄〉に動機を与え、恐れを乗り越える手助けをすることだ。ときには贈り物をするだけで、安心や動機を与えることもある。その一方、〈英雄〉が行動を起こして冒険に力を注ぐよう、〈師〉が動機になるものを示したり、物事を手配してやることもある。

ためらいや恐れを感じている〈英雄〉の場合は、背中を押して冒険に向かわせなければならない。〈師〉が〈英雄〉の尻を蹴飛ばし、冒険をスタートさせることもある。

伏線

〈師〉のアーキタイプは、のちに重要になる情報や小道具の伏線を張る役目を負うこともある。ジェームズ・ボンド映画には、ボンドの〈師〉である武器の専門家の〝Q〟がくり返し登場し、退屈そうな007に新しいブリーフケースのからくりを説明するお約束の場面がある。この情報が**「伏線」**であり、観客にも装置のことを知らせつつ、これが救出に使われるクライマックスまでは忘れていてもらうようにする。こうした組み立てをしておけば、物語の始まりと結末を結びつけることができるし、〈師〉から学んだことはなんでもいずれ役に立つということも伝えられる。

性の手ほどき

愛の領域においては、愛情やセックスの謎を手ほどきするのが〈師〉の役目だ。インドでは「シャクティ」と呼ばれる——性的な手ほどき役となり、人をより高い意識へと押し上げるセックスのパワーの体験を手助けするパートナーのことだ。シャクティは神の顕現であり、恋人を聖なる体験へと導く〈師〉だ。

こうしたタイプの〈師〉は、誘惑したり純潔を盗んだりして、厳しい形で〈英雄〉に教えを授ける。〈英雄〉が、愛情、あるいは愛のない小手先のセックスに取り憑かれ、危険な道に入っていくことをうながすのは、〈師〉の影の部分とも言える。学ぶにはいろいろな方法があるということだ。

〈師〉のタイプ

〈英雄〉と同じく、〈師〉にも意欲のある〈師〉と乗り気でない〈師〉がいる。そのつもりもないのに教えを与える〈師〉もいる。反面教師としての〈師〉もいる。無力で致命的な欠点を持つ〈師〉が転落するのを見て、〈英雄〉が落とし穴を回避できる場合もある。〈英雄〉と同じく、〈師〉からも影やネガティブな面が表出することがある。

影のある〈師〉

〈師〉のアーキタイプの力を使い、観客をミスリードする物語がある。スリラー映画では、〈師〉の仮面をおとりにして、〈英雄〉を危険に誘い込んだりする。また、『民衆の敵』や『グッドフェローズ』のようなアンチヒーロー的ギャング映画では、本来の英雄的な価値がすべて逆転し、「アンチメンター」がアンチヒーローを犯罪や破滅への道に導く。

〈師〉のアーキタイプによく起きるもうひとつの力の逆転現象が、特殊なタイプの**〈戸口の番人〉**である〈戸口の番人〉については次章で説明する)。『ロマンシング・ストーン 秘宝の谷』に登場するジョーン・ワイルダーのエージェントは、魔女みたいな毒舌家で、ジョーンのキャリアを導き、男についてもアドバイスを与え、その役割はどう見てもジョーンの〈師〉だ。しかし、ジョーンが戸口を越えて冒険に出ようとすると、エージェントはジョーンを引き止め、危険だと警告し、ジョーンの心に不安を芽生えさせる。真の〈師〉としてジョーンの背を押すのではなく、〈英雄〉の道を阻む障害になる。これは実人生でも心理的に起きることで、成長の次の段階に移るには、最高の教師の力を乗り越え、圧倒していかなければならない。

挫折した〈師〉

〈師〉のなかには、自分でも〈ヒーローズ・ジャーニー〉を続けている人物もいる。自分の使命に対する信念があやうくなっているケースもある。年を重ね、死の戸口に近づいていることを受け入れられない場合もあれば、〈英雄〉の道を踏みはずしてしまっている場合もある。〈英雄〉は〈師〉に冷静さを取り戻してもらう必要があるが、それができるかはかなり疑わしい。『プリティ・リーグ』のトム・ハンクスは、かつては人気のスポーツ選手だったが、怪我で一線を退き、〈師〉の立場にもうまく移行できていない。潔さからはほど遠い人物で、観客は、彼が立ちなおって〈英雄〉を助ける仕事を引き受けるよう応援する。こうした〈師〉は、償いとして自分の道を進むことで、〈ヒーローズ・ジャーニー〉の全ステージをまっとうすることがある。

永続的な〈師〉

〈師〉は、課題を与えたり、物語を動かしたりするのに役立つ。このため、しばしば連続物のキャストに使われる。テレビシリーズ『0011ナポレオン・ソロ』のミスター・ウェイバリー、ボンド映画の〝M〟、『それ行けスマート』のチーフ、『わが家は11人』の祖父母を演じたウィル・ギアとエレン・コービー、『バットマン』のアルフレッド、映画『パトリオット・ゲーム』『レッド・オクトーバーを追え!』でジェームズ・アール・ジョーンズが演じたCIAの高官などは、どれもそうした〈師〉である。

複数の〈師〉

何人かの〈師〉が特定の技能を〈英雄〉に教えることもある。最も鍛えられた〈英雄〉のひとりであるヘラクレスは、格闘技、弓術、乗馬、武器の扱い、拳闘、知恵、美徳、歌、音楽など、さまざまな分野の専門家から教えを受けた。ある〈師〉からは古代の二輪戦車の操縦まで教わった。たいていの人間は、両親、年上のきょうだい、友人、恋人、教師、上司、同僚、セラピスト、ロールモデルなど、たくさんの〈師〉に教えられているものだ。

〈師〉のアーキタイプのさまざまな役目を表現する必要から、複数の〈師〉を登場させることもある。ジェームズ・ボンド映画では、007はつねに自分の拠点に戻り、使命や助言や警告を与えてくれる〈老賢者〉、スパイ組織のリーダーの〝M〟と相談する。ただし、〈英雄〉に贈り物をする〈師〉の役目は、武器や装置の責任者〝Q〟に任されている。ある程度の感情面の助け、アドバイスや重要な情報を与えてくれるのはミス・マネーペニーで、これもまた〈師〉の役目の一面である。

愉快な〈師〉

ロマンティック・コメディには、特殊なタイプの〈師〉が登場する。この役は〈英雄〉の友人や職場の同僚が多く、通常は〈英雄〉と同じ性別だ。この人物が〈英雄〉に恋愛のアドバイスをする。「失恋の痛みを忘れたければ、もっと外に出たほうがいいよ」「夫にやきもちをやかせたければ、浮気しているふりをしたら?」「好きな人の趣味には興味があるふりをしなさいよ」「好きな人に贈り物や花をあげたり、お世辞を言って気を惹くんだ」「もっと積極的にならなくちゃ」——こうしたアドバイスは、ときには〈英雄〉を一時的な災厄に巻き込むこともあるが、最後には丸くおさまる。こうした人物はロマンティック・コメディの特徴で、とりわけ『夜を楽しく』『恋人よ帰れ』などの一九五〇年代のコメディ映画には、セルマ・リッター、トニー・ランドールなどのたくさんの性格俳優が出演し、気がきく皮肉っぽいタイプの〈師〉を演じていた。

シャーマンとしての〈師〉

物語の〈師〉の人物像は、種族の文化において癒やし手や祈祷師の役目を負う、シャーマンのイメージと密接に関連している。〈師〉が〈特別な世界〉を通りぬけようとする〈英雄〉を導くのと同じで、シャーマンは同族の人々の人生を導く。シャーマンは夢や幻のなかで別の世界を旅し、同族を癒やすための物語を持ち帰る。〈英雄〉が別の世界へ冒険する際、指標となるイメージを見つけられるよう手助けすることも、〈師〉の役目のひとつである。

〈師〉のアーキタイプの柔軟性

ほかのアーキタイプと同様、〈師〉や寄贈者は、固定された人物像のタイプというよりは、何人かの異なる登場人物が、物語の過程で一緒に担うことのできる機能であり役目である。ひとつのアーキタイプ——〈英雄〉、〈変身する者〉、〈トリックスター〉、ときには〈悪役〉——を中心に担っている登場人物が、一時的に〈師〉の仮面をかぶり、〈英雄〉に何かを教えたり与えたりすることもある。

ロシアのおとぎ話には、〈影〉の登場人物だがときどき〈師〉の仮面をかぶる、バーバ・ヤガーという魔女が登場する。表向きは恐ろしい人食い魔女で、人間を食い尽くす力を持った森の暗い面を象徴している。だが、森と同じようにこの魔女も、人をなだめ、旅人に贈り物を山と与えることがある。イワン王子がバーバ・ヤガーに親切に愛想よく接すると、王子がワシリーサ姫を救出するのに必要な魔法の宝を与えてくれたりする。

キャンベルは〈師〉のことを〈老賢者〉と呼んでいるものの、ときには〈師〉が賢くない、あるいは老いていない場合がある。若くて経験が浅くても、賢く、年老いた人間に教えることはできる。物語でいちばん愚かな人物から、最も多くを学ばされることもある。ほかのアーキタイプもそうだが、〈師〉という単なる呼び名より、重要なのはその役目だ。登場人物が何を**する**かで、そのときに表出するアーキタイプが決まることも多い。

特定の登場人物がはっきり〈師〉だとはわからない物語もある。白いあごひげの魔法使いみたいななりをして、〈老賢者〉らしく歩きまわる人物などそうは登場しない。にもかかわらず、〈師〉のアーキタイプの力が必要な場面は、どんな物語でもほぼ必ずやってくる。

内なる〈師〉

西部劇やフィルム・ノワールでは、経験豊富で鍛えぬかれた、〈師〉や導き手を必要としない〈英雄〉が出てくることがある。こうした〈英雄〉には、内面化された〈師〉のアーキタイプが存在し、それが自分の内なる行動規範となっている。ガンマンの暗黙のおきて、サム・スペードやフィリップ・マーロウがひそかに心に抱く道義心、そういった観念が彼らの〈師〉だ。倫理観が実体のない〈師〉のアーキタイプとして〈英雄〉の行動を導くこともある。若き日に影響を受けた〈師〉の存在が〈英雄〉の価値基準となっていて、〈師〉本人は物語には登場しないということもめずらしくはない。〈英雄〉が「母／父／祖父／訓練教官は、昔よくこう言っていた……」と思い返しているうちに、問題解決のための重要な知恵が浮かんできたりすることもある。〈師〉のアーキタイプの力が、〈英雄〉を導く書物や小物などの小道具に宿っていることもある。

〈師〉の配置

〈師〉は〈ヒーローズ・ジャーニー〉第一幕に登場することが多いとはいえ、〈師〉を物語のどこに配置するかは現実的な配慮が必要になる。物事をよく知り、未知の国へ行くための地図を持ち、重要な情報を適切なタイミングで〈英雄〉に与えられるような人物は、どの時点で必要とされてもおかしくない。物語の早い段階で登場することもあれば、ずっと脇に控え、第二幕か三幕の本当に決定的な瞬間に登場することもある。〈師〉は〈英雄〉に、動機、インスピレーション、導き、訓練、旅に必要な贈り物を提供する。どんな〈英雄〉も何かに導かれるもので、〈師〉の力をきちんと認識していない物語は不完全なものになる。実際の登場人物として登場するか、内面化された行動規範として表現されるかにかかわらず、〈師〉のアーキタイプは書き手が自由に使える強力なツールなのである。

戸口の番人

3　戸口の番人

「私としては、彼がこの旅をやりとげられるとは決して思わない」
――ホメロス『オデュッセイア』

どんな〈英雄〉も冒険の途中で障害に出会う。新しい世界への門口には強力な番人がいて、そこから入るに値しない者を遠ざけようとする。番人は、〈英雄〉に悪意ある顔を見せるかもしれないが、相手を正しく知れば、負かす、避けて通る、ときには味方につけることができる相手でもある。〈英雄〉（そして書き手）の多くが出会う**〈戸口の番人〉**は、その性質を理解すれば、どう扱うか考えることができる。

〈戸口の番人〉が物語の中心をなす悪役や敵対者になることはあまりない。たいていは、悪役の補佐か取るに足らない悪党、あるいは悪役の拠点を守るために雇われた傭兵などだ。単に〈特別な世界〉の背景の一部にすぎない、中立的な存在の場合もある。まれに、〈英雄〉の意志や技能を試すために旅路に配置された、秘密の支援者だということもある。

悪役と〈戸口の番人〉が象徴的な関係を結んでいることも多い。クマのような強い動物が、自分より小さいキツネなどに、自分の住処の入口でねぐらを作るのを許すことがある。強い臭いと鋭い歯を持つキツネがいると、クマが洞穴で眠っているとき、ほかの動物がそこへさまよい込んだりしなくなる。また、何かが洞穴に踏み込もうとすれば、先にキツネが騒ぐので、クマにとっては早めの警報システムとして役に立つ。これと同じように、物語の悪役も、門番、用心棒、ボディガード、見張り、ガンマン、傭兵などの手下を自分の砦の〈戸口〉に置き、〈英雄〉が近づいてきたら守りに当たらせ、警報を鳴らさせるようにしているのだ。

心理的機能——神経症

〈戸口の番人〉は、悪天候、不運、偏見、抑圧など、誰もが自分の周囲の世界で直面する障害を象徴していると も言える。『ファイブ・イージー・ピーセス』でジャック・ニコルソンの簡単な頼みごとを断る、ウェイトレスのような敵意ある人々なども含まれるだろう。だが、より深い心理学的な水準でとらえると、〈戸口の番人〉とは人々の内なる悪魔であり、神経症、心の傷、悪徳、依存心、自己規制など、人の成長や前進を妨げるものの象徴とも考えられる。人生のなかで大きな変化を起こそうとするときほど、つねにこうした内なる悪魔が目覚めて力を発揮し、引き止めるとまではいかなくとも、変化の試練を受け入れる覚悟があるのかを試そうとするものだ。

演劇的機能——試験

〈戸口の番人〉の主な演劇的機能は、〈英雄〉をテストするということだ。〈英雄〉は〈戸口の番人〉と対峙し、謎を解いたり、試験を受けて合格しなければならない。オイディプスに謎解きを迫るスフィンクスのように、〈戸口の番人〉は旅の途上で〈英雄〉に試練や試験を与える。

このような障害らしきものにどう対処すればいいのか？〈英雄〉にはさまざまな選択肢がある。Uターンして逃げる、正面から相手に攻撃する、悪知恵や計略で切りぬける、賄賂や懐柔策をとる、敵に見える相手と手を組んで**仲間**となるなどだ（〈英雄〉は〈仲間〉と総称されるさまざまなアーキタイプに支援を受ける。〈仲間〉については別章にて説明する）。

〈戸口の番人〉に対処する効果的なやりかたのひとつは、動物に忍び寄るときの猟師のように、相手の「皮をかぶる」ことだ。アメリカ平原部の先住民は、矢が届く距離までバッファローの群れに近づくとき、バッファローの皮を身にまとう。〈英雄〉も、〈戸口の番人〉の精神に共鳴したり、外観をまねたりすることで、戸口を通過しようとする。『オズの魔法使』の第二幕に当たる部分では、ブリキ男とライオンとかかしが、悪い魔法使いの城にさらわれたドロシーを救出しにやってくる。見通しは明るいとは言えない。ドロシーがとらわれている立派な城は、荒っぽそうな兵士の大群に守られ、兵士たちは「オー・イー・オー」とくり返し唱えながら城のまわりを行進している。三人の仲間たちがこの強大な兵力を打ち破るのは、どう見ても不可能だ。

彼らは待ち伏せしていた三人の歩哨の奇襲に遭うが、逆に相手を倒して軍服と武器を奪う。兵士に変装した三人は、兵士の列の最後方につき、行進しながら城に入っていく。文字どおり、敵の皮をかぶることでうまく逆襲したというわけだ。むやみに強い敵を負かそうとするのではなく、一時的に敵に**なる**ことにしたのだ。

〈戸口の番人〉を識別し認知するのは、〈英雄〉にとって重要なことだ。日常生活に明確な変化を加えようとすれば、たいていは抵抗に遭う。周囲の人々は、たとえ好意を持つ相手であれ、その人の変化を見たがらないことが多い。周囲はその人が不安に思っていることにも慣れていて、それを利用する方法を知っている。人の変化は周囲をおびやかす。人の変化に周囲が抵抗するのは、周囲の人々が単に〈戸口の番人〉の役目を演じているだけで、その人が本当に変化する覚悟があるかテストしているのだと認識することが大事だ。

新しい力の兆し

優れた〈英雄〉は、〈戸口の番人〉を危険な敵ではなく役に立つ〈仲間〉ととらえ、新しい力や成功の到来の兆しと認識する方法を身につける。攻撃してくると思われた〈戸口の番人〉が、実は〈英雄〉に大きな恩恵をもたらしてくれることもある。

また〈英雄〉は、抵抗力を強さの源と認識することも学ぶ。ボディビルディングと同じように、抵抗力が大きければ大きいほど強さも増す。〈英雄〉は、〈戸口の番人〉の力に真っ向から攻撃を仕掛けるよりも、それを利用して傷つかずに済ませることを学ぶ。実際、そうすることで〈英雄〉はさらに強くなる。武術では、相手の強さが相手の不利に働くような利用のしかたを教える。理想としては、〈戸口の番人〉を打ち負かすよりも、**統合する**〈文字どおり体内に吸収する〉ことが望ましい。〈英雄〉は、〈番人〉の策略を学び、吸収し、そして先に進む。そんなふうにして完全に進化した〈英雄〉は、最終的には敵に見える相手にも思いやりを持ち、相手を打ち破るよりも超越しようとする。

〈英雄〉は〈戸口の番人〉の信号を読むことを学ばなければならない。ジョーゼフ・キャンベルは『神話の力』のなかで、日本の事例を使ってこの発想を見事に説明している。日本の寺では、恐ろしげな魔神の像が入口を守っていることがある。一見すると、像が片手をあげているさまは、警官が「止まれ！」と言うときの身ぶりと同じに見える。だが、よく見ると、像のもう片方の手は、入口を入るよう招いている。つまりこれは、外観だけ見て意欲を失うような者は〈特別な世界〉には入れないが、表面の印象だけでなく、内なる実体を見ることができる者は喜んで迎える、というメッセージなのだ。

物語における〈戸口の番人〉は、実にさまざまな形をとる。国境警備兵、歩哨、夜警、見張り、ボディガード、山賊《バンディードー》、編集者、ドアマン、用心棒、入学試験官など、〈英雄〉の道を一時的にさえぎり、その能力をテストできる人物なら誰でもその役目を担える。〈戸口の番人〉の力は、登場人物として具現化されずに、〈英雄〉の行く手をはばみテストを受けさせるための小道具、構造的な特色、動物、自然の力などで表現されることもある。〈戸口の番人〉の扱いを学ぶことは、〈ヒーローズ・ジャーニー〉の大きな試練のひとつである。

使者

4 使者

「それを造れば、彼らはやってくる」

――映画『フィールド・オブ・ドリームス』で聞こえてくる声。フィル・アルデン・ロビンソン脚本、原作はW・P・キンセラの小説『シューレス・ジョー』

物語の第一幕では、〈英雄〉に試練をもたらす新しい力がよく登場してくる。これが〈**使者**〉のアーキタイプの力である。中世の騎士道における伝令官と同じで、〈使者〉を担う登場人物は、試練を与え、大きな変化の訪れを告げる。

騎士道における伝令官は、血筋や紋章を記録し、戦いや馬上試合、婚礼などの国家的式典などに参加する人々やその関係性を認識するという、重要な役目を持っていた。現代の儀典官〔訳注：政府などがおこなう公式行事や儀式を、決まりごとに沿って準備・統括する専門官〕のようなものだ。戦争の開始時には、伝令官が対立の理由を朗唱し、それによってモチベーションを上げる役割も演じる。シェイクスピアの『ヘンリー五世』では、フランスが若い英国王にテニスボールを贈り、ヘンリー王などどうでもいいテニスの試合ぐらいの価値しかないと侮辱する場面があり、ここではドーファン（フランス王太子）が伝令官の役割を演じる。こうした〈使者〉の登場が戦争の引き金を引く。ドーファンの伝令官のモンジョイも、アジャンクールの戦いの重要局面で、ヘンリー王と自分の主人のあいだでメッセージを告げる。

物語の冒頭、〈英雄〉は「なんとかやっている」状態であることが多い。さまざまな防御策を講じ、物事に対処しながら、アンバランスな生活をやりくりしている。そこへ、新しい力が一挙に物語に流れ込み、ついにどうにも立ちゆかなくなる。新たな人物、状況、情報により、〈英雄〉のバランスが変動し、すべてがいままでとはちがうものになってしまう。決断をくだし、行動を起こし、争いに直面しなければならない。こうして〈冒険への誘い〉が、〈使者〉のアーキタイプとして現れた人物によって運ばれてくる。

〈使者〉は神話では欠かせないものであり、ギリシャ神話の神ヘルメス（ローマ神話のメルクリウス）はこの役目を忠実に表現している。ヘルメスは神々のメッセンジャー、もしくは〈使者〉としてどこにでも登場し、使い走りをしたり、ゼウスからのメッセージを届けたりする。『オデュッセイア』の冒頭では、アテナに急き立てられたヘルメスが、オデュッセウスの解放を命じるゼウスからのメッセージをニンフのカリュプソに伝える。この〈使者〉ヘルメスの登場で、物語が動きだすのだ。

心理的機能——変化の要求

〈使者〉の心理的機能は、変化の必要性を告知することだ。変化への準備が整ったことを、人の心の奥にある何かが察知すると、メッセンジャーが送られてくる。それは夢のなかの人物や実在の人物かもしれないし、出会った新しいアイデアという形かもしれない。『フィールド・オブ・ドリームス』では、主人公が「それを造れば彼らはやってくる」という謎の声を耳にする。読んだ本や観た映画から〈誘い〉がやってくることもある。だが、人の内なる何かが鐘を鳴らすと、その振動がその人の人生に広がっていき、やがて変化が避けられないものとなっていくのである。

演劇的機能――動機

〈使者〉は〈英雄〉に動機を提供し、試練をもたらし、物語を動きださせる。〈英雄〉（と観客）に、変化と冒険が訪れるという警告を出すのも〈使者〉だ。

動機づけをおこなう〈使者〉の例は、アルフレッド・ヒッチコックの『汚名』に見ることができる。ナチスのスパイを父に持つプレイガールのイングリッド・バーグマンから協力を得るという高尚な目的で、ケーリー・グラントが演じる秘密捜査官が彼女に近づく。グラントは試練とチャンスの両方をバーグマンに与える――グラントの崇高な信念に協力することで、バーグマンは自分の悪評と家族の汚名を晴らすことができるだろうか？（この信念は、実はそれほど崇高なものではなかったことがあとで発覚するが、それはまた別の話だ）。

多くの〈英雄〉と同じように、バーグマンの演じる人物は、変化を恐れ、試練を引き受けることにためらうが、グラントは中世の伝令官のように、彼女に過去を思い起こさせ、行動の動機を与える。グラントが聞かせたバーグマンと父親の口論の録音のなかで、彼女は父親のスパイ活動を認めず、自分の合衆国への忠誠心をきっぱりと断言していた。自分の愛国心の証拠を突きつけられたバーグマンは、〈冒険への誘い〉を承諾する。動機が生まれたのだ。

〈使者〉は、人かもしれないし、力の場合もある。『ハリケーン』や『大地震』のように、嵐の到来や大地の振動が冒険の〈使者〉となることもある。株式市場の暴落や宣戦布告が物語の皮切りとなることも多い。

また、〈使者〉は単に〈英雄〉に新しい力を届ける手段にすぎず、その力がバランスを変えることもある。〈使者〉は電報や電話の場合もある。『真昼の決闘』では、宿敵が刑務所を出て、復讐しに町へやってくることをゲーリー・クーパーに知らせる、電報局の職員が〈使者〉となる。『ロマンシング・ストーン』のジョーン・ワイルダーの〈使者〉は、封書で送られてきた宝の地図と、コロンビアで人質にされている姉からの電話だ。

〈使者〉のタイプ

〈使者〉には、ポジティブ、ネガティブ、ニュートラルと、さまざまなタイプがある。悪役や密偵の〈使者〉が〈英雄〉に対して直接挑んできたり、〈英雄〉をだまして事に関わらせたりすることもある。スリラー映画『アラベスク』では、〈使者〉は悪役の個人秘書で、主人公の貧しい大学教授に魅力的な仕事のオファーをし、危険に陥れようとする。ときには〈使者〉自身が悪役で、〈英雄〉にではなく観客に挑んでくるケースもある。『スター・ウォーズ』のダース・ベイダーの登場シーンは、レイア姫がベイダーにとらえられることで、主人公のルーク・スカイウォーカーが登場する前から、何かがおかしいという感じを観客にもたらす。

〈使者〉が善の力の媒介者となり、〈英雄〉をポジティブな冒険へと誘うこともある。本来は別のアーキタイプの具現化である登場人物が、一時的に〈使者〉の仮面をかぶることもある。〈師〉が〈英雄〉に試練を与える〈使者〉としてふるまうことも多い。また、〈英雄〉の愛する相手や仲間が〈使者〉となったり、〈トリックスター〉や〈戸口の番人〉のような中立的な誰かが〈使者〉になる場合もある。

〈使者〉のアーキタイプは、物語のどの時点でも登場するが、特に多いのは第一幕で、〈英雄〉を冒険に駆りだす手助けをする。内面の呼び声であれ、外的状況の発展であれ、誰かが運んできた変化の知らせであれ、〈使者〉の力はどんな物語にも必要なものだ。

変身する者

5　変身する者

「期待を超えた展開にご期待あれ！」

――映画『シャレード』のキャッチコピー

とらえどころのない**〈変身する者〉**のアーキタイプは、その変化しやすい不安定な性質ゆえに把握が難しい。外観も特徴も、じっくり検証しようとするそばから変化を始める。にもかかわらず、〈変身する者〉のアーキタイプはとても強力で、その動きさえ理解できれば、きっとストーリーテリングや人生の助けとなる。

〈英雄〉はひんぱんに〈変身する者〉と遭遇するが、〈英雄〉の観点からはたえず変化しているように見える。〈英雄〉が想いを寄せる相手やロマンスのパートナーは、しばしば〈変身する者〉の性質を表す。気まぐれで二面性のある、驚くほど変幻自在なパートナーと関わった経験は、誰にでもあるのではないだろうか。『危険な情事』の主人公が立ち向かうのも〈変身する者〉の性質をそなえた女で、情熱的な恋人から非常識で残忍でたちの悪い女へと変化していく。

外観や気分を変化させる〈変身する者〉は、〈英雄〉や観客には本性が見ぬきづらい。〈英雄〉をミスリードしたり、はっきりした答えを与えようとせず、その忠誠心や誠実さにはしばしば疑問符がつく。バディものの喜劇や冒険ものでは、〈英雄〉と同性の仲間や友人が〈変身する者〉を演じることもある。おとぎ話の世界で伝統的な〈変身する者〉を担うのは、魔法使い、魔女、怪物などである。

心理的機能

〈変身する者〉のアーキタイプの重要な心理学的機能は、**アニムス**と**アニマ**の力を表現することだ。アニムスとアニマは、カール・ユングの作った心理学用語である。アニムスとは、女性の無意識のなかにある男性要素であり、女性の夢や空想における男性性のプラスとマイナスのイメージを束ねたものである。これに対しアニマは、男性の無意識にある女性要素のことだ。この理論では、人々は男女双方の性質をワンセットを持っていて、これが生き残りや内面のバランスに必要とされる。

歴史的に見て、男性が持つ女性的な性質と、女性が持つ男性的な性質は、社会に厳しく抑圧されてきた。男性は幼いうちから、男っぽい、自分の非感情的な面だけを表に出すことを学ぶ。女性は自分の男っぽい性質を抑えるよう、社会から教え込まれる。これが感情的な問題や、ときには身体的な問題も引き起こすことがある。いまの男性は、抑圧された女性的な性質――敏感さ、直観力、感情を感じたり表現したりする力――を取り戻しつつある。女性も、社会からは表に出すなと言われてきた内面の男性的エネルギー、すなわち力強さや主張の強さなどを取り戻すべく、成人してからの時間を使うようになってきた。

抑圧されてきた性質は人々の内部で生きのび、夢や空想世界のなかでアニムスやアニマとして表出する。異性の教師、家族の誰か、クラスメート、神、怪物などの形をとって夢に登場し、本人が普段は意識していないが強力な内面の力を表現する手助けをしてくれる。夢や空想の世界でアニマやアニムスと出会うことは、心理学的な成長における重要な一歩と考えられている。

投影

現実においても、アニムスやアニマに直面することがある。理想のパートナーの内面的なイメージとマッチする誰かを、人は自然に探してしまうものだ。似ているところがあると思い込むと、アニマやアニムスと接したいという欲望を、何も知らない相手に**投影**することもよくある。よく理解もできていないパートナーとの関係に、はまり込んでしまうこともある。その人に見えているのはアニマやアニムスでしかなく、心の内にある理想のパートナー像をほかの誰かに投影しているだけなのだ。関係を続けるなかで、パートナーを自分の**投影像**に無理に一致させようとすることも多い。ヒッチコックはこの現象を『めまい』でパワフルに表現した。ジェームズ・ステュアートがキム・ノバクに髪型や服装を変えさせ、理想の女性マデリンのイメージどおりにしようとするが、実はマデリンは、皮肉にも最初から存在しない女性だった。

男性も女性も、異性はたえず変化する謎めいた存在だと自然に考えている。自分の性的特質や心理もよく理解していない人間は多く、異性となればなおさらである。異性経験のなかで、特に理由もなく相手が変化したり、態度、外観、感情が変動するのを見るのはめずらしいことではない。

女性は男性のあいまいさ、優柔不断さ、約束したがらない性質に不平を言う。男性は女性の機嫌の変動、突飛さ、気まぐれさ、予想不能の言動に文句を言う。怒りは紳士を獣に変える。女性は月々の周期で劇的に変化し、月の満ち欠けとともに姿を変える。妊娠中は体形も機嫌も激しく変動する。誰かから「二つの顔を持つ」〈変身する者〉と見なされた経験は、誰にでも多少はあるだろう。

アニムスやアニマは、〈英雄〉を助けるポジティブな存在にも、〈英雄〉を破壊するネガティブな存在にもなる。自分が関わっている相手がポジティブかネガティブかを理解することが、〈英雄〉の課題となる物語もある。

また、〈変身する者〉のアーキタイプは、変化の触媒となったり、変化するための心理的な衝動の象徴になることもある。〈英雄〉は、〈変身する者〉に直面することで異性に対する態度を変化させたり、抑圧された力を〈変身する者〉のアーキタイプにかき乱されることで、その力と折り合うようになったりする。

こうして、隠されていた自分の異性的な面の投影、性的特質や関係性のイメージや考えが、〈変身する者〉のアーキタイプを形作っていくのである。

演劇的機能

〈変身する者〉の演劇的機能は、物語に疑いやサスペンスをもたらすということだ。〈英雄〉が「この人は誠実に接してくれているだろうか?」「裏切ろうとしているのでは?」「本当に愛してくれているのか?」「味方なのか、敵なのか?」と問いかけつづけている場合、普通は〈変身する者〉が物語に存在している。

〈変身する者〉は、よくフィルム・ノワールやスリラーにさまざまな形で登場する。『三つ数えろ』『マルタの鷹』『チャイナタウン』などの映画は、誠実さや動機が疑問視される〈変身する者〉の女性に探偵が直面する物語だ。また、ヒッチコックの『断崖』や『疑惑の影』では、〈変身する者〉の男性を信頼する価値があるかどうか、善良な女性が判断を迫られる。

ひんぱんに見られる〈変身する者〉の人物像として、**ファム・ファタール**、すなわち妖婦や魔性の女と呼ばれるタイプの女性がいる。こうした女性は、エデンの園のイブ、イスラエル王のずる賢い妻イゼベル、サムソンの髪を切って力を奪ったデリラなど、聖書の時代からたくさん登場している。現代の物語においても、警官や探偵を裏切る人殺しの女として描かれることがあり、『氷の微笑』のシャロン・ストーンや『白いドレスの女』のキャスリーン・ターナーはその代表格だ。『ブラック・ウィドー』や『ルームメイト』は、女性の〈英雄〉が恐ろしい〈変身する者〉のファム・ファタールと対峙するという、興味深いバリエーションになっている。

ほかのアーキタイプと同様に、〈変身する者〉も男女どちらの人物でも表現できる。神話、文学、映画には、ファム・ファタールの男性版の**オム・ファタール**も同じぐらいたくさん出てくる。ギリシャ神話においては、ゼウスは偉大な〈変身する者〉で、人間の乙女と戯れるために姿形を変え、結果としてたいてい乙女がひどい目に遭う。映画『ミスター・グッドバーを探して』では、完璧な恋人を探す女性が〈変身する者〉の男性に出会ったせいで命を落とす。『ストレンジャー』では、善良な女性（ロレッタ・ヤング）が、オーソン・ウェルズ演じる非道な隠れナチスの〈変身する者〉と結婚しようとする。

〈変身する者〉には必ずしも「ファタール」、すなわち破滅をもたらす要素がなければならないということでもない。〈英雄〉を殺そうとしたりせず、ただ目をくらませ混乱させるだけの〈変身する者〉もいる。ロマンスにはもともと〈変身〉の要素がある。恋愛に目がくらんだり、たくさんの仮面にじゃまされて相手の本当の顔が見えにくくなるのもめずらしいことではない。『ロマンシング・ストーン』でマイケル・ダグラスが演じる登場人物は、主人公のキャスリーン・ターナーには〈変身する者〉に見え、最後の最後まで相手が誠実かどうか推測をくり返すことになる。

〈変身〉は、外見の変化として出ることもある。女性が着る服やヘアスタイルを変えることで、アイデンティティが変化したことを示し、誠実さを疑わしく見せるという手法は、さまざまな映画で使われている。ちがうアクセントでしゃべったり、立て続けに嘘をついたりといった、ふるまいや言葉の変化を通じて表現されることもある。スリラー映画『アラベスク』では、〈変身する者〉のソフィア・ローレンが、行動をしぶる主人公のグレゴリー・ペックにさまざまな身の上話を聞かせるが、実はそれはすべて嘘だった。男であれ女であれ、変装していたり、相手を混乱させるために嘘をつく〈変身する者〉に、主人公はしばしば対処を迫られる。

『オデュッセイア』に登場する有名な〈変身する者〉といえば、「海の老人」とも呼ばれる海の神プロテウスである。トロイア戦争から帰還した英雄のひとりであるメネラオスは、プロテウスをとらえて情報を得ようとした。プロテウスは、ライオン、ヘビ、ヒョウ、イノシシ、流れる水、木などに姿を変えながら逃げようとした。しかしメネラオスとその部下たちは、プロテウスが本当の姿に戻るまできつく押さえつけ、ついに情報を引きだした。〈英雄〉が〈変身する者〉を忍耐強く扱えば、最後には真実が見えるという教訓である。英語で「変幻自在な」という意味の「プローティアン（protean）」は、このプロテウスの物語から来た言葉だ。

〈変身する者〉の仮面

ほかのアーキタイプと同様に、物語のどんな登場人物でも、〈変身する者〉の役目を演じその仮面をかぶることができる。〈英雄〉がロマンティックな状況でその仮面をかぶることもある。『愛と青春の旅だち』のリチャード・ギアは、デブラ・ウィンガーの気を惹くため、気取ってみせたり、たくさんの嘘をついたりする。一時的に〈変身する者〉を演じてはいるが、物語のなかでは〈英雄〉役である。

〈英雄〉が罠を逃れたり、〈戸口の番人〉のそばをすりぬけたりするために、〈変身する者〉にならなければならないこともある。『天使にラブ・ソングを…』では、ラスベガスのクラブ歌手のウーピー・ゴールドバーグがマフィアの殺人事件を目撃してしまい、殺されないよう身を隠し、カトリックの尼僧のふりをする。

〈悪役〉や〈仲間〉が〈変身する者〉の仮面をかぶり、〈英雄〉を誘惑したり混乱させたりすることもある。『白雪姫』の邪悪な女王は、主人公に毒リンゴを食べさせるため、老婆の姿で現れる。〈師〉や〈トリックスター〉などのアーキタイプは、もともと〈変身〉という特性を持っている。アーサー王の〈師〉であるマーリンは、アーサーの目的を手助けするためによく姿を変える。『オデュッセイア』の女神アテナは、オデュッセウスとその息子を助けるため、さまざまな人間になりかわる。

〈英雄〉役を共有する二人の男性か二人の女性を中心にした物語、いわゆる「バディもの」にも〈変身する者〉がよく登場してくる。二人組のひとりが伝統的な〈英雄〉らしくふるまい、観客がたやすく共感できるようになっている一方で、同性の片割れが〈変身する者〉を担い、誠実さや本性が疑わしく見える人物になるというのはよくあるケースだ。コメディ映画『あきれたあきれた大作戦』は、「正統派」の〈英雄〉のアラン・アーキンが、ピーター・フォーク演じるCIAエージェントの相棒の〈変身〉で大混乱させられる物語だ。

〈変身する者〉はアーキタイプのなかでも最も柔軟性があるもののひとつで、現代的な物語のなかでも変幻自在のさまざまな役目を担う。ロマンスの関係においていちばんよく見られるが、物語の必要に応じて外見や行動を変える人物の描写にも便利に使うことができる。

影

6 影

「凄い怪物は必ずやその姿を現す！」

——映画『フランケンシュタインの幽霊』のキャッチコピー

〈影〉のアーキタイプは、何かの暗い部分や、表に出ていない、知られざる、拒まれた側面の力を表出する。人の内なる世界に抑圧された怪物の住処ということもある。自分の嫌いな点、自分でも認めることのできない暗い秘密という場合もある。拒絶して根絶やしにしようとした性質が、いまだ自分の内面にひそみ、無意識の〈影〉の世界で動いている。一方で、なんらかの理由でひそかに隠したり否認されたりした、ポジティブな性質が〈影〉を生むこともある。

物語における〈影〉のネガティブな顔は、悪役、競争者、敵などの登場人物に投影される。悪役や敵は通常、〈英雄〉の死、破滅、敗北をもくろむ。競争者の場合はそこまでの敵意がないこともある——同じゴールを目指してはいるが、〈英雄〉の戦術には賛同していない〈仲間〉というケースもある。対立関係にある競争者と〈英雄〉は、同じ集団のなかで別方向に荷馬車を引っぱろうとしている馬たちのようなものだが、対立関係にある悪役と〈英雄〉は、正面衝突しようとする列車同士といったところだ。

心理的機能

〈影〉は抑圧された感情の力を表出する。深いトラウマや罪の意識が、無意識の闇に追放されてわだかまったり、隠されたり否定された感情が、人々を破壊したがる怪物へと変わっていくことがある。〈戸口の番人〉が神経症を象徴しているとすれば、〈影〉のアーキタイプは、人の足かせとなるばかりか、人を破滅に追いやろうとする精神病の表象と言える。あるいはただ単純に、悪癖や昔からある恐れとの闘いにおいて、人々がつねに格闘する自分の暗い部分が〈影〉として表出することもある。〈影〉の力自体が生命を持ち、利害や優先順位をそなえた、強い内面の力になりうる。とりわけ、〈影〉を認識せず、向き合わず、明るみに出すこともしないでいると、破壊的な力になることもある。

このため〈影〉は、夢のなかでは怪物、悪鬼、悪魔、悪いエイリアン、バンパイアなど、恐ろしい敵として登場する。また、〈影〉はバンパイアや狼男などの〈変身する者〉を兼ねることもある。

演劇的機能

演劇における〈影〉の役目は、〈英雄〉に挑み、闘いで〈英雄〉の優れた敵となることだ。〈影〉は対立を生みだし、命の危険を感じるような状況に〈英雄〉を追い込んで、〈英雄〉から最大限の力を引きだす。よく言われることだが、強い敵こそが〈英雄〉を試練に立ち向かわせるものなので、物語の質は悪役の質にかかっている。〈影〉のアーキタイプが発する挑発の力は、ひとりの登場人物が表現することもあるが、ほかの登場人物がそれぞれのタイミングで〈影〉の仮面をかぶることもある。〈英雄〉自身が〈影〉の部分を表出することもある。主人公が疑いや罪の意識によって力を失ったり、自己破壊的な行動をとったり、死への願望を口にしたり、成功に夢中になりすぎたり、権力を乱用したり、自己犠牲を忘れて利己的になったりすると、〈影〉が〈英雄〉を支配してしまう。

〈影〉の仮面

〈影〉はほかのアーキタイプと強力に合体することがある。ほかのアーキタイプと同様、どんな登場人物でも〈影〉の**機能**を担い、その**仮面**をかぶることができる。物語で主に〈師〉を演じる人物が、ときどき〈影〉の仮面をかぶったりもする。『愛と青春の旅だち』では、ルイス・ゴセット・ジュニア演じる訓練教官が、〈師〉と〈影〉の両方の仮面をつける。教官はリチャード・ギアの〈師〉であり、厳しい海軍の訓練をやりぬけるよう導く第二の父でもある。だが、物語の最重要部分においては、ゴセット・ジュニアはギアを学校から追いだして破滅させようとする〈影〉となる。教官は若者を極限まで追い込み、必要な能力を持っているか見極めようとし、殺しかねない勢いで全力を出させようとする。

〈影〉との強力な組み合わせになるもうひとつのアーキタイプは、前述した破壊的なタイプの〈変身する者〉である。最初は〈英雄〉の相手役として登場してきた人物が、変化して〈影〉になり、〈英雄〉の破壊に熱中しだすことがある。ファム・ファタールはよく「影のある女《シェイディ・レディ》」とも呼ばれる。また、〈影〉がひとりの人物の男性的な面と女性的な面の闘いや、異性への執着が高じた病的な心理状態の象徴になることもある。このテーマの古典的な物語を生みだしたのが、オーソン・ウェルズの『上海から来た女』で、リタ・ヘイワース演じる女が、ウェルズを惑わせ、姿を変えて彼を陥れようとする。

〈影〉がほかのアーキタイプの仮面をかぶることもできる。映画『羊たちの沈黙』でアンソニー・ホプキンズが演じた〝人食いハンニバル〟は、最初は〈影〉として登場し、人間の性質の暗い側面の投影像となるが、ジョディ・フォスター演じるFBIエージェントを助ける〈師〉の役目も負い、フォスターに情報を提供して、別の異常殺人者をとらえる手助けをする。

誘惑的な〈変身する者〉となった〈影〉が、〈英雄〉を危険に陥れることもある。〈影〉が〈トリックスター〉や〈使者〉の役を演じることもあり、ときには〈英雄〉の性質を表出することもある。悪役が信念のために勇敢に闘ったり心を入れ替えたりすると、〈英雄〉と見なされたり、本当に〈英雄〉になることもあり、『美女と野獣』の野獣はその好例だろう。

人間味のある〈影〉

〈影〉がすべてにおいて不快で悪意に満ちた人である必要はない。むしろ、少しばかりの善良さや賞賛すべき特質をそなえた、人間味のある人物のほうがいい。ディズニーのアニメーションにも、『ピーター・パン』のフック船長、『ファンタジア』の悪魔、『白雪姫』の美しくも邪悪な女王、『眠れる森の美女』の魅惑的な魔女マレフィセント、『101匹わんちゃん』のクルエラ・ド・ビルなど、悪役の魅力ゆえに記憶残る作品は数々ある。彼らは、その勢いのよさ、力強さ、美しさ、優雅さなどがあるからこそ、実に興味深い悪役となっているのである。

また、〈影〉に弱点を持たせると人間味が増すことがある。小説家のグレアム・グリーンは、悪役をリアルな弱い人間として描写するのを得意としている。せっかく悪役を殺す寸前まで来た主人公が、悪役が鼻風邪をひいていたり、幼い娘からの手紙を読んでいたことに気づいてしまったりする。叩きつぶされるべきハエのような存在だった悪役が、急に弱さや感情を持った生身の人間に見えてきてしまう。その人物を殺すかどうかは、思慮のない反射的行動ではなく、真の道徳的な選択にゆだねられることになる。

物語を構築するうえで忘れないでほしいのは、たいていの〈影〉の人物は、自分のことを悪役や敵だとは考えてもいないということだ。〈影〉の人物の視点からすれば、自分は自分の神話における〈英雄〉であり、観客にとっての〈英雄〉こそが悪役なのである。悪役のなかでも危険なのは「正義の人物」で、こうした悪役は、自分の信念への確信が深すぎて、それを達成するためにはなんでもする。目的のためには手段を選ばないと信じる人物には注意が必要だ。あのヒトラーも、心底から自分のおこないが正しいと信じ、それが英雄的行為だとすら考えていたからこそ、目的を達成するために恐ろしい残虐行為を指示できたのだ。

〈影〉は、登場人物や外部の力という形をとることもあれば、〈英雄〉の心の奥底で抑圧された部分という場合もある。『ジキル博士とハイド氏』では、善良な人物が持つパーソナリティの暗い部分の力があざやかに描かれている。

外部からやってくる〈影〉は、〈英雄〉が克服するか破壊しなければならない。内面的な〈影〉の場合は、バンパイアのように心の闇から引きずりだし、意識の光にさらせば力を奪うことができるかもしれない。〈影〉のなかには、修復されてポジティブな力に変わるものもある。映画史上最も印象的な〈影〉の人物に、『スター・ウォーズ』シリーズのダース・ベイダーがいるが、『ジェダイの帰還』ではダース・ベイダーが主人公の父親であることが明かされる。ダース・ベイダーの邪悪さは最後に許され、彼は息子を見守る慈悲深い幽霊のような存在となる。『ターミネーター』では主人公の破壊をもくろむ殺人マシンだったターミネーターも、『ターミネーター2』では主人公を守ろうとする〈師〉になる。

ほかのアーキタイプ同様、〈影〉もネガティブな側面だけではなくポジティブな側面を表現することがある。人の精神にある〈影〉は、抑圧され、無視され、忘れられているのかもしれない。人々が外に出してはならないと思い込んでいる健全で中立的な感情を、〈影〉がかくまっているのかもしれない。健全な怒りや悲しみは、たとえ〈影〉の領域で押さえ込まれても、有害な力となって思わぬ形で襲いかかってきたり、破滅をもたらしたりすることがある。また〈影〉には、表に出ていない愛情、創造性、精神的な能力といった未知の可能性が秘められていることもある。「選ばれない道」、つまり、人がさまざまな局面で別の判断をくだすことで無視してきた人生の可能性が、〈影〉に集められて、意識の光に照らされるまで時機を待っているのかもしれない。

〈影〉のアーキタイプの心理学的概念は、物語における悪役や競争者を理解するために役に立つメタファーである。表出されない、無視されている、〈英雄〉の心の奥に隠された側面を把握するのにも役立つことだろう。

仲間

7 仲間

「静かな家の最初の幕開けから
まだ見えぬ幕引きのときまで
友の笑い声と愛のほかに
身にまとう価値のある勝利なし」

——ヒレア・ベロック『献身の頌歌』

旅路を行く〈英雄〉には、同行する誰か、すなわち道行きをともにしたり、スパーリング・パートナーを務めたり、従うべき良心や息抜きの笑いをくれたりといった、必要な役目をいろいろとこなす**〈仲間〉**が必要になるときがある。使いをしたり、メッセージを運んだり、場所の偵察をしてくれる誰かを持つがいるととても便利だ。〈英雄〉の話し相手となり、人間的な感情を引きだしたり、プロットにおける重要な問いかけを提示する人物としても役に立つ。〈仲間〉はさまざまな日常の仕事をこなすだけでなく、〈英雄〉を人間味のある存在に見せたり、〈英雄〉のパーソナリティに別の面を加えたり、〈英雄〉がもっと心をひらいてバランスを取るようようながすなど、重要な役目を担っている。

原初の物語の時代より、〈英雄〉のそばには、ともに闘ったり、助言や警告をくれたり、ときには〈英雄〉に挑みかかってくる友好的な人物がいた。記録として残っている最古の偉大な物語のひとつに、バビロニアの英雄的な王、ギルガメシュの物語があるが、ギルガメシュは神の手により、森の強力な野人エンキドゥとの絆を結ぶ。エンキドゥは最初はギルガメシュを信用せず反発するが、間もなくギルガメシュの敬意を勝ち取り、〈仲間〉として信頼されるようになる。ヘラクレスには、戦車の御者を務めるイオラオスという有能な〈仲間〉がいた。イオラオスは古代オリンピュア競技祭のチャンピオンでもあり、ヘラクレスが九つの頭を持つウミヘビの怪物ヒュドラを退治する際には、ヘラクレスが棍棒で叩き潰したヒュドラの首が再び生えてこないよう傷口を焼いたという。

複数の〈仲間〉

壮大な旅に出た〈英雄〉は、異なる技能をそなえた、船がいっぱいになるほどの〈仲間〉を結集し、冒険者のチームを作ることがある。オデュッセウスには船乗り仲間がいた。ギリシャ神話の勇者イアソンにはアルゴー船の乗組員アルゴナウタイがいた。イギリス諸島ではアーサー王が、乳兄弟のサー・ケイを筆頭とした〈仲間〉を集め、ちょっとした軍隊にも似た円卓の騎士団を結成した。フランスではシャルルマーニュ（カール大帝）が自分の帝国じゅうから〈仲間〉の騎士を集め、この騎士たちはパラディンとして有名になった。『オズの魔法使』のドロシーは、飼い犬であり〈仲間〉であるトトを筆頭に、複数の〈仲間〉をともなって冒険に出ることになった。

文学における偉大な〈仲間〉

〈英雄〉と〈仲間〉の関係が織り込まれたすばらしい物語はいくつもある。ドン・キホーテと、あまりやる気のない従者のサンチョ・パンサもそうしたコンビで、両者は社会の両極端やかけ離れた世界観を象徴している。シェイクスピアも、リア王の道化や、ハル王子の騒々しい〈仲間〉フォルスタッフなど、主人公をより深く探求するための〈仲間〉をよく活用し、主人公のコミカルな引き立て役にしたり、主人公がさらにおのれの魂を深く見通すようながす役目を負わせたりした。シャーロック・ホームズとドクター・ワトソンも〈仲間〉の物語の好例であり、ホームズの〈仲間〉で物語のナレーターでもあるワトソンの目を通じ、ホームズの驚異的な知性が徐々に読者に解き明かされていく形をとっている。

〈特別な世界〉の紹介

読者をなじみのない世界へと誘うことは〈仲間〉の有益な役目のひとつであり、ドクター・ワトソンはそのことをよく示している。ワトソンのような〈仲間〉は、読者が訊ねたい質問を訊ねることができる。〈英雄〉が口が堅い場合や、観客には未知の話だが〈英雄〉にとっては説明するのも不自然でわざとらしいなじみの物事だという場合、〈仲間〉が必要に応じてすべて説明することができる。〈仲間〉が「観客を兼ねた登場人物」となり、観客のかわりに、物語の〈特別な世界〉を新鮮な目で見る人物を演じてくれることもある。

小説家のパトリック・オブライアンは、ナポレオン戦争時の英国海軍を描いた壮大な海洋小説、『オーブリー＆マチュリン』シリーズでこの仕掛けを活用している。オブライアンの主人公のジャック・オーブリーは、C・S・フォレスター作の海洋小説シリーズの主人公のホレイショ・ホーンブロワーと似通ったところがあるが、オブライアンのシリーズが一線を画しているのは、この勇み肌のオーブリー艦長と強い絆で結ばれた生涯の〈仲間〉、スティーブン・マチュリンがいることである。マチュリンは、軍医にして博物学者、そして英国の諜報員でもあり、何十年も友人と一緒に航海しているのに、海のしきたりにはいまだに疎い。水夫の仲間言葉を理解しようとするマチュリンのぎこちない努力がコメディとして描かれたりすることもあるが、マチュリンがいるからこそ、読者が知りたいと思っている戦争や航海の詳細を、ジャックがいらいらしながらも説明してくれたりするのである。

西部劇の〈仲間〉——相棒

ハリウッドの西部劇映画のシリーズものやテレビシリーズの豊かな伝統においては、〈仲間〉は「相棒《サイドキック》」と呼ばれるが、これは一九世紀前半のスリが使った俗語で、もともとはズボンの脇ポケットのことだ。つまり「サイドキック」とは、脇ポケットぐらい身近にいてほしい誰かのことなのだ。テレビシリーズの西部劇の主人公には、ローン・レンジャーの「誠実なインディアン仲間」であるトントから、テレビシリーズ『ワイルド・ビル・ヒコックの冒険（The Adventures of Wild Bill Hickok）』の「コミカルな相棒」ジングルズまで、必ず〈仲間〉がいる。ジングルズを演じたアンディ・デバインは、『駅馬車』などたくさんの西部劇映画で〈仲間〉の役柄を演じている。シスコ・キッドにはコミカルな引き立て役のパンチョがいるし、怪傑ゾロには口数が少ないが有能な協力者のベルナルドがいる。ウォルター・ブレナンもたくさんの相棒を演じており、特に『赤い河』でのジョン・ウェインの脇役が知られている。ブレナンは、息抜きの笑いを提供したり、主人公の話し相手を務めるといった、便利な〈仲間〉という以上の存在を演じてみせた。また、ジョン・ウェインの演じる男が道徳上のあやまちを犯すたび、ささやきかけてくる良心の役目も演じ、ウェインの息子がわりの男がついにウェインに反旗をひるがえすと大いに喜んだりもした。

〈仲間〉との関係は複雑なものになりがちで、それ自体が演劇的な素材になることもある。独善的な西部の保安官ワイアット・アープと、荒っぽく酒びたりで病気を抱えた危険な〈仲間〉のドク・ホリデーの物語は、膨大な数の小説や映画に取り上げられている。ジョン・スタージェス監督の鮮烈な映画『ＯＫ牧場の決斗』など、この二人をほぼ対等な立場で扱う作品もいくつかあり、両者はクラントン兄弟とのいざこざに片をつけるべく手を組んではいるが、一方では、法を遵守するワイアット・アープに代表される清教徒の厳格な道徳の世界と、伝統的な南部のギャンブラーであるホリデーに代表されるもっと荒々しい反逆児的な側面のはざまで続く、アメリカ文化論争の両翼を担う二人だとも言えるだろう。

人間ではない〈仲間〉

〈仲間〉は必ずしも人間でなくてもいい。世界の宗教のなかには、人間にはそれぞれ精神的な守護者がつき、生涯にわたる相棒や〈仲間〉になってくれると教えているものがある。たとえば天使や守護天使など、その人のためにまわりを見張って正しい道を進むよう気を配る、ちょっとした神性を持った存在だ。古代エジプト人は、羊の頭をした創造神クヌムがろくろに載せた粘土からひとりずつ人間を作り、それと同時に「第二霊《カー》」と呼ばれるまったく同じ形の霊的な保護者を作ると考えていた。カーはそれぞれの人間に生涯寄りそい、その人間の死後も体が保存されているかぎりはそばを離れない。カーの使命はその人を勇気づけ、善良で有益な人生を送らせることである。

ローマ人も、すべての男性には「ゲニウス」、女性には「ユーノー」と呼ばれる守護霊や〈仲間〉のような守り神がついていると信じていた。もともとは一族の高名な先祖の霊だったものが、のちに個人的な守り神となったものとされた。人が自分の誕生日にゲニウスやユーノーに捧げ物をすると、導きや保護、ちょっとした知力などが与えられる。個人のみならず、家族、一家、元老院、都市、属州、そして帝国全土にも、それぞれに超自然的な守護神のような〈仲間〉がついていた。

戯曲、そして映画化もされた『ハーヴェイ』では、空想上の友だち《イマジナリーフレンド》、すなわちある種の精神的な〈仲間〉に依存し、その助けを借りて現実に対処する男が登場する。映画『ボギー!俺も男だ』のなかでウディ・アレンが演じる男は、ハンフリー・ボガートが映画で演じた人物の幻影に恋愛の機微を伝授してもらおうとする。『素晴らしき哉、人生!』は、絶望した男が天使の〈仲間〉に助けられる姿を描いた映画だ。

動物の〈仲間〉

〈仲間〉としての動物は、ストーリーテリングの歴史にわたり見られてきたものだ。特に女神はよく動物の〈仲間〉を連れていて、たとえばアテナはフクロウをそばに置いており、アルテミスの周囲ではシカが駆けている姿がよく見られる。ヨーロッパ民話の道化のティル・オイレンシュピーゲルは、つねにフクロウと鏡という二つのシンボルをともなっている。「オイレンシュピーゲル」という名は「フクロウ鏡」を意味し、ティルがフクロウのように賢く、社会の偽善を鏡に映してみせることを暗示している。アニメーション映画の『ティル・オイレンシュピーゲル(Till Eulenspiegel)』では、フクロウはしぶしぶながらティルの〈仲間〉となる。ロイ・ロジャーズの優雅な馬トリガーや犬のブレットなど、西部劇の主人公も動物の〈仲間〉に支えられることが多い。

死の世界からやってくる〈仲間〉

古い民話には、死者の〈仲間〉も登場する。「グレイトフル・デッド（感謝する死者）」というバンドがあるが、この名前は民話で使われる言葉に由来している。まともな葬式の経費を払って死者を安らかに眠らせようとしてくれた人々などに対し、恩返しとして助けを与える死者をこう呼ぶ。シーラ・ロザリンド・アレンのロマンス小説『お助け幽霊（The Helpful Ghost）』では、古い家に棲みついた幽霊が恋愛沙汰をとりまとめる。

助けとなる下僕

もうひとつの民話の〈仲間〉モチーフとして、ロマンスによく登場する「助けとなる下僕」がある。ラブレターやメッセージを運んだり、変装の道具、人目につかない場所、逃げ道、アリバイなどを用意し、主人公を助ける役目の人物だ。『三銃士』のダルタニアンに仕える辛抱強い従者のプランシェはまさに有能な下僕だし、映画『ミスター・アーサー』でダドリー・ムーアに仕えるジョン・ギールグッドの威厳ある執事も同様の役目を果たす。バットマンの執事のアルフレッドにはさまざまな役割があるが、〈仲間〉の役目と〈師〉の役目がすんなり重なっていることは注目に値する。精神面や感情面で〈英雄〉を導くため、〈仲間〉はときに一段ステップアップすることがある。

心理的機能

夢や架空の物語に登場する〈仲間〉は、普段はパーソナリティのなかで表出しない、もしくは使われていない部分の象徴で、それが自分の仕事をしなければならずに動きだすときに現れる。物語における〈仲間〉は、こうした活用されていない部分や、人の人生の旅路において助けになるかもしれない実際の友人や人間関係のことを考えさせてくれる。〈仲間〉は、精神的な危機のときに手をさしのべてくれる、強力な内面の力の象徴とも言える。

現代の〈仲間〉

現代のストーリーテリングにおいては、〈仲間〉はますます活発な働きをする。フィクションにおける〈仲間〉は、問題解決の道筋の選択肢を提示したり、〈英雄〉が恐れやユーモア、〈英雄〉としては適当とは言えない無知さを表に出しても、そのパーソナリティの仕上げの手助けをしてくれる。ジェームズ・ボンドは忠実な〈仲間〉のミス・マネーペニーを信頼し、ときにはアメリカ人の〈仲間〉でＣＩＡのフェリックス・ライターに助けを求める。若い読者にアピールの領域を広げたいコミックブックの作者は、たとえばバットマンにとってのロビンのように、スーパーヒーローに若い〈仲間〉をつけることが多い。『ライオン・キング』の主人公、若いライオンのシンバには、コミカルな〈仲間〉のティモンとプンバァがいる。機械、動物、異星生物、死者の精霊などがすべて〈仲間〉に使われた『スター・ウォーズ』の世界は、未来図のひとつを人々に提供したとも言える。人間が、宇宙やその他の未知の領域に続く新たな旅路に踏み込むにつれ、コンピュータ知能やロボットが〈仲間〉として当たり前に見られることも増えている。

トリックスター

8　トリックスター

「こいつにも僕にもなんの意味もないのさ」
——ダフィー・ダック

〈トリックスター〉のアーキタイプは、茶目っけや、変化に対する欲求といった力の具現化である。物語で主に道化やコミカルな相棒を演じる登場人物は、どれもこのアーキタイプを表現していると言っていい。〈トリックスター〉の英雄〉と呼ばれる特殊なアーキタイプが主役を演じる神話も多く、民話やおとぎ話においても人気がある。

心理的機能

〈トリックスター〉はいくつか重要な心理的機能を担っている。誰かの大きすぎる自我に身のほどを思い知らせたり、〈英雄〉や観客を現実に引き戻したりする。健全な笑いを引き起こして人々の共通点を認識させたり、愚かさや偽善を指摘したりもする。そして何より〈トリックスター〉の大きな役目は、行き詰まった心理的状況のアンバランスさや不合理さに注目を集めるなどして、健全な変化や転換をもたらすことだ。当然のことながら、〈トリックスター〉の存在は現状維持の敵となる。その力は、茶目っけのあるアクシデントや口をすべらせて出た言葉などで表現され、人々に変化の必要性を警告する。人が深刻になりすぎているとき、パーソナリティの〈トリックスター〉的な部分が不意に現れ、必要な見通しを取り戻してくれることもある。

演劇的機能——コミック・リリーフ

物語における〈トリックスター〉は、前述した心理的機能のほかに、息抜きの笑い、すなわち**コミック・リリーフ**と呼ばれる演劇的役割も提供する。緊張やサスペンスや対立が緩和されずに続けば感情が消耗しかねないし、たとえもともと重苦しいドラマであっても、観客の関心をよみがえらせる笑いの瞬間は欲しい。演劇の古いルールにも、バランスの必要性を指摘したものがある。**〝たくさん泣かせろ、少しだけ笑わせろ〟**。

〈トリックスター〉は、下僕や〈仲間〉として〈英雄〉と〈影〉のどちら側にもつくことがあり、ときには風変わりな計画を持つ独立した人物ということもある。

神話の〈トリックスター〉は、このアーキタイプのさまざまな機能を提示してくれる。最も興味深い例のひとつは、北欧神話に登場する、策略と欺きの神ロキだろう。真の〈トリックスター〉であるロキは、法の相談役や助言者としてほかの神々に仕えているが、神々の破滅をもくろんだり、現状を打ち破ろうとすることがある。根っからの激しさを持ち、機敏で逃げ足の速いロキの力は、硬化し凍りついた神々の力をあたため、動きや変化をもたらす助けとなる。また、全般的に暗い北欧神話に必要な、コミック・リリーフも提供する。

オーディンやトールなどの神が主人公の物語で、ロキがコミカルな相棒を務めることもある。ロキ自身がある種の主人公を演じ、自分より肉体的に強い神や巨人を相手に知恵で生きのびる**〈トリックスターの英雄〉**となることもある。ロキは最終的には強力な敵対者の〈影〉に転じ、神々との最終戦争で死者の軍勢を率いる。

〈トリックスターの英雄〉

〈トリックスターの英雄〉は、ウサギが殖えるような勢いで、世界の民話やおとぎ話に大量に生まれた。最も有名な〈トリックスターの英雄〉たちは、まさにそのウサギだ——米国南部の物語に登場するブレア・ラビット、アフリカの物語の野ウサギ、そして、東南アジア、ペルシャ、インドの物語に出てくるたくさんのウサギの主人公たちがこれに当たる。これらの物語では、無防備だが頭の回転の速いウサギが、もっと体の大きな恐ろしい敵、民話においては〈影〉の存在となるオオカミや狩人、トラやクマなどと闘う。小さなウサギは腹をすかせた敵をなんとか知恵で出しぬき、たいていの敵はこの〈トリックスターの英雄〉に痛い目に遭わされる。

ウサギの〈トリックスター〉の現代版と言えば、やはりバッグス・バニーだろう。ワーナー・ブラザーズのアニメーターたちは、民話のプロットを利用してバッグス・バニーをハンターや肉食獣と闘わせたが、敵はバッグス・バニーの機敏な賢さにまるでかなわない。同様のタイプの〈トリックスター〉が登場するアニメーションとしては、ワーナーのダフィー・ダック、スピーディー・ゴンザレス、ロード・ランナー、トゥイーティー、ウォルター・ランツ・プロダクションのウッディー・ウッドペッカー、チリー・ウィリーなどがある。MGMの神出鬼没の犬ドルーピーは、まぬりなオオカミをいつも頭でやりこめる。ミッキーマウスは動物の〈トリックスター〉の理想形として登場したが、いまではまじめなMCや企業のスポークスマンを務めるまでになっている。

ネイティブ・アメリカンは、コヨーテやカラスのような〈トリックスター〉を特に好んでいるようだ。米南西部で信仰されるカチナと呼ばれる道化の精霊は、すばらしいパワーと人を笑わせる才能を持つ〈トリックスター〉

だ。

ときどきパターンを逆転させ、〈トリックスター〉が知恵で出しぬかれるところを見せるのも楽しい趣向だ。野ウサギのような〈トリックスター〉は、自分より弱くのろまなカメなどの弱みにつけこもうとすることがある。『ウサギとカメ』などの民話やおとぎ話では、のろまな者が足の速い相手をしぶとく追いかけたり、同種の動物と協力するなどして、すばやい敵を打ち負かそうとする。

とにかく厄介事を起こすのが好き、という〈トリックスター〉もいる。ジョーゼフ・キャンベルは、〈トリックスター〉の神エシュが登場するナイジェリアの物語について触れている。半分が赤、もう半分が青い帽子をかぶったエシュが道を歩いている。誰かが「赤い帽子をかぶって歩いているあの人は誰?」と言うと、道の反対側にいる人々が帽子は青だと言い張り、口論が起きる。エシュは、この厄介事を自分の手柄にしてこう言う。「争いを広げるのが私のいちばんの喜びだ」

〈トリックスター〉はしばしば**触媒の登場人物**となり、ほかの誰かの人生に影響を与えるものの、自分自身は変わらないという役目を演じる。『ビバリーヒルズ・コップ』のエディ・マーフィは、自分がさほど変化することなく既存の体制をかき回し、〈トリックスター〉の力を表出している。

チャーリー・チャップリンからマルクス兄弟、そしてテレビシリーズ『イン・リビング・カラー（In Living Color）』のキャストまで、コメディの主人公は誰しも、現状をくつがえして観客が自分自身を笑うように仕向ける〈トリックスター〉である。ほかのジャンル作品の主人公の場合は、〈影〉を出しぬいたり、〈戸口の番人〉を回避するため、〈英雄〉が〈トリックスター〉の仮面をかぶらなければならないことがある。

アーキタイプは、登場人物を表す果てしなく柔軟な言語である。各登場人物が物語のそのときどきで、どんな役目を演じることになるかを知る方法のひとつだ。アーキタイプを意識することで、書き手は登場人物をステレオタイプに陥らせることなく、心理的な多様性や深みを与えることができる。

アーキタイプは、独自性を持った個々の登場人物を創作し、完全な人間を形成する普遍的な性質の象徴を生みだすために活用できる。登場人物や物語に心理的な現実味を与え、古代神話の知恵に合ったものにするうえでも、アーキタイプが助けとなることだろう。

アーキタイプを超えて

登場人物が物語のなかで何をすべきかを知るうえで、アーキタイプは非常に有益な手段だが、現実味があり、思わず夢中になって見てしまうような登場人物を創造するには、当然のことながらほかにもやるべきことがたくさんある。ここからは、バランスのとれたリアルな登場人物を生むために、ほかにも考慮すべきことについて述べていこうと思う。

登場人物に不可欠な要素

登場人物を創造する際、その人物をリアルで印象的なものにするために、あらゆる角度から検討したかどうかの確認として、次のチェックリストを使ってみてほしい。

・動機がある

登場人物は何を求めているのか、何を願っているのか、彼らを突き動かすものは何かを知る必要がある。彼らは何を完成させたいのか、もしくは何を回復させる必要があるのか、より深いところで考えてみよう。

・**共感できる**

登場人物に気の毒に思える点があるか、もしくは彼らの態度や行動に認めるべき点があるだろうか。

・**傷ついている**

登場人物が耐えている古傷があるか、もしくは引きずっている罪の意識や疑いの陰があるだろうか。

・**人格に欠点がある**

なんらかの悪い性質や弱さ、失敗やあやまちを犯しがちな部分を持っているだろうか。そうした点があると、かえってその人物に現実味や人間味が生まれるものだ。

・**同一視できる**

小さな欠点と、その人物の動機となる強い欲求との組み合わせがあると、観客はその人物を自分と**同一視**しやすくなる。人は誰でもあやまちを犯すもので、観客は失敗する主人公に共感する。主人公も自分と同じ人間と思い、主人公が感じていることを観客も感じるようになる。

・**長所がある**

魅力的、おもしろおかしいといった、なんらかの特別な長所を持っているだろうか。

・**独自性がある**

どの登場人物にもさまざまな性質を組み合わせた独自性があるだろうか。似ている人物はいないだろうか。

・**変化が起きる**

物語が生みだす圧力は、登場人物の言動を変化させる。観客はこうした圧力を楽しみ、人物が変化し始める瞬間を見たがるものだ。

・**「キャラクター・アーク」がある**

現実味のある物語の登場人物は、少しずつ変化をとげていく。基本的な性質はあまり変化しないが、考えや行動が少しずつ変わっていくのが望ましい。

・内的・外的な問題がある

どんな登場人物にも、物理的・外面的に解決すべき問題があるはずだ。また、優れたチームプレイヤーになる、誰かを許す、より責任感を持つ、悪い習慣を捨てるなど、内的な課題もなければならない。

・テレビのコメディドラマの場合

テレビのコメディでは、登場人物はあまり変化しない。変化するとしても短期的で、普通はドラマの終わりにもとに戻る。

・大きな意外性がある

観客は**タフな人物**が繊細な面を見せるのを好む。また、**弱い**または**臆病な人物**が勇敢な強い面を見せることも楽しむ。

・初登場場面が印象に残る

登場シーンは印象的なものにする。その人物の基本性質を表現する何かをしているところを見せ、観客にどんな人物かを伝えるようにする。

・その人物らしい選択をする

登場人物がくだす選択は、その人物の性質を明確にする。どんな選択をしたかでその人物の本質を伝えることができる（『ゲーム・オブ・スローンズ』のデナーリス・ターガリエンが、キングズランディングの罪なき民衆たちを皆殺しにするという選択により、彼女の本質があらわになったことを思いだしてほしい）。

・人物描写について

行動、会話、衣装、小道具、ボディ・ランゲージ、背景、その人についてほかの人々がどんなことを言っているかでその人物を表現することはできるが、何より重要なのはその人の言動だ。緊迫した状況やばつの悪い状況ではどんな反応をするだろう？　ほかの人物のことはどう扱っているだろう？

・カタルシスがある

観客は、登場人物が極端な行動に追い込まれるのを観て楽しむ。ときには感情の破綻や打開——泣く、叫ぶ、何かに激しく興奮する——にいたることもある。感情の打開とは、いわゆるカタルシスのことだ。観客も登場人物への共感を通じてカタルシスを経験する。

登場人物に関する問い

登場人物が観客にリアルに見えるためには、まず書き手にもリアルに見えなければならない。想像で登場人物にインタビューしてみるなどの思考実験をおこない、その人物を知るようにしてほしい。登場人物同士でおたがいを紹介させてみてもいい。登場人物がほかの人物をどう思っているか考えてみると、意外な発見が出てくるものだ。

その登場人物が求めているものは何か？　本当に必要とするものは何か？
何に対して笑うのか、もしくは泣くのか？
いちばん恐れていることは何か？
これだけはやらないということは何か？

星に願いをかけるとしたらどんな願いか？

夢を見るとしたらなんの夢か？

これまでに負ったいちばん深い傷は何か？

朝の習慣は何か？　朝寝坊か、早起きか？

寝る前の習慣はあるか？

固執している験担ぎはあるか？

誰をいちばん尊敬しているか？　いちばん嫌っているのは誰か？　信頼しているのは誰か？　ほかの登場人物はその登場人物のことをどう考え、どんな人物と断定しているか？

最大の長所は何か？　最大の短所は？　意外な性質、魅力的な性質はあるか？　登場人物に現実味や実在感があるように見せるには、最低でも三つの性質が必要だ。

ひそかに願っていることは何か？

隠していることは何か？

「アゴン」——その人物がつねに闘うことになるもの——は何か？

第二部

旅のステージ

BOOK TWO: STAGES OF THE JOURNEY

日常世界

ステージ1　日常世界

「始まりは非常に繊細な時間だ」
――映画『デューン／砂の惑星』、デイビッド・リンチ脚本、フランク・ハーバート原作

ジョーゼフ・キャンベルは『千の顔をもつ英雄』で、典型的な〈ヒーローズ・ジャーニー〉の始まりをこう記述している。「英雄は、ありふれた日々の世界から足を踏みだし、超自然的な驚異の領域へと入っていく……」。本章では、この「ありふれた日々の世界」、すなわち**〈日常世界〉**について考察し、これが〈英雄〉をどう形作るのか、現代の物語をどう動きださせるのかを見ていきたい。

神話であれ、おとぎ話であれ、脚本であれ、小説や短編小説であれ、コミックであれ、物語の始まりにはつねに特別な重責がある。読者や観客を惹きつけ、物語の基調を定め、物語がどこへ進んでいくかを示し、たくさんの情報を伝えつつ、物語のペースも落としてはならない。まさに、〝始まりは繊細な時間〟なのである。

始まりの前に

物語がまだ始まってもいないうちから、ストーリーテラーは創作上の選択に直面することになる。最初に観客に何を体験させる？　タイトルは？　会話の最初の台詞は？　最初の場面のイメージは？　物語が始まるのは、登場人物たちの人生のどの時点からだろう？　プロローグや序章は必要か、それともいきなり動きの渦中に飛び込むべきか？　始まりの場面は、基調を決め、印象を生みだすには効果的な機会だ。観客が作品をよく味わうための基準体系となる、雰囲気、イメージ、メタファーなどをここで提示できる。**物語に対する神話的アプローチとは、結局のところ、人生についての自分の感情を示すメタファーや比較をどう使うかということに尽きる。**

ドイツの偉大な舞台・映画監督のマックス・ラインハルトは、観客が劇場の席に座り幕が上がる前から、雰囲気作りというものはできると考えていた。タイトルを慎重に選べば印象的なメタファーにでき、観客も興味を惹かれ、ここからの演劇体験に適応しやすくなる。物語世界のメタファーとなるイメージやキャッチフレーズを使い、うまく宣伝すれば、観客を取り込むことができる。観客が劇場に入ってくるときの音楽や照明をコントロールし、座席案内係の態度やコスチュームを意識的に細かく指示することで、特定の雰囲気を作ることもできる。観客がこれから共有する演劇体験にふさわしい精神状態となり、コメディ、ロマンス、ホラー、ドラマなど、作り手が生みだしたい雰囲気に応じた心の準備を整えられるようにすることもできるのだ。

口承の物語の語り手は、儀式化されたフレーズ（「むかしむかしあるところに」など）で語り始め、独自の身ぶりで聴き手の注意を惹きつける。聴衆はその合図により、これから始まる物語の雰囲気が愉快か、悲しいか、皮肉っぽいかを知ることになる。

今日では、作品の第一印象を生みだすために、タイトル、本のカバーアート、宣伝や広告、ポスターや予告編などのたくさんの要素が、本や映画のチケットを売る前から使われている。物語は二、三のシンボルやメタファーに煮詰められ、観客をそれぞれの「旅」に合った雰囲気のなかに配置していく。

タイトル

タイトルは、物語の性質や作者のスタンスを知る重要な手がかりだ。優れたタイトルには、主人公や主人公のいる世界の状況のメタファーが、何層にも重なり合っていることもある。たとえば『ゴッドファーザー』というタイトルは、ドン・コルレオーネがファミリーの人々にとって「神《ゴッド》」であり「父《ファーザー》」であることを暗示している。原作小説と映画のタイトルロゴのグラフィックデザインには、別のメタファーとして、見えないマリオネットの糸をあやつる人形師の手が描かれている。ドン・コルレオーネがあやつり人形師なのか、それとももっと高みの力にあやつられる人形なのか？　人はみな神のあやつり人形なのか、それとも自由意思を持っているのか？　隠喩的なタイトルやイメージがさまざまな解釈を可能にし、物語の一貫性を示す助けとなっている。

始まりの描写

始まりの描写は、雰囲気を生み、物語がどこへ向かうかを示すための強力なツールとなる。ひとつのショットや場面で視覚的なメタファーを示し、第二幕の〈特別な世界〉や、そこで生じる対立や二元性を想像させることもできる。テーマを示唆したり、登場人物がこれから直面する問題を観客に警告しておくこともできる。クリント・イーストウッド監督の『許されざる者』のオープニング場面は、死んだばかりの妻の墓穴を農場の外で掘る男の姿だ。男と妻の関係や、妻がどんなふうに男を変えたかが、この物語の主要なテーマのひとつだ。家の外で墓を掘る男のイメージは、この映画のプロットの適切なメタファーとして読み取ることができる。このあと主人公は家を去って死の国へと旅立ち、死を目撃し、みずからも死をもたらし、あやうく自分も死にかける。イーストウッド監督は、この映画のラストで物語を同じ場所に引き戻し、冒頭と同じ描写を使って、墓を置いて出ていった男が家に戻るという形で物語を締めくくる。

プロローグ

物語の本編の前、ときには主要登場人物や物語の世界を紹介する前に、プロローグの部分から始まる物語も多い。おとぎ話の『ラプンツェル』は主人公の誕生前の場面から始まるし、ディズニー映画『美女と野獣』は、ステンドグラスに描かれたプロローグで野獣の魔法に関する過去が語られる。神話は天地創造までさかのぼる神話史の文脈で生まれているもので、主要登場人物の登場に先駆け、そこにいたるまでの出来事が先に描かれる場合がある。シェイクスピア劇やギリシャ劇は、劇の基調を決め文脈を与えるため、しばしば語り手かコロス〔訳注：古代ギリシャ劇では筋を解説する合唱舞踊団。エリザベス朝演劇では俳優が語り手としてこの役を務めた〕によるプロローグを挿入していた。シェイクスピアの『ヘンリー五世』は、コロスの雄弁な一節から始まり、コロスは観客が「想像力」を使って物語中の王や馬や軍隊を生みだすことを勧める。「わたくしコロスがこの歴史物語の口上役を務めます」とコロスは言う。「皆さまのつつましい忍耐をお願いいたします／われらの芝居を静かにお聴きになり、お優しい判断をいただけますよう」

プロローグには、物語より前に起きた欠かせない出来事を提示したり、作品の物語がどうなっていくかの手がかりを観客に与えたり、号砲とともに物語をスタートすることで観客に心の準備をさせたりといった、いくつかの便利な機能がある。『未知との遭遇』のプロローグでは、第二次世界大戦の飛行機の謎めいた群れが、砂漠で完全保存された状態で発見される。そのあとで、主人公のロイ・ニアリーや、ロイの住む世界の紹介が続く。このプロローグは、たくさんの謎で観客の興味をかきたて、先に待つスリルや驚きの前ぶれになっている。

映画『ラスト・ボーイスカウト』は、ドラッグと賭博のせいで逆上したプロアメフト選手が、チームメイトを撃ち殺すというプロローグから始まる。このシークエンスは、主人公が登場する前に観客の興味を惹き、「話に引き込む」役割を果たす。この作品が命がけのエキサイティングなアクションものになることを、観客に合図してみせている。

このプロローグも、『未知との遭遇』のプロローグも、多少の混乱を与えるよう作られている。信じていたことをゆがめかねない異常事態を描いた映画だということを、暗にほのめかしている。秘密結社のイニシエーションなどでは、これはおなじみの決まりごとで、**混乱は暗示感応性につながる**。イニシエーションの儀式で目かくしが使われたり、暗闇を歩きまわらされたりするのも、その集団がお膳立てした儀式の暗示に、より心をひらかせるためだ。ストーリーテリングにおいては、観客を正常な認識から少しはずれたところで混乱させ、受け入れる気持ちを高めさせることができる。観客は何も信じられず不安になり、さらにたやすく空想の〈特別な世界〉に入っていく。

プロローグのなかには、主人公が登場する前に、悪役や、物語上の脅威となる人物を紹介するものもある。『スター・ウォーズ』では、平凡な世界に暮らす主人公のルーク・スカイウォーカーを紹介する前に、悪のダース・ベイダーがレイア姫をとらえている様子を見せる。刑事ものの映画でも、オフィスにいる主人公が紹介される前に殺人事件が起きたりする。こうしたプロローグは観客に、社会のバランスが乱されたという合図を送る。一連の出来事が動きだすと、悪が正され、バランスが回復するまで、物語の牽引力は止まらなくなる。

プロローグはすべての作品に必要なわけではないし、使ったほうがいいということでもない。**物語構造に対する最善のアプローチは、つねに物語が必要とするものによって決まる。**多くの物語と同じように、正常な環境、つまり〈日常世界〉にいる主人公を紹介することから始めてもかまわない。

〈日常世界〉

物語とは〈英雄〉と観客を〈特別な世界〉へ連れていく旅であり、そのため物語の多くは、〈日常世界〉を比較の基準線として確立させるところから始まる。物語の〈特別な世界〉は、〈英雄〉がこれから出ていく日常的なありふれた世界とのコントラストが見えて初めて特別なものになる。〈日常世界〉は文脈であり、本拠地であり、〈英雄〉の背景である。

〈日常世界〉とは、ある意味で、人が最後にいた場所とも言える。人生のなかで通過していく一連の〈特別な世界〉は、慣れていくにつれてゆっくり日常になっていく。未知の異質な領域も、しだいになじみの本拠地となり、そこからまた次の〈特別な世界〉へ向けた動きが起きていくのだ。

コントラスト

〈日常世界〉と〈特別な世界〉をできるだけかけ離れたものとして創造すれば、それだけ観客も〈英雄〉も、戸口を越えたあとで劇的な変化を体験することになる。『オズの魔法使』の〈日常世界〉は白黒映像で描写され、テクニカラーで撮影された〈特別な世界〉のオズの国とはまったく対照的に見える。スリラー映画『愛と死の間で』では、カラーで撮影された現代の〈日常世界〉と対照的に、フラッシュバックする一九四〇年代の〈特別な世界〉が悪夢のような白黒映像で撮影されている。『シティ・スリッカーズ』では、制約がきつい色あせた都会の環境を、物語の大半が進む西部の生き生きとした土地とのコントラストで描いている。

〈特別な世界〉と比べ、〈日常世界〉は退屈でおだやかに見えるかもしれないが、興奮や試練の種はたいてい〈日常世界〉で見つかる。〈英雄〉の問題や闘いは、〈日常世界〉にすでに存在し、動きだすきっかけを待っているのだ。

予兆――〈特別な世界〉の原型

書き手はしばしば、〈日常世界〉の一部を利用して〈特別な世界〉の小さな原型を作り、そこで闘いや道徳的ジレンマの**予兆**を示す。『オズの魔法使』のドロシーは、怒りっぽいミス・ガルチと衝突し、三人の農場の使用人たちに危険から救われる。こうした序盤の場面は、ドロシーと魔女の闘い、そしてブリキ男とライオンとかかしによる救出の予兆となっている。

『ロマンシング・ストーン』は、狡猾な予兆のテクニックで始まる。観客が最初に観るのは、薄っぺらい悪役と闘い、最後は滑稽なほど理想化されたヒーローとロマンスへ乗りだしていく高貴なヒロインという、手の込んだ空想の世界だ。この場面は、ジョーン・ワイルダーが第二幕で出会う〈特別な世界〉の原型となっている。実はこの空想は、ジョーン・ワイルダーがニューヨークのアパートメントの散らかった部屋で書いている、ロマンス小説の結末だ。このオープニングには二重の目的がある。ひとつはジョーン・ワイルダーと彼女の非現実的なロマンスの観念を伝えること、もうひとつは、ジョーンが第二幕の〈特別な世界〉で本物の悪役やあまり理想的ではない男に出会ったとき、果たしてどんな問題や状況に直面するのかを予想させることだ。予兆は、物語を一貫したリズムや詩的形式に統一する助けにもなる。

物語の問い

〈日常世界〉のもうひとつの重要な役目は、物語の問いを示すことだ。**優れた物語は、主人公に関する一連の問いを提示するものである。**主人公は目標を達成できるだろうか？　欠点を克服できるだろうか？　学ぶべき教訓を学べるだろうか？　主に行動やプロットに関係する問いもある。ドロシーはオズの国から家に戻れるだろうか？　E．T．は自分の惑星に帰れるだろうか？　主人公は黄金を手に入れられるのか？　試合に勝てるのか？　悪役を倒せるのか？

また、主人公の感情やパーソナリティに関連した問いもある。『ゴースト／ニューヨークの幻』でパトリック・スウェイジが演じる男は、愛を表現することを学ぶのか？『プリティ・ウーマン』の頭の固いビジネスマンのエドワードは、娼婦のビビアンにリラックスして人生を楽しむ方法を学ぶのか？　行動への問いはプロットを進めるが、物語の問いは観客を引き入れ、登場人物の感情に巻き込んでいく。

内的・外的な問題

どんな主人公にも、取り組むべき内面と外面の双方の問題が必要である。ディズニー・フィーチャー・アニメーション〔訳注：現在のウォルト・ディズニー・アニメーション・スタジオ〕でおとぎ話を扱っていたときによく思ったが、初期の原稿で主人公にたくさんの外的な問題を与える書き手はたくさんいる。姫君は石にされてしまった父親の魔法を解くことができるのか？　主人公はガラスの山の頂上にたどりつき、姫君と結婚できるのか？　グレーテルはヘンゼルを魔女から救えるのか？　だが、登場人物が解決しなければならない、やむにやまれぬ内面的な問題のほうを与え忘れてしまう書き手も少なくない。

内的な試練がない登場人物は、どんなに英雄的なおこないをしようとも、平板で単調に見えてしまう。登場人物には、内的な問題、性格上の欠点、解決しなければならない道徳的ジレンマなどが必要だ。彼らは物語の途上で何かを学ばなければならない。他者とどう折り合っていくか、どうやって自分を信じるか、外面的には見えないものをどうやって見ぬくか。観客は、登場人物が学び、成長し、人生における内面と外面の両方の試練に対処していくところを見たがるものだ。

登場シーン

観客が最初にどんなふうに主人公を認識するかは、ストーリーテラーがコントロールすべきもうひとつの重要な条件である。主人公が**登場**し、観客が初めて主人公を目にするとき、主人公は何をしているだろうか？　何を着ているのか、誰がまわりにいるのか、周囲の人々は主人公にどんな反応をしているのか？　主人公の態度や感情はどんなふうか、物語のその瞬間における主人公の目的は何か？　主人公はひとりで登場するのか、集団に加わるのか、それとも物語が始まったときにはすでに登場しているのか？　物語は主人公が語るのか、別の登場人物の視点から語られるのか、それとも伝統的な物語のように客観的な目で語られるのか？

役者は、登場人物と観客の関係を築く重要な部分として、「登場」シーンを活用しようとする。ステージの照明がついたとき、すでに舞台上にいることになっていても、役者は最初の自分の外見やふるまいを観客に印象づけるような登場シーンを演じたがる。書き手は、最初に観客に主人公をどう認識させるかを考え、どんな登場シーンにするかを決めることができる。主人公は何をしているか、何を言うか、何を感じているか？　初登場のときの主人公の状況は？　平常心か、それとも動揺しているのか？　感情を全開にしているのか、それとものちの感情爆発にそなえて自制しているのか？

最も重要なのは、登場の瞬間に登場人物がなにをしているかだ。登場人物の最初の行動は、その人の態度、感情の状態、背景、強み、問題を明白に伝える絶好の機会だ。主人公の最初の行動は、主人公の特徴的な態度、将来の問題、そしてその解決策の原型となる必要がある。観客が見る最初のふるまいは、特徴的でなければならない。観客をミスリードしたり、登場人物の本性を隠す必要がある場合は別として、最初のふるまいはその人物の性質を明確に明かすものでなければならない。

トム・ソーヤーが読み手の想像の世界にあざやかに登場してくるのは、マーク・トウェインがこの主人公のミズーリの少年の性質を瞬時に明らかにするような描写をしているからだ。初登場の場面でトムは、柵にのろを塗るという嫌な仕事を、いかにもトムらしく見事な心理ゲームに変えてみせる。トムはいたずら好きだが、いたずらされた側はそのいたずらをまるっきり楽しんでしまう。トムの性質はその行動のすべてを通じて明らかにされていくものの、この登場シーンでは最もわかりやすく明確化され、トムの人生に対する姿勢が明らかになっている。

ステージに出ていく役者も、登場人物を紹介する書き手も、登場《エントランス》シーンで観客の心を奪い《エントランス》、同一視と認識のトランス状態を生みだそうとする。観客ひとりひとりが、小説のページ、映画のスクリーン、劇のステージ上にいる登場人物に、自分の自我の一部を投影するように仕向ける、それが執筆活動の魔力のひとつである。

重要な登場人物を登場させる前に、ほかの登場人物にその人物について語らせ、観客に予感を与える空気を作ったり、情報を提供したりすることはできる。だが、その人物が物語に入ってくるとき——すなわち登場シーンでの最初の行動は、それ以上に重要で、印象にも残る。

主人公を観客に紹介する

〈日常世界〉のもうひとつの重要な機能は、主人公を観客に紹介するということだ。社交の場での紹介と同じで、〈日常世界〉は人と人を結びつけ、会話を始められるような共通の関心事を示す。観客はなんらかの形で、主人公が自分と似ているということに気づく必要がある。物語は、まるで現実にそこにいるかのように観客を主人公の立場に立たせ、主人公に見える世界を観客にも見せようとする。観客は、魔法にかかったかのように、自分の意識の一部を主人公に投影する。この魔法を有効に使うには、強い共感の絆、もしくは共通の関心事を主人公と観客のあいだに作ることだ。

主人公は、必ずしも善良な人間、完全に共感できる人間である必要はない。好ましい人間である必要すらないが、関係づけのできる人間でなければならない。関係づけとは映画会社の幹部がよく使う言葉で、観客が共鳴し理解できる主人公の性質のことを指す。主人公に後ろ暗いところや卑劣なところがあったとしても、主人公の苦境を理解することは可能だし、自分にも同じ背景、環境、動機があれば、同じふるまいをするだろうという想像はできるものだ。

同一視

オープニング場面では、観客と主人公のあいだに**同一視**、すなわち、なんらかの意味で両者は同等であるという感覚を生みだす必要がある。

どうすればいいか？　主人公に普遍的な目標、動機、望み、要求を与えるといい。人はみな、承認、愛情、受容、理解などを求める、基本的な動因を共有している。『真夜中のカーボーイ』の脚本家のウォルド・ソルトいわく、主人公のジョー・バックは、触れられたいという普遍的な人間の欲求に突き動かされている。たとえジョー・バックがひどく薄っぺらいふるまいをしても、それが誰でもときどき経験するようなことだからこそ、観客はジョーの欲求に共感できるのだ。普遍的な欲求の同一視は、観客と主人公のあいだに絆を作る。

主人公に不足するもの

おとぎ話の主人公には、共通の特徴、文化や地理や時間の境界を越えて共有される性質がある。主人公たちには**不足**な何か、奪われた何かがあるということだ。家族の誰かを失っていることも多い。母親か父親が亡くなっていることもあれば、兄弟や姉妹がさらわれていることもある。おとぎ話とは、完全さを探し、無欠を求めて努力する物語であり、家族から奪われたもの自体が物語を動かすこともある。なくしたものを埋め合わせたいという欲求により、物語は最終的な完全性に向かって動き、「そしてみんな幸せに暮らしましたとさ」で終わる。

不完全な主人公や家族を見せるところから始まる映画は多い。『ロマンシング・ストーン』のジョーン・ワイルダーや『北北西に進路を取れ』のロジャー・ソーンヒルが不完全なのは、人生のバランスを取るための理想の相手がいないからだ。『キング・コング』でフェイ・レイが演じた女性は、「どこかにおじがいるはず」ということしか知らない孤児だ。

欠落した要素があると、観客は主人公に共感し、主人公が最終的に完全さを得るよう応援するようになる。登場人物に欠けた何かのせいで真空状態が生じるのを、観客は非常に嫌うものだ。

また、最初はなんら不足がなかった主人公が、第一幕で親しい友人や血縁が誘拐されたり殺されたりしたために、救出や復讐の物語が動きだすこともある。ジョン・フォード監督の『捜索者』は、若い女性が先住民に誘拐されたという知らせから、捜索と救出を目指す古典的な冒険譚が始まる仕掛けになっている。

家族が欠けたりはしていないが、主人公のパーソナリティに不足がある――共感の力や寛容さ、愛情表現の能力が足りないなど――という場合もある。『ゴースト／ニューヨークの幻』の主人公は、映画の冒頭では「アイ・ラブ・ユー」が言えない。こうした魔法の言葉がようやく言えるようになるのは、主人公が生から死へと旅したあとのことだ。

物語の最初で、簡単なことができない主人公を見せておくと、あとで大きな効果をあげることができる。『普通の人々』の若い主人公コンラッドは、母が作ってくれたフレンチ・トーストを食べることができない。コンラッドは兄の事故死にひどい罪の意識を感じ、人に愛されたり気にかけてもらうことが受け入れられなくなっており、それを象徴的な言語で示しているのがこの場面だ。感情の〈ヒーローズ・ジャーニー〉を経て、コンラッドはよみがえり、セラピーを通じて兄の死を整理し、そして愛を受け入れられるようになる。物語の終盤、ガールフレンドに朝食に誘われたコンラッドは、食欲を感じる自分に気づく。象徴的言語によって、コンラッドの生への「欲」が戻ってきたことが表現されているのである。

悲劇的な欠点

アリストテレスは、二四〇〇年前のギリシャ悲劇理論において、悲劇の主人公には共通の欠点があると論述している。彼らにはすばらしい性質がたくさんあるが、ひとつ悲劇的な欠点（「ハマルティア」とも呼ばれる）があり、そのせいで自分の運命や仲間、ときには神と反目することになる。最終的にはそれが主人公の破滅につながる。

悲劇的欠点のなかでも最もよく見られるものに、ギリシャ悲劇では「ヒュブリス」と呼ばれる、うぬぼれや傲慢さがある。悲劇の主人公は、強大な権力を持った上流階級の人間が多く、自分を神々と同等かそれ以上と見なす傾向がある。彼らは正当な警告を無視したり、道徳律に反発し、自分が神や人間の法を超越していると考えがちだ。この致命的な傲慢さが、懲罰の女神の名に由来する「天罰《ネメシス》」を解き放ってしまう。女神ネメシスの仕事は物事のバランスを取り戻すことであり、悲劇の主人公はたいてい破滅させられる。

どんなに成熟した主人公にも多少は悲劇的な欠点があり、弱みや過失は主人公に深い人間味や現実味を与える。完璧で欠点のない主人公は、おもしろみに欠け、共感しにくい。あのスーパーマンでさえ、クリプトナイトに弱い、鉛を透視できない、正体がばれないようにたえず気をつけなければならないといった弱点があり、だからこそ人間味があり共感しやすいのだ。

傷ついた主人公

主人公が精神的に安定しすべてを支配できているように見えても、支配の陰には深い心の**傷**が隠れていることがある。たいていの人間には古傷や痛みがあり、いつも気に病んでいるわけではないが、ある程度は意識し、弱みに感じているものだ。拒否、裏切り、落胆によって受ける傷は、誰しも感じたことのある普遍的な痛み、すなわち、母親から身体的・精神的に引き離されたときの私的な痛みと似ている。もっと広い意味で言えば、人は誰しも、神や、「存在の子宮」――人間はそこから生まれでて、死んだらそこに戻る――から離れたときの傷に耐えている。エデンの園を追われたアダムとイブのように、人は自分の源から永久に引き離され、孤立し、その痛みを感じている。

主人公やその他の登場人物に人間味をもたらすには、目に見える身体的な傷か、深い感情の傷を与えるといい。メル・ギブソン演じる『リーサル・ウェポン』の主人公が共感を呼ぶのは、愛する人を失った経験があるからだ。彼が大胆で自滅的、予想不能な興味深い人物になったのは、その傷ゆえのことだ。主人公の痛みや傷痕は、本人がかばい守ろうとする、弱くて無防備な場所に残っている。傷ついた部分を守ろうとするほど、主人公がほかの領域で過剰に強さを増すこともある。

映画『フィッシャー・キング』は、二人の男と彼らの精神的な傷を綿密にスケッチした作品だ。物語はアーサー王伝説のなかの聖杯、そして、精神の傷を象徴する身体的な傷を負った漁夫王《いさなとりのおう》（フィッシャー・キング）からインスピレーションを得たものだ。この伝説は、腿に傷を負って領地を治めることができなくなり、人生に喜びを見いだせなくなった王のことを語っている。王の支配力が弱まり、領地は荒れ、それをよみがえらせることができるのは、聖杯の強力な霊的魔法だけだ。円卓の騎士の聖杯探しの旅は、ほとんど致死的な傷を負った王権に、健全さと完全性を取り戻すための偉大な冒険なのである。ユング派心理学者のロバート・A・ジョンソンは、男性心理学に関する著書『Ｈｅ　神話に学ぶ男の生き方』において、漁夫王の傷の意味への洞察を試みている。

もうひとり、傷を抱えてあやうく悲劇の主人公になりかけた男、古典的西部劇映画『赤い河』でジョン・ウェインが演じたトム・ダンソンを見てみよう。ダンソンは、若い牛飼いだったとき、愛する者よりも自分の使命に重きを置き、心よりも理性に従うという大きな道義的まちがいを犯した。この選択が恋人の死につながり、ダンソンは物語の終わりまで心の傷痕をずっと抱えることになる。罪の意識を押し殺そうとするせいで、ダンソンはますます無情で横暴で独善的な男になり、そのせいで自分や養子の息子をもう少しで破滅させるところだったが、人生に愛を取り戻すことで傷を癒やすことができた。

　主人公の傷は見えないこともある。人は弱みや傷つきやすい部分を守り隠そうと、大きなエネルギーを費やすものだ。が、よく肉づけされた登場人物を見ていれば、敏感で防御的な部分、あるいは少し自信過剰な部分は明白に見えてくる。傷についてすべてを観客に明かすとは限らない――書き手と登場人物のあいだの秘密のままにしておく場合もある。それでも、過去の屈辱、拒まれた経験、落胆、自暴自棄、失敗など、多少の傷は誰でも抱えているものなので、主人公の傷は個人的な経歴や現実味を添える手助けになる。傷を癒やし、壊れた精神から失われていた何かを取り戻すた

『赤い河』（ハワード・ホークス監督、1948）より。心の〈冒険への誘い〉を拒み、悲劇的な結末を迎える〈英雄〉。

めの旅が、物語として語られることも多い。

賭けの対象

観客を冒険に引き込み、主人公のことを気にかけるようにするには、何が賭けの対象になっているかを早めの段階で知らせる必要がある。主人公がこの冒険で得るもの、あるいは失うものはなんだろう？　主人公の成功や失敗により、主人公自身、社会、そして世界にはどんな結果が生じるのだろう？

賭けの対象を定める優れた手本は、神話やおとぎ話によく見られる。神話やおとぎ話では、危険な条件を設定し、ゲームの賞金を非常に明白にする。一連の試練をやりとげられなければ、首を取られたりする。映画『タイタンの戦い』に登場するギリシャ神話の英雄ペルセウスは、たくさんの試練をくぐりぬけなければならず、それが失敗すれば愛するアンドロメダ姫が海の怪物に食われてしまう。ほかにも、『美女と野獣』の美女の父親のように、家族の誰かが危険な目に遭わされる場合もある。主人公のベルは、強い動機のもと、野獣の言うことを聞き、あえて自分の身を危険にさらそうとする。ベルが野獣の命令に従わなければ、父親は弱って死んでしまう。賭け金は高く明白なものだ。

賭け金が充分に高くないせいで、脚本が失敗することもめずらしくない。物語のなかで主人公が失敗しても、ちょっと恥をかくか不便な思いをするだけなら、観客は「それで?」としか反応できない。必ず賭け金をつり上げるようにしてほしい――命、とんでもない大金、あるいは主人公の魂そのものを賭ける必要がある。

背景と提示

〈日常世界〉は、「背景」や「提示」を扱うのに最適な場である。**背景**とは、登場人物の歴史や経歴――その人物がどのようにして物語のスタート地点にいたったのか――に関するすべての関連情報のことだ。**提示**とは、この背景、そしてプロットに関連するその他の情報について、よどみなく明かしていく技巧のことを言う。主人公の社会的階級、育ち、習慣、これまでの体験に加え、全般的な社会状況や、主人公に影響を与える敵対勢力なども、ここで明かされていく。観客が主人公や物語を理解するうえで、知っておくべきことをすべて提示するということだ。背景と提示は、身につけるのが最も難しいライティングスキルだ。ぎこちない提示は物語の興をそいでしまう。ナレーションや、作者が観客に知らせたいことを話すためだけに登場する「解説者」的な人物に背景を説明させると、提示が率直すぎてそこに注目が集まってしまう。普通は観客を動きのなかに巻き込み、物語が進めながら物事を理解していってもらうほうがいい。

観客は、視覚的な手がかりや、登場人物が感情的になって動揺しているときに口走った情報を拾い、背景を見いだそうと努力しているときのほうが、より物語に関わっていると実感できるものだ。背景は、物語が進むにつれて徐々に分け与えられたり、じわじわと明らかになっていったりする。人が**しない**こと、または**言わない**ことによって明かされていくものもたくさんある。

物語の多くは、ゆっくり、痛々しく明かされる秘密を中心に展開する。誰かを傷つける秘密を隠し守っている砦が、少しずつ破られていく。そうすることで、観客も感情のパズルを解き明かす探偵となり、物語に参加できる。

テーマ

〈日常世界〉は、物語のテーマを表明する場でもある。この物語はなんの物語なのか？　物語の本質を一語または一文で表すとしたらどんな言葉になる？　この物語をひとつの観念や特性で表現するとしたら？　愛？　信頼？　裏切り？　虚栄？　偏見？　欲？　狂気？　野心？　友情？　書き手は何を伝えたいのか？　この物語のテーマは、「愛はすべてに打ち勝つ」か、「正直者をだますことはできない」か、「生きのびるために助け合う」か、「すべての悪の源は金」か？

テーマとはギリシャ語から派生した言葉だが、意味はラテン語から来た**前提**《プレミス》に近い。どちらの言葉も「前もって何かを設定する」、つまり、未来の道筋を定める手助けとなるように、先に決めておく計画のことだ。物語のテーマとは、人生の一面についての基本的な言明もしくは想定である。通常は第一幕の〈日常世界〉のどこかで示される。登場人物の無造作な物言いで提示された信念が、その後の物語の過程で厳しく検証される。執筆にしばらく取り組んでみないと本当のテーマが浮上してこない、はっきり見えないということはあるが、遅かれ早かれわかってくるはずだ。会話や行動について最終判断をくだしたり、物語を一貫した構想のなかにまとめて仕上げをする際、テーマを知っておくことは不可欠だ。優れた物語は、すべてがなんらかの形でテーマに関連しているもので、〈日常世界〉は中心となる発想を最初に言明する場である。

〈日常世界〉──『オズの魔法使』の事例

本書がひんぱんに『オズの魔法使』を引用するのは、この映画がたくさんの人々が観ている古典的作品であり、明確に正しいステージを進む、かなり典型的な〈ヒーローズ・ジャーニー〉の形をとっているからだ。そればかりか、この作品には驚くほど心理的な深みがあり、単に家に戻ろうとする少女のおとぎ話にとどまらない、完成を目指すパーソナリティのメタファーとも読み取れる物語となっている。

物語が進むにつれ、主人公のドロシーは、明白な外的問題を抱え込む。飼い犬のトトがミス・ガルチの花壇を荒らし、ドロシーもトラブルに巻き込まれてしまうのだ。ドロシーはおじやおばに味方になってもらおうとするが、二人は近づいてくる嵐へのそなえで忙しい。神話や伝説の英雄たちのように、ドロシーも不安を感じ、居場所がないと感じるが、ほかに行く場所も思いつかない。

またドロシーは、明らかな内面の問題も抱えている。周囲から浮くようになり、「おうちにいる」気がしない。おとぎ話の不完全な主人公と同様、ドロシーの人生にも大きなものが欠けている——両親と死別したのだ。本人はまだ気づいていないが、ドロシーはこれから完全なものを探求する旅に出る。結婚して新たな理想の家族を始めるのではなく、完全で完璧なパーソナリティの構成要素を象徴する、さまざまな魔法の力に出会うための旅だ。

これらの出会いの予兆として、ドロシーは〈特別な世界〉でおこなう冒険の小型モデルに遭遇する。退屈していたドロシーは、ブタの囲いの細い手すりの上でバランスを取ろうとして、そこから落ちてしまう。三人の親切な農場の使用人がドロシーを危険から救出するが、これが〈特別な世界〉で同じ役者たちが演じる役割の予兆となっている。この場面は、ドロシーが相反するパーソナリティのはざまで綱渡りを続け、遅かれ早かれ避けがたい争いに陥るということ、そしてそれを乗り越えるには、自分の存在のあらゆる部分からの助けが必要になるということを、象徴的に伝えている。

足りないもの、欠点、傷などがはっきり見えない〈英雄〉もいる。単に落ちつかず、不安で、周囲の環境や文化と調和できないでいるのかもしれない。さまざまな適応機構を駆使したり、感情的な依存や薬物などの依存に支えられながら、不健全な環境に適応し、ここまでなんとかやってきたのかもしれない。万事オーケーだと、自分をだましだましやってきたのかもしれない。しかし遅かれ早かれ、物語に入ってきた新たな力が、これ以上待つことはできないと宣言する。この新しい力が、いわゆる〈冒険への誘い〉である。

考察

1 映画『オデッセイ』のなかの〈日常世界〉はどこだろう? 『ブラック・スワン』は? 『アナと雪の女王』は? 『ハドソン川の奇跡』は? 自分の好きな映画、芝居、小説でも考えてみよう。書き手はどんなふうに主人公を紹介している? 人物像をどんなふうに明かしている? 提示はどんなふうにおこなっている? テーマの暗示は? 物語がどこへ向かうのか、予兆や暗示のイメージは使われているだろうか?

2 執筆中の物語の主人公について、あなたはどのぐらい知っているだろうか? 年表をざっと書きだし、個人の経歴、身体的な描写、学歴、家族の背景、職歴、恋愛事情、嫌いなものや偏見、好きな食べ物、服、髪型、車などを特定してみてほしい。

3　人生の各ステージで、登場人物がどこで何をしていたかを、時系列で決めてみよう。それぞれの時代に世界で何が起きていたかも調べてみよう。どんな思想、出来事、人々が、登場人物に最も影響を与えてきただろうか？

4　あなたの主人公は不完全な人物だろうか？　必要とするもの、欲望、目標、傷、幻想、願い、欠点、奇癖、後悔、守りたいもの、弱み、不安に思うことなどを特定してほしい。主人公の破滅や失墜につながる特性を、ひとつあげるとしたらなんだろう？　逆に、主人公を救う特性は？　登場人物は内面にも外面にも問題を抱えているだろうか？　主人公には普遍的な人間の欲求があるだろうか？　求めるものを手に入れるため、主人公はどんな特徴的な行動を起こすだろうか？

5　物語の始まりに当たり、観客が知っておくべき背景と提示の要点をリストアップしよう。それらをどう明かしていくべきだろう？　間接的に？　視覚的に？　すばやくやる？　対立を通じて示す？

6　文化のちがいによって、必要とされる物語の種類もちがうものだろうか？　男性と女性も異なる種類の物語を求めているだろうか？　男性と女性では、〈英雄〉の旅路にどんなちがいがあるだろうか？

冒険への誘い

ステージ2　冒険への誘い

「金、冒険、名声！　生涯最高のスリル！……明日の六時には長い船旅が始まる！」
——映画『キング・コング』、ジェームズ・クリールマン、ルース・ローズ脚本

多くの主人公が住む〈日常世界〉は、変化はないが不安定な状態にある。変化や成長の種がまかれていて、ほんのちょっとの新しい力があれば、すぐに芽を出すだろう。神話やおとぎ話では無数の形で象徴化されてきたその新しい力こそ、ジョーゼノ・キャンベルが言うところの**〈冒険への誘い〉**である。

物語を動かす

脚本術のさまざまな理論において、〈冒険への誘い〉は「出来事の煽動」、「出来事の開始」、「触媒」、「引き金」などという名で認識されている。主要登場人物の紹介が終われば、物語を動かすなんらかの出来事が必要になるというのは、どの理論においても一致している。

〈冒険への誘い〉は、メッセージもしくはメッセンジャーの形でやってくることがある。宣戦布告があったり、無

法者が出所し、保安官に復讐すべく正午の列車で町へ戻ってくるという電報が到着したりして、新たな出来事が起きたことを告げる。令状や召喚状、出頭命令など、法的手続きの形を取る〈誘い〉もある。

無意識からやってきたメッセンジャーが変化の到来を告げ、主人公の内面をかき乱すという形の〈誘い〉もある。こうした合図が、夢、空想、幻影の形をとることもある。『未知との遭遇』のロイ・ニアリーは、潜在意識からただよってきたデビルズタワーのイメージに取り憑かれる。予知夢や不愉快な夢は、これからやってくる感情や精神の変化を映しだすメタファーとなり、成長の新しい段階に対する準備ができるよう助けてくれる。

主人公がただ何かにうんざりしてしまうという場合もある。不安な状況に耐えたあげく、ついに限界を超えたことが冒険の引き金を引く。『真夜中のカーボーイ』のジョー・バックは、ダイナーでの皿洗いにうんざりし、胸中で大きくなる〈誘い〉を感じて冒険に出る。深い部分では、人としての普遍的な欲求がジョーを駆り立てたとも言えるが、ジョーが一線を踏み越えたのは、ダイナーでのみじめな最後の一日があったからだ。

共時性

一連の事故や偶然の一致が、主人公を冒険へ誘うメッセージになることもある。**共時性**《シンクロニシティ》と呼ばれるこの謎めいた力は、C・G・ユングも著作のなかで探求している。言葉、考え、出来事の偶然の一致が意味を持ち、行動や変化が必要だということに注目させる。ヒッチコックの『見知らぬ乗客』などのスリラー映画では、運命の手に導かれるように二人の人間が偶然出会い、そこから物語が動きだす。

誘惑

魅惑的な異国への旅のポスターや、恋人になれそうな誰かとの出会いなど、**誘惑**による〈冒険への誘い〉もある。黄金のきらめき、お宝の噂、野心を煽る言葉などによる誘惑もある。アーサー王伝説の無垢な若い英雄パーシバル（パルジファル）が冒険に誘われるのは、鎧姿の堂々たる五人の騎士が、馬を駆って冒険に乗りだしていくのを見たためだ。それまでパーシバルはそうした人々を見たことがなく、どうしても彼らについていきたいと思うようになる。彼らが何者なのかをなんとしても知りたいと考えるパーシバルは、やがて自分がそのひとりになる運命にあることをまだ知らずにいた。

変化を告げる〈使者〉

〈冒険への誘い〉は、物語中で〈使者〉のアーキタイプを担う登場人物が運んでくることが多い。〈使者〉のタイプはポジティブ、ネガティブ、ニュートラルとさまざまだが、その役目はつねに、〈英雄〉に誘いを持ちかけたり、未知なものに挑戦させたりして、物語を動きださせることにある。ときには〈使者〉が〈英雄〉の〈師〉を兼ね、心から〈英雄〉のことを考える賢明な導き手となることもある。一方で、〈敵〉が〈使者〉を兼ね、〈英雄〉に次々と試練を浴びせたり、〈英雄〉を危険に誘い込んだりすることもある。

最初のうち〈英雄〉は、〈使者〉の仮面の奥に〈敵〉がいるのか〈仲間〉がいるのか、見極められないことが多い。〈師〉からの善意の〈誘い〉を〈敵〉からのものとかんちがいしたり、悪役からの申し出を楽しい冒険への友好的な誘いだと思い込んだりする。スリラー映画やフィルム・ノワールでは、書き手がわざと〈誘い〉の真相をぼやかしたりする。陰のある人物からあいまいな申し出を受けた〈英雄〉は、全力でその申し出を正しく解釈しなければならない。

自分の住む〈日常世界〉におかしいところがあっても、〈英雄〉がそれに気づかず、変化の必要性を感じないケースもしばしばある。否認状態にあるのかもしれない。これまではさまざまなつっかえ棒、依存、防衛機制などの助けを借り、どうにかうまくやってきた。〈使者〉の仕事は、こうした支えを捨てさせ、〈英雄〉の世界が不安定なことを告げ、〈英雄〉に健全なバランスを取り戻させるために、行動に出て、リスクを取り、冒険を引き受けるよう誘うことだ。

探りだし

ロシアのおとぎ話研究者のウラジーミル・プロップは、物語に共通の初期段階があることを突きとめ、これを**探りだし**と呼んだ。悪役は、近隣の子どもたちに話を聞いてまわるなどして、主人公の領域で調査をおこなったり、主人公の情報を探したりする。この情報収集が、何かが起きていること、闘いが始まろうとしていることを観客と主人公に警告し、〈冒険への誘い〉となることがある。

混乱と居心地の悪さ

主人公にとっての〈冒険への誘い〉は、不穏で混乱を招くものになりがちだ。主人公にそっと近づき、主人公の信頼を得るために見せかけの姿で現れ、そのあと形を変えて〈誘い〉を運んでくる〈使者〉もいる。アルフレッド・ヒッチコックの『汚名』はその効果的な例だ。イングリッド・バーグマン演じる主人公のプレイガールは、父親がナチスのスパイとして有罪判決を受けている。〈冒険への誘い〉をもたらす〈使者〉は、ケーリー・グラント演じるアメリカ人諜報員で、ナチスのスパイ一味に潜入するための援助をバーグマンに頼もうとしている。

諜報員は、最初のうちは酒、スピーディーな車、そして主人公にしか興味がないプレイボーイのふりをして、主人公の生活にまんまと入り込んでくる。だが、プレイガールに偶然〝おまわり〟であることを気づかれてしまうと、〈使者〉の仮面をかぶりなおし、かなり困難な〈冒険への誘い〉を申し出る。

二人がはめをはずして楽しんだ翌朝、二日酔いのプレイガールがベッドの中で目覚めると、諜報員が戸口に立っていて、胃を落ちつかせるために発泡性の鎮静剤を飲むように言う。味はまずいが、とにかく彼女は飲む。これまでプレイガールが慣れていた酒びたりの日々に対し、毒のような味はするが効き目のあるこの薬は、冒険への新しい力の象徴となる。

この場面のケーリー・グラントが戸口にもたれる姿は、闇の天使のシルエットのようにも見える。バーグマンの視点からは、この〈使者〉は天使にも悪魔にも見える。悪魔《デビル》の可能性があることは、そこで初めて明かされる「デブリン」という諜報員の名が暗示している。ヒッチコックは、〈冒険への誘い〉をするために部屋の中に入ってくるグラントの姿を、ベッドに横たわる二日酔い状態のバーグマンの視点を通じて、ふらふらとしたショットで追う。逆さまに映るグラントは、天井を歩いているようにも見える。このショットは、グラントの立場がプレイボーイから〈使者〉に変わり、それによって主人公の感覚も混乱していることを、映画の象徴的言語で表現している。グラントは、ナチスのスパイ一味の潜入捜査という愛国的な〈誘い〉を提示する。〈誘い〉が伝えられたあとのグラントのショットは、上下も正しくなり、初めてまともに光が当たって、〈誘い〉がバーグマンに二日酔いが吹き飛ぶような効果を与えたということを表現してみせる。

二人が話しているうちに、冠のようなかつらがバーグマンの頭から取れる。失望し、快楽に溺れようとする姫君のような、彼女の浮き世離れした美しい存在感も、いよいよ終わりを迎えようとしていることがわかる。音楽とともに、町を離れる列車の汽笛が遠くから響き、長い旅の始まりを示唆する。この一連の場面で、ヒッチコックはあらゆる象徴的な要素を自在に使い、大きな変化の入口が近づいてきていることを伝えている。〈冒険への誘い〉は主人公にとっては心をかき乱す苦いものだが、成長には必要なものなのだ。

足りないもの、必要なもの

主人公の〈日常世界〉の生活から何かが失われる、何かが奪われるという形で、〈冒険への誘い〉がやってくることがある。冒険映画の『人類創世』は、石器時代の部族が骨でできた灯籠のなかで燃やしていた最後の火を絶やしてしまい、そこから動きだす物語である。火が失われたせいで、寒さや飢えで死ぬ人々が出てくる。ひとりの女性が灯籠を主人公の前に置き、失われた火は冒険でしか取り戻せないということを身ぶりだけで伝え、主人公はその〈冒険への誘い〉を受ける。

〈誘い〉は、愛する人をさらわれたり、健康、安全、愛などの貴重なものを奪われることで生じることもある。

選択の余地なし

単に主人公に選択の余地がなくなることが、〈冒険への誘い〉になるという物語もある。使える適応機構が尽き、ほかの人々からもうんざりされたり、主人公が徐々にひどい窮地に追い込まれ、冒険に飛び込む以外に方法がなくなったりするケースだ。『天使にラブ・ソングを…』では、ウーピー・ゴールドバーグ演じる女性がギャングの殺人事件を目撃し、尼僧として身を隠さなければならなくなる。選択肢は多くない——尼僧のふりをするか、それとも死ぬかだ。さらに選択肢が少ない場合もある——頭を殴られて無理矢理冒険に連れだされ、目が覚めたら海の上にいて、好むと好まざるとに関わらず冒険しなければならない主人公もいる。

悲劇の主人公への警告

〈冒険への誘い〉がどれも高尚な冒険への前向きな呼びだしとは限らない。悲劇の主人公にとっては、それが破滅への恐ろしい先触れになることもある。シェイクスピアの『ジュリアス・シーザー』では、登場人物が「三月一五日に気をつけよ」と叫ぶ。『白鯨』では、狂気の老人が乗組員に、この冒険は災厄になるだろうと警告する。

複数の〈誘い〉——次に控える〈誘い〉

重層的に進む物語もたくさんあり、〈冒険への誘い〉もひとつで終わらないことがある。『赤い河』のような叙事詩的大作には、〈誘い〉の場面がいくつも必要になる。ジョン・ウェイン演じるトム・ダンソンは、そばに残ってほしい、さもなければ自分を一緒に連れていってほしいと恋人に懇願されるが、それでも自分の心の〈誘い〉を受ける。ダンソン自身、南北戦争後初の大規模な牛追いに出るとき、仲間のカウボーイにもみずから現実の〈冒険への誘い〉をかける。

『ロマンシング・ストーン』の主人公、ジョーン・ワイルダーへの〈冒険への誘い〉は複雑だ。ジョーンはコロンビアにいる姉から、悪党に誘拐されたという電話を受ける。姉を助ける必要から、現実の〈冒険への誘い〉が生じるが、もうひとつの〈誘い〉がこの場面の深層で起きている。姉の夫から送られてきた封筒をあけると、そこには「ハート」を意味するエル・コラソンの宝の隠し場所が記された地図が入っており、ジョーンが「心《ハート》」の冒険に誘いだされたことを暗示している。

〈冒険への誘い〉――『オズの魔法使』の事例

ドロシーの漠然とした不安感は、ミス・ガルチがやってきて、意地悪くトトを連れ去るところで明確になる。要するに、ドロシーの魂を支配するのはどちらかという争いが、二つの陣営のあいだで生じているのだ。抑圧的な〈影〉の力の側が、善良で本能に従おうとする側を封じ込めようとしている。だが、本能に忠実なトトは逃げだす。ドロシーも、〈冒険への誘い〉を発した自分の本能に従い、家から逃げる。ドロシーを叱りつけた母代わりのエムおばさんの思いやりのなさに、自分が塗りつぶされそうだと感じているのだ。ドロシーは、〈誘い〉に応じるため、変化の雲がうねる空の下に飛びだしていく。

〈冒険への誘い〉は選択のプロセスである。社会に不安定な状況が生じ、誰かが自発的に、あるいは選ばれて責任を背負う。〈英雄〉は責任を避けたがり、くり返し誘われても乗り気にならない。より意欲的な〈英雄〉は、内面の〈誘い〉に応えることができ、外から急き立てる必要はなく、みずから冒険に出ていく。こうした熱血タイプ

の〈英雄〉はまれで、たいていは、つつかれたり、おだてすかされたり、甘言で誘われたり、誘惑されたり、強引に連れ去られたりして、冒険に送り込まれる。〈英雄〉の多くは必死に抵抗し、〈冒険への誘い〉から逃げようとがんばって観客を楽しませる。こうした闘いは、意欲のない〈英雄〉の仕事でもあり、キャンベルが呼ぶところの〈冒険の拒否〉ステージの機能でもある。

考察

1 映画『市民ケーン』における〈冒険への誘い〉とは何か？ 『真昼の決闘』では？ 『スリー・ビルボード』では？ 『クレイジー・リッチ！』では？ 誰、もしくは何が〈誘い〉を運んでくるのか？ 運び手はどのアーキタイプを表出する人物か？

2 あなたが受けたことのある〈冒険への誘い〉はどんなものか？ あなたはそれにどう応えたか？ 〈冒険への誘い〉を誰かにした経験はあるだろうか？

3 〈冒険への誘い〉に当たるものがない物語は存在するだろうか？ あなたには〈誘い〉のない物語が書けると思うか？

4 あなたが執筆中の物語のなかで、〈誘い〉をほかの地点に移動すると、何が変わるだろうか？ 〈誘い〉をどこまで先延ばしにできるだろう？ それは好ましいことだろうか？

5　どういう場所が〈誘い〉に理想的だろうか？　そこ以外でも可能だろうか？

6　〈誘い〉のためのおもしろいやりかたを試したり、陳腐にならないように〈誘い〉にひねりを効かせたことがあるだろうか？

7　あなたの物語に複数の〈誘い〉が必要かもしれない場合、冒険のどの層で誰が誘われることになるだろう？

冒険の拒否

ステージ3　冒険の拒否

「あなたには無理よ、ジョーン、わかってるでしょう」
――映画『ロマンシング・ストーン　秘宝の谷』、ダイアン・トーマス脚本

ここから主人公の問題は、〈冒険への誘い〉にどう応じるかということになる。主人公の身になれば、それがどう困難な道筋かは見えるだろう。主人公が飛び込むことを求められている冒険は、すべてが未知で、エキサイティングだが危険で、事によっては命もおびやかされかねない。でなければ冒険とは呼べないだろう。主人公が恐れの戸口に立ち、ためらい、一時的にでも〈誘い〉を拒否しようとするのも当然の反応だ。

実際の旅が始まる前のこうした一時停止には、冒険の危険さを観客に知らせるという重要な演劇的機能がある。これは取るに足らない冒険ではなく、危険に満ちた賭け金の高いギャンブルで、主人公は全財産や命を失うかもしれない。ためらいや拒否ののち、立ち止まって熟慮を重ねたうえで冒険を決意した主人公は、自分の命を賭けてでも本気でゴールにたどりつくつもりでいるはずだ。また、立ち止まっているあいだは冒険を慎重に吟味し、改めて目標を明確にしなければならない。

回避

冒険の回避という最初の反応は、主人公にとっては自然なことだ。キリストでさえ、磔刑になる前夜、ゲッセマネの園で「この杯を私からすぎ去らせてください」と祈っている。試練を避ける方法がないか率直に確かめようとしたのだ。この旅は本当に必要だろうか?と。

非常にヒーロー然とした映画の主人公たちでさえ、ためらったり、気が進まなかったり、にべもなく〈誘い〉を断ったりすることがある。ランボーやロッキー、それにジョン・ウェインの演じたたくさんの人物も、最初は冒険に背を向ける。〈拒否〉の理由が過去の経験から来ていることも多い。過去に冒険した経験があり、そのときに突飛な行動をとる愚かさを教えられたと主張する主人公もいる。あんな厄介事には二度と巻き込まれたくないと考えるのだ。賭け金をつり上げるようななんらかの強いモチベーション（友人や血縁が死ぬ、誘拐されるなど）、あるいは主人公生来の冒険志向や道義心によって〈拒否〉の気持ちを克服するまでは、この反発は続く。

刑事や恋人たちも、悲しい目に遭って教訓を得た過去の体験から、最初は〈誘い〉を拒む。抵抗する主人公がやがて屈服する姿には人を惹きつける力があり、〈拒否〉が頑なであればあるほど、観客はそれが打ち破られるのを楽しむものだ。

言い訳

たいていの主人公は、根拠の薄い言い訳を並べ立てて〈冒険の拒否〉をする。避けられない運命に直面するのを遅らせたいがために、ほかに急ぎの仕事がなければ冒険を引き受けたかもしれない、などと見え透いた言い訳をする。一時的な防壁にはなるが、普通は冒険の緊急性が壁を破ってしまう。

執拗な〈拒否〉が招く悲劇

執拗な〈冒険の拒否〉が災厄を呼ぶこともある。聖書に出てくるロトの妻は、ソドムの自宅を去るとき、決して振り返ってはいけないという神の召命、つまり使命を果たす〈誘い〉にそむいたせいで、塩の柱にされてしまった。振り返ったり、過去に固執したり、現実を認めないというのも〈拒否〉の形である。

神の〈誘い〉を立て続けに否認することは、悲劇の主人公の特徴のひとつだ。『赤い河』の冒頭で、トム・ダンソンは心の〈冒険への誘い〉を拒み、そこから破滅に突き進み始める。心をひらけという〈誘い〉も拒みつづけ、悲劇の主人公への道筋を進んでいく。第三幕になってようやくダンソンは〈誘い〉を受けて救われ、悲劇の主人公の運命から逃れるのである。

相反する〈誘い〉

実のところ、トム・ダンソンは、同時に来た二つの〈冒険への誘い〉に直面する。心の〈冒険への誘い〉は恋人からやってくるが、ダンソンが選ぶのは、独力で男らしい道に踏みだしたいという、男の自我からの〈誘い〉だ。主人公は、相反する別のレベルの〈冒険への誘い〉を選ばなければならないことがある。〈冒険の拒否〉のステージは、主人公の選択の困難さを表現できる場でもある。

ポジティブな〈拒否〉

〈冒険の拒否〉は、普通は主人公の成長にとってはマイナスになることであり、そこで冒険が誤った方向に向かいかけたり、出発自体が危うくなったりする。とはいえ、まれに〈冒険の拒否〉が、主人公にとっては賢明なプラスの動きとなる場合がある。〈誘い〉が悪への誘惑や災厄への招きなら、拒否したほうが賢い。童話の『三匹の子ぶた』は、大きな悪いオオカミが力強く訴えても、賢く拒否してドアをあけようとしない。映画『永遠に美しく…』では、ブルース・ウィリス演じる人物が、不死の薬を飲めという複数の強い〈誘い〉を受ける。イザベラ・ロッセリーニの魅惑的な売り込みにもかかわらず、ウィリスは〈冒険の拒否〉によって自分の魂を救う。

芸術家肌の主人公

〈冒険の拒否〉がプラスに働くもうひとつの特殊例に、主人公が芸術家の場合がある。作家、詩人、絵描き、ミュージシャンなどは、矛盾した難しい〈誘い〉に向き合っているものだ。芸術家たちは、芸術の素材を見つけるため、世界に完全に没頭しなければならない。だが、ときにはその世界から身を引き、実際に芸術作品を創造するためにひとりになる必要もある。物語の主人公の多くがそうであるように、芸術家もまた、外の世界と自分の内面の双方から相反する〈誘い〉を受け、どちらかを選ぶか、あるいはそのあいだで妥協しなければならない。より高次元の〈誘い〉に応じて自己表現しようとするなら、ジョーゼフ・キャンベルが言うところの「世界からの甘言」による〈誘い〉を拒まなければならないこともある。

芸術家に大きな冒険を引き受ける覚悟ができてくると、〈日常世界〉もそれに気づいてつきまとってくる。オデユッセウスと仲間の水夫を岩礁に連れ込もうとするセイレーンのように、〈日常世界〉もひどく甘い歌をしつこく聴かせてくる。さまざまなじゃまをして芸術家を誘い、取り組み始めた作品から注意をそらそうとする。オデュッセウスは部下の水夫たちの耳に蝋を詰めさせ、セイレーンの魅惑の歌に誘われて岩礁に行ってしまわないようにした。

ただしオデュッセウスは、その前に部下に指示して自分の体をマストに縛らせ、セイレーンの歌声が聞こえても船の舵を危険な方向へ向けたりしないようにした。芸術家も、マストに縛りつけられたオデュッセウスのように、すべての感覚で人生の歌を深く味わいつつ、自分の芸術という船にみずから自分を縛りつけ、人生を乗りきることもあるだろう。より壮大な芸術表現の〈誘い〉に従うため、世界の強力な〈誘い〉を拒もうとするのだ。

意欲的な〈英雄〉

このステージで恐れやためらいや拒否を表す主人公は多いが、ためらいもせず、恐れを口にもしない主人公もいる。この**意欲的な〈英雄〉**は、〈冒険への誘い〉を受け入れるどころか、ときにはみずから求めたりもする。プロップはこうした〈英雄〉を、「犠牲にされる〈英雄〉」に対して「求める〈英雄〉」と呼んでいる。ただし、〈冒険の拒否〉によって表される恐れや疑いは、意欲的な〈英雄〉の物語においても表現される。ほかの登場人物が恐れを表すことで、主人公や観客に、この先の旅路で起きるかも知れないことを警告するのだ。

『ダンス・ウィズ・ウルブズ』のジョン・ダンバーのような意欲的な主人公は、個人の死の恐怖も乗り越えてしまっている。すでに映画の最初の場面で、まるで死を求めるかのように、南部の白人たちがライフルを構える前を馬で駈けぬけるという自殺的行為をして、それで奇跡的に助かっている。西部での冒険をみずから求め、拒否も躊躇もしない。とはいえ、草原地帯の危険や厳しさは、別の登場人物が〈冒険の拒否〉を示すことにより、観客には明確に伝わる。ひとりは、ダンバーに走り書きの「命令」を出す、頭のおかしいみじめな軍士官だ。この男はダンバーがたどったかもしれない末路を見せてくれる。開拓者のこの男は、ひどく奇妙で挑発的で、ときには人々を怒らせる。この世界の現実を受け入れることができず、否認と妄想に閉じこもり、最後は銃で自殺して〈誘い〉を拒む。

〈拒否〉の力を発するもうひとりの登場人物は、ダンバーを辺境の前哨地点まで連れていく、荷馬車のうすぎたない御者だ。この男は先住民や草原地帯の恐ろしさばかり語り、ダンバーが自分のやろうとしていることを放棄して〈冒険の拒否〉をするよう仕向け、文明社会に戻らせようとする。御者は最終的に先住民に容赦なく殺され、ここでもダンバーがたどったかもしれない別の運命が観客に伝えられる。主人公自身はいっさい〈拒否〉はしないが、冒険の危険性はほかの登場人物を通じて知らされ、劇的に表現される。

〈戸口の番人〉

主人公が恐怖を克服して冒険を決意しても、恐れや疑いの旗をかかげる力強い人物が挑んできたり、主人公がこの冒険に参加する資格があるか疑念を呈したりすることがある。この役目を演じるのが〈戸口の番人〉で、冒険が始まる前から主人公のじゃまをする。

『ロマンシング・ストーン』のジョーン・ワイルダーは、〈誘い〉を受け入れ、コロンビアにいる姉のために冒険する覚悟を決める。だが、ジョーンの恐れや〈拒否〉の経過は、〈戸口の番人〉の恐ろしげな仮面をかぶった、彼女のエージェントとの場面に入念に織り込まれている。エージェントはタフでシニカルな女性で、理路整然と危険を強調し、ジョーンを思いとどまらせようとする。魔女が呪いの言葉を口にするように、エージェントはジョーンがヒーローの使命を果たす必要はないと断言する。ジョーンもそれには同意するが、姉の危険がすでにジョーンのモチベーションとなっている。冒険に出る覚悟はできている。ジョーン自身は〈冒険の拒否〉をしないが、それでも恐れや疑いや危険は観客に明確に伝わる。

このエージェントは、登場人物がどう仮面を切り替え、複数のアーキタイプの側面を表すかを見せてくれる。最初はジョーンの〈師〉や友人に見え、仕事や異性の扱いの話題に関しては〈仲間〉でもある。だが、〈師〉はやがて激しい〈戸口の番人〉になりかわり、厳しい警告とともに冒険のじゃまをする。娘が自分のあやまちから学ぶことを許そうとしない、過保護な親のようでもある。この場面でのエージェントの役目は、主人公の冒険への決意を試すことだ。

エージェントはもうひとつ重要な役目を担っている。観客に向けて物語の問いを発するのだ。ジョーンは本当に冒険に立ち向かえるほど勇敢で、生きのびることができるだろうか？　主人公がどんな状況にも立ち向かえるとわかっているよりも、この疑念があったほうがおもしろい。この問いは、観客に感情的なサスペンス状態を生みだし、観客は心の奥に引っかかったままの不安感とともに、主人公の前進を見守ることになる。〈冒険の拒否〉には、しばしばこうした疑いを生む役割もある。

〈師〉が仮面を替えて〈戸口の番人〉を演じるのは、そうめずらしいことではない。〈師〉が主人公を、冒険の奥深くまで導くこともある。社会が認めようとしない冒険への道筋――違法な道筋、賢明とは言えない道筋、危険な道筋――を阻む〈師〉もいる。こうした〈師／戸口の番人〉は、社会や文化の力強い具現化で、認められた境界の外に行かないよう主人公に警告する。『ビバリーヒルズ・コップ』では、デトロイト警察の上官がエディ・マーフィを阻み、事件から手を引くよう命じ、マーフィが越えてはいけない一線を引く。とはいえ、もちろんマーフィはすぐにこの一線を越えてしまう。

秘密の扉

主人公は、〈師〉や〈戸口の番人〉が決めた境界線を最終的には越えてしまうが、それはいわゆる「秘密の扉の法則」のせいである。『美女と野獣』で、野獣の家を自由に動きまわることを許されたベルが、ある部屋のドアだけは決してあけてはならないと命じられると、観客は、きっとベルがいつかこの秘密のドアをあけるだろうと感じ取る。箱をあけるなと言われたパンドラは、ひと目箱のなかをのぞくまでは気が休まらなくなる。プシュケは恋人のクピドの姿を見てはいけないと言われるが、どうしても耐えられずに見てしまう。こうした物語は、人々の好奇心や、隠されたものや秘密のすべてを知りたいという強力な衝動を象徴している。

〈冒険の拒否〉――『オズの魔法使』の事例

ドロシーは家から逃げ、マーベル教授のカーニバルの馬車までやってくる。マーベル教授は〈老賢者〉の役目を担い、ここでは危険な旅の戸口に立ってドロシーを阻もうとする。この時点のドロシーは意欲的な〈英雄〉で、観客にこの道のりの危険を知らせるのは教授に任される。シャーマンのようなちょっとした魔法を使い、教授は家へ帰るようドロシーを説得する。教授の説得は成功し、ドロシーは現状では〈冒険の拒否〉をする。

だが、実のところマーベル教授は、より高次の〈誘い〉を発している。家に帰り、ドロシーが対立している女性的な力と和解し、エムおばさんの愛情をもう一度確かめ、自分の感情から逃げずに向き合うようにうながしているのだ。

ドロシーが家に戻ろうとしているあいだに、強い力がドロシーの人生を動かし始める。かき乱されたドロシーの感情の象徴である竜巻の恐ろしい力は、ドロシーの愛する人々や仲間を地下室に追いやり、ドロシーの手の届かないところに行ってしまう。誰もドロシーの声に気づかない。ドロシーに残されたのは、トトと自分の直観だけだ。多くの〈英雄〉と同様、ドロシーも、旅がすでに始まっていて、以前の場所には決して戻れないことに気づく。結局のところ〈拒否〉は無意味だったのだ。ドロシーはすでに渡った橋を焼き払っていて、〈ヒーローズ・ジャーニー〉の最初の一歩を踏みだしたことを受け入れなければならない。

ドロシーは誰もいない家に避難するが、一般的な夢では、無人の家は古いパーソナリティ構造を象徴する。だが、ドロシー自身がかきまわして生じた変化の渦巻く力が、ドロシーをさらいに迫ってくると、この脅威的な力から身を守れるものは何もないのだ。


〈拒否〉のステージは、〈誘い〉が来てこれを受け入れるまでのあいだ、ほんのひと言か二言のためらいの言葉だけで、さりげなく終わることもある（いくつかの旅のステージが、ひとつの場面にまとめられることも多い。民俗学者はこれを「合成」と呼ぶ）。〈拒否〉は旅の始まり近くのたった一歩程度のこともあれば、道中のすべての歩みにわたることもあり、これは主人公の性質による。

〈冒険の拒否〉が、冒険の焦点を切り替えるチャンスになることもある。おもしろ半分の冒険、不愉快ななりゆきから逃げるための冒険が、ここでより深い精神の冒険へと押しやられることもある。

〈戸口〉に立った主人公が、恐れを感じてためらうことで、観客にもこの先の試練の困難さが伝わる。しかし最終的に主人公は、自分を守ってくれる賢明な力や、魔法の贈り物などの助けを借りて、恐れを克服するか、いったんは脇にどけることになる。こうした力や贈り物が表現するのが、次のステージ、すなわち〈師との出会い〉の力である。

考察

1　『プリティ・ウーマン』の主人公は、どんなふうに〈冒険の拒否〉をするだろう？　『セッション』は？　『フォードvsフェラーリ』は？　『ロケットマン』は？　〈冒険の拒否〉やためらいは、どの物語にも、どの主人公にも必要なステージだろうか？

2　あなたの物語の主人公が恐れていることは何か？　誤った恐れや妄想ではないか？　本物の恐れだろうか？　恐れはどんなふうに表現されているだろうか？

3　主人公はどんなふうに〈冒険への誘い〉を拒んだだろうか？　そして〈拒否〉の結果、何が起きたのか？

4　主人公が意欲的な〈英雄〉の場合、観客に危険をはっきりと伝える登場人物や力は存在しているだろうか？

5　あなたが実際に〈冒険への誘い〉を拒んだ経験はあるだろうか？　もし受け入れていたら、あなたの人生はどうなっていただろうか？

6　拒めばよかったと思う〈冒険への誘い〉を受け入れた経験はあるだろうか？

師との出会い

ステージ4　師との出会い

「彼女（アテナ）は、メントルの姿を借り、目も耳も惑わすために彼そっくりになった……」

――ホメロス『オデュッセイア』

この先の「未知の領域」に対するそなえを済ませるまで、〈冒険の拒否〉をしておくというのもそう悪いことではない。神話や民話においては、知恵のある保護者的な人物である**〈師〉**の手助けで、そうした準備をおこなうことがある。〈師〉は主人公に対し、保護を与え、導き、教え、試し、訓練し、魔法の贈り物をするなどのさまざまな奉仕をする。ウラジーミル・プロップは、ロシア民話の研究において、こうした立場の登場人物が主人公に旅で必要なものを供給する役目を担うところから、彼らを「寄贈者」「提供者」と呼んだ。〈ヒーローズ・ジャーニー〉における〈師との出会い〉は、主人公が恐れを克服して冒険を始めるのに必要な、そなえの品、知識、自信を得るステージだ。

〈英雄〉と〈師〉

映画や物語のどんなジャンルでも、〈英雄〉と〈師〉の二つのアーキタイプの関係を入念に描く作品は数多くある。

映画の『ベスト・キッド』シリーズ、『ミス・ブロディの青春』、『落ちこぼれの天使たち』などは、〈師〉が生徒を教える過程を中心とした物語だ。『赤い河』、『普通の人々』、『スター・ウォーズ』シリーズ、『フライド・グリーン・トマト』など、主人公の人生の重要な瞬間に、〈師〉の力がいかに重大かを示す作品も無数に存在する。

知恵の源

〈師〉のアーキタイプにはさまざまな役目があるが、たとえそれを実際に演じる登場人物がいなくても、ほとんどの主人公は、冒険に出る前になんらかの知恵の源と接触する。すでに冒険に出た誰かの経験を求めたり、以前の冒険で大きな犠牲を払って得た知恵を、自分の内に探したりする。いずれにしろ主人公は、冒険の地図を調べたり、記録を探したり、冒険領域の航海日誌を探すぐらいの賢明さは持ち合わせている。過酷で混乱に満ちた〈ヒーローローズ・ジャーニー〉に乗りだす前に、立ち止まって地図を調べるぐらいの慎重さもある。

ストーリーテラーにとっての〈師との出会い〉のステージは、対立、関与、ユーモア、悲劇などを豊かに盛り込めるステージだ。主人公と〈師〉、もしくは助言者的な人物とのあいだに生まれる、感情的な関係に基づいたステージとなるのが普通で、観客は、ひとつの世代から次の世代に知恵や経験が受け継がれる関係性を好む傾向がある。〈師〉やロールモデルと関係を築いた経験は、誰にでもあるからかもしれない。

民話や神話における〈師〉

民話には、主人公が魔力を持った保護者と出会い、贈り物や旅の案内を与えられるという描写がたくさんある。靴職人を助けるエルフ、ロシアのおとぎ話に登場し幼い少女を助けて守る動物、白雪姫に避難場所を与える七人のこびと、貧しい主人を助けて王座を与える長靴を履いたしゃべる猫。どれも主人公を助け導く、強力な〈師〉のアーキタイプの投影像である。

神話の英雄は、魔女や魔法使い、祈祷師、精霊、その世界の神々などの助言と手助けを求める。ホメロスの物語の英雄たちは、魔法の助けを与えてくれる守護神に導かれる。神と人間の中間のような魔性の存在、たとえばケンタウロスなどが育てて鍛える英雄もいる。

ケイロン――老賢者の典型

ギリシャ神話の主人公のなかには、あらゆる〈老賢者〉の典型のようなケンタウロスのケイロンに教えを受けた者がたくさんいる。人と馬が奇妙に組み合わさったケイロンは、ヘラクレス、アクタイオン、アキレス、ペレウス、そして古代の偉大な医神アエスクラピウスなど、ギリシャ神話の英雄たちの養父であり訓練役であった。ギリシャの人々は、〈師〉とはどうあるべきかというさまざまな考えを、ケイロンのなかに集積していったのだ。

本来、ケンタウロスは野生の野蛮な生き物だ。ケイロンは例外的に優しくおだやかなケンタウロスだったが、それでも野生の馬の性質は残っていた。半人半馬のケイロンは、動物の力に触れるために動物の皮をまとって踊る、さまざまな文化のシャーマンを連想させる。ケイロンは、おのれの持つ野生のエネルギーと直観をなだめすかし、教えを与えるために使った。シャーマンと同様に、人間と、自然や天地万物の高遠な力とのあいだに架かる橋のような存在とも言える。物語の〈師〉は、自然や別の精神世界とのつながりを示すことも多い。

〈師〉としてのケイロンは、訓練中の〈英雄〉が成年男子の戸口を通過できるよう、弓術、詩、外科術などを忍耐強く教えた。必ずしもその努力が報われたわけではない。凶暴な弟子のヘラクレスに魔法の矢で傷つけられたケイロンは、痛みに耐えかね、神々に殺してくれと訴える。しかし最終的には、下界で責め苦を受けていたプロメテウスの代わりになり、彼を救うという真に英雄的な犠牲を払うことで、ギリシャ神話のなかでも最高の栄誉を受けることになった。ゼウスはケイロンを天に上げ、十二宮の星座――弓を引くケンタウロスを表す射手座――としたのである。ギリシャ人は明らかに、教師や〈師〉という存在を重んじていたことがよくわかる。

自身の〈師〉となる

〈師〉《メンター》という言葉は、『オデュッセイア』の登場人物の名前に由来している。オデュッセウスの忠実な友人メントルは、オデュッセウスがトロイア戦争から戻る長旅のあいだ、その息子テレマコスを育てることを任されていた。メントルはあらゆる案内役や訓練役を総称する言葉の語源となったが、実のところメントルの正体は知恵の女神アテナで、アテナが裏で糸を引き、物語に〈師〉のアーキタイプの力を持ち込んでいたのである。

〝きらめく瞳の女神〟アテナはオデュッセウスのことをいたく気に入っていて、なんとしても無事に家に帰らせようとした。息子のテレマコスの面倒も見た。『オデュッセイア』の冒頭（〈日常世界〉）では、テレマコスの母親に求婚した傲慢な若者たちによって一家が荒らされ、その状態のままテレマコスの物語も中断していた。アテナはこの状況を変えようと、人間の姿になる。〈師〉のアーキタイプの重要な役目は、物語を進めることにある。

最初アテナはメントスという名の旅する戦士の姿を借りて現れ、テレマコスを鼓舞して、求婚者たちに立ち向かい、父親を探すよう挑発する（〈冒険への誘い〉）。テレマコスはこの挑戦を受けるが、求婚者たちに笑い飛ばされ、自信を失って使命を捨てようとする（〈冒険の拒否〉）。再び物語は行き詰まり、アテナは今度はテレマコスの師のメントルになる。変装したアテナはテレマコスに勇気を吹き込み、船や乗組員を集める手助けをする。こうして、メントルの名は老いた相談役や案内役を意味するようになったものの、本当に立ちまわっていたのは女神アテナだったのである。

アテナの存在は、〈師〉のアーキタイプの純然たる力そのものだ。アテナが真の姿を現せば、その熾烈な力で最強の英雄も粉々に吹き飛ばされてしまうだろう。神々は通常、神性をおびた精神が一時的に入り込んだ存在を通じて、人々に語りかけてくる。優れた教師や〈師〉は、学ぶことにも**熱心**である。この感情が、教え子や観客にも見事に伝わるのだ。

メントスやメントルという名、それに「精神の《メンタル》」という言葉も、ギリシャ語の「心」を意味する「メノス」から派生している。この言葉は多様な意味を持ち、心、精神、記憶のほか、意図、力、目的などの意味でも使うことができる。物語の〈師〉は主に〈英雄〉の心に働きかけ、その意識を変化させたり、意志の方向を変えさせたりする。ときには物理的な贈り物も与えながら、主人公が自信を持って試練に向き合うよう、その心を強化する。「メノス」には「勇気」の意味もある。優れた〈師〉は勇気を与え励ます者でなければならない。

型どおりの〈師〉を避けるには

観客は〈師〉のアーキタイプにはなじみがある。〈師〉のふるまいや態度も、〈老賢者〉の役目も、何千年も昔の物語の時代から知られており、月並みなステレオタイプ——主人公を助ける親切なおばあさん、とんがり帽子をかぶった白いあごひげの魔法使いなど——に陥りやすい。これを避け、新鮮で驚きのある人物にするためには、とにかくアーキタイプに抗うしかない！　逆さまにしてみたり、表裏をひっくり返してみたり、わざとまるっきり〈師〉がいない物語にして、どうなるか見てみよう。〈師〉の不在は、主人公にとっては特殊で興味深い状況になる。ただし、〈師〉アーキタイプの存在感や、観客がこうした人物になじんでいるという点は意識しておこう。

ミスリード

〈師〉（またはほかの登場人物）の印象をミスリードされても、観客は案外気づかないものだ。実人生は驚きに満ちていて、思ってもみなかった本性を持つ人もたくさんいる。〈師〉の仮面を利用し、主人公を犯罪の人生に誘い込むこともできる。『オリバー・ツイスト』のフェイギンは、そうやって少年たちをスリの道に引き込んだ。〈師〉の仮面は、主人公を危険な冒険に関与させ、気づかないうちに悪役のために働かせる策略として使うこともできる。『アラベスク』のグレゴリー・ペックは、偽の〈老賢者〉にだまされ、スパイの一味を助けることになる。普通の、親切に手助けしてくれる〈師〉のように見せかけた人物が、本当はまったくちがう立場の人間だと、あとから観客に明かすこともできる。観客の期待や思い込みを利用して、観客を驚かせるのである。

〈師〉と〈英雄〉の対立

主人公が恩知らずだったり暴力的だったりする場合、〈師〉と〈英雄〉の関係が悲劇や破滅につながることもある。比類なき英雄との呼び声が高いヘラクレスも、〈師〉に危害を加えかねない危険な性質がある。痛ましい傷を受けたケイロンのみならず、音楽教師のリノスも、音楽のレッスンにいらだったヘラクレスに、初めて作られたリラと呼ばれる竪琴で頭を殴られた。

ときには〈師〉が悪役に変わったり、主人公を裏切ったりすることもある。映画『アイガー・サンクション』では、一見善意の〈師〉に見える人物（ジョージ・ケネディ）が、その教え子となる主人公（クリント・イーストウッド）を裏切って殺そうとする。北欧神話では、ドワーフのレギンは最初は竜殺しのシグルズの〈師〉となり、破壊された剣を鍛えなおしてやる。しかし時間がたつうちに、手助けしてくれたレギンが実は裏切り者だったことがわかる。ドラゴンが殺されたあと、レギンはシグルズを罠にかけて殺し、宝を自分のものにしようとしていたのだ。

おとぎ話のルンペルシュティルツヒエンも、最初のうちは〈師〉だ。うちの娘はわらを紡いで黄金に変えることができると吹聴したヒロインの父親の嘘を本当にするため、娘を助けてくれる。だが、その代償としての要求は法外だった――ルンペルシュティルツヒエンは娘の産んだ赤ん坊を欲しがる。これらの物語は、〈師〉が必ずしも信頼できる相手ではないことを教えてくれるし、その動機を疑うのも悪いことではない。悪い助言と良い助言を区別するひとつの方法なのだ。

弟子から敬われていた〈師〉が、主人公を失望させてしまうこともある。『スミス都へ行く』のジェームズ・ステュアートは、クロード・レインズ演じる高潔な上院議員を〈師〉と見なして模範にしてきたが、実はこの男もほかの議員同様に不正直で臆病な人物だということが、あとからわかってしまう。

〈師〉は親と同じで、その保護から離れるのが難しいこともある。過保護な〈師〉が悲劇的な状況を招くこともある。小説『トリルビー』の登場人物スベンガーリは、自分の教え子に固執して自分と教え子の両方に破滅をもたらす、〈師〉の恐ろしい姿を示している。

〈師〉主導の物語

ときには物語全体が〈師〉を中心にできていることがある。『チップス先生さようなら』は、小説としても映画としても、教えるということを中心に作られた物語だ。チップス先生はたくさんの少年たちの〈師〉であり、なおかつ、彼自身にも何人もの〈師〉がいる物語の主人公である。

映画『バルバロッサ（Barbarossa）』は、物語全体にわたり、〈師〉との関係を鋭く楽しく見つめる作品だ。物語の焦点は、田舎の若者（ゲーリー・ビジー）が伝説の西部の無法者バルバロッサ（ウィリー・ネルソン）から受ける訓練だ。若者は完璧に学び、映画の最後には、非凡な民衆の英雄として、バルバロッサの地位を引き継げるまでになる。

進化した〈英雄〉としての〈師〉

〈師〉とは、充分に経験を積み、他者に教えられるようになった〈英雄〉の姿と見なすこともできる。〈師〉は、〈ヒーローズ・ジャーニー〉を一度かそれ以上体験し、人に伝授できる知識や技能も手に入れている。タロットカードの絵柄は、〈英雄〉が〈師〉へと進化していく過程をたどっている。〈英雄〉は「愚者」から始まり、「魔術師」「戦士」「使者」「征服者」「恋人」「盗人」「支配者」「隠者」など、いくつかの冒険のステージを経ていく。最後に〈英雄〉は、〈ヒーローズ・ジャーニー〉を何度も生きのびた経験を手に入れ、奇跡を起こし、他者の〈師〉や案内役となる「秘儀の祭司」になる。

決定的な影響

たいていの場合、教え、訓練し、試すことは、主人公が進む道のほんの一時的な段階であり、全体像から見ればほんの一部分にすぎない。多くの映画や物語では、〈老賢者〉は主人公に瞬間的な影響を与えるだけだ。とはいえ、〈師〉の短い登場場面は、物語が疑いや恐れの障害を乗り越えていくうえではとても重要だ。物語に二、三回しか出てこない〈師〉もいる。『オズの魔法使』の良い魔女グリンダは、①ドロシーに赤い靴を与え、黄色のレンガ道をたどらせる、②眠りを誘うケシの花畑にまっ白な雪を降らせてその力を奪う、③家に帰りたいというドロシーの願いを、魔法の赤い靴を使ってかなえてやる、というたった三つの場面にしか出てこない。どの場面でも、グリンダの役目は、手助けや助言、魔法の道具を使って物語を進めることにある。

〈師〉はストーリーテラーにとっては使い勝手がよく、驚くほどさまざまな形でひんぱんに登場してくる。人は誰しも、誰かから、あるいは何かから人生の教訓を学ばなければいけないという現実を、〈師〉の存在が伝えているのだ。人、伝統、道徳律など、どんな形に具現化されるにしても、〈師〉のアーキタイプの力はほぼすべての物語に存在し、贈り物や励まし、導きや知恵を使って物事を動かしていく。

〈師との出会い〉――『オズの魔法使』の事例

多くの主人公と同様、ドロシーもさまざまな種類の〈師〉に出会う。ドロシーは出会った相手のほぼ全員から何かを学ぶ。ドロシーが学ばせてもらった登場人物は、ある意味で全員が〈師〉である。

マーベル教授は、自分が愛されているということをドロシーに思いださせ、〝おうち〟、つまりカンザスの農場以上の意味を持つこの言葉の探索に戻らせようとする。ドロシーは家にいるという感覚を自分の魂で学ばねばならず、自分の問題に向き合うために正しい一歩を踏みだそうとする。

だが、竜巻がドロシーをオズの国へさらう。そこでドロシーは、新しい土地の新しい〈師〉、良い魔女グリンダと出会う。グリンダは、未知のオズの国のルールをドロシーに伝え、魔法のルビーの靴を贈り、黄色いレンガの道、つまりは〈ヒーローズ・ジャーニー〉に続く黄金の道を示す。グリンダはドロシーにとってポジティブな女性のロールモデルであり、悪い魔女のネガティブさとのつり合いをとる。

ドロシーが旅の途中で出会う、わらでできたかかし、ブリキでできた男、そしてしゃべるライオンという不思議なキャラクターたちは、〈仲間〉となるばかりでなく、ドロシーに、頭、心、勇気についての教訓を教えてくれる〈師〉でもある。三人とも、ドロシーが自分のパーソナリティを構築するうえで織り込んでいかなければならない、異なる男性エネルギーのモデルである。

オズの魔法使い自身は、ドロシーに新たな〈冒険への誘い〉、つまり、魔女のほうきを手に入れるという不可能な使命を与える〈師〉だ。魔法使いはドロシーに、最も大きな恐れに直面させようとする――魔女が持つ、敵意ある女性エネルギーだ。

小さな犬のトトも、ある意味では〈師〉だ。ずっと本能に従って行動するトトは、ドロシーをさらに深い冒険へと導き、そしてそこから戻るためにも必要となる、ドロシーの直観なのだ。

〈師〉のアーキタイプの概念には、書き手が使えるものがたくさんある。物語を進める力をもたらしたり、主人公に必要なモチベーションや旅の道具を与えることだけでなく、ユーモアや深みのある関係、あるいは悲劇をはらんだ関係を提供することもできる。〈師〉のアーキタイプの役目だけを演じる登場人物は必要ない物語もあるが、たいていの物語においては、いずれかの登場人物、あるいはなんらかの力が、主人公を助けるという〈師〉の役目を果たすため、どこかで一時的に〈師〉の仮面をかぶることになる。

書き手が行き詰まったときには、主人公と同じように、〈師〉の助けを求めるといいかもしれない。ライティングの先生に相談したり、偉大な作家の作品からインスピレーションを求めてみてもいい。ミューズの住まう場所である「自己」の内に、インスピレーションの真の源を探して、自分の内面の奥深くを探しまわってみてもいい。〈師〉の最良の助言はいたってシンプルだ——深呼吸しなさい。あきらめるな。君はよくやっている。どんな状況に対処しなければならないとしても、必要なものはきっと自分の内にある。

ひとつ覚えておいてほしいのは、書き手もまた読者にとっての〈師〉のようなものであり、別の世界へ旅をし、人々を癒やすための物語を持ち帰るシャーマンだということだ。〈師〉と同じくシャーマンも、自分の物語を使って教え、自分の経験や情熱、観察や熱意を与える。シャーマンや〈師〉のように、書き手も人生において人々を導くメタファーを提供する——それはすばらしく価値のある贈り物であり、書き手の重要な責任でもある。

こうして、〈師〉のアーキタイプの力が〈英雄〉に恐れを乗り越えさせ、冒険に送りだしたあと、次にやってくる〈ヒーローズ・ジャーニー〉のステージは、〈最初の戸口の通過〉である。

考察

1　映画『羊たちの沈黙』における〈師〉は誰か、もしくはなんだろうか？『英国王のスピーチ』は？『アリー／スター誕生』は？『ハンガー・ゲーム』は？

2　長期間続いているテレビシリーズを三つ思い浮かべてほしい。そのシリーズには〈師〉はいるだろうか？その登場人物が担っている役目はなんだろうか？

3　あなたが書いている物語に、本格的な〈師〉はいるだろうか？一時的に〈師〉の仮面をかぶる、別の登場人物はいるだろうか？

4　物語中に〈師〉となる登場人物がいない場合、いたほうが物語はよくなるだろうか？

5　あなたが書いている物語に見られる、あるいは物語中で展開していく〈師〉の役目には、どんなものがあるだろうか？　主人公は〈師〉を必要としているだろうか？

6　あなたの主人公は、自分の内に道徳律や行動規範を持っているだろうか？　主人公には良心があるだろうか、それはどのように現れてくるだろうか？

7

『レイダース／失われたアーク《聖櫃》』『インディ・ジョーンズ／魔宮の伝説』の主人公には、はっきりとした〈師〉はいない。主人公はそのときどきで人から物事を学ぶことはあるが、主人公に教える特定の登場人物がいるわけではない。シリーズ第三作『インディ・ジョーンズ／最後の聖戦』では、ショーン・コネリー演じるインディの父親が登場する。父親は〈師〉だろうか？　どんな親でも〈師〉になれるものだろうか？　あなたの場合はどうだろう？　あなたが書いている物語では、〈師〉の力に対する主人公の態度はどんなふうだろうか？

最初の戸口の通過

ステージ5　最初の戸口の通過

「黄色いレンガの道をたどっていけばいいのです」
――映画『オズの魔法使』、ノエル・ラングリー、フローレンス・ライアソン、エドガー・アラン・ウルフ脚本

いま〈英雄〉は、冒険の世界、まさに第二幕の〈特別な世界〉の戸口に立っている。〈誘い〉が聞こえ、吐露された疑いや恐れは鎮まり、必要な準備はすべて整った。しかしまだ、本当の動き、第一幕で最も重要な行動が残っている。〈最初の戸口の通過〉は、主人公が心から冒険に打ち込もうとする意志の行動である。

戸口への接近

主人公は、ただ〈師〉からの助言や贈り物を受け取り、そのまま冒険に突入するというわけではない。主人公の最後の決意は、物語の道筋や緊張感を変化させるような、なんらかの外部的な力を通じて生まれることが多い。ここは伝統的な三幕構成の映画構造では、「プロットポイント」、「ターニングポイント」などと呼ばれる箇所に

当たる。たとえば、悪役が主人公に近しい誰かを殺したり、危害を加えたり、脅したり、さらったりすることで、すべてのためらいは拭い去られる。悪天候で航海に出ることを余儀なくされたり、使命の達成に期限が与えられたりする。主人公は、自分に選択の余地がない、あるいは難しい選択をする以外に道がないことを悟る。なかには、だまされて冒険に「連れ込まれる」、あるいは、追い詰められて旅に出るしかなくなる主人公もいる。映画『テルマ&ルイーズ』では、テルマを襲った男をルイーズが衝動的に殺してしまい、二人の女性は〈最初の戸口の通過〉を強いられ、逃亡という新しい世界へ飛び込んでいく。

外部から背負わされる出来事の例として、ヒッチコックの『北北西に進路を取れ』がある。広告企業の重役のロジャー・ソーンヒルは、むこうみずな諜報員にまちがわれ、第一幕のあいだずっと〈冒険への誘い〉を避けるべく全力を尽くす。ロジャーが冒険を受け入れるのは、殺人が起きたせいだ。国連ビルで話をしようとした男が公衆の面前で殺され、人々はみなロジャーがやったと思い込んだ。これでロジャーは本当の〝逃亡者〟となり、警察からも、ロジャーを殺すためには手段をいとわない敵の諜報員からも逃げなければならなくなる。殺人という外部的な出来事が、物語に〈最初の戸口の通過〉をうながし、賭け金がつり上がった〈特別な世界〉へと押しやるわけだ。

内面的な出来事も、〈戸口の通過〉の引き金となることがある。主人公の魂そのものが危機にさらされ、「これまでどおりの人生を続けるべきか、それともすべてを賭けて成長や変化のために努力すべきか?」を決めなければならなくなる。『普通の人々』では、若い主人公コンラッドの壊れかけていた人生が、徐々に恐れに負けず選択をおこなわせようとする圧力となっていき、やがてコンラッドはセラピストに会い、兄の死のトラウマの診察を受けることになる。

外的な出来事と内的な選択が重なって、物語を第二幕に進めることも多い。『ビバリーヒルズ・コップ』のアクセル・フォーリーは、幼なじみが悪党に残忍に殺され、悪党を雇った男を見つけるという動機を得る。だが、アクセルが反発を乗り越えて完全に冒険に突入する前に、決意の瞬間が訪れる。アクセルのボスが事件から手を引けと警告する短い場面で、アクセルがこの警告を無視し、なんとしても〈特別な世界〉へ向かうという選択を、胸中でおこなうさまが見てとれる。

〈戸口の番人〉

主人公が戸口に近づいていくと、行く手を阻もうとする誰かがそこで待っている。〈戸口の番人〉と呼ばれる、強力で便利なアーキタイプだ。物語のどこにでも急に現れ、立ちはだかって主人公を試す相手で、境界線を越えるための戸口、門、狭い通路に群がっている。アクセル・フォーリーのデトロイト警察の上官もこの役目を担い、アクセルが殺人事件の捜査に関わることを固く禁じる。

〈戸口の番人〉も、主人公が受ける訓練の一部である。ギリシャ神話では、頭が三つある犬の怪物ケルベロスが冥界の入口を見張り、英雄たちはみな、その牙を避ける方法を見つけなければならない。黄泉の国を流れるステュクス川で、魂を案内するいかめしい渡し守のカロンも、銀貨を渡して機嫌を取らなければならない〈戸口の番人〉だ。

ここでの主人公の課題は、こうした〈番人〉を回避したり通過するための方法を探すことだ。〈番人〉の威嚇はただのこけおどしであることも多く、無視するか、信念を持って強引に通りぬけることが正解だったりもする。また、〈番人〉の存在を吸収したり、〈番人〉の敵意あるエネルギーを本人に向け返してやる必要が出てくることもある。障害と見えるものが、実は戸口を乗り越えるための方法だと気づくことで、そこを越えられることもある。敵に見えた〈戸口の番人〉が、価値ある仲間に変わることもあるのだ。

ときには、ただ認められたいというだけの〈戸口の番人〉もいる。面倒な場所を占有し、門を守るという〈番人〉の力や重要な役割を認めもせず、相手の縄張りを通りぬけようとする旅人は礼儀正しいとは言えない。ドアマンや劇場の切符切り係に渡すチップのような、ちょっとした何かがあればいいのである。

通過

〈最初の戸口の通過〉のステージは、単に二つの世界の境界に来たことを知らせるだけの場合もある。信念を持って未知の世界に飛び込まなければ、冒険は決して本当には始まらない。

二つの世界の境界を、物理的な障壁、たとえば扉や門、アーチや橋、砂漠や峡谷、岩壁や断崖、海や川などを越えるという描写で表現する映画は無数にある。西部劇では、〈戸口〉が川や境界線の横断によって明確に示される。冒険映画『ガンガ・ディン』の主人公たちは、第一幕の終わりで、叫ぶカルト集団の群れから逃げるため、高い断崖から飛びおりなければならない。彼らはこの未知への跳躍で絆を結び、〈戸口の通過〉は第二幕の〈特別な世界〉をともに探検しようという意志の表現となる。

昔の映画では、第一幕から第二幕に移る際に短いフェードアウトを挿入することがあり、一瞬スクリーンが暗くなって、時間の経過や空間の移動を暗示する。このフェードアウトは、劇場で幕がおりるのと同じだ。そのあいだに裏方がセットや小道具を変え、新しい場所を提示したり、時間の経過を知らせるのだ。

最近の編集では、第一幕から第二幕へ移るときも、すぱっと場面を切り替えるのが一般的だ。それでも観客は、〈戸口の通過〉で生じる明確な力の移行を感知できる。歌、音楽、鮮烈な視覚的コントラストなどが、この移行を示す助けになる。物語のペースは上がる。新しい領域や構造に突入することは、世界の変化を意味する。『プリティ・リーグ』の〈通過〉は、女性たちがトップレベルのベースボール・スタジアムに入っていく瞬間で、これまでプレイしていた田舎の野球場との際だったコントラストになっている。

実際の〈戸口の通過〉は、ほんの一瞬で終わることもあれば、物語のなかで長く続く道筋になることもある。『アラビアのロレンス』でT・E・ロレンスが受ける苦難は、あやうげに広がる砂漠〝サンズ・アンビル〟を通過することで、このステージの詳細は一連の場面に織り込まれていく。

〈英雄〉が〈通過〉をとげるには、ある種の勇気が必要だ。タロットカードの「愚者」のように、主人公は片足を断崖から尽きだし、未知の世界にまっ逆さまに落ちる寸前の状態にある。この特別な勇気は、**信念の跳躍**とも呼ばれる。あたかも飛行機からジャンプするかのような、やりなおしのきかない行動だ。もう引き返せない。信念を持って跳び、なんとか安全に着地できることを信じるしかないのだ。

荒っぽい着地

主人公がつねに軟着陸できるとは限らない。現実か比喩かに関わらず、別の世界に墜落するかもしれない。〈特別な世界〉に対するロマンティックな幻想が、最初の接触で粉々になってしまうと、信念の跳躍も信念の危機に変わってしまう。痛い目に遭った主人公は、立ち上がって問いかける。「こっちの世界はこの程度のものなのか?」〈特別な世界〉に続く道は、疲れ果て、いらだち、混乱を呼ぶ道になることもある。

〈最初の戸口の通過〉――『オズの魔法使』の事例

強大な自然の力がドロシーを巻き込み、〈最初の戸口〉の向こうへと放りだしにかかる。家に帰ろうとするドロシーを、竜巻が遠回りさせて〈特別な世界〉に送り込み、ドロシーはそこで本当の「家」の意味を学ぶことになる。ドロシーのラストネームの〝ゲイル〟は「大風」の意味で、嵐にかけた言葉遊びとなっている。この竜巻を生みだしたのは、実はドロシー自身の混乱した感情だということが、象徴的言語によって表されているのである。故郷、家というものに対するドロシーの以前の考えは、この竜巻でねじ切られて遠くの土地へ運ばれ、そこで新たなパーソナリティ構造を築くことになる。

移行の領域を通過するあいだ、ドロシーは、なじみのない環境で、なじみある眺めを目にする。空中を飛ぶ牛、嵐の中でボートを漕ぐ男たち、自転車に乗ったミス・ガルチが悪い魔女に変わっていく姿。もはやドロシーには何も頼れるものがない。トト――すなわち自分の本能以外には。

やがて家は地上に落下する。外に出たドロシーが見たものは、カンザスとはまるっきり異なる、おとぎ話に出てくるような小さな人々がたくさんいる世界だった。やがて、〈師〉が魔法を使って現れる。魔女グリンダの入った透明な球が、ふわふわとやってくるのだ。グリンダは、ドロシーが知らないこの土地の決まりごとを伝え、ドロシーの家が落下して悪い魔女を退治したことを教えてくれる。家というものに対する古い考えが根こそぎにされたことで、ドロシーのそれまでのパーソナリティも粉々に砕けたのだ。

グリンダは、〈師〉からの贈り物としてルビーの靴をくれ、冒険のための道のりを教える。家に戻るためには、魔法使い、つまり、ドロシー自身の高次の「自己」に会わなければならない。グリンダは黄色いレンガ道と呼ばれる特殊な道のことを教え、もうひとつの〈戸口〉をドロシーに越えさせる。ドロシーは、その先で友人を作り、敵に立ち向かい、試練を乗り越えるまでは、最終的なゴールに到達することはできない。

〈最初の戸口〉は、本格的に冒険が始まる地点、第一幕の終わりのターニングポイントに当たる。ディズニー社で使われている企業メタファーによれば、物語は『飛行機の旅のようなもので、第一幕は搭乗、燃料供給、地上移動、そして離陸に向けた滑走路走行までのすべてを指す。〈最初の戸口〉は、車輪が地上を離れ、機体が『飛び立つ瞬間だ。飛んだ経験がなければ、空中にいることに慣れるには少し時間がかかる。この調整のプロセスについては、〈ヒーローズ・ジャーニー〉の次のステージ、〈試練、仲間、敵〉で説明しよう。

考察

1　『ダンス・ウィズ・ウルブズ』の〈最初の戸口〉はどこだろう？　『ブレイブハート』は？　『それでも夜は明ける』は？　『アメリカン・スナイパー』は？　ひとつの世界から別の世界に移ったことが、観客にはなぜわかるのだろう？　物語の力はどう変わっているだろう？

2　あなたの主人公には、冒険に突入する意志があるだろうか？　意志の有無は〈戸口の通過〉にどう影響するだろう？

3　〈戸口〉には〈番人〉の力が存在しているだろうか？　〈番人〉は主人公の「信念の跳躍」を、どのぐらい困難なものにしているだろうか？

4　主人公は〈戸口の番人〉にどう対処するだろうか？　主人公は〈戸口の通過〉により何を学ぶだろうか？

5　あなたのこれまでの人生における〈戸口〉はなんだろう？　それはどんな体験だっただろう？　そのときのあなたには、〈戸口の通過〉をして〈特別な世界〉に入っていくという自覚はあっただろうか？

6　〈戸口の通過〉により、主人公が失った選択肢はなんだろう？　選べなかった選択肢が、あとから主人公を苦しめることはあるだろうか？

試練、仲間、敵

ステージ6　試練、仲間、敵

「いいか、三人か四人のいい友だちがいれば、それで徒党が組める――それより強い絆なんかない」

――映画『ヤングガン』、ジョン・フスコ脚本

ついに主人公は、謎めいたエキサイティングな〈特別な世界〉に突入した。そこは、ジョーゼフ・キャンベルが「奇妙に流動的で漠然とした形をし、立て続けの試練を生きのびなければならない夢の風景」と呼んだ場所だ。主人公に取っては新しい、ときには恐ろしい体験となる。主人公がいくつの学校に通ったことがあろうと、この新世界では何もかも一年生としてやりなおすことになる。

コントラスト

〈特別な世界〉は、〈日常世界〉とは際だって対照的な第一印象を観客に与えるものであるべきだ。たとえば『ビバリーヒルズ・コップ』の〈特別な世界〉に対するエディ・マーフィの最初の印象は、彼の前の世界であるデト

ロイトとはまったく対照的だ。たとえ主人公が、物語全体にわたって物理的に同じ場所にいるとしても、新たな感情領域を探求するあいだは動きや変化が生じる。比喩的な意味の〈特別な世界〉にも、ちがう感触、ちがうリズム、ちがう優先事項や価値観、ちがうルールがある。映画『花嫁のパパ』や『招かれざる客』には、物理的な〈戸口〉はないが、新たな条件をそなえた〈特別な世界〉への明らかな〈通過〉が起きる。

潜水艦が水中に潜ったり、貨物列車がセントルイスを出発したり、エンタープライズが地球を離れれば、生き残りの条件やルールも変わる。状況はしばしばさらに危険になり、失敗の代償もより高くつくようになる。

試練

〈特別な世界〉に対する調整期間が果たす何より重要な役目は、**〈試練〉**である。ストーリーテラーはこの段階を利用して主人公を試し、一連の試練や挑戦をくぐりぬけさせ、これが先々のもっと大きな苦難への準備にもなっていく。

ジョーゼフ・キャンベルは、おとぎ話的な〈試練〉を次々と乗り越え、失った恋人クピド（キューピッド、エロス）を取り戻す、プシュケの物語を用いてこのステージを説明している。この物語は、ロバート・A・ジョンソンの女性心理学についての著書『Ｓｈｅ　神話に学ぶ女の生き方』でも、巧みな解釈が提示されている。プシュケは、クピドの嫉妬深い母親ウェヌス（ビーナス）から一見不可能な三つの難題を与えられるが、プシュケが親切にした生き物たちの助けを借りて試練をやりとげる。つまり〈仲間〉を作ったのだ。

第二幕の始まりの〈試練〉も難しい障害であることが多いが、のちに起きる生死のかかった最大級の障害ほどのものではない。冒険を大学の勉学体験にたとえるなら、第一幕は入学試験であり、第二幕の〈試練〉のステージは、主人公の特定領域の技能を磨き、のちのさらに厳しい中間試験や学年末試験に向けて準備を整える、抜き打ちテストのようなものだ。

〈師〉の訓練の続きが〈試練〉になることもある。冒険のこの段階まで同行し、先々の大きな勝負どころに向けて主人公を鍛える〈師〉も少なからずいる。

〈試練〉が〈特別な世界〉の建築物や風景に組み込まれていることもある。この世界は通常、罠や障害物、検問所などでこの世界を慎重に包囲する、悪役や〈影〉に支配されている。主人公がここで罠にかかったり、〈影〉の防衛網に足をとられることもめずらしくはない。主人公がこうした罠にどう対処するかも〈試練〉の一部である。

〈仲間〉と〈敵〉

このステージのもうひとつの機能は、〈仲間〉や〈敵〉ができることである。〈特別な世界〉に到着したばかりの主人公は、当然ながら、特別な仕事を任せるのに誰が信用できて頼れるか、誰が信用ならないかを時間をかけて調べていくことになる。これもまた〈試練〉の一種で、主人公が人の性質を正しく判断できるかが試される。

〈仲間〉

主人公は、最初は情報を求めて〈試練〉のステージに入っていくが、出ていくときには新しい友人や〈仲間〉を手に入れている。映画『シェーン』では、拳銃使いのシェーン（アラン・ラッド）と農民（バン・ヘフリン）の心許ないパートナーシップが、酒場の大乱闘で苦難を共有することにより、本物の固い友情となっていく。『ダンス・ウィズ・ウルブズ』のジョン・ダンバーは、開拓地の〈特別な世界〉へ入るために〈戸口〉を越え、しだいに〝蹴る鳥〟（グレアム・グリーン）や、ダンバーが〝トゥー・ソックス〟と名づけたオオカミと協力関係を結ぶようになる。

相棒

西部劇ではひんぱんに、主人公と**相棒**との長年にわたる絆が描かれる。相棒は、普段は主人公とともに馬に乗り、主人公の冒険を助ける〈仲間〉だ。ローン・レンジャーにはトントがいる。ゾロには下僕のベルナルドがいる。シスコ・キッドにはパンチョがいる。こうした主人公と相棒のコンビは、神話や文学全般にも見いだせる。シャーロック・ホームズとドクター・ワトソン、ドン・キホーテとサンチョ・パンサ、ハル王子とフォルスタッフ、シュメール人の英雄ギルガメシュと野性的な友人のエンキドゥなどもそうした例だ。

主人公と親しい〈仲間〉たちは、支援のみならず、コミック・リリーフの役目も提供する。ウォルター・ブレナン、ギャビー・ヘイズ、ファジー・ナイト、スリム・ピケンズといった俳優が演じる**コミカルな相棒**は、自分が付き添う勇敢でまじめな主人公にはないユーモアを提供する。こういった人物は、〈師〉と〈トリックスター〉の境界を自由に行き来し、主人公を助けたり、主人公の良心として行動したり、ときどき滑稽なへまをしたり悪戯を仕掛けたりもする。

チーム

〈試練〉のステージは、チームを作る機会も提供する。複数の主人公、もしくは、ひとりの主人公と、特別な技能や資質によって主人公を支える登場人物たちのチームを特色とする物語は数多くある。チームのメンバーが集められたり、困難な作戦の計画を練って試す機会がチームに与えられる場面は、第二幕の序盤で登場することが多い。第二次世界大戦の戦争冒険映画『特攻大作戦』や『大脱走』は、主人公たちが物語のメインイベントに取り組むまでに、整合性のあるチームとして絆を結んでいく様子が描かれる。チームメンバーの強みや弱みも、この〈試練〉のステージでは、主人公がチームの支配権をめぐってライバルと争うこともある。チームメンバーの強みや弱みも、この〈試練〉の段階で明かされる。

ロマンスにおける〈試練〉のステージは、最初のデートや、関係性を築く共有体験開始の場となる。映画『アニー・ホール』では、ダイアン・キートンとウディ・アレンのテニスマッチがそれに当たる。

〈敵〉

このステージでは、主人公が誰かに苦々しい敵意を抱くことがある。〈影〉やその手下と出会うこともある。〈特別な世界〉に主人公が現れると、それが〈影〉に伝わり、不吉な一連の出来事の引き金となる。『スター・ウォーズ』の酒場の場面では、悪役のジャバ・ザ・ハットとの対立が生じ、『帝国の逆襲』で頂点に達する。〈敵〉には、悪役、物語における主人公の〈競争者〉、そしてその手下連中が含まれる。〈敵〉は、〈影〉、〈トリックスター〉、〈戸口の番人〉、そしてときには〈使者〉など、ほかのアーキタイプの役目を兼ねることもある。

ライバル

ライバルは〈敵〉の特殊なタイプで、恋愛、スポーツ、ビジネスなど、主人公が没頭している物事の競争相手だ。ライバルは普通は主人公を殺しに来たりせず、ただひたすら競争で打ち負かそうとする。映画『ラスト・オブ・モヒカン』では、主人公のナサニエル・ポーが想いを寄せる女性、コーラ・マンローを好きになってしまうダンカン・ヘイワード少佐が主人公のライバルということになる。『ハネムーン・イン・ベガス』のプロットでは、不運な主人公（ニコラス・ケイジ）と、相手ギャンブラー（ジェームズ・カーン）との、同様のライバル関係が中心に描かれる。

新しいルール

主人公も観客も、〈特別な世界〉の新しいルールをすばやく学ばなければならない。オズの国に来たドロシーは、良い魔女グリンダに「あなたは良い魔女、それとも悪い魔女?」と訊ねられて困惑する。ドロシーの〈日常世界〉のカンザスでは、魔女は普通悪いものだが、〈特別な世界〉オズの国では、魔女には良い魔女もいて、ほうきではなくピンク色の透明な球を使って飛ぶ。〈特別な世界〉の新しいルールに早く適応することも、主人公のもうひとつの〈試練〉となる。

西部劇の〈試練〉のステージでは、町や酒場にやってきた人々が、特定の条件を背負わされることがある。『許されざる者』では、保安官の管轄地域で銃を持つことが許されていない。この制限のせいで、主人公は争いに巻き込まれる。酒場に行った主人公が、二つの派閥によって完全に町が分断されているのを知るケースもある。牧場主対農民、ワイアット・アープ対クラントン兄弟、賞金稼ぎ対保安官。酒場という名の圧力鍋の中では、人々はおたがいを推し量り、どちらかの派閥について最後の対決を待っている。『スター・ウォーズ』の酒場の場面は、偵察、挑戦、協力、そして新しいルール学習のための場として、誰もが持っている西部劇の酒場のイメージを彷彿とさせる。

水飲み場

物語のこのステージで、バーや酒場に行く主人公が多いのはなぜだろう？　その答えは、〈ヒーローズ・ジャーニー〉の狩りのメタファーに隠されている。〈日常世界〉の村や住まいを離れた狩人は、獲物を求めてよくまっすぐ水飲み場に向かうという。肉食獣もときどき、獲物の泥だらけの足跡を追跡してそこへやってくる。水飲み場は自然の集合場所で、状況を観察したり情報を得るのにうってつけの場だ。近所の酒場やカクテルラウンジのことを、英語で「地域の水飲み場」と表現することがあるのも偶然ではない。〈最初の戸口の通過〉は、長く、孤独で、そして喉が渇く。元気を回復し、噂話を拾い、友人を作り、〈敵〉と相対するのに、酒場は格好の場だ。また、何かしら圧力を受けている人間は本性をあらわにするので、人々の観察をするにも都合がいい。『シェーン』では、酒場での喧嘩に対処するシェーンの様子を見た農民が〈仲間〉となり、横柄な牧場主に立ち向かう決意をする。『スター・ウォーズ』の酒場での緊迫した対立場面で、ルーク・スカイウォーカーは、オビ＝ワン・ケノービの精神力が閃光を放つさまや、ハン・ソロの「自分のことだけを考えろ」というメンタリティを目の当たりにする。酒場は〈特別な世界〉の小宇宙のようでもあり、『ロイ・ビーン』の酒場と同じで、誰もが遅かれ早かれ通りすぎなければならない場所だ。『カサブランカ』を下敷きにした戯曲のタイトルにもあるように、「誰もがリックの店にやってくる」のである〔訳注：この舞台劇は二度制作されかけたが上演にいたらなかった〕。

また酒場には、音楽、色恋沙汰、賭け事など、さまざまな活動の場を提供する役目もある。それが酒場であれ、それ以外の場所であれ、物語のこのステージは、〈特別な世界〉の雰囲気を伝える音楽的な流れを作るのにもうってつけだ。『ロジャー・ラビット』に登場するジェシカ・ラビットの煽情的でセンチメンタルなラブソングのように、ナイトクラブのショーを使ってロマンティックな関心をそそることもできる。音楽で〈特別な世界〉の二元性を表現することもできる。『カサブランカ』のこのステージでは、フランスの愛国者たちが歌う情熱的な『ラ・マルセイエーズ』と、ナチス将校が歌う不愉快な『ラインの守り』の合唱対決により、この場の極性が感動的に表現されている。

冒険の孤独な前哨地点において、性的興味をかき立てる唯一の場は、酒場のような場所ぐらいしかない。誘惑、ロマンス、それに売春の駆け引きの場でもある。主人公は、情報を得るために酒場で人間関係を作り、それとともに〈仲間〉や恋人を見つけたりする。

ギャンブルと酒場は相性がよく、〈試練〉のステージでは、運が物を言うゲームをやるのも自然の流れだ。主人公は、運がどれだけ自分の味方をしてくれるか、ご神託を聞いてみようとする。運命の女神の紡ぎ車について学び、運をなだめすかす方法を知りたがる。ゲームのあいだに賭け金が上がることもあれば、財産を失うこともある。ヒンドゥーの叙事詩『マハーバーラタ』では、二組の兄弟たちのあいだでおこなわれる不正な運試しのゲームにより、大きな家族間の不和が動きだす（悪い連中がいかさまを働いたためだ）。

〈試練、仲間、敵〉――『オズの魔法使』の事例

もちろん、どの主人公も旅のこのステージで酒場に行くわけではない。ドロシーが〈試練、仲間、敵〉に出会うのは、黄色いレンガ道でのことだ。プシュケやさまざまなおとぎ話の主人公と同じで、ドロシーは賢明にも、道中で心をひらいて助けを求めることは恥ずかしいことではないと知っている。かかしを支柱からはずして歩けるよう助けたことで、ドロシーはかかしの信頼を得る。その一方で、〈敵〉の悪い魔女がずっとドロシーをつけまわし、攻撃するチャンスを待っていることにも気づく。魔女は不機嫌なリンゴの木を巻き込み、ドロシーとかかしの〈敵〉に変える。かかしはリンゴの木を出しぬくことで、自分の価値をチームに証明してみせる。リンゴを投げてみろと木々を挑発し、ドロシーと一緒に実を拾って食べてしまうのだ。

ドロシーは、もうひとりの〈仲間〉となるブリキ男の好意も勝ち取る。ブリキ男の関節に油をさし、心がないというブリキ男の悲しい話も同情を持って聞いてやったのだ。再び魔女が現れてドロシーやその〈仲間〉に敵意を示し、火の玉を投げつけてくる。

吠えかかってきた臆病なライオンから飼い犬のトトを守るため、ドロシーはライオンに立ち向かう。ライオンは〈敵〉や〈戸口の番人〉かと思われたが、最終的には〈仲間〉に加わる。

これで戦闘準備が整った。ドロシーは〈特別な世界〉のルールを学び、〈試練〉もくぐりぬけた。〈仲間〉に守られ、〈敵〉とわかった相手に用心しながら、これからオズの国の中心にある力の源へと近づいていく。

物語における〈試練、仲間、敵〉のステージは、登場人物がおたがいを知り、観客が登場人物のことをもっと知る、「親睦」の場面として役立つ。また、主人公が力や情報をたくわえ、次のステージに向けて準備を整える場でもある——〈最も危険な場所への接近〉のステージのために。

考察

1 『レ・ミゼラブル』の〈試練〉のステージはどこだろう？ 『ホビット』は？ 『ジュラシック・パーク』は？ 『シェイプ・オブ・ウォーター』は？ なぜ主人公は〈試練〉の時間をくぐりぬけるのか？ 第二幕に入ったあと、そのまま直接メインイベントに進まないのはなぜなのか？

2 あなたの物語の〈特別な世界〉は、〈日常世界〉と何がちがうか？ コントラストを強めるにはどうすればいいか？

3 あなたの主人公はどんな〈試練〉を受け、いつ〈仲間〉や〈敵〉を作るだろうか？ ちなみに、これには「正解」があるわけではない。いつ〈仲間〉ができるかは、物語の必要性に応じて決まる。

4 〈仲間〉がいない、単独行動の主人公はいるだろうか？

5 あなたの主人公は単独の登場人物か、それとも小隊や何かのクルー、家族やギャングなどの集団だろうか？

『ブレックファスト・クラブ』や『再会の時』のような〝アンサンブル作品〟の場合、この集団は首尾一貫したグループとなっているだろうか？

6　あなたの主人公は、〈特別な世界〉の未知のルールや、なじみのない人々に対してどうふるまっているだろう？

最も危険な場所への接近

ステージ7　最も危険な場所への接近

臆病なライオン「君たちにしてほしいことはひとつだけだよ!」
ブリキ男、かかし「なんだい?」
臆病なライオン「僕を説得してやめろって言って!」

――映画『オズの魔法使』

〈特別な世界〉に適応した主人公は、今度はこの世界の中心部に向かう。〈ヒーローズ・ジャーニー〉の外縁と中心のあいだの、中間範囲を進んでいく。その途中、また別の謎めいた領域が見つかるが、そこにも独自の〈戸口の番人〉、計画、〈試練〉がある。これが**〈最も危険な場所への接近〉**で、そこで主人公はすぐさま、最大の驚異と恐怖に出会うことになる。冒険の中心となる苦難にそなえ、最後の準備をするときがきたのだ。この時点での主人公は、〈試練〉に立ち向かい、ベースキャンプまでのぼってきた登山家のようなもので、ここで最高峰への最後の突撃を企てようとしている。

〈接近〉の役目

現代のストーリーテリングにおいては、〈接近〉のステージにはおのずから特殊な役目が任されることになる。主人公は、〈特別な世界〉の奥深くにある要塞の門に近づきながら、時間をかけて計画を立て、〈敵〉を偵察し、グループを再編したりメンバーを減らしたりして、防備を固め、武装する。そして、最後の冗談と最後のタバコを楽しみ、そこから攻撃に転じて危険地帯に突入する。学生は中間試験のために勉強する。狩人は隠れ場所にいる獲物に忍び寄る。そして冒険者は、ラブシーンに持ち込み、それから映画のメインイベントに取り組もうとする。

求愛

〈接近〉のステージは、手の込んだ求愛儀式の場にもなる。ロマンスはこのステージで発展し、主人公とその想い人が結ばれ、そのあと彼らは大きな苦難に出会う。『北北西に進路を取れ』のケーリー・グラントは、警察と敵のスパイから逃げる途中、列車で美女（エバ・マリー・セイント）と会う。美女が悪いスパイの指示で、自分を罠にかける使命をおびていることなど知るよしもない。だが、美女の誘惑は裏目に出てしまい、彼女は本当にグラントと恋に落ちてしまう。二人が結ばれたこの場面のおかげで、のちに美女はグラントの〈仲間〉となる。

大胆な〈接近〉

堂々と城の扉までやってきて、中へ入れろと要求するような主人公もいる。自信と意欲のある主人公は、こうした〈接近〉をする。『ビバリーヒルズ・コップ』のアクセル・フォーリーは、〈接近〉のステージで〈戸口の番人〉を言葉巧みにだまし、〈敵〉の近くまで何度となく押しかけ、相手の世界を転覆する意志をひけらかしてみせる。『ガンガ・ディン』のケーリー・グラントは、自分の競争者である暗殺者集団がいる〈最も危険な場所〉へ、大声で英語の酒宴の歌を歌いながら踏み込んでいく。この大胆な〈接近〉は、実は傲慢さゆえのことではない。突飛なふるまいを見せて時間を稼ぎ、友人のガンガ・ディンをこっそり逃がして、英国軍を呼び寄せようとしているのだ。グラントの演じる登場人物は、実に英雄的な自己犠牲精神で、仲間たちの代わりに死の危険を冒す。『許されざる者』でクリント・イーストウッドが演じる人物のアプローチは、傲慢というよりはむしろ無知だ。暴風雨のなかを馬で町の〈最も危険な場所〉へと行ったせいで、武器禁止の告知も見逃す。このせいで苦難に巻き込まれ、保安官（ジーン・ハックマン）に叩きのめされて、あやうく死にかけるはめになる。

〈苦難〉への準備

〈接近〉は、〈苦難〉に向けてのさらなる調査と情報収集、あるいは衣装を身につけたり武装したりする時間でもある。拳銃使いは自分の武器を確認し、闘牛士は慎重にコスチュームに身を包む。

〈最も危険な場所への接近〉――『オズの魔法使』の事例

『オズの魔法使』における〈接近〉の部分は、実に見事に展開する。このステージの役目を示すため、この先、本章全体で引用していく。

障害

〈試練〉のステージで〈仲間〉を作ったドロシーは、友人たちとともにオズの国の国境にある森を出ると、すぐさま彼らが夢見たきらめくエメラルド・シティを目にする。みな大喜びで〈接近〉するものの、ゴールにたどりつく前に障害や試練が続々とやってきて、それがグループを結束させ、その後やってくる生か死かの闘いに向けて準備が整っていく。

幻に注意

まず彼らは、悪い魔女が魔法で植えたケシの畑のそばで眠らされてしまう。しかし良い魔女グリンダのおかげで、雪が毛布のようにケシをおおい、目を覚ますことができる。

主人公へのメッセージは明白である。幻や香りにだまされるな、油断するな、行進中は眠ってはならない、ということだ。

〈戸口の番人〉

ドロシーとその友人たちはエメラルド・シティに到着するが、まさに〈戸口の番人〉にふさわしい無礼な衛兵に行く手を阻まれる（衛兵は第一幕のマーベル教授に奇妙なほど似ている）。この男は嫌味っぽく、大げさなぐらいに官僚主義的な人物で、馬鹿げた無意味なルールを執行するのが仕事だ。ドロシーは、悪い東の魔女の上に落ちた家は自分の家で、それを証明するルビーの靴も持っていると衛兵に告げる。この言葉で衛兵は態度をひるがえし、すぐに彼らを通してこう言う。「そうとなれば話はまったく別ですな！」

この場面のメッセージ――旅における過去の経験は、主人公が新しい土地に入るときの旅券として使えることがある。無駄なことは何ひとつなく、過去のすべての試練が人を強くし、現在のための情報となる。ここまでやりとげてきたおかげで、敬意を勝ち取ることができる。

官僚主義の愚かさを風刺するこの場面は、〈特別な世界〉の通行料や通過儀式を免除された主人公はほとんどいないということも伝えている。主人公は、入場料を払うか、もしくはドロシーのように、障害を回避する方法を見つけださなければならないのである。

もうひとつの〈特別な世界〉

ドロシーと旅仲間はエメラルド・シティの不思議な世界に入っていく。見るたびに色が変わる馬車馬、名高い〝ちがう色の馬〟以外、すべてがグリーンの街だ。御者もマーベル教授によく似ている。

この場面のメッセージ――ここはルールも価値観もちがう、もうひとつのささやかな〈特別な世界〉だ。ひとつの箱の中に別の箱が入る入れ子式の箱のように、〈特別な世界〉の中にさらに〈特別な世界〉があって、中心にあるなんらかの力の源を何層もの殻が守っているのかもしれない。色が変わる馬は、すぐに変化が訪れる兆しだ。似ている登場人物が複数いたり、同じ登場人物がさまざまな役割を担っていたりするのは、ここが、比較、連想、変容の力によって支配されている夢の世界だということを示している。マーベル教授の変幻自在な変化は、オズの国ではひとつの強力な精神が動いている、あるいは、ドロシーの夢が教授のパーソナリティに大きな影響を受けているということを暗示している。マーベル教授はドロシーにとってのアニムス、つまり成熟した男性エネルギーの投影像の焦点をなしている。ドロシーはなんらかの形で父親を失っていて、農場にいるヘンリーおじさんや三人の作男は弱い男たちだ。ドロシーは父親のイメージを求めていて、自分の目に映る権威ある人物のすべてに、マーベル教授の父親的なエネルギーを投影している。良い魔女グリンダが代理母、もしくはドロシーの前向きなアニマだとすれば、マーベル教授やそのバリエーションは代理父だと言えよう。

準備を整える

ドロシーとその友人たちは、エメラルド・シティの美容サロンや機械工場でめかし込み、もてなされ、魔法使いとの会見の準備を整える。

この場面のメッセージ——主人公たちは大きな〈苦難〉に直面しようとしていることを知っており、賢明にもできるだけ準備を整えようとしている。戦士が武器を磨いたり研いだりするように、あるいは、学生が大きな試験の前に、最後の練習問題をこなすように。

警告

主人公たちはいい気分になり、楽しいオズの国ではいかに一日が早くすぎていくかと歌いながら歩きまわる。そこへ、魔女がシティの上空で金切り声を上げ、ほうきで「降参しなドロシー!」と空中文字を書く。人々は恐怖でたじろぎ、主人公たちだけを魔法使いの住む場所の戸口に残して姿を消す。
この場面のメッセージ――バランスのいい状態でメインイベントに突入するのは主人公たちにとっていいことで、自信は屈辱や危険の感知によって先細りになる。オズの国での祝福がどれほど熱狂的でも、興ざましな魔女が出てくると、主人公たちはつねに捨て置かれる。魔女はドロシーの精神のなかで深い不安となり、覚悟を決めてこれに対処するまでは、どんな楽しい瞬間も壊されてしまうだろう。主人公たちが孤立するのはよくあることだ。『真昼の決闘』でゲーリー・クーパーが支援を頼もうとする臆病な町民のように、ここの人々は、楽しい場では一緒にいても、状況が厳しくなると消えてしまうだけなのだ。

もうひとつの〈戸口〉

主人公たちが魔法使いの扉をノックすると、これまたマーベル教授にそっくりの、もっと無礼な衛兵が顔を出す。衛兵は、「誰であれ、いかなる場合であれ」魔法使いには会わせられないと言う。それでも、ここにいるのが「魔女を倒したドロシー」だとわかると、衛兵はようやく魔法使いに取り次いでくれる。衛兵が戻ってくるまでのあいだ、ライオンは『もしも森の王様になれたら』を歌い、自分の野望を表現する。
この場面のメッセージ――権力のはしごをのぼるときには、そのたび経験の信用証明を提示しなければならない。障害によって後れをとりつつも、冒険仲間同士はさらに親しくなり、おたがいの望みや夢を知る。

〈戸口の番人〉への感情的訴え

衛兵が戻ってきて、魔法使いが「帰れ」と言ったと告げる。ドロシーとその仲間たちはがっかりして嘆き悲しむ。これで彼らの望みはかなわなくなり、ドロシーも家に帰れない。この悲しい話を聞いた衛兵の目にも涙があふれ、そして彼らを中にいれてくれる。

この場面のメッセージ——門を抜けようにも経験のパスポートがこれ以上効かない場合は、感情的な訴えが〈戸口の番人〉の守りを破ることもある。人間的な感情の絆を作ることが鍵となる。

不可能な〈試練〉

もうひとつの〈戸口〉を通過した主人公たちは、いまや友人となった衛兵に、オズの謁見広間へと案内される。オズ自身は、この映画でも最も恐ろしい姿をしている——炎と稲妻に包まれた、怒れる老人の巨大な顔だ。望みをかなえる力はあるのに、おとぎ話の王様のように、その力を出し惜しみする。オズは解くことのできない〈試練〉を与え、人を追い払い、誰も寄せつけまいとする。ドロシーとその友人たちは、悪い魔女のほうきを奪ってくるという、とてもできそうもない〈試練〉を与えられる。

この場面のメッセージ——見知らぬ領域にずかずかと入っていき、褒美を手に入れ、そして帰ることができると考えたくなる気持ちは誰にでもある。オズの恐ろしげなイメージは、夢やゴールを与えてくれないかもしれない強力な現状維持の状態に、主人公たちが挑んでいるのだということを伝えてくる。この現状維持の状態は、強い習慣や不安として彼らの内面にも生きているものかもしれず、主人公たちはいちばん大きな〈苦難〉に直面する前に、これを克服しなければならない。マーベル教授の最も力強く恐ろしげなバリエーションであるオズは、ネガティブなアニムスであり、ドロシーの父親イメージの暗い面でもある。ドロシーは、自分の奥深くにある女性性に対峙できるようになる前に、男性エネルギーについて感じている混乱した感情に対処しなければならない。

現状維持は、権力を譲りたくない年老いた世代や支配者、子どもが成長したと認めたくない親の象徴でもある。この時点の魔法使いは、いらだった父親のようであり、じゃまをされ、若者から要求を受けることに不機嫌になっている。この怒れる親の力は、冒険を続ける前に、なだめるか、なんらかの形で対処しなければならない。親の力の承認を得るためには、テストにすべて合格しなければならない。

愛情や容認と引き替えに、親が不可能な条件を出してくることもある。親を喜ばせることは絶対できなさそうだと思えることもある。ときには、危機の際に人が自然と頼りにする人々が、頼ってくる人間を追い払おうとすることもある。大事な瞬間には、ひとりで立ち向かわなければならないこともあるのだ。

シャーマンの領域

主人公たちは、悪い魔女の城の周辺の、不気味な地域へ向かう。ここでさらに〈戸口の番人〉、つまり、気味の悪い魔女の下僕、空飛ぶ猿と出会う。ドロシーはこの猿たちにつかまって連れ去られ、仲間たちは殴られてひどい目に遭う。ブリキ男にはへこみができ、かかしは手足をばらばらにちぎられてしまう。

この場面のメッセージ――〈最も危険な場所への接近〉をするにつれ、主人公たちはシャーマンの領域、すなわち生と死の境界に足を踏み入れていることに気づくはずだ。猿にばらばらにされたかかしの姿は、シャーマンとして選ばれたことを知らせる幻影や夢のようでもある。シャーマンとなる者がしばしば見る夢に、神々しい精神により手足を切断され、再び組み合わされてシャーマンの新しい形になる、というものがある。ドロシーが猿に連れ去られるのも、シャーマンが異世界に旅するときに起きるたぐいの経験である。

複雑な状況

猿の攻撃を受けておびえた主人公たちは、落胆し混乱する。かかしの手足は、ブリキ男と臆病なライオンがつなぎ合わせてくれる。

このステージでは、究極のゴールに近づきつつあった主人公たちが、落胆の後退を強いられることがある。こうした運の逆転は、「演劇的複雑化」と呼ばれる。ばらばらに引き裂かれたように見えても、これは単に、進む意志をさらに試されているだけのことだ。また、この慣れない土地で旅するために、もっと有効な態勢を復旧させる機会ももたらしてくれる。

つり上がる賭け金

ドロシーは城にとらわれている。ミス・ガルチとよく似た魔女は、ミス・ガルチのようにふるまい、トトをバスケットに詰め込んで、ドロシーがルビーの靴を渡さないなら川に投げ込んでやると脅す。ドロシーは靴を差しだすことに同意するが、魔女が靴を奪おうとすると、グリンダの防護の呪文が攻撃してくる。ドロシーが生きているかぎり靴を手に入れられないと気づいた魔女は、目の前にある乾いた血のような赤砂の砂時計をひっくり返す。この砂が落ちきるとドロシーは死ぬ。

この場面のメッセージ――〈接近〉のステージのもうひとつの役目は、賭け金を上げ、チームをもう一度ミッションに献身させることだ。物語には「すぎていく時間」や「時限爆弾」があることを、観客に知らせる必要もある。これが緊急事態であり、生死がかかっている問題だということを、強調しておく必要がある。

バスケットに入れられたトトは、ここでも魔女／ミス・ガルチのネガティブなアニマに抑圧された直観の象徴となっている。自分の直観に対するドロシー自身の恐れが、創造性や自信を抑えつけているのだが、それがここでも、トトのように飛びだしてこようとしている。

ルビーの靴は夢の深層に生じるシンボルで、ドロシーがオズの国で困難に打ち勝つ手だてであり、ドロシーのアイデンティティでもある、揺らぐことのない誠実さを表している。靴は〈師〉の励ましの贈り物であり、ドロシーが外部の出来事にも揺さぶられない核を持った唯一無二の存在だということを伝えている。テセウスとミノタウロスの物語に出てくるアリアドネの糸のようなもので、ポジティブで愛情深いアニマとつながり、迷宮の暗闇を抜けだすための手だてである。

グループ再編

トトが第一幕と同じようにバスケットを抜けだし、城から逃げ、かかしをつなぎ合わせていた友人たちと合流する。トトが三人を城へ案内するものの、近づきがたく守りの堅い城から無力なドロシーを救いださなければならないことに、三人はおじけづく。冒険を進める責任は、いまやドロシーの三人の〈仲間〉にある。この場所はあまりにも恐ろしく、親切な魔法使いや魔女の助けも望めない。これまで三人は、道化師としてはなんとかやってきた。しかしここでは〈英雄〉にならなければならない。

この場面のメッセージ――トトはここでもドロシーの直観という役割を演じている。ここは〈仲間〉を呼び、罠から逃れるための手だてを学ばなければならないと、ドロシーの直観は感じ取っている。〈接近〉のステージは、グループ再編のときでもある。メンバーを昇格させ、生存者、死者、負傷者を選別し、特殊任務を与えたりする。登場人物が新しい役目を担うなら、アーキタイプの仮面も変えなければならない。

自由を奪われたドロシーは、〈英雄〉の仮面を、無力なアーキタイプの〈犠牲者〉の仮面と取り替えることになる。三人の友人たちも、〈トリックスター〉の道化師や〈仲間〉から、しばらくのあいだ先頭に立って行動する完全な〈英雄〉へと昇格する。観客は、登場人物の前提がくつがえされ、〈接近〉の圧力下で驚くべき新たな性質が浮上してくるのを見ることになる。

主人公たちが、保護してくれる誰かの助けなしに何かに直面しなければならないという感覚は、さまざまな神話の冥界への旅物語を彷彿とさせる。人間の〈英雄〉はしばしば、神から与えられた使命をひとりで果たさなければならない。神々も行くことを恐れる、死者の国へ旅しなければならないのだ。現代なら、医者やセラピスト、友人や助言者に相談できるかもしれないが、それでも、〈師〉も付き添えず、自分だけで行かなければならない場所というものはある。

堅い守り

かかし、ライオン、ブリキ男は、〈最も危険な場所〉の〈戸口〉、悪い魔女の城のはね橋に忍び寄って様子をうかがう。熊の毛皮の帽子と手袋を身につけ、陰鬱な行進の歌をうなっている、獰猛そうな〈戸口の番人〉の集団が総出ではね橋を守っている。

この場面のメッセージ――悪役の根城が獣のような獰猛さで守られていることは、主人公たちも予期している。あたかも何かを食らおうとする口と舌のような、かんぬきのついた門とはね橋のある城は、激しい不安感を取りかこむ精巧な防壁を象徴している。魔女のネガティブなアニマの防備と比べると、魔法使いの衛兵や宮殿はまだ友好的であるようにも見える。

この時点での〈英雄〉は誰か？

三人の〈英雄〉は、おそるおそる状況を検証する。ライオンは逃げたがるが、かかしはライオンが先頭に立つ必要のある計画を立てる。見た目がいちばん恐ろしいのはライオンなので理にかなった策なのだが、ライオンは誰かにやめようと言ってほしくてしかたがない。

この場面のメッセージ――〈接近〉のステージは、グループを再調整し、危惧を表明し、励ましを与える時間にもなる。グループメンバーが全員同じゴールを目指しているかを確かめ、それぞれにふさわしい仕事が割り振られるようにする。このステージでは、海賊や盗賊による冒険の指揮権争いのような、グループ内の厳しい支配権争いが起きることもある。

とはいえ、臆病なライオンがなんとかして責任を逃れようとする姿の滑稽さでもわかるように、〈接近〉のもうひとつの役目にはコミック・リリーフがある。ここがくつろいで冗談を言う最後のチャンスでもあり、このあとの〈最大の苦難〉のステージでは、物事が非常にシリアスになっていく。

敵の心理に踏み込む

三人の主人公たちは、門に近づきながら計画を練ろうとする。そこへ三人の衛兵が攻撃してくるが、争ううちに衛兵たちの着ているものが脱げて飛びかかい、やがて争いがおさまると、衛兵の軍服と熊の毛皮の帽子をまとった主人公たちの姿が現れる。彼らは変装した姿で行進する衛兵の小隊に加わり、堂々と城の中へ入っていく。

この場面のメッセージ――ここで主人公たちは、目の前にいる〈戸口の番人〉たちの「皮をかぶる」という策略を使う。平原部の先住民がバッファローの毛皮を身にまとって獲物に忍び寄るように、主人公たちも文字どおり敵の皮をかぶって敵の群れに忍び込む。郷に入りては郷に従え、だ。〈接近〉のステージには、自分のじゃまをしているように見える相手がいたら、その懐に入り込むことを学ぶという側面がある。相手を理解するか共感することができれば、その場を回避したり相手の力を吸収するのもたやすくなる。相手の攻撃を、相手の皮をかぶるチャンスに変えることもできる。また、自分たちの真の意図を隠すために変装し、敵のいる〈最も危険な場所〉に近づいていくこともできる。

突破口

侵入に成功して変装を捨てた三人の主人公は、ドロシーが拘束されている場内の部屋へ向かう。ブリキ男が自分の斧で扉を打ち破る。

この場面のメッセージ――〈最も危険な場所〉の最後のベールを破るには、いずれかの時点で力仕事の必要が出てくることもある。ときには暴力的な意志の行動をとってでも、主人公は自分の抵抗や恐れを克服しなければならない。

行き止まり

ドロシーが救出され、再び四人組が勢ぞろいすると、あとは逃げ道を探すことになる。しかし四人は、魔女の衛兵に包囲されてしまっている。

この場面のメッセージ——主人公たちがいかに自分の運命から逃げようとしても、遅かれ早かれ出口は封じられ、生死のかかった問題と向き合わなければならない。ドロシーと友人たちは〝ネズミのように罠にかかり〟、ここで〈最も危険な場所への接近〉のステージは終了する。

〈接近〉のステージは、すべて〈最大の苦難〉のための最後の準備である。敵の牙城、守りの堅い中心部に〈英雄〉が連れてこられ、ここまでのすべての教訓が効力を発揮し、旅の〈仲間〉たちがまさにここで自分の役割を演じることになる。〈英雄〉が得た新たな認識が試され、最後の障害も克服されて核心にたどりつくと、そこには〈最大の苦難〉が待っている。

考察

1　キャンベルによれば、神話における〈英雄〉は、〈最初の戸口の通過〉のあと、しばしば〝クジラの腹の中〟を通過する。さまざまな文化圏の物語のなかで、〈英雄〉たちが巨大な怪物にのみ込まれる例が見られるという〔訳注：オオカミにのみ込まれた赤ずきん、怪物にのみ込まれ腹を切り裂いて出てきたギリシャの英雄ヘラクレスなど〕。映画『テルマ&ルイーズ』の第二幕序盤で、主人公たちが〝クジラの腹の中〟にいるのは、なんの意味があるのだろう？　『許されざる者』は？　『ルディ・レイ・ムーア』は？　『ヒックとドラゴン』は？

2　キャンベルは、神話の大きな苦難に関して、「女神との遭遇」「誘惑する女」「父親との一体化」などの考えや行動について説明している。これらはどういう形で〈最も危険な場所への接近〉に関わってくるだろう？〔訳注：「女神との遭遇」英雄が女神と出会い、愛という恵みを勝ち得る器かどうか試される。「誘惑する女」英雄は誘惑者からの快楽の誘いを受ける。「父親との一体化」英雄が大いなる存在である父親を理解するまでに成熟し、父親に認められて一体化を果たす〕

3　あなたの書く物語では、〈特別な世界〉へ入ってから、その世界の中心にある危険にたどりつくまでに、どんなことが起きるだろうか？　また、危険にそなえ、どんな特別な準備がおこなわれているだろう？

4　あなたの書く物語は、対立が拡大したり、障害が徐々に難しく興味深くなるよう設定されているだろうか？

5　あなたの主人公は、このステージで引き返したい気持ちを持つだろうか、それとも冒険に完全に没頭しているだろうか？

6　外的な試練に直面している主人公は、さらにどんなふうに内的な問題や防衛本能に遭遇するだろうか？

7　主人公が〈接近〉するのは、物理的な〈最も危険な場所〉や悪役の本拠地だろうか？　それとも感情的な〈最も危険な場所〉だろうか？

最大の苦難

ステージ8　最大の苦難

ジェームズ・ボンド「私にどうしてほしいと、ゴールドフィンガー？」
ゴールドフィンガー「それはもちろん、ミスター・ボンド、あんたに死んでもらいたいんだ」
――『007　ゴールドフィンガー』、リチャード・メイボーム、ポール・デーン脚本

いまや主人公は〈最も危険な場所〉の奥深くに立ち、大きな試練と最も恐ろしい敵に直面している。ここが物語の真の核心部で、ジョーゼフ・キャンベルは**〈最大の苦難〉**と呼んでいる。英雄的人物の主たる動力であり、英雄の持つ魔力の鍵となる部分である。

死と再生

〈最大の苦難〉の秘密は簡単に言えばこれだ――**〈英雄〉は生まれ変わるために一度死ななければならない**。観客が物語のなかで何よりも楽しむ動きとは、死と再生である。どんな物語の主人公も、死かそれと似たもの、たと

えば非常に大きな恐れ、目論見の失敗、関係の終わり、古いパーソナリティの死などと直面することになる。たいていの主人公は、魔法のようにこの死から生き返り、文字どおり、もしくは象徴的に再生を果たし、偽の死による結果を手に入れる。それが〈英雄〉になるための大きなテストに合格したということだ。

スピルバーグのE．T．は、観客の目の前で一度死ぬが、エイリアンの魔術と少年の愛によってよみがえる。勇敢な騎士を殺してしまった自責の念にかられる伝説の騎士サー・ランスロットは、騎士が生き返ることを祈る。『許されざる者』でクリント・イーストウッドが演じる人物は、サディスティックな保安官に人事不省となるまで殴られ、死の淵をさまよい、天使の姿まで見る。モリアーティ教授とともにライヘンバッハの滝に落ちて死んだと思われたシャーロック・ホームズは、死を拒み、変装して帰還し、さらに事件に挑む。パトリック・スウェイジが『ゴースト』で演じた男性は、殺害され、恋人を守るために生と死の境を通過する方法を学び、ようやく真実の愛を恋人に伝えることができる。

変化

主人公はただ死の世界を訪問して戻ってくるわけではない。変化し、別の存在となって戻るのだ。死の瀬戸際に立つ体験をし、なんの変化もなく戻ってこられる者はいない。『愛と青春の旅だち』は、ルイス・ゴセット・ジュニア演じる訓練教官に試練を与えられたリチャード・ギアが、自我の死と再生という苦難を生きのびる姿を描いた物語だ。ギアの演じる人物は劇的変化をとげ、他者が求めるものに敏感になり、自分が集団の一部だということを意識するようになる。

『ビバリーヒルズ・コップ』で悪党から銃口を頭につきつけられたアクセル・フォーリーは、このまま一巻の終わりとなりそうに見えるが、間の抜けたナイーブな白人刑事のローズウッド（ジャッジ・ラインホルド）に救出される。死から救われたあとのフォーリーは前より協力的になり、グループのなかで自分の巨大な自我を抑えるようになる。

〈苦難〉とクライマックスはイコールではない

〈最大の苦難〉は物語の重要な神経中枢である。主人公の無数の経歴の糸が物語に通される一方で、無数の可能性や変化の糸が反対側から出てくる。〈最大の苦難〉を〈ヒーローズ・ジャーニー〉のクライマックスと混同してはいけない——それはまた別の神経中枢で、もっと物語の結末近くにあるものだ（恐竜のしっぽの根元に存在する脳と思ってほしい）。〈最大の苦難〉は通常、物語の中心的な出来事、もしくは第二幕のメインイベントである。**クライマックス**（第三幕の重要な場面であり、物語全体の頂点となる出来事）と区別するため、こちらは**危機**と呼ぶことにする。

ウェブスターの辞典の定義では、「危機」とは『物語や演劇のなかで、敵対勢力が最も激しい対立状態となる地点』とされている。病気のときに言う「峠」と似ている。高熱などの症状が出る地点のことで、その後患者は、さらに悪化するか回復を始める。つまりこういうことだ——物事は、改善する前に悪化せざるを得ないことがある。〈最大の苦難〉の危機は、主人公には恐ろしいものだが、ときとして回復または勝利のための唯一の道筋なのだ。

〈最大の苦難〉の配置

危機や〈最大の苦難〉の配置は、その物語の必要に応じて、ストーリーテラーの好みも加味して決まる。最も一般的なパターンとしては、下の「中間の危機」の図に示すように、物語の中盤近くに死と再生の瞬間が来る。

中間の危機にはシンメトリーの強みがあり、苦難からの結果をていねいに描く時間が充分残せる。この構造だと、もうひとつの危機的瞬間やターニングポイントを、第二幕の終わりに作ることもできる。

一方、**遅れてくる危機**を使っても、同じように効果的な構造を作ることができる。この場合、危機は第二幕の終わり近く、物語の三分の二か四分の三がすぎたころにやってくる。

遅れてくる危機の構造は、黄金分割の理想形、すなわち最も心地よい芸術的な結果を生みだすと言われる優雅な比率（およそ五対三）とぴったり一致する。遅れてくる

中間の危機

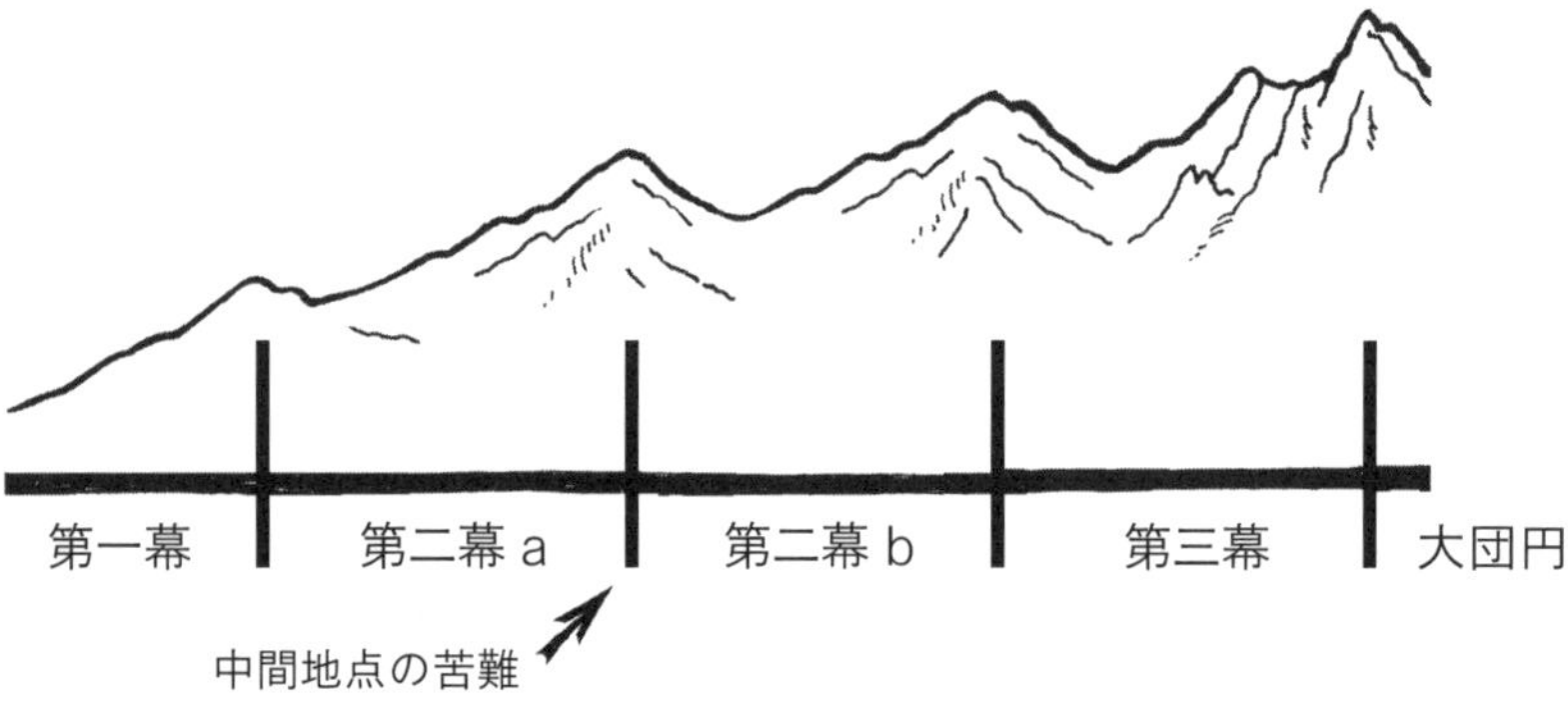

「中間」の危機がある物語の演劇的頂点
（縦線は各幕の演劇的頂点を示す）

危機には準備と〈接近〉に充分な余裕があり、第二幕終わりの重要な瞬間にむけてゆっくりと準備していくことができる。

危機を物語の中間に置くにせよ、第二幕の終わり近くに置くにせよ、どんな物語にも危機の瞬間は必要であり、それが〈最大の苦難〉による死と再生の感覚を伝えるのだということは覚えておいてほしい。

緊迫の地点

第二幕は書き手にとっても観客にとっても長い区間であり、平均的な映画なら一時間にも及ぶ。三幕構造を、二つの主要な緊迫の地点、二つの幕間を越えていく演劇的直線構造と見なすこともできる。支柱から下がるサーカスのテントのように、構造は重力に従う——緊迫感のピークとピークのあいだの時間、観客の注意力は下がる。中間に緊迫の瞬間がない物語は、サーカスのテントと同じでだらりとたれ下がってしまうかもしれないので、中央にもう一本の支柱が必要になる。第二幕は、映画なら

遅れてくる危機

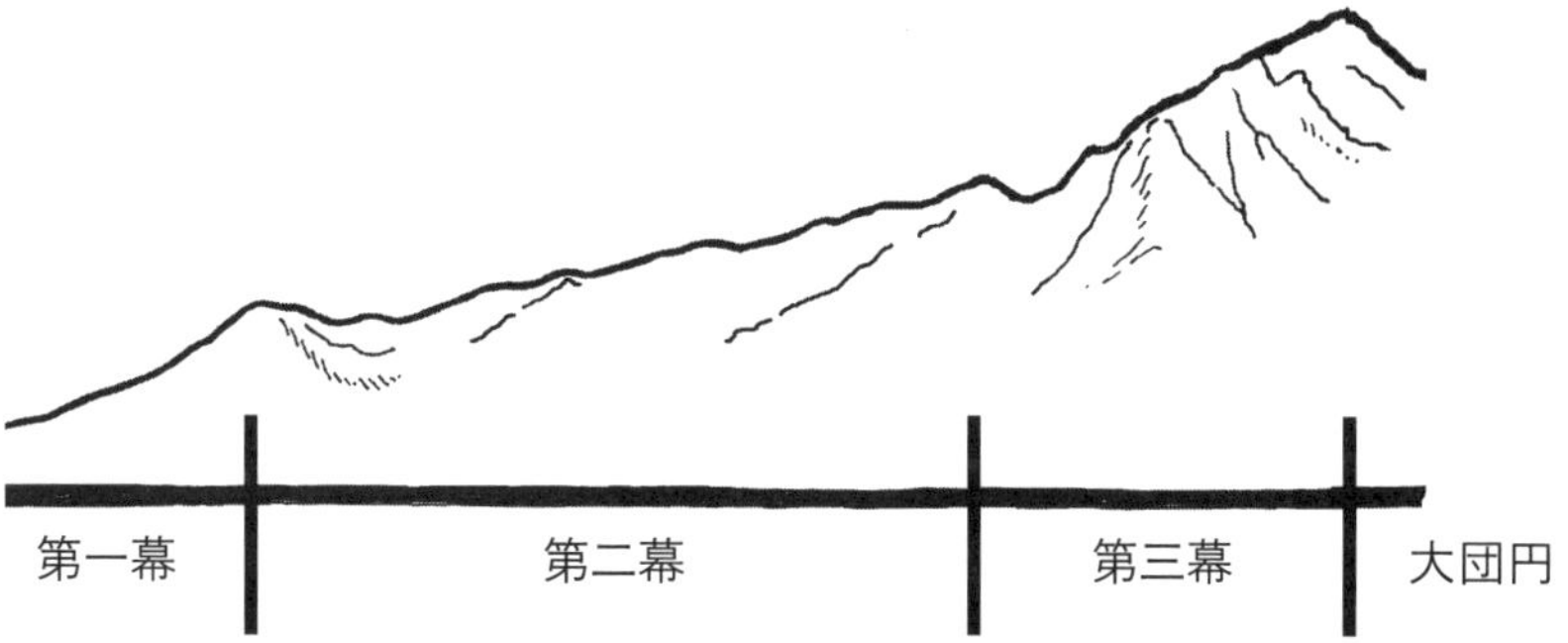

「遅れてくる」危機のある物語の演劇的頂点
（中間の危機はなし、かわりに第二幕の終わりまで長い予備工作が続く）

一時間ほど、小説なら百ページばかりを占める部分だ。緊迫感を保つなんらかの構造が欲しいところだ。

中間の危機は、〈ヒーローズ・ジャーニー〉という名の大陸の分水嶺であり、旅人が旅の半分を終えたことを認知する分岐点でもある。旅はおのずから、中心にある出来事のまわりに配置される。山の頂、洞穴の奥深く、森の中心、異国の居心地のいい屋内、自分自身の魂の秘密の場所。旅のすべてはこの緊迫の瞬間に通じ、その後はすべて帰路となる。さらに大きな冒険もやってくるかもしれない――旅の最後がいちばんエキサイティングで忘れがたいものになることもある――が、どんな旅にも中間地点はあるものだ。どん底にしろピークにしろ、旅の半ばあたりのどこかに。

「危機《クライシス》」「批判的な《クリティック》」「決定的な《クリティカル》」といった言葉は、「分離する」という意味のギリシャ語から派生している。危機は物語を二分する出来事だ。しばしば死の境界領域でもある、こうした危機のゾーンを通過したあとの主人公は、文字どおり、あるいは比喩的に再生し、すべてがこれまでとは変わってしまう。

犠牲となる目撃者

死と再生の危機の実態は、視点によっても変わってくる。このステージでは、しばしば目撃者が重要な役割を演じる。主人公が死んだらしき場面を近くで目にした人物が、少しのあいだ死を悼み、そして主人公がよみがえると大喜びする。『スター・ウォーズ』でいくつか描かれる死と再生の効果は、目撃者の存在、たとえばロボット〈仲間〉のＲ２－Ｄ２とＣ－３ＰＯなどにかかっている。〈最大の苦難〉を入念に描いた一連の場面で、彼らはインターコムで主人公のスカイウォーカーや仲間たちの状況を聞いている。〈最も危険な場所〉デス・スターの奥深くにある、巨大なゴミ圧縮機で主人公たちが潰されて死ぬ音が聞こえてくるのを、ロボットたちは恐れている。

目撃者は観客の代理を務め、主人公たちと共鳴し、その死の痛みを感じる。観客がリディスティックだとか、主人公が殺されるのを楽しんでいるということではない。人は誰でもときおり、死のかすかな味を楽しみたいものなのだ。死の苦みを知れば、生をますます甘く感じることができる。車や飛行機で間一髪の危機を経験するなどして、本当に死ぬ間際まで行って生きのびた人々は、その後しばらくのあいだ、どんな色もあざやかに見え、家族や友人がますます大事に思え、時間がさらに貴重に感じられるようになる。死に近づいた経験が、より生を現実的に感じさせてくれる。

死の味

人々は死を味わうために高い金を支払う。バンジージャンプ、スカイダイビング、遊園地の怖い乗り物などは、生きることの真価にあまねく気づかせるような衝撃を与えてくれる。冒険映画や冒険の物語がつねに人気なのは、観客が共鳴できる主人公を通じて、リスクの少ない方法で死と再生を味わうことができるからだ。

『スター・ウォーズ エピソード4／新たなる希望』(ジョージ・ルーカス監督、1977)より。これを見ると複雑な気分になる。

ただ、ちょっと考えてみてほしい。気の毒なルーク・スカイウォーカーは、デス・スターの心臓部、いや、胃袋と言ったほうがいいかもしれないが、そこで押し潰されて死ぬところなのに、われわれ観客はそれを放置しているのだ。ルークは〝クジラの腹の中〟にいる。目撃者となっているロボットたちは、主人が死にかけていると思われる物音を聞き、取り乱している。ロボットは彼らのために悲しみ、観客も悲しみ、死を味わう。映画制作者は、あらゆる巧みな技巧をこらして、主人公たちがぐちゃぐちゃにすりつぶされてしまうと観客に思い込ませる。しかしロボットたちは、死の悲鳴に聞こえたものが、実は安堵と勝利の叫びだということに気づく。ロボットたちはどうにかゴミ圧縮機を止め、主人公たちは奇跡的に生きのびたのだ。ロボットと観客の悲しみは、突然に爆発的な喜びに変わる。

感情の弾力性

人の感情には、バスケットボールのような一定の弾力があるようだ。強く床に投げつければ高く跳ね上がる。物語で観客を高揚させたければ、観客の認識を高め、感情を盛り上げることだ。物語の構造は、観客の関与を深めるポンプとして働く。構造がうまくできていれば、主人公の運気を交互に上下させ、それと同時に観客の感情も上げ下げできる。観客の感情を抑圧することは、充分に空気が入ったバスケットボールをつかみ、水中に沈めるようなものだ。下向きに圧力をかけてから解放すると、ボールは水から跳び上がる。死の存在によって抑圧された感情は、一瞬にしてこれまで以上に高い状態に戻る。さらにここを基盤として、もっと高いレベルに持っていくこともできる。〈最大の苦難〉は物語のなかでも最も強い「抑圧」のひとつで、だからこそ最も高いピークにつなげられるのだ。

遊園地の乗り物に乗り、闇の中や宇宙のはずれをびゅんびゅん飛ばされて死の恐怖におびえても、生きのびれば意気揚々と降りることができる。こうした体験の気配もない物語は的外れなものになってしまう。長い第二幕にうまく対処できない脚本家もいる。第二幕は、単調、挿話的、焦点が見えない部分になりやすい。主人公の最後のゴールまでの道筋には、ただ障害を並べればいいと思われがちだが、ダイナミックな一連の出来事が、中間の死と再生の瞬間に到達し、そこからまた新たに展開していくようにしなければならない。馬鹿馬鹿しいコメディやお気楽なロマンスであっても、第二幕には生か死かの危機が必要であり、主人公はそこで、死や、自分の計画に対する最大級の危険を経験することになる。

死んだように見える〈英雄〉

『スター・ウォーズ』の第二幕も長いが、死の瀬戸際となる中間の危機の部分では、ひとつのみならずいくつもの苦難の徹底した探求が続くので、中だるみすることがない。巨大なゴミ圧縮機の場面のなかで、ルークが見えないモンスターの触手によって下水に引っ張り込まれるシーンがある。私が〈最大の苦難〉のメカニズムを本当に理解できたのは、このシーンのおかげである。

最初のうち、観客も、ルークの近くにいる目撃者（ハン・ソロ、レイア姫、ウーキー）も、下水からいくつかあぶくが浮かんでくるのを見て、ルークがまだ闘っていること、生きて呼吸していることを感じ取る。そこまではいい。だが、やがてあぶくが上がってこなくなる。目撃者たちは、ルークが死んだのではないかという表情を示す。何秒かして、観客も、ルークはもう上がってこられないのではと考え始める。ジョージ・ルーカスが主人公を映画の半ばで殺すことはないと思っても、徐々にその可能性を考慮し始める。

フォックス社のスタジオで『スター・ウォーズ』の試写を観たとき、私はこの重大な何秒かの場面にまんまとだまされた。ルーク・スカイウォーカーに自分自身の何かを重ね合わせていた私は、ルークが死んだと思ったとき、すぐさまスクリーン上で幽体離脱を起こした。私の魂は生き残っている登場人物のあいだを飛びまわり、次に自分が同一視できそうなのは誰かと考えていた。残りの物語が続くあいだ、私は誰と一体化すべきだろう？　甘やかされたレイア姫、わがままな日和見主義のハン・ソロ、それとも獣じみたウーキー？　誰の皮をかぶることも、心地よくは思えなかった。あの何秒か、私はある種のパニックを体験した。〈英雄〉が本当にクジラの腹の中にのみ込まれ、近づくこともできず、実際に死んでしまったと私には見えた。主人公が死んだら、私はこの映画のなかでは誰になるのだろう？　私の視点はどこにある？　私の感情は、水中で押さえつけられるバスケットボールのように沈み込んでいた。

その瞬間、どろどろになったルーク・スカイウォーカーが、生きて水面から飛びだしてきた。死んだように見えたルークは、生き返り、彼を手助けして立たせた仲間の手で生まれ変わった。観客はすぐに歓喜した。それまで押さえつけられていた感情が、高く飛び上がった。こうした体験が、『スター・ウォーズ』シリーズの人気の鍵なのだ。主人公と観客を何度も死の淵まで放りだし、そして引きもどす。人々は、優れた特殊効果やおもしろい会話、セックスシーンなどだけにお金を払うのではない。主人公の偽の死を観るのが好きなのだ。実のところ観客は、自分でも偽の死を味わうのが好きなのだ。死からよみがえる主人公と同化することは、演劇の形を借りたバンジージャンプのようなものだ。

死を目撃した〈英雄〉

『スター・ウォーズ』が観客に与えた死の味は、まだ充分ではない。〈最大の苦難〉のステージが終わる前に、ルークの〈師〉オビ=ワンがダース・ベイダーとライトセーバーで決闘し、ルークは〈師〉の肉体的な死を目撃する。ルークは打ちひしがれ、わがことのようにその死を強烈に感じる。とはいえ、この神話的な世界では、生と死の境界があえて曖昧にぼやかされている。オビ=ワンの肉体は消えても、彼はどこかで生きていて、必要なときに戻ってくる可能性を匂わせる。アーサー王とマーリンのように。

オビ=ワンのようなシャーマンにとって、死はなじみ深い戸口であり、比較的簡単に行き来できる。オビ=ワンは、その教えを通じ、ルークや観客の内に生きつづける。肉体的には死んだにもかかわらず、物語がさらに進んだのち、オビ=ワンはルークに重要な助言を与える。「フォースを信じよ、ルーク」と。

〈英雄〉がもたらす死

死の瞬間の効果を得るために、主人公自身が死ぬ必要はない。死の目撃者となったり、自分が死の原因になるというケースもある。『白いドレスの女』の中間の出来事、すなわちウィリアム・ハートの〈最大の苦難〉は、キャスリーン・ターナーの夫を殺害し、その死体を遺棄することだ。だが、この死はハートにとっても、魂の奥深いところで起きた死なのである。彼の潔白は、自分の欲望の犠牲となって死んだのだ。

〈影〉との対峙

〈最大の苦難〉で最もよく見られるのは、敵対勢力との闘いや対峙である。破壊力のある敵の悪役、競争相手、対抗勢力、そしてときには自然の力が相手ということもある。こうした敵対する可能性のある勢力は、どれも〈影〉のアーキタイプの概念に含まれる。悪役は主人公にとっては外的な存在かもしれないが、もっと深い意味で考えれば、敵対勢力はすべて主人公自身のネガティブな可能性を象徴している。つまり、主人公の最大の敵は、自分の〈影〉なのだ。

どのアーキタイプもそうだが、〈影〉にもネガティブな面とポジティブな面がある。主人公や体制を分極化させ、主人公が抵抗して押し返さなければならない何かを与えるため、ときには暗い面が必要とされることがある。抵抗は最大級の強さの源となることもある。皮肉なことに、悪役が主人公の死をもくろんで闘うことが、最終的には主人公の恩恵として働くこともある。

悪魔化

〈影〉は一般に、主人公の恐れや、人から好まれず拒まれる主人公の性質を象徴している。つまり、自分が嫌っている自分のさまざまな面、ほかの誰かに投影しようとする部分だ。こうした投影をおこなうことは、**悪魔化**と呼ばれる。感情的な危機にある人は、自分の内面の嫌いな部分や恐れている部分の象徴となりそうなほかの誰かや集団に、自分の問題をすべて投影することがある。戦時中やプロパガンダにおいては、敵は非人間的な悪魔となり、自分たちが維持しようとする立派で天使のようなイメージの暗い〈影〉となる。悪魔自身は神の〈影〉であり、「至上の存在」が持つネガティブで受け入れられない可能性は、すべてそこに投影されている。

問題を明確にするために、ときにはこの投影や分極化が必要なこともある。対立が分類も分極化もされず、ある種の演劇的な争いの形でとことん喧嘩することもないと、不健全で不均衡な体制は長らく放置されてしまう。通常、〈影〉は陽のもとにさらすことができるものだ。認められない、拒まれたままの自己は、どんなに暗闇にとどまろうとしても、認識され、意識化される。ドラキュラの陽の光への憎悪は、探られたくないという〈影〉の欲望の象徴である。

悪役は、人間の形をした主人公の〈影〉と見なすことができる。悪役の価値観がどれだけ異質でも、彼らは主人公自身の拡大されゆがめられた欲望や、息を吹き返した主人公の最大の恐れの投影なのである。

悪役の死

主人公が〈最大の苦難〉のなかで死に近づくことはあるが、死ぬのは悪役である。ただし主人公は、冒険が終わるまでに対処しなければならない、別の力や〈影〉を持つことになる。動きは物理的な闘いの場から、道徳的、精神的、感情的な次元へと移る。ドロシーは第二幕で悪い魔女を退治するが、その後精神の試練に直面する。第三幕では、家に帰れるという希望が死に直面してしまう。

悪役の死は、主人公にとって簡単なことであってはならない。ヒッチコックの『引き裂かれたカーテン』の〈最大の苦難〉の場面では、主人公は武器もなしに、農場でスパイを殺そうとする。ヒッチコックは、殺人という行為は映画で見られるような簡単なものではないことを、ここで明確に表現する。『許されざる者』でもくり返し描かれるように、誰の死であっても感情的な犠牲をともなうものだ。クリント・イーストウッド演じる賞金稼ぎは、人殺しはするが、狙う相手が自分とよく似た男たちだということを、痛ましいほど意識している。死はリアルであるべきで、単なるプロットの都合であってはならない。

悪役の逃亡

主人公は〈最大の苦難〉のステージで悪役を傷つけたり、悪役の手下を殺したりすることがある。悪役の中心人物は逃亡し、第三幕で再び対峙することになる。『ビバリーヒルズ・コップ』のアクセル・フォーリーは、第二幕で犯罪組織の首謀者の補佐役を相手に、死と再生の対決をおこなうが、〈影〉側の中心人物との最終対決は第三幕まで先送りになる。

悪役もまた自分の物語の主人公である

喜んで悪者になる悪役や〈影〉もいるとはいえ、自分が悪者とはまるで思っていない悪役もたくさんいることは忘れないでおきたい。悪役の観点では正しいのは自分であり、自分の物語の主人公は自分だとも思っている。主人公にとっての暗い瞬間は、〈影〉にとっては明るい瞬間だ。悪役のストーリー・アークは、主人公のアークの鏡像だ。主人公の運気が上がるとき、悪役の運気は下がる。それは視点によって変わるものだ。脚本や小説を書き終えるまでには、主人公、悪役、補佐役、恋人、仲間、番人、下っ端の人物たち、誰の視点からの物語も語れるぐらい、どの登場人物のことも理解できるようにしておきたい。誰もが自分の物語の主人公だ。少なくとも一度は、〈影〉の立場から見た物語をざっと追ってみるのも、いい訓練になるだろう。

〈英雄〉はいかに死をあざむくか

古典的な英雄伝説の〈最大の苦難〉は、〈英雄〉の死が見込まれる場面に設定されている。同じ地点にやってきたものの、誰ひとり生きのびられなかったような場だ。怪物メドゥサを退治しにきたペルセウスの行く手を阻むのは、メドゥサのひとにらみで石にされた、たくさんの英雄の石像だ。テセウスが入っていった迷宮には、その中心にいる怪物に食べられたり、迷宮の出口を探しているうちに餓死したりした人々の骨が散らばっている。

こうした神話の英雄たちは、一定の死に直面するものの、その前に超自然的な手助けを賢く探してあるため、ほかの人々が失敗したところで生きのびる。英雄たちは、〈師〉の贈り物の助けを借りたりしながら、死をあざむく。ペルセウスはアテナの贈り物である魔法の鏡を使い、直接にらまれることを避けながらメドゥサに近づく。そして魔法の剣でメドゥサの首を切り落とし、その首がこれ以上誰かに危害を与えないよう魔法の袋におさめるが、それも〈師〉の贈り物である。

テセウスの物語では、テセウスは〈接近〉のステージで、クレタ島の専制君主ミノスの娘アリアドネ姫の愛を勝ち取る。謎めいた恐ろしい迷宮の奥へ行かなければならなくなったテセウスは、アリアドネに手助けを頼む。姫君は、この物語の〈師〉であり、迷宮を設計した偉大な発明家兼建築家のダイダロスのもとへ行く。ダイダロスの魔法の支援は、とても単純なものだった。糸玉だ。アリアドネがその糸の端を持ち、テセウスは糸玉をほどきながら迷宮をめぐる。テセウスが死の迷宮から戻ることができるのは、アリアドネとつながっているからだ——愛の糸が二人を結びつけるのである。

アリアドネの糸

アリアドネの糸は愛の力の強力な象徴であり、人を情熱的な関係で結びつける、テレパシーにも似た配線系統である。ときには物理的なコネクターさながらに人を引き寄せることもある。成人した子どもさえも縛りつけて言いなりにさせる母親の〝エプロンのひも〟〔訳注：依存関係の状態を英語ではapron stringと表現することがある〕のようなものだ――目には見えないが、張力のある、鋼より強い糸だ。

アリアドネの糸は、〈英雄〉とその愛する人を結びつける、伸縮性のあるひもだ。主人公は、狂気や死に踏み込むこともあるが、普通はこのひもに引きもどされる。私が子どものころ、母が急病で倒れ、あやうく死にかけたことがある。母の話では、一度は魂が体を離れ、自由になって部屋を飛びまわり、もう少しでそこを去るところだったが、私の姉妹や私の姿を目にして息を吹き返したそうだ。母にはまだ、私たちを育てるという、生きる理由があったというわけだ。

古英語では、糸玉のことを「クルー（clew）」と呼ぶ。これは「手がかり《クルー》（clue）」の語源でもある。手がかりは、探索者が答えや秩序を求め、核心に続く道をたどるための糸だ。人と人の心をつなぐ糸を巻き取るかせが、謎の解決や対立の解消の重要な手がかりになる。

心の危機

〈最大の苦難〉が心の危機ということもある。ロマンスの物語では、誰もが望みつつ恐れてもいる、最も親密な瞬間が〈最大の苦難〉になることもある。ここで死につながるのは、主人公の守りの態度かもしれない。主人公が裏切りや関係の破滅を経験する物語なら、ここはロマンスにおける暗い瞬間になるかもしれない。

ジョーゼフ・キャンベルは著書『千の顔をもつ英雄』のなかで、〈最大の苦難〉のロマンティックな分かれ道となる部分を、「女神との遭遇」と「誘惑する女」の二章で説明している。キャンベルいわく、「最後の冒険は、一般的には（……）神秘的な結婚《ヒエロス・ガモス》で表現される。これは、どん底や絶頂、地上の最果て、宇宙の中心、寺院の礼拝堂の中、心の奥底の暗闇の中での重大局面である」〔〈新訳版〉より引用。ハヤカワ文庫・上巻、一六四頁〕。愛の物語における危機は、ラブシーン、もしくは愛する者との別れのシーンとなる。危機とはギリシャ語では「分離する」の意味であることを忘れないでほしい。

『ロマンシング・ストーン』の危機は、身体的な〈最大の苦難〉、そして愛する者との別れの両方だ。ジョーン・ワイルダーは〈変身する者〉の相棒ジャック・コルトンとともに、文字どおり〈最も危険な場所〉へ入っていき、巨大なエメラルド、〝エル・コラソン〟を手にする。だが、あまりに簡単に成功した直後、二人は車で滝に転落し、本当の〈最大の苦難〉に直面する。ジョーン・ワイルダーは少しのあいだ水中に消える。ジャック・コルトンが必死に陸へ上がろうとするのを見て、観客は一瞬、ジョーンは死んでしまったのかと考える。〈最大の苦難〉の魔法は、そのわずかな時間で充分に効果を発揮する。ジョーンが前景に現れ、懸命に岩をよじのぼってくる。ジョーンが死に、そしてよみがえったことは、そのあとの会話からもはっきり伝わる。向こう岸にいるコルトンが「溺れちまったかと思ったよ」と呼びかけてくると、ジョーンはこう返事する。「溺れたわよ」

コルトンは身体的に生きのびたことに大喜びしているが、ジョーンにとっての危機の焦点は感情的な次元に移る。信用ならない男コルトンが、宝石を持って、急流の川の向こう岸にいる。二人の愛情が本当に試されるときだ。次の町で会おうという約束を、コルトンが本当に守るのか、それともエル・コラソンを持って逃げ、ジョーンのハートをずたずたにしてしまうのか？　ジョーンはこの〈特別な世界〉のジャングルを、コルトンなしでも生きのびられるのだろうか？

聖なる結婚

感情、心理に深みのある物語では、〈最大の苦難〉が人の心の内に神秘的な結婚をもたらし、対立する内面の力を均衡させることがある。〈最大の苦難〉の恐れや死の側面が、この結婚をおびやかす。これがうまくいかなかったらどうしよう？　祭壇に向かって歩いている自分の中の何かが、態度を変えて制圧しにきたらどうする？　だが、こうした恐れにもかかわらず、主人公は自分の〈影〉も含め、自分の隠れた性質を認識し、聖なる結婚によってそれらとひとつになろうとする。最終的に主人公は、自分のアニマ／アニムス、自分の魂、あるいは自分が気づいていなかった男性性／女性性や、自分のパーソナリティの直観的な部分との対峙を求めていくのである。

女性の場合は、アニムス、すなわち、社会が隠すよう求める男性的な理性や主張の力を探しているのかもしれない。これまで拒んできた創造的な動因や母性的エネルギーのところに戻り、接点を保とうとしているのかもしれない。危機の瞬間、主人公のたくさんの自己が一斉に呼び起こされ、生死のかかった問題に対処しようとするため、主人公は自分のパーソナリティのあらゆる側面に触れておこうとするのだ。

バランス

聖なる結婚では、パーソナリティのどちらの側も、同等の価値を持つものとして認められる。人間でいるためのツールのすべてと接点を保ってきた主人公は、バランスを保ち、安定していて、たやすく押しのけられたり倒されたりはしない。キャンベルはこの聖なる結婚を「主人公が完全に人生に熟練したことの象徴」だとし、主人公と人生そのもののあいだに生じたバランスのいい結婚だと述べている。

つまり〈最大の苦難〉とは、主人公が抑圧してきた女性性や男性性との聖なる結婚を実現させるための危機と言える。だが、これが聖なる離婚になる可能性もある！　公然たる破滅的な闘いが、男女両サイドの決闘によって始まることもある。

破滅的な愛

キャンベルは「誘惑する女」の章において、この破壊的な対立にも触れている。この章見出しはまぎらわしいかもしれない――「女神との遭遇」と同様、この瞬間が持っているエネルギーは、男性にも女性にも当てはまるからだ。この〈最大の苦難〉は、裏切り、放棄、落胆の合流点へと主人公を連れていく可能性がある。愛の闘技場における、誠実さの危機だ。

どのアーキタイプにも、明るいポジティブな面と、暗いネガティブな面がある。愛の暗い面は、憎しみ、反訴、憤激、拒否の仮面となる。王女メディアが自分の子どもたちを殺すときの顔であり、あやまちと罪の毒ヘビに取りまかれたメドゥサの仮面である。

危機は、〈変身する者〉の恋人がいきなり別の面を見せることで訪れることがあり、主人公は裏切られたという苦い思いを感じ、愛の概念も死にいたる。これはヒッチコック得意の仕掛けでもある。『北北西に進路をとれ』では、甘いラブシーンのあと、ケーリー・グラント演じる登場人物は、エバ・マリー・セイント演じるスパイに裏切られる。これでグラントは映画中盤の〈苦難〉に突入し、恋人に捨てられたと感じる。彼女が見せてくれた真実の愛の可能性は死んでしまったように感じられ、それがグラントの〈最大の苦難〉となる。彼はトウモロコシ畑で農薬散布の飛行機にもう少しで撃ち殺されそうになるが、それさえもますます孤独をかきたてる。

ネガティブなアニムス／アニマ

人生の旅路においても、人はアニマやアニムスのネガティブな投影に直面することがある。魅力的ではあるが関わりたくない人物だったり、あるいはジキル博士から支配権を奪おうとするハイド氏のように、突然自己主張を始める自分自身の性悪さや無能さであったりする。こうしたものに直面することが、人間関係や人の成長において、命をおびやかす〈最大の苦難〉になることがある。『危険な情事』の主人公は、遊びで関係を持った相手を拒み、関係を断ったとたん、破壊的な力で相手に襲いかかられる。理想的なパートナーがボストン絞殺魔に変わることも、あるいは『シャイニング』のように愛情深い父親が殺人鬼になることもある。グリムのおとぎ話に出てくる悪い継母や女王も、オリジナルの物語では破壊的な愛情を持つ実母である。

サイコになる

〈最大の苦難〉を最も不穏かつ破壊的に使った映画のひとつに、アルフレッド・ヒッチコックの『サイコ』がある。観客は、マリオン（ジャネット・リー）が横領をして逃げていると知っていても、彼女に共感し同情するよう仕向けられる。第二幕の前半全体にわたり、ほかに共感できそうな登場人物は、弱々しい宿の主人のノーマン・ベイツ（アンソニー・パーキンズ）だけだが、彼に共感したい観客はいないだろう――奇妙な男なのだ。普通の映画なら、主人公は〈最大の苦難〉を生きのび、クライマックスで悪役を倒す。ジャネット・リーのようなスター女優は、スクリーン上では不死身のヒロインのはずで、映画の中盤で犠牲者になることなど誰も想像だにしない。しかしヒッチコックは、この想像を絶する仕打ちをやってのけ、物語の途中で主人公を殺してしまう。この〈最大の苦難〉が、主人公にとって最後の〈最大の苦難〉となる。猶予も再生もなく、マリオンのためのカーテンコールもない。

その効果は強烈だ。観客は肉体を離れた幽霊のような妙な気分になり、フレームの中を飛びまわりながら、マリオンの血が排水口に吸い込まれていくのをながめる。次は誰に感情移入すればいい? 誰と一体化する? そしてすぐに気づく――ヒッチコックが感情移入できるように残してくれたのは、ノーマンだけだと。観客はしぶしぶノーマンの心に入っていき、物語をノーマンの視点でながめ、そして新しい主人公ノーマンを応援さえしはじめる。最初観客は、ノーマンが頭のおかしい母親をかばっているのだと考えるが、その後ノーマン自身が殺人鬼だということが判明する。観客はサイコの皮をかぶらされていたというわけだ。ヒッチコックのような名匠でなければ、主人公、死、そして〈最大の苦難〉のルールをこうも大胆に無視することなど、到底できなかったにちがいない。

最大の恐れに立ち向かう

〈最大の苦難〉は、主人公が最大の恐れに直面する瞬間と定義することもできる。たいていの人々にとって〈最大の苦難〉は死だが、多くの物語においては、恐怖症に立ち向かう、ライバルに挑む、嵐や政治的危機をどうにかしのぐなど、主人公がいちばん恐れることが〈最大の苦難〉となる。インディ・ジョーンズも、いちばん恐れているものと否応なく直面しなければならなくなる——ヘビだ。

主人公が直面するさまざまな恐れのうち、最も劇的な力の源となるのは、親や権威ある人物に立ち向かうことへの恐怖である。家族の場面はシリアスなドラマの中心をなすことが多く、親との対決は強力な〈最大の苦難〉を提供してくれる。

親に立ち向かう

『赤い河』でモンゴメリー・クリフトが演じるマシュー（マット）・ガースは、牛追いの指揮権を、手強い〈影〉となっている養父のトム・ダンソン（ジョン・ウェイン）から奪うため、物語の中盤でこの恐れと立ち向かう。ダンソンは、物語の最初は〈英雄〉であり〈師〉だが、〈接近〉のステージで、これらの仮面を暴君の仮面と取り替えることになる。いまやダンソンは、頭のおかしな神であり、傷ついて酒浸りで残酷になっている。下の人間には口汚い父親となり、仕事を抱え込みすぎている。マットが〈師〉でありロールモデルであるダンソンに挑むことは、〈最大の苦難〉においてマットが最大の恐れに立ち向かうということだ。

ダンソンは神としてふるまっており、彼の狭い世界の法律を破った者は、縛り首にされることになっている。マットは撃たれる危険を冒してでもダンソンに立ち向かう。ダンソンは死神の王座から立ち上がり、マットを殺すために銃を抜こうとする。だが、〈試練〉のステージでマットが手に入れた〈仲間〉たちが止めに入り、ダンソンの手から拳銃を吹っ飛ばす。〈英雄〉としてのマットの力は、いまや対立相手に指一本触れる必要もないほど大きくなっている。マットの強い意志は死をも負かせるほどだ。その結果、マットはダンソンを王座から引きずりおろし、みずから牛追いの王となり、馬一頭と水筒だけを養父に残して去る。こうした物語では、最大の恐れとの直面は、上の世代に対して立ち上がる若者という形で描かれる。

若者vs老人

若者による上の世代への挑戦は不朽のドラマであり、近づきがたい親に立ち向かう〈最大の苦難〉は、アダムとイブ、オイディプス、リア王など古くからある。この時代を超えた対決は、脚本に大きな力を与えてくれる。『黄昏』は、父親を喜ばせようとする娘の必死の努力を描いた舞台劇で、娘の〈最大の苦難〉は父親に立ち向かうことであり、父親にとっては自分の死の運命を感じることである。

こうした世代間のドラマは、世界史の舞台で起きることもある。天安門広場を占拠し、体を張って戦車を阻止した中国の反体制派の学生たちは、親や祖父母が背負わされてきた現状維持に挑もうとしていた。

おとぎ話でオオカミや魔女を相手に闘うのも、親との対立を表現する方法のひとつかもしれない。魔女は母親の、オオカミや人食い鬼や巨人は父親の暗い側面なのだ。ドラゴンなどの怪物は、親や長く続きすぎた世代の〈影〉の側面かもしれない。キャンベルは、ドラゴンのことを、王国や家族を強固に制圧し、そこから命を搾り取ってきた暴君の西欧的象徴と述べている。

若者と老人の対立は、子どもと親のあいだで起きる、外面的もしくは内面的な闘いを表現していることもある。くすぶる対立が引き金となった〈最大の苦難〉が、古くて居心地のいい、巧みに守られたパーソナリティ構造と、弱くて未熟だが、懸命に生まれ出ようとしている新しいパーソナリティ構造の内面的な闘争となることもある。だが、古い自己が死ぬか、最低でも脇にどいて舞台の中央をあけないかぎり、新しい自己が生まれることはできない。

まれなケースだが、〈最大の苦難〉が主人公と親のあいだの深い傷を癒やすチャンスになることもある。キャンベルはこの可能性を「父親との一体化」と呼んでいる。〈最大の苦難〉を生きのびたり、親的な人物の権威にあえて挑んだことで、ときには主人公が親の承認を勝ち取り、両者の対立が解決されることもある。

自我の死

神話の〈最大の苦難〉は、自我の死を意味する。これによって主人公が宇宙のすべてとなり、物事に対する古くて狭い視野は死に、関係性の新たな認識に生まれ変わる。自己の古い境界線は克服され消滅する。ある意味主人公は神となり、死の通常の制限を超えて高く飛び、すべての物事のつながりを、より広い視野で見るようになる。ギリシャ人はこのことを**神格化**と呼び、単に自分が心に抱いていた神への情熱から一段上に進んだ瞬間と考えた。神格化の状態においては、自分が神である。死を味わうことにより、少しのあいだ神の座に座ることが許されるのだ。

〈最大の苦難〉に直面した主人公の中心は、自我から、自分の内面の神に近い部分である「自己」へと移る。また、主人公が自分だけの面倒を見るのではなく、もっと大きな責任を受け入れることによって、主人公の中心が「自己」からグループへと移ることもある。主人公は、個人の命を、より大きな集合体の命のために危険にさらし、「英雄」と呼ばれる権利を勝ち取るのである。

〈最大の苦難〉――『オズの魔法使』の事例

悪い魔女と〈戸口の番人〉の衛兵にとらえられたドロシーと友人たちは、いまや〈最大の苦難〉に直面している。魔女は、自分の〈最も危険な場所〉に侵入され、いちばん大事な宝物のルビーの靴を盗まれたことで、四人に怒り狂っている。魔女は四人のところへやってきて、おまえたちをひとりずつ殺す、ドロシーは最後に殺してやると脅す。

　この脅しにより、この場面の賭け金が明白になる。観客は、これが生きるか死ぬかの闘いになることを理解する。

　魔女はまず、かかしから片づけようとする。自分のほうきに火をつけ、それをたいまつ代わりにして、かかしを燃やそうとする。かかしのわらが燃え上がり、これで一巻の終わりかと思わせる。観客の子どもたちはみんなかかしが殺されると思い、その死の恐怖を感じる。

　ドロシーは本能的に行動を起こし、友人を救うための思いつきを実行する――水の入ったバケツをつかみ、かかしに水をぶちまけたのだ。おかげで火が消えたばかりか、魔女も水に濡れてしまう。ドロシーに魔女を殺す意図はなく、水が魔女を溶かすことさえ知らなかったが、いずれにしても魔女はそのせいで死んでしまう。自分たちに向かってこようとした死を、ドロシーが単に別の犠牲者へとそらしたにすぎない。

　だが、魔女はたやすく「パッ」と消えはしなかった。魔女の死は、時間のかかる、苦悶に満ちた、みじめなものだった。「おお、わが美しき邪悪さよ！　なんという世界、なんという世界だ！」すべてが終わるころには、誰もが魔女を気の毒に思い、本当の死の味を感じるのだ。

主人公は死と直面したものの生きのび、死を語るために立ち去ることを許される。呆然となったあと、主人公

は高揚する。死に抵抗した結果を手に入れ、そして次に進む――〈報酬（剣を手に入れる）〉のステージへと。

考察

1 『スパルタカス』の〈最大の苦難〉はなんだろう？ 『セッション』は？ 『サイコ』は？ 『ジョン・ウィック』は？

2 あなたの書いている物語の〈最大の苦難〉はなんだろう？ 物語には本当の悪役がいるだろうか？ それとも単なる競争者だろうか？

3 悪役や競争者のどういうところが主人公の〈影〉になっているだろうか？

4 悪役の力は悪役の相棒や手下を通じて伝わってくるだろうか？ 彼らが演じる特別な役目はなんだろう？

5 悪役は、〈変身する者〉や〈トリックスター〉にもなれるだろうか？ 悪役はほかのどんなアーキタイプを表現できるだろう？

6 あなたの主人公は、〈最大の苦難〉でどんなふうに死に直面するだろう？ 主人公の最大の恐れはなんだろう？

報酬

ステージ9　報酬

「来て、見て、そしてとっつかまえてやった」
――『ゴーストバスターズ』、ダン・エイクロイド、ハロルド・ライミス脚本

〈最大の苦難〉の危険がすぎ、主人公は死を生きのびた結果を体験する。〈最も危険な場所〉に棲みついていたドラゴンを殺すか打ち負かすかした主人公は、勝利の剣をつかみ、**報酬**を要求する。勝利はつかの間かもしれないが、いまは喜びを味わうときだ。

死との遭遇は大きな出来事で、まぎれもなく重大な結果をもたらす。主人公が死や大きな苦難を生きのびたことで、認められ、報酬を得られる時間があるのが普通である。危機を生きぬいたことによりたくさんの可能性が生まれるが、〈最大の苦難〉の事後処理としての〈報酬〉には、さまざまな形や目的がある。

祝福

狩人が生きのびて獲物を撃ち落とせれば、祝いたくなるのも当然だ。闘いのなかでエネルギーも尽き、補充が

必要となる。主人公はこのステージで、パーティーや野外の集いの場を持ち、そこで料理をしたり勝利の果実を味わったりする。『オデュッセイア』の主人公たちは、海での苦難を生きのびたあと、つねに生け贄を捧げ、感謝と祝福のための料理を食べる。堅気の世界へ戻るには強さが必要で、休養、回復、燃料補給の時間がいる。『ダンス・ウィズ・ウルブズ』では、バッファローの狩り〈死の瀬戸際まで行く〈最大の苦難〉〉のあと、ダンバーと先住民の一族はバッファローのバーベキューを催して祝う。若い男の命を救ったダンバーは、ラコタ族にさらに受け入れられるという〈報酬〉を得る。

たき火の場面

このステージでたき火やそれに似た場面が出てくる物語は多く、主人公とその仲間たちは、最近の出来事を回顧するために火を囲んで集まったりする。ジョークや自慢話の場でもある。死を逃れたという当然の安堵感がそこにある。狩人や漁師、パイロットや航海士、兵士や探検家、みな自分の偉業を大げさに語るのが好きだ。『ダンス・ウィズ・ウルブズ』のバーベキュー場面では、ダンバーもバッファロー狩りの物語を何度もしゃべらされる。たき火の場での対立、戦利品争いなどもある。ダンバーは、バッファロー狩りの最中に落とした帽子をめぐり、スー族の戦士と言い争いになる。

たき火の場面は、回想やノスタルジアの場になることもある。生と死の深淵を通過したあとは、何もかもいままでと同じではなくなってしまう。主人公は、現在の地点にたどりつくまでのことを振り返り、口に出して記憶をたどってみたりする。一匹狼の主人公は、自分に影響を与えた出来事や人々のことを思い返したり、自分の人生を動かしている不文律について話したりする。

こうした場面は、観客にとっても重要な役目を果たす。激しい闘いや苦難のあとで、こうした場面があれば観客も息をつける。登場人物たちがここまでの物語を要約することもあり、観客も物語を振り返って、登場人物がそれをどう感じているかを見る機会にもなる。『赤い河』のたき火の場面では、マシュー・ガースが新参者のテス（ジョアン・ドルー）のために、物語の概略をおさらいしてやる。ここでマシューは自分の養父に対する感情を明かし、この複雑で壮大な物語の展望を観客に与えてくれる。

主人公が〈最大の苦難〉の教訓に思いを馳せるあいだ、パチパチと音を立てて炎をゆらめかせるたき火がその場にないとしても、映画制作者は本能的に、そのとき存在する別の光源に目を向けることが非常に多い。夕食の席で輝くろうそくの灯り、親密な人々のそばで燃える暖炉の火、あるいはタバコに火をつけるマッチやライターから上がるほんの一瞬の炎。裸火というのは、登場人物の内面で目覚める悟りの、直覚的な表現なのかもしれない。

これと関連した現象について、私の同僚であり、小説家でライティングの教師でもあるジェームズ・スコット・ベルが、抜け目ない観察を披露している。映画のなかで、主人公にとっての大きな後退から、物語の最終的な結末に移行するまでのあいだには、「鏡像の瞬間」があるという。ベルの指摘によれば、『逃亡者』などの映画では、主人公が鏡に映る自分自身と対面し、苦難がどれだけ自分を変えたか、そしておそらく「自分は何者になったのか？」と考えているとおぼしき姿が描かれる。こうした場面がターニングポイントとなり、主人公は成功してみせるという新たな決意を持って方向転換をするか、あるいはまだ疑いや自己判断を感じつつも、少なくとも努力を続けようと動きだす。鏡は嘘をつかないし、「鏡をのぞいて見る」ということは、自分のふるまいや性質、責任などを嘘偽りなく検証し、思いちがいをなくして人生の次のステージへ進もうとするということだ。

こうした内省やくつろぎの静かな時間、観客は登場人物をよりよく知ることができる。『ジョーズ』でロバート・ショウが演じるクイントが、第二次大戦中に太平洋で体験した恐ろしいサメのエピソードを語るくだりは、この印象的な例と言えるだろう。男たちは古傷をくらべ合い、飲み、歌う。〈最大の苦難〉をともに生きのびて生じた親密さを土台に、〝おまえをもっと知る〟場面が展開される。

『ピノキオ』や『ピーター・パン』など、ウォルト・ディズニーの古典的なアニメーション映画のペースは、通常はとんでもなく速いが、ディズニーはときどきそのペースを慎重に落とし、感情的な瞬間の登場人物を綿密に描写する。こうした静かで叙情的な部分は、観客とのつながりを作るうえで重要なものだ。

ラブシーン

〈最大の苦難〉のあとにラブシーンが訪れることもある。主人公は、危機をすぎるまでは本当の〈英雄〉ではない。それまでは単なる見習いなのだ。自分が何かを犠牲にする意志を示すまでは、真に愛される資格もない。真の〈英雄〉はこの時点で、ラブシーンか、なんらかの「聖なる結婚」の権利を得る。『赤い河』のたき火の場面は、効果的なラブシーンにもなっている。

スリラー映画『アラベスク』では、ともに〈最大の苦難〉を生きのびたグレゴリー・ペックとソフィア・ローレンが、ラブシーンで結ばれる。ローレンは謎めいた〈変身する者〉で、それまでたくさんの嘘をついてきたが、ペックはローレンの善良な本質を見ぬいており、ローレンを信頼するようになっている。

『美女と野獣』のロマンティックなワルツは、野獣にとっては町の人々とともに〈最大の苦難〉を生きのびた〈報酬〉であり、ベルにとっては野獣の恐ろしげな外見の奥を見ぬいた〈報酬〉である。

探していたものを手に入れる

このステージの本質的な側面のひとつは、主人公が探してきた何かを手に入れるということだ。宝探しの冒険家は黄金を手に入れ、スパイは秘密を握り、海賊は生け捕りにした船を略奪し、不安な主人公は自尊心を獲得し、奴隷は自分の運命の支配権をつかむ。取引は終わった――主人公は死の危険を冒し、命を犠牲にしてでもその代償を手にする。北欧の神オーディンは、〈最大の苦難〉で片目を差しだしたり、世界樹に九日九晩わが身を吊ったりする。そうして得た〈報酬〉は、すべての物事に関する知識と、聖なるルーン文字を読む能力であった。

剣を手にする

旅のこの部分を、私は**剣を手に入れる**ステージとも呼んでいる。主人公が〈特別な世界〉で求めてきた何かを、積極的に手に入れようと活発に動くステージでもあるからだ。〈報酬〉が愛なら、ただ与えられることもある。だが、主人公が宝を獲りにいったり、ときには盗んだりすることもひんぱんにある。『007　ロシアより愛をこめて』で、ソ連の暗号解読機「レクター」を奪うジェームズ・ボンドのように。

『キング・コング』の〈剣を手に入れる〉ステージは、死と再生の危機的場面のあとにやってくる。〈接近〉ステージのあいだに、巨大な猿には変容が起きる。キング・コングはフェイ・レイの誘拐者から保護者へと変化をとげ、自分の住む〈最も危険な場所〉へとやってくるティラノサウルスを追い払う。巨大ヘビとの激しい戦いのなかで彼女を守ったコングは、完全な〈英雄〉となって〈最大の苦難〉を迎える。そして〈報酬〉を獲得する。ほかの善良な〈英雄〉たちのように、コングも恋人を得る。

甘い、いささかエロティックな場面が訪れる。コングはレイを洞穴の〝バルコニー〟に連れだし、彼女をながめ、巨大な手のひらに載せてあやす。レイの服を一枚一枚脱がし、香水の匂いを興味津々に嗅ぐ。指でレイをくすぐる。このラブシーンは、別の恐竜の登場によってさえぎられるものの、まちがいなく〈報酬〉の場面であり、危機のあいだ真正面から死に向き合ったことへの見返りである。

主人公が〈剣を手に入れる〉という発想は、主人公がドラゴンと戦ってその宝を手に入れる物語の名残である。宝のなかにあった魔法の剣は、主人公の父親の持ち物で、前の戦いでドラゴンに破壊されたか盗まれたかしたのかもしれない。タロットカードでひと組の剣として描かれているような剣のイメージは、主人公の意志の象徴であり、その鋼は火のなかで打ちのばされ、血のなかで冷やされ、壊れては作りなおされ、打たれては折りたたまれ、鍛えられて鋭く研がれる――『スター・ウォーズ』のライトセーバーのようになるまで。

とはいえ、剣はほんの一例にすぎず、主人公がこのステージで手にできるものにはいろいろな種類がある。キャンベルは「究極の恵み」と呼んでいる。聖杯もこうした概念のひとつで、騎士や英雄が追い求める入手不可能な魂の謎めいた象徴となっている。物語が変われば、バラや宝石が宝になることもあるだろう。中国の伝説に登場する孫悟空が冒険で探すのは、天竺にある仏教の聖なる経典だ。

霊薬泥棒

自分の命そのもの、あるいは自分の命を危険にさらす意志を代償として宝を手にする主人公もいる。一方、物語の渦中で魔法の品を盗む主人公もいる。代償を支払ったり正当な努力をしても、必ず褒美が与えられるとは限らない。となれば、奪わなければならない。キャンベルはこのモチーフを「霊薬泥棒」と呼んでいる。

霊薬は、治療のための媒体や手段を意味する。無害な甘い液体かもしれないし、ほかの薬が加えられた粉かもしれない。それだけで投与されたり、ほかの無益な化学品と混ぜられたりしても、「プラシーボ効果」と言われる働きを示すこともある。偽薬《プラシーボ》、すなわち医療的な価値のない物質で回復する人々もいることは研究が示しており、ときにはそれがただの砂糖の丸薬だと患者が知っていても効くことがある――これは暗示の力を証明している。

霊薬には、すべての病を癒やす薬、生命力を復活させる魔法の物質も含まれる。錬金術における霊薬は、金属の形状を変え、命を生み、死を超越することのできる「賢者の石」に向かう一歩とされた。死の力を乗り越える能力は、多くの〈英雄〉たちが探し求める本物の霊薬だ。

主人公はしばしば霊薬を盗む必要に迫られる。霊薬は生と死の秘密であり、あっさりあきらめられないような大きな価値がある。人間のために神々から火を盗んだプロメテウスや、リンゴを味わったアダムとイブのように、主人公は〈トリックスター〉や盗人となって宝を持ち逃げしようとする。こうした盗みにより、主人公はしばらくのあいだ自己陶酔するが、のちに大変な代償を支払わされることもしばしばである。

イニシエーション

主人公は、〈最大の苦難〉を生きのびて、ほかの人々とは異なる特別な存在、死を出しぬいた数少ない選ばれた人物のひとりと認められる。古代ギリシャの神々はみな、精選された集団の一員であった。神々とほんの少数の幸運な人間たちだけが死をまぬがれることができ、何かすばらしいことをなしとげたり神を喜ばせた人間は、ゼウスによってその集団に属することを許される。ヘラクレス、アンドロメダ、アエスクラピウスなどがそうだ。戦場での昇進システムや騎士道は、苦難を通りぬけた〈英雄〉が、生き残った特別な者たちの小集団に属することを認めるための手だてとなっている。本書で「第二幕」としてきた部分を、ジョーゼフ・キャンベルは総括して「イニシエーション」と呼び、新しい階級の新しい始まりととらえている。死に直面したあとの〈英雄〉は、まったく新しい生き物となる。命の危険がある、出産の領域を通りぬけた女性は、別の存在秩序に属することになる。要するに、母親という名の選ばれた婦人会の新規会員となるのだ。

秘密結社、婦人会、友愛会のイニシエーションとは、一定の秘密にひそかに関与し、それを決して漏らさないことを誓う手段である。テストに合格し、自分の価値を証明し、〈最大の苦難〉の死と再生の儀式を通過した者は、生まれ変わった存在であることを意味する新しい名と階級を与えられる。

新たな知覚

死をまぬがれた主人公は、新しい力や、より優れた知覚を手に入れる。前述のように、死は人生に対する理解力を研ぎ澄ますことができる。北欧の竜殺しのシグルズ伝説などは、それを見事にとらえている例だ。シグルズの〈最大の苦難〉は、ファフニールという名のドラゴンを退治することだ。ドラゴンを殺したとき、シグルズはたまたまドラゴンの血の一滴を口にする。シグルズはまさに死を味わい、それゆえに新しい知覚の能力を与えられた。鳥の言葉がわかるようになったシグルズは、二羽の鳥の警告により、自分の〈師〉であるドワーフのレギンが自分を殺そうと企んでいることを知る。死をまぬがれた〈報酬〉として得た新しい力のおかげで、シグルズは二つめの危険からも救われた。〈英雄〉が手にした剣は、新たな知識だったということだ。

偽りを見ぬく

主人公は、謎に対する新しい洞察や理解を、〈報酬〉として手に入れることがある。偽りを見ぬくことができるようになるのだ。主人公に〈変身する者〉のパートナーがいる場合、その偽りの外見の奥が見え、初めて真実が感知できる。〈剣を手に入れる〉ことは、すべてが明瞭になる瞬間でもある。

千里眼

死を超越すると、主人公は千里眼やテレパシー能力を持ち、不死の神々の力を共有するようになる。「千里眼を持つ《クレアボイアント》」とは、もともと「はっきり見える」という意味だ。死に直面した主人公は、物事のつながりをより認識し、より直観的になる。『アラベスク』のグレゴリー・ペックとソフィア・ローレンのラブシーンのあと、二人は古代象形文字で書かれた暗号を解こうとする。ペックは自分の新たな知覚力を駆使し、そして突然、スパイが追っていたのは暗号ではなく、紙片についた点のようなマイクロフィルムだったということに気づく。死を逃れたことで、新しい洞察力が生まれたのだ。この認識が高揚感を生み、映画を第三幕へと押し進める。

自己認識

洞察力には、さらに深いタイプのものがある。主人公が死を出しぬいたのち、深遠な認識を体験することがある。自分が何者か、物事の枠組みにどうはまるのかが見えてくる。自分がいかに愚かで頑固であったかにも気づく。

目からうろこが落ち、自分の人生の幻影が消え、明瞭さと真実に置き換わる。長く続かないこともあるが、少しのあいだ自分のことが明瞭に見えるのである。

顕現

ほかの人物にも主人公が明瞭に見えるようになる。主人公のふるまいが変化したことで、〈英雄〉が再生し、不滅の神々と力を共有したことが伝わってくる。この瞬間を**顕現**と呼ぶこともあり、神性が突然実現することを指す。カトリック教会では一月六日を顕現祭とし、東方の三博士が生まれたばかりのキリストの神性に気づいた瞬間を祝う。ほかの人々にも主人公の変化が見えるというのもまた、死をまぬがれた〈報酬〉のひとつだ。基礎訓練的な戦争や苦難から戻った若者たちは、変化したように見えるものだ――より成熟し、自信を持ち、まじめになり、もっと敬意を払われるべき人物になっている。そこには、熱狂に始まり、神の訪れを受け、神格化され、神そのものになり、顕現にいたり、神として認識されるという、一連の聖なる体験がある。

〈英雄〉自身、顕現を体験することがある。〈最大の苦難〉の直後、不意に自分が神や王の子であり、特別な力を持った選ばれし者だと気づく。顕現とは、自分が神性を持つ聖なる存在であり、すべての物事とつながっていると気づく瞬間のことである。

ジェームズ・ジョイスは、顕現という言葉の意味を拡大し、物事の本質を突然見ぬけるようになること、人や考えや物事の核心が見えるようになること、という意味で使っている。ときとして〈英雄〉は、〈最大の苦難〉を通りぬけたのち、物事の性質を突然理解できるようになる。死を生きのびたことで人生に意味が与えられ、知覚に鋭敏さが加わるのだ。

ゆがみ

死を征服したことが、知覚のゆがみにつながる物語もある。〈英雄〉の自我がふくらんでしまうのだ。つまり、思い上がってしまうのである。そうして生意気になったり傲慢になったりする。権力や、生まれ変わった〈英雄〉の特権を乱用する。自尊心が大きくなりすぎて、自分自身の真価の認識がゆがんでしまう。

自分が闘った死そのものや邪悪さにより、主人公が汚れてしまうこともある。文明を守るために戦った兵士が、戦争の野蛮さに屈してしまうこともある。犯罪者と闘ってきた警官や探偵が、しばしば一線を越え、不法な、あるいは不道徳な手段を使い、犯罪者と同じような悪人になってしまうこともある。主人公が敵の精神世界に入っていき、そこから出られなくなってしまうこともある。連続殺人犯のねじれた精神に入り込むために魂の危険を冒した、『刑事グラハム／凍りついた欲望』の刑事のように。

流血の惨事や殺人事件は強い力を持ち、主人公を酔わせたり汚したりする。ピーター・オトゥールが演じたアラビアのロレンスは、〈最大の苦難〉であるアカバの戦いののち、自分が殺人行為を愛していることに気づいて衝撃を受ける。

この時点で主人公が犯しがちなあやまちは、単に〈最大の苦難〉の重要性を軽く見るということだ。変化の鉄槌に叩かれても、何ごともなかったようにふるまったりする。死と遭遇したことを否認するのは、精神科医のエリザベス・キューブラー＝ロスによれば、自然な悲しみや回復のステージのひとつだ。怒りもそうだ。主人公は〈最大の苦難〉がすぎると、死と直面させられたことに対する妥当な怒りを吐き、何かしら鬱憤を晴らしたくなるものだ。

また主人公は、死との闘いののち、自分自身の重要性や勇敢さを過大評価してしまうことがある。とはいえ、再び自分の限界を知らしめる危険と遭遇することになり、最初はただの幸運だったということにすぐ気づくのだ。

〈報酬〉――『オズの魔法使』の事例

『オズの魔法使』の〈最大の苦難〉がすぎたあとは、〈剣を手に入れる〉場面がやってくる。ドロシーが手にするのは剣ではなく、焼けてしまった悪い魔女のほうきだ。実のところドロシーは、それを手に入れるために丁重すぎるぐらいの態度をとる。自分の目の前には恐ろしい衛兵たちがいて、いまやひざまずいてドロシーに忠誠を誓おうとしているのだが、ドロシーはその衛兵たちにほうきをもらえないかと礼儀正しく訊ねる。魔女が死んだいま、衛兵に攻撃されるのが怖かったのだ。だが、実のところ衛兵たちは、これで魔女の奴隷としてひどい扱いを受ける必要がなくなったため、魔女の死を喜んでいた。死を生きのびたことのもうひとつの〈報酬〉は、〈戸口の番人〉が完全に〈英雄〉側の味方になったことだ。衛兵たちは喜んでドロシーにほうきを差しだす。

ドロシーとその仲間たちはすぐに魔法使いの謁見広間に戻り、浮かんでいる凶悪な首の前にほうきを置く。ドロシーは魔法使いとの約束を果たし、不可能な仕事をなしとげた。ドロシーも友人たちも、〈英雄〉への〈報酬〉を得る権利がある。

しかし驚いたことに、魔法使いはそれを渋る。怒り狂い、議論をふっかけてくる。その様子は、古いパーソナリティ構造や親の世代が、成長した子どもに譲歩すべきところでそれができず、最後の争いを仕掛けているかのようだ。

そのとき子犬のトトが、この物語における自分の役目を果たす。トトの動物的な直観や好奇心は、最初のうちこそミス・ガルチの花壇を掘り返したりして、ドロシーを厄介事に巻き込んだ。しかしそれが今回は救済手段となった。トトは王座の後ろを嗅ぎまわり、カーテンの奥で巨大でパワフルなオズの幻をあやつっている、小柄でおとなしそうな老人を発見する。本当のオズの魔法使いは、怒鳴る大きな首ではなく、この男だったのだ。

これは、苦難のあとにやってくる典型的な発見、あるいは洞察の瞬間である。主人公は、トトの直観的で好奇心旺盛な目を通じ、強力な組織の幻影の裏に、感情を持ち、接触が可能な人間がいることを知る（この場面は、私にはいつも、ハリウッドのメタファーのように感じられる。恐ろしげで畏敬の念を感じさせる世界であろうと必死ではあるものの、実際にハリウッドを作っているのは、恐れと欠点を持つ普通の人々だ）。

最初魔法使いは、ドロシーたちを助けることはできないと白状するが、それでも励まされて、ドロシーの仲間たちに〈霊薬〉を提供する。かかしには免状、フイオンには勇敢さを讃えるメダル、ブリキ男にはぜんまい仕掛けのハート。この場面には多少の風刺が感じられる。これらの〈霊薬〉は偽薬であり、人間がたがいに与え合う無意味なシンボルのようでもある。人々が持っている称号やメダルや記念品は、なんの役にも立たない。死を生きのびたことのない人々が一日中〈霊薬〉を飲んですごしたところで、それはなんの助けにもならないのだ。

本当のすべてを癒やす〈霊薬〉は、内面の変化を達成することだが、この場面では、外面的な承認を得ることも重要だということを認めている。たくさんの人々の代理親として、魔法使いは、父親の承認という究極の恩恵、限られた人々しか得られない〈報酬〉を与えようとする。ハート、脳みそ、勇気は、以前からずっと彼らの内面にあったが、物理的な品物がそれを思いださせてくれるようになる。

最後に魔法使いはドロシーに向きなおり、悲しげに、君にしてあげられることは何もないと告げる。自分はただ、ネブラスカの農産物展示会で気球に乗っているうちにオズの国に飛ばされてしまった男にすぎず、どうやって帰ったらいいか自分にもわからないのだと。魔法使いの言葉は正しい――「家へ帰る」ことをドロシーが受け入れるためには、ドロシー自身の力が必要で、それはつまり、どこにいても自分の内面で幸福を感じられるようになるということだ。とはいえ魔法使いは、オズの国の市民たちに指示して、大きな熱気球を作ることに同意した。主人公は「家」というとらえどころのない褒美以外はすべて手に入れたが、「家」探しは第三幕に持ち越される。

死に直面することは人生を変える重大な出来事であり、主人公は〈剣を手に入れる〉ことでそれを体験するが、充分に〈報酬〉を得たあとは、また冒険に戻らねばならない。この先もさらに〈苦難〉が待っていて、それに向き合うために荷物をまとめ、〈ヒーローズ・ジャーニー〉の次のステージ、〈帰路〉に向かうことになる。

考察

1 『ブラックパンサー』で、たき火の場面を現代的に表現したのはどの場面だろう？『Mr.インクレディブル』は？『ライフ・オブ・パイ／トラと漂流した227日』は？『ジャンゴ　繋がれざる者』は？

2 あなたの書く物語の主人公は、死を見ることで何を学ぶのか？　主人公が死を引き起こすことで学ぶものは？　死を体験して学ぶものは？

3　あなたの主人公は、死や最大の恐れに直面したのち、何を手に入れるだろうか？　第二幕の大きな出来事の後始末や結果はどのようなものか？　主人公は、〈影〉や悪役から、なんらかのネガティブな性質を吸収しただろうか？

4　物語は方向転換しているだろうか？　新しいゴールや計画は、〈報酬〉のステージで明かされているだろうか？

5　あなたの書く物語では、〈最大の苦難〉のあと、ラブシーンの機会はあるだろうか？

6　あなたの主人公は、自分が変わったことに気づいているだろうか？　自己分析や拡大された意識が生まれているだろうか？　自分の内面的な欠点に対処するすべを学んだだろうか？

帰路

ステージ10　帰路

「冥界へ降りるのは簡単なれど、自分の来た道をたどりなおし、空へと逃げることは——
これはひと仕事だ、骨の折れる仕事だ」
——『アエネーイス』、巫女からアエネーアスへの言葉

〈最大の苦難〉の教訓と〈報酬〉が与えられ、吸収されたのち、〈英雄〉は選択を迫られる。この〈特別な世界〉にとどまるか、それとも〈日常世界〉へ戻る旅を始めるのか？　〈特別な世界〉にも魅力はあるが、とどまることを選ぶ〈英雄〉はほとんどいない。大半の〈英雄〉は**帰路**を選び、スタート地点に戻ろうとするか、まったく新しい場所や最終目的地に向かう旅を始める。

〈剣を手に入れる〉ための静かな時間に少し弱まっていた物語の力が、再び活発になるのはこのときである。〈ヒーローズ・ジャーニー〉がいちばん上から始まる円だとすれば、ここはまだ最下部であり、光に向かって上昇し戻っていく力が必要になる。

心理学的観点から見た〈帰路〉のステージは、〈英雄〉が〈日常世界〉へ戻ることを決意し、〈特別な世界〉で学んだ教訓を実施する部分だ。簡単にはいかないことも多い。〈最大の苦難〉で得た知恵や魔法が、〈日常世界〉

の無情な光にさらされて消えてしまうかもしれないと、〈英雄〉が恐れるのも当然だろう。〈英雄〉が奇跡的に死から逃げのびたことを、誰も信じないかもしれない。疑い深い人々が理屈をこね、冒険を否定するかもしれない。だが、多くの〈英雄〉は試してみようと決める。仏教徒の菩薩信仰のように、〈英雄〉はすでに永遠の計画を目にしてはいるが、生者の世界へ戻ってそのことを他者に話し、勝ち取った宝を共有しようとするのである。

動機

〈帰路〉は、〈英雄〉が再び冒険に没頭する時間だ。ここまでは楽な台地だったが、〈英雄〉は、自分の内的な決意、もしくは外的な力により、この台地を離れなければならない。

内的な決意は、たとえば戦いのあとで気力を失った軍隊を元気づけようとする疲れた司令官

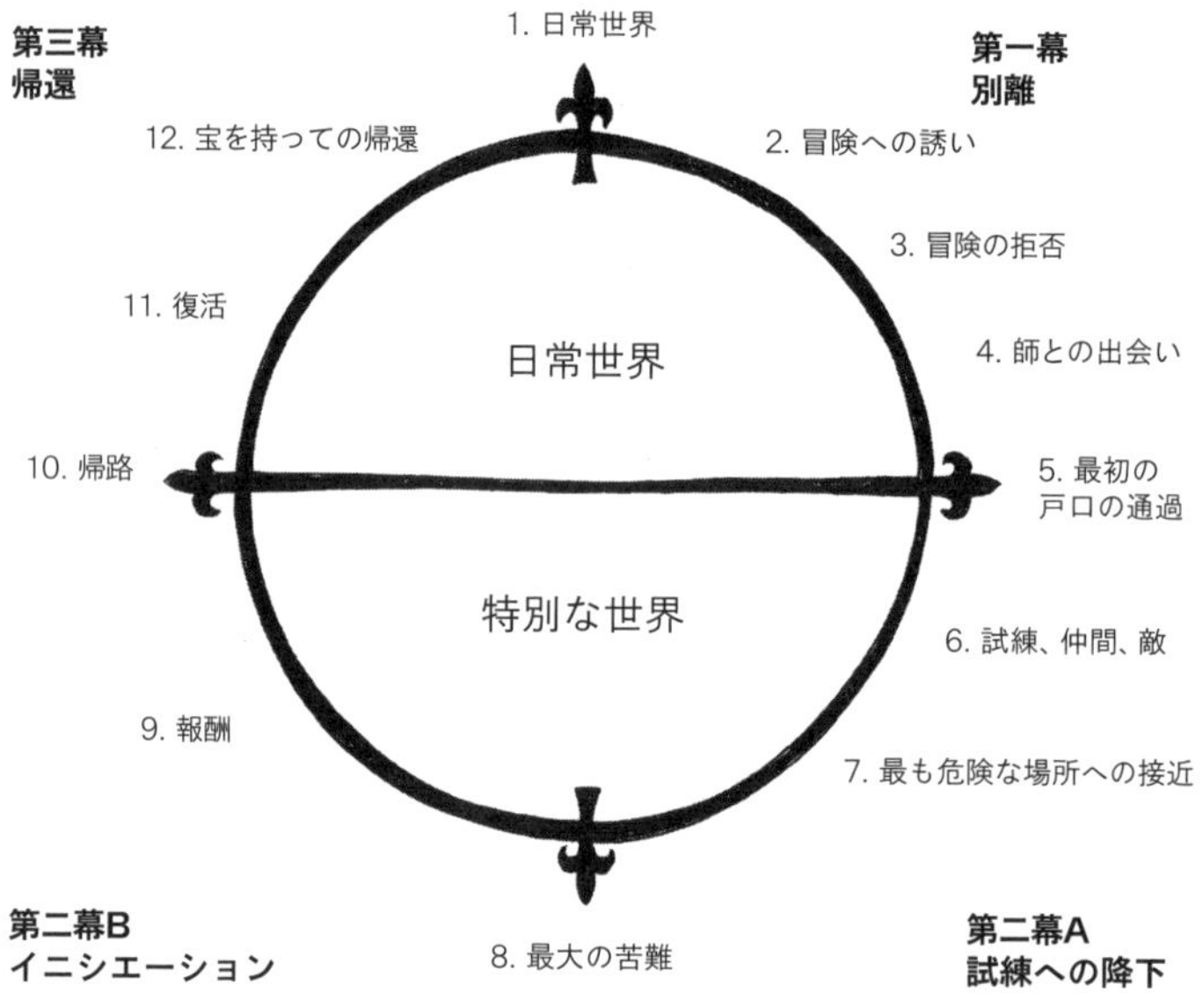

〈日常世界〉と〈特別な世界〉の〈ヒーローズ・ジャーニー〉モデル

や、死や悲劇ののちに家族をひとつにまとめようとする親の姿などで表現される。外的な力とは、鳴りだした警報、時を刻む時計、新たな悪役の脅威などだ。〈英雄〉が改めて、冒険の最終的なゴールを思い起こすこともある。

〈帰路〉はターニングポイントであり、第二幕から第三幕への移行を示すもうひとつの〈戸口の通過〉である。〈最初の戸口の通過〉と同じように、これが物語の目的に変化をもたらすこともある。なんらかのゴールに到達するための物語が、逃亡の物語になったりする。物理的な危険に焦点が当たっていた物語が、感情的な危機の物語に変わったりもする。物語の方向を大きく変える新しい展開や情報の断片が、物語を〈特別な世界〉の奥深くから押し上げる推進力になることもある。その結果、〈帰路〉は第三幕の幕開けとなる。もうひとつの危機の瞬間に駆り立てられ、〈英雄〉は、新たな、そして最後の試練の道に出ていく。

報復や追跡の恐れが、この推進力の燃料になることもある。〈最大の苦難〉で退けた力が再結集して〈英雄〉に襲いかかり、それが〈帰路〉に向かう動機になることも多い。〈霊薬〉が自由に配られることなく中心勢力から盗まれたりすれば、それが危険な影響を及ぼす恐れもある。

報復

敵を徹底的に打ち負かせというのは、武術の重要な教訓である。危機のさなかに完全に打ち破られていなかった悪役や〈影〉が、さらに強くなって立ち上がってきたときに、この教訓を思い知らされる〈英雄〉も多い。主人公が〈最大の苦難〉で立ち向かった怪物や悪役が、盛り返して反撃してくることもある。家族に対する支配権をおびやかされた親が、最初に受けた衝撃を乗り越え、手ひどいしっぺ返しを試みてくることもある。武術でバランスを崩された相手が、体を立て直して奇襲をしかけてくるというのはよくあることだ。天安門事件では、数日の混乱ののちに中国政府が反撃し、学生たちや〝民主の女神〟像を広場から追い払う強硬手段を発動した。

報復的な行動を鮮烈に表現している映画のひとつに『赤い河』がある。トム・ダンソンは、〈最大の苦難〉の渦中で養子のマット・ガースに王座を奪われる。〈報酬〉のステージで、マットとその部下たちが町で牛が売れたことを祝っているあいだ、ダンソンは拳銃使いの小隊を作ろうと奔走する。〈帰路〉のステージで、自分の養子を殺してやると宣言した勢いに突き動かされたダンソンが、列車に乗り込んでマットを追いかけてくる。ここでは、牛を追いながら障害を乗り越えてきた物語が、親が子どもに復讐するためにつきまとう物語に変わっている。

このステージの奇妙な力は、ジョン・ウェインの身体的な演技が牽引していると言えよう。モンゴメリー・クリフトとの対決に向かうウェインは、止まらない機械のように、そのエネルギーでゾンビみたいによろよろしながら、行く手をさえぎる牛をむちで追い払い、彼のもくろみを止めようとする脇役の狙撃もかわしていく。ウェインは、挑まれた〈影〉によって呼び起こされた、怒れる親のエネルギーそのものである。

こうした反撃は、人が立ち向かってきた不安感、欠点、習慣、欲望、中毒などが、しばらくのあいだ引き下がっていたものの、永久に葬り去られる前の土壇場で身を守るため、あるいは自暴自棄の攻撃に出るために立ち上がってくるという、心理学的な意味合いを持っている。不安感はそれ自体が強い生命力を持ち、おびやかされれば反撃してくる。最初は回復の努力をした中毒者も、中毒が命を賭けて反撃してくると、復讐されて禁欲を破ってしまうことがある。

反撃は別の形をとることもある。熊狩りやドラゴン殺しをおこなった場合なら、〈最大の苦難〉で殺した敵の仲間が追跡してくることがある。悪役の側近が生きのびて追ってきたり、〈最大の苦難〉で殺した敵がただの手下だったという場合もある。失った部下の復讐をもくろむ、さらなる大物がいる場合もある。

復讐の力は、〈英雄〉にとって高くつく一撃となり、〈英雄〉が傷を負ったり、仲間のひとりが殺されたりすることもある。〝捨て石にできる友人〟を使えるのはこういうときだ。悪役が〈霊薬〉を奪い返したり、報復として〈英雄〉の友人を誘拐したりすることもある。これが救出や追跡、もしくはその両方につながっていく。

追跡シーン

〈英雄〉が〈特別な世界〉を去る理由が、単に自分の命を守るためということはしばしばある。追跡シーンは物語のどの部分でも起きるが、最も多いのは第二幕の終わりだ。追跡シーンは物語のエネルギーに回転を与えることができる。観客が眠気を誘われていたら、動きや対立で目を覚まさせる必要がある。舞台劇では〝幕に向けてのペースアップ〟と言われる部分で、ラストに向けて加速し、勢いをつけたいところである。

追跡は映画の人気要素で、文学、芸術、神話にも顕著に表現される。古典的な神話でいちばん有名な追跡と言えば、つつましいニンフのダプネーを追いかけるアポロンだろう。ダプネーは川の神である父に懇願し、月桂樹に姿を変えてもらって逃げおおせる。変身はしばしば追跡や逃亡の重要な要素となる。現代の主人公が、厳しい状況を逃げきるために変装することもある。心理ドラマでは、主人公が自分を追ってくる内面的な悪魔から逃れるため、行動を変えたり、内面的な変身をとげたりする。

魔術による逃走

おとぎ話の追跡シーンには、物の奇抜な変身が絡むことがしばしばあり、このモチーフは**魔術による逃走**と呼ばれる。典型的なのは、小さな女の子が魔女から逃げるため、女の子が親切にした動物からの贈り物の助けを借りるというものだ。少女が魔女の通り道に贈り物をひとつひとつ落としていくと、それが魔法で障害物に変わって魔女のじゃまをする。くしは深い森となって魔女の追跡を遅らせ、魔女を激怒させる。スカーフは幅の広い川となり、魔女はそこで水を飲まずにいられない。

ジョーゼフ・キャンベルは魔術による逃走の例をいくつかあげ、このモチーフは、主人公が「防衛的解釈、原理、象徴、正当化など（……）いずれも、〔追っ手の〕力を鈍らせ吸収」するものを投げつけることで、復讐勢力をどうにか引き止めようとする試みを象徴したものだと述べている〔『千の顔をもつ英雄〈新訳版〉』ハヤカワ文庫・下巻、二七頁〕。

また、主人公が追跡時に投げつけるものは、犠牲や、残してきた価値ある何かの象徴という場合もある。おとぎ話の少女は、動物にもらった可愛らしいスカーフやくしを手放すことを悲しむ。冒険映画の主人公は、ときにはいちばん重要なものを選び取る必要があり、窓の外に金を投げて追っ手を足止めし、それによって自分の命を救うこともある。キャンベルは究極の例として、王女メディアをあげる。イアソンと一緒に父親から逃げるメディアは、自分の弟をイアソンに切り刻ませ、それを海にばらまいて追っ手を足止めするのだ。

追跡のバリエーション――崇拝者による追跡

悪役に追われる主人公という図式はめずらしくないが、別のケースもある。まれに見られる追跡のバリエーションとして、崇拝者による追跡がある。『シェーン』の第三幕の始まりはその好例だ。シェーンは銃撃戦を避けるために農場にこもるが、悪人たちの蛮行がシェーンを町に引き戻す。シェーンは農場の幼い少年（ブランドン・デ・ワイルド）に農場に残っていろと言うが、少年はシェーンのあとをつける。その少年の後ろをついていくのは、やはり農場にいろと言われた少年の飼い犬だ。この少年が、犬と同じぐらいにシェーンに忠実なことがよくわかる。これもまた変則的な追跡だ。主人公は悪役から逃げたものの、崇拝者に追われてしまうのだ。

悪役の逃亡

もうひとつの追跡シーンのバリエーションとして、逃げた悪役を追うというパターンがある。〈最大の苦難〉でつかまり、拘束されていた〈影〉がこのステージで逃げ、これまで以上に危険な存在となる。『羊たちの沈黙』の〝人食い〟ハンニバル・レクターは、ＦＢＩ捜査官のクラリスに裏切られたと感じ、逃亡して再び殺人を開始する。ニューヨークに連れてこられ、見世物として鎖につながれたキング・コングは、逃亡して大暴れする。悪役が逃亡を試み、その後馬で主人公に追いつかれ、最後の銃撃戦か決闘になだれ込むという流れを描いている西部劇映画やテレビシリーズは無数にある。こうした場面は、ロイ・ロジャーズやローン・レンジャーのテレビシリーズの呼び物だった。

前述したように、悪役が主人公から宝を盗み返したり、主人公の仲間のひとりを誘拐することもある。これが主人公による追跡、そして救出や奪還へとつながっていく。

挫折

もうひとつの〈帰路〉の変則バージョンに、突然の災厄によって主人公の運が逆転するというケースがある。〈最大の苦難〉を生きのびたあとはうまくいっていたのに、再び現実が割り込んでくる。主人公は冒険が台なしになるような挫折を味わう。岸辺を目の前にしたところで、船が水漏れし始めたりする。多大な危険を冒し、努力し、犠牲を払ったのに、一瞬にしてすべてが失われそうになる。

第二幕のクライマックスに当たるこの瞬間は、前述した「遅れてくる危機」がやってきたものとも言える。これが第二幕のなかでも最大級に緊迫した瞬間となり、第三幕の結末へと向から最後の道筋に、物語を押しだすことになる。

第二幕の終わりの〈帰路〉は、短い場合もあれば、一連の出来事が細かく描かれることもある。どんな物語においても、主人公が最後までやりぬく決意を固める瞬間は必要で、そのためには、主人公が〈特別な世界〉に魅力を感じていても、行く先にまだまだ試練があるとわかっているとしても、霊薬を持って帰路につこうと思うだけの動機がなければならない。

〈帰路〉――『オズの魔法使』の事例

魔法使いは熱気球の準備を整え、ドロシーをカンザスへの〈帰路〉につかせてやろうとする。オズの国の人々が集まり、ドロシーたちをブラスバンドの演奏で見送ろうとする。しかし、そう簡単にはいかない。人混みのなかの女性が抱いていた猫をトトが見つけて追いかけ、ドロシーもトトを追いかける。混乱のなか、魔法使いが乗ったままの気球がゆらゆらと飛び立ち、ドロシーは〈特別な世界〉に取り残されてしまう。なじみの手段を使って戻ろうとする主人公はたくさんいる――古い手段をなんとか頼りにして。しかし古い手段は、魔法使いの熱気球と同じで、作為的で制御が難しい。自分の本能（犬）に導かれてきたドロシーは、心のどこかで、そんな手段ではだめだと気づいている。それでもドロシーには〈帰路〉につく準備はできていて、正しい道筋を探しつづけようとする。

〈英雄〉は、〈特別な世界〉で学んだこと、得た物、盗んだ物、与えられた物をかき集める。逃げるため、さらなる冒険のため、あるいは家に戻るために、新しいゴールを設定する。しかし、なんらかのゴールにたどりつく前に、もうひとつ合格しなければならない、旅の最終試験が待っている。〈復活〉である。

考察

1 『ターミネーター2』の〈帰路〉はなんだろう？ 『世界にひとつのプレイブック』は？ 『マレフィセント』は？ 『犬ヶ島』は？ 脚本家の観点から見て、主人公が〈特別な世界〉から放逐されたり追い払われたりすることには、どんな利点や不利益があるだろうか？ また、自分から去る場合はどうか？

2 人生において、死、敗北、危険に直面して、何かを学んだり得たりした経験はあるだろうか？ 英雄の気分になっただろうか？ その感情を、自分の書くものや登場人物の反応に、どうやったら適用できるだろうか？

3 あなたの主人公は、どんなふうに再び冒険に乗りだすだろうか？

4　あなたの書く物語の〈帰路〉は何か？　スタート地点へ戻ることになるのか？　新たな終着点ができたのか？　それとも、〈特別な世界〉で新しい人生を歩むための調節だろうか？

5　最近の映画を三本選び、第二幕／第三幕のターニングポイントを見つけてほしい。それは瞬間的なものだろうか、それとも一連の出来事だろうか？

6　前述の部分には、追跡や加速の要素があるだろうか？　あなたの書く物語の〈帰路〉についてはどうだろうか？

復活

ステージ11　復活

「おれに何ができる？　おれは死んだ、そうだろ？」

――映画『第三の男』、グレアム・グリーン脚本

ここからが、主人公にとっても書き手にとっても、最もトリッキーで最も面倒な部分だ。物語が完結したと観客に感じさせるためには、〈最大の苦難〉と似てはいるが、微妙に異なる死と再生の瞬間を、もう一度体験してもらう必要がある。これこそが**クライマックス**であり（「危機」ではない）、最後にして最大級に危険な死との遭遇である。〈英雄〉は、〈日常世界〉にもう一度戻る前に、最後の粛清と浄化に耐えなければならない。もう一度変わらなければならないのだ。書き手にとって厄介なのは、登場人物のこの変化を、台詞で示すのではなく、ふるまいや外見で示さなければならないということだ。〈英雄〉が**復活**しようとしているということを、示す方法を見つけなければならない。

新たなパーソナリティ

新たな世界のためには、新たな自己が生みだされなければならない。主人公が古い自己を脱ぎ捨てて〈特別な世界〉へ入っていったように、今度は旅のパーソナリティを脱ぎ捨て、〈日常世界〉に戻るためにふさわしい、新たなパーソナリティを打ち立てなければならない。それには、古い自己の最良の部分と、学んできた教訓とを、パーソナリティに反映させなければならない。西部劇映画『バルバロッサ』では、ゲーリー・ビジー演じる農場の少年が、最後の苦難をくぐりぬけて新たなバルバロッサに生まれ変わる過程で、〈師〉のウィリー・ネルソンの教えを身につけていく。『アパッチ砦』のジョン・ウェインは、死の苦難から立ち上がり、ライバルのヘンリー・フオンダの服装や態度を自分にも取り入れていく。

浄化

〈復活〉の役目のひとつは、〈英雄〉から死の臭いを浄化しつつ、それが試練の教訓として残るよう助けることだ。ベトナム戦争では、復員兵のための公式の式典やカウンセリングがなかったことで、兵士たちの社会復帰は非常に厄介な問題を抱えてしまった。いわゆる原始的な社会のほうが、〈英雄〉の帰還をよりうまく扱う準備ができていたのではないだろうか。原始社会の人々は、儀式をおこなうことで、狩人や戦士から血や死を洗い流し、彼らが再び平和に社会の一員となれるようにしていた。

戻ってきた狩人は、しばらくのあいだ部族から安全に隔離される。部族のなかに狩人や戦士を戻すため、シャーマンは儀式を活用し、死の効果をまねたり、ときには参列者を死の間際に行かせたりした。狩人や戦士は少しのあいだ生き埋めにされたり、洞穴や汗小屋〔訳注：アメリカ先住民が使う、治癒と浄化の儀式用のサウナ小屋〕に閉じ込められたりするが、これは大地の子宮内で成長することの象徴だ。その後彼らは立ち上がり（〈復活〉）、生まれたての部族の一員として迎えられる。

聖なる建物はこうした〈復活〉の感覚を生みだす目的を持ち、まるで産道のように狭く暗い廊下や通路に信仰者を閉じ込め、その後広く明るい場所に出してやることで、救いの高揚感を味わわせる。また、洗礼は水流に浸される儀式であり、それによって罪人を清め、象徴的な死から生き返らせ、〈復活〉の感覚を与えるのである。

二つの大きな試練

物語の多くが、中盤と結末直前のクライマックス、つまり二度の死と再生の苦難をそなえているのはなぜだろう？　大学の学期にたとえるとわかりやすい。中盤の危機となる〈最大の苦難〉は中間試験、〈復活〉は学年末試験のようなものなのだ。主人公は、第二幕の〈最大の苦難〉で学んだことを忘れていないか、最後にもう一度試されなければならない。

〈特別な世界〉で何かを学ぶことと、その知識を応用のきく知恵として持ち帰ることはまったく別物である。学生がテストのために一夜漬けの勉強をすることはできても、〈復活〉のステージは、主人公の新しい技能が現実世界で実際に試される場である。死を思いださせると同時に、学んだことを試されるのだ。主人公は本当に変わったのか？　脱落し失敗してしまうのか、土壇場で不安や〈影〉に打ち負かされるのか？『ロマンシング・ストーン』の第一幕でジョーン・ワイルダーが言われた不吉な予測（「あなたには無理よ、ジョーン、わかってるでしょう」）は当たってしまうのか？

現実的苦難

〈復活〉のステージとは、とても単純に言ってしまえば、〈英雄〉が苦難や闘いや対決のなかで、最後にもう一度死と向き合えるかということだ。たいていの場合、これが悪役や〈影〉との、最後の決定的な大勝負となる。ただし、今回の死との遭遇が前回のものと異なるのは、今回の危険は通常、物語全体に広がるスケールのものになるということだ。脅威は〈英雄〉にだけでなく、世界のすべてに向けられる。つまり、賭け金も最大級につり上げられる。

ジェームズ・ボンドのシリーズのクライマックスは、007が悪役と戦い、その後時間や到底不可能な勝算との競争になることが多く、たとえば『ゴールドフィンガー』の原子爆弾のような、世界に破滅をもたらす装置の解除に追い込まれたりする。そこには何百万人の命がかかっている。主人公、観客、そして世界は再び死の間際に追い込まれるが、ボンド（と〈仲間〉のフェリックス・ライター）がどうにかして正しいワイヤーを引きだし、全員を破滅から救ってくれるのである。

能動的な〈英雄〉

主人公がこのクライマックス場面で行動すべきなのは明白だろう。だが、ここであやまちを犯す書き手はたくさんいて、〈仲間〉にタイミングのいい介入――まるで急場を救うためにやってきた騎兵のような――をさせ、主人公を死から救ってしまうことがある。主人公が意外な援助を受けることはあってもいいが、この場面でこそ、決定的な行動に出て、恐れや〈影〉にとどめの一撃を食らわせ、受け身にならず能動的になるべきなのは主人公なのである。

最後の対決

西部劇や犯罪ものや多くのアクション映画では、〈復活〉のステージは物語最大の対立や戦い、**最後の対決**や銃撃戦の場面として表現される。最後の対決の場面では、主人公と悪役が生死という最大級の賭け金を争い、最終的な競い合いとなる。西部劇なら古典的な銃撃戦、冒険活劇なら剣の戦い、武術映画なら最後のアクロバティックな格闘の出番だ。法廷劇も大勝負の場面となり、ホームドラマでも感情の〝銃撃戦〟が起きたりする。

最後の対決の場面は際だったドラマティックな形をとり、それ自体のルールやしきたりがある。セルジオ・レオーネの「マカロニ・ウェスタン」のオペラ風クフイマックスは、伝統的な対決の要素を誇張している。ドラマティックな音楽、闘技場に似た場所（町の通り、家畜の囲い柵、墓地、悪役の隠れ家）でたがいに近づいていく対立陣営、決定的な瞬間を待つ銃、手、目のクローズアップ、時間が止まったような感覚。拳銃による決闘は、『駅馬車』や『真昼の決闘』から『荒野の決闘』まで、西部劇にはまず必須の要素だ。一八八一年に起きたOK牧場の銃撃戦は、アメリカ西部の神話のひとつにもなり、最も多様な映画が作られた残忍な銃撃事件だ。

『ロビンフッドの冒険』、『シー・ホーク』、『血闘／スカラムーシュ』、『快傑ダルド』などの冒険活劇は決闘による死がクライマックスとなり、『黒騎士』、『エクスカリバー』、『円卓の騎士』などでは騎士が戦いをくり広げて死ぬ。決闘や銃撃戦は、主人公が死の間際に立たされなければ満足のいくものにはならない。主人公は明白に命を賭けて戦わなければならない。ここまでにもあったふざけ半分の小競り合いは、この時点ではまったくなしだ。

主人公が傷を受けたり、足を滑らせてバランスを失うこともある。〈最大の苦難〉のときのように、実際に死んだと思わせるようなことが起きる場合もある。

悲劇の〈英雄〉の死と再生

通常の主人公は、死との接触を生きのびて〈復活〉する。死ぬか打ち負かされるのは悪役だが、悲劇の〈英雄〉の場合は、『壮烈第七騎兵隊』、『砲艦サンパブロ』、『遙かなる戦場』、『グローリー』などの不運な主人公たちのように、この時点で本当に死ぬこともある。『ジョーズ』でロバート・ショウが演じたクイントもここで死ぬ。だが、こうした不運な、あるいは悲劇的な〈英雄〉たちは、彼らが命を投げだしたおかげで生きのびた人の記憶に生き続けることにより、ある種の〈復活〉を果たす。観客も生きのび、悲劇の主人公の教えを記憶にとどめる。

『明日に向って撃て！』の主人公二人は、日干しレンガ造りの建物に追い詰められ、多数の警察隊に包囲されてしまう。二人はクライマックスの死に向かって走りだしていくが、映画は二人の死の瞬間の何秒か前で終わる。二人ともおそらくは無数の銃弾を浴びて死ぬことになるが、それでも戦いに打って出て、観客の記憶に残る最後のストップモーションによって永遠の命を与えられる。『ワイルドバンチ』の主人公たちは、計算された映像のなかで殺されていくが、彼らのエネルギーは、その野性的なスタイルを引き継いでいくとおぼしき別の冒険者たちが拾った拳銃の内に生き続ける。

選択

〈復活〉の別のパターンとして、主人公がクライマックスの場面で、変化から教訓を学んだかどうかがわかるような選択をするというケースがある。困難な選択により、主人公の価値は試される。主人公はかつての欠点のあるやりかたで選択をおこなうのか、それとも新しく生まれ変わった自分の考えで選択するのか？『刑事ジョン・ブック 目撃者』の警官ジョン・ブックは、自分の究極の敵、不正を働く警官との最後の対決に直面する。アーミッシュの人々は、ブックが自分の〈日常世界〉の暴力的な規律に従うのか、それとも〈特別な世界〉で学んだ平和なやりかたに従うのかを見守っている。ブックは、予期された銃撃戦という手段はとらないという明確な態度を示す。拳銃を置き、悪役の武装を解くこともなく、沈黙しているアーミッシュとともにそこに立つ。アーミッシュと同じように、ブックも目撃者だ。悪役はこれだけの目撃者を前にして、撃つことができなくなる。かつてのジョン・ブックなら敵と撃ち合いになっただろうが、新たなブックはそうしないことを選んだ。ブックが教訓から学び、新しい人間となって〈復活〉したことが、このテストで証明されたのだ。

愛の選択

〈復活〉の選択は、愛の闘技場にもある。『卒業』や『或る夜の出来事』のような物語のクライマックスでは、主人公が教会の祭壇前で配偶者を選ばなければならない。『ソフィーの選択』では、二人の子どものうちどちらを死なせるか選べと、ナチスに想像を絶する選択を迫られる母親が描かれる。

クライマックス

〈復活〉は通常、ドラマのクライマックス地点を示す。**クライマックス**とはギリシャ語で「はしご」を意味する。ストーリーテラーにとっては、爆発的な瞬間、エネルギーの絶頂、作品中に到来する最後にして最大の出来事という意味になる。肉体的な対決や最後の戦いのこともあれば、困難な選択、性的な絶頂、音楽のクレッシェンド、もしくは、非常に感情的で決定的な対決を指す場合もある。

静かなクライマックス

クライマックスは必ずしも、最も爆発的で劇的だったり、騒々しく危険な場面になるとは限らない。**静かなクライマックス**、つまり、感情の波がおだやかにのぼり詰めていくようなケースもある。静かなクライマックスでは、すべての対立が調和を持って解決され、すべての緊張感が喜びや平和の感覚に変わる。主人公が愛する者の死を体験したのち、容認や理解にいたる静かなクライマックスがやってくることもある。最終的な認識が、物語の本体にある緊張感の結び目をおだやかにほどくのである。

段階的なクライマックス

物語には、複数のクライマックスや、一連の**段階的なクライマックス**が必要なことがある。個々のサブプロットに別々のクライマックスが求められることもある。〈復活〉のステージは、物語のもうひとつの神経中枢であり、物語のすべての糸が通らなければならないチェックポイントだ。再生と浄化が、複数の層で体験されなければならないこともある。

異なる意識の層、つまり、心、体、感情と連続で、クライマックスを体験する主人公もいる。主人公がくぐりぬけてきた思考の変化や判断のクライマックスが、身体的なクライマックスや、物質的な世界の最後の対決のきっかけとなるのだ。これによって主人公のふるまいや感覚が変化するにつれ、さらに感情や精神のクライマックスにつながることもある。

『ガンガ・ディン』では、身体的なクライマックスと感情的なクライマックスを、連続で効果的に組み合わせている。ケーリー・グラントと英国人軍曹の友人たちがひどい怪我をし、最初は道化の役割を担っていた水の運搬人のガンガ・ディンが、英国陸軍に待ち伏せされていることを警告するために〈英雄〉の行動をとらなければならなくなる。自分も負傷しながらも、ガンガ・ディンは黄金の塔をのぼり、集合ラッパを吹く。軍はこの警告を受け、おかげで物語の身体的なクライマックスのアクションシーンではたくさんの命が救われるが、ガンガ・ディン自身は撃たれ、塔から落ちて死んでしまう。しかしその死は無駄にはならない。ガンガ・ディンは英雄として同志たちから認められ、〈復活〉する。最後の感動的なクライマックスでは、ラドヤード・キプリングがディンの名誉のために書いた詩を、大佐が読む。きちんと軍服を着て、にっこり笑って敬礼するガンガ・ディンの姿が、この場面に重なる。ガンガ・ディンは〈復活〉し、変身をとげたのだ。

もちろん、すべての層――心、体、そして精神――を同時にクライマックスに導くよう、巧妙に作られた物語もある。主人公が決定的な行動をとったとき、すべての世界を一気に変化させることも可能だ。

カタルシス

　クライマックスは**カタルシス**の感覚を与えなければならない。この言葉はギリシャ語で、本来は「吐く」「一掃する」といった意味だが、英語では浄化作用のある感情の解放や、感情的な打破を意味するようになった。ギリシャ演劇は、観客が感情を吐きだし、日常生活の毒を一掃する引き金となるように組み立てられていた。人が消化器系を空にして浄化するために下剤を使うことがあるのと同じで、ギリシャ人は一年の決まった時期に劇場へ足を運び、嫌な感情を追い払っていた。笑いや涙、震えの来るような恐怖などが、こうした健全な浄化、つまりカタルシスをもたらしてくれるのだ。

　心理分析におけるカタルシスは、無意識のなかにあるものを表面化させることで、不安や憂鬱を解放するテクニックだ。同じことは、ある意味ストーリーテリングにも言える。書き手が主人公や観客の内面で引き起こそうとしているクライマックスは、主人公や観客が最も意識的になる瞬間、認識のはしごの最上段に到達する瞬間である。書き手は、主人公及びそこに加わる観客の、双方の意識を高めようとする。カタルシスは、突然の意識の広がり、認識の高まりの絶頂体験をもたらす。

　カタルシスは、単純な身体的対決と組み合わせることで、満足のいく感情的効果を生みだすことができる。『赤い河』のトム・ダンソンとマシュー・ガースは、激しい喧嘩をくり広げる。最初ガースは戦おうとしない。挑発に乗っておのれの主義を捨てたりはしないと決めている。ダンソンはガースにとことん攻撃を加え、ガースが自分の命を守るために反撃せずにはいられないところまで追い詰める。両者は、自分か相手、もしくは両方が死ぬまで決着がつきそうもない、派手な取っ組み合いを始める。二人が家庭用の商品――キャラコの布、壺、平鍋――が積まれた荷車に突っ込み、荷車が壊れるさまは、開拓地で家庭や家族、社会を築きたいという希望が死んでし

『赤い河』（ハワード・ホークス監督、1948）より。〈復活〉のステージの対決は、感情的なカタルシスによって決着する。

まったことを暗示しているようでもある。

だが、ここでこの場面に新たなエネルギーが流れ込んでくる。マシュー・ガースを愛し始めている独立心旺盛な女性、テスだ。テスが撃った拳銃の銃声が二人の注意を惹きつけ、喧嘩が止まる。感情的なクライマックス――純粋なカタルシス――の場面が訪れ、テスは二人の男に対する感情をすべてぶちまけ、こんな喧嘩は愚かだ、どちらも相手を愛しているのにと両者に訴える。テスがこの猛烈な身体的対決を、感情的カタルシスへ、認識の頂点の瞬間へと変貌させたのだ。

カタルシスは、笑いや嘆きなど、感情の身体的表現を通じて最大の効果を発揮する。感傷的な物語は、観客の感情をクライマックスに押しあげ、涙のカタルシスを観客に与える。チップス先生や、『ある愛の詩』の不運な若いヒロインなど、愛すべき登場人物の死がクライマックスになることもある。もちろんこうした登場人物は、彼らを愛した人々の心や記憶のなかで〈復活〉をとげることになる。

笑いはカタルシスの強力な導管のひとつである。コメディは、笑いの爆発を引き起こすギャグや、緊迫感を解放するジョークによって頂点に達し、嫌な感情を一掃して、観客に共有体験を与えなければならない。ワーナー・ブラザーズやディズニーの古典的な短編カートゥーンは、わずか六分で笑いのクライマックスや馬鹿馬鹿しさの頂点に到達するように作られている。長編のコメディは、観客が押し込めている感情のすべてを解放するような笑いのクライマックスに向け、慎重に構築する必要がある。

登場人物の弧（キャラクター・アーク）

カタルシスとは、主人公の**登場人物の弧**《キャラクター・アーク》の論理的な頂点である。キャラクター・アークとは、登場人物に徐々に起きる変化の段階、成長のフェーズやターニングポイントのことを言う。物語によく見られる失敗として、書き手がたったひとつの出来事で、主人公を一足飛びに成長・変化させてしまうというものがある。誰かが主人公を批判したり、主人公が自分で欠点に気づいたりすると、すぐにそれが修正される。あるいは、何らかのショックにより一夜で主人公が目覚め、あっという間に完全な変化が起きる。こうしたことは、人生でもたまには起きるかもしれないが、普通の人間は徐々に変わっていくものだ。偏屈は寛容に、臆病は勇敢に、憎しみは愛に、少しずつ成長していく。次ページに示すのは、典型的なキャラクター・アークを〈ヒーローズ・ジャーニー〉モデルと比べたものだ。

〈ヒーローズ・ジャーニー〉のステージは、現実味のあるキャラクター・アークを生みだすのに必要なステップとしても、有効な指針となるのがわかるだろう。

最後のチャンス

〈復活〉は、主人公が態度や言動に大きな変化を起こす最後の試みだ。主人公がこの時点で後退することもあり、周囲の人々を失望させたりする。主人公の希望は一時的に死ぬが、考えを変えることで〈復活〉をとげることができる。『スター・ウォーズ』の自己中心的で一匹狼のハン・ソロは、デス・スターを破壊する最後の試みを放棄するが、土壇場で姿を現す。自分がようやく変化をとげ、正しい信念のために命を危険にさらす覚悟をしたことを示してみせるのだ。

足もとに気をつけろ

帰還する主人公は、ひとつの世界からもうひとつの世界へ帰るとき、細い剣でできた橋のようなあやうい場所を通らされることもあるため、〈復活〉のステージで足を踏みはずす可能性もある。ヒ

キャラクター・アークと〈ヒーローズ・ジャーニー〉の対比表

キャラクター・アーク	ヒーローズ・ジャーニー
1 限りある問題認識	日常世界
2 認識の拡大	冒険への誘い
3 変化へのためらい	冒険の拒否
4 ためらいの克服	師との出会い
5 変化への取り組み	戸口の通過
6 最初の変化の実験	試練、仲間、敵
7 大きな変化への準備	最も危険な場所への接近
8 大きな変化への試み	最大の苦難
9 試みの結果(改善と後退)	報酬(剣を手に入れる)
10 再び変化への取り組み	帰路
11 大きな変化への最後の試み	復活
12 問題の最終的な統御	宝を持っての帰還

キャラクター・アークのモデル

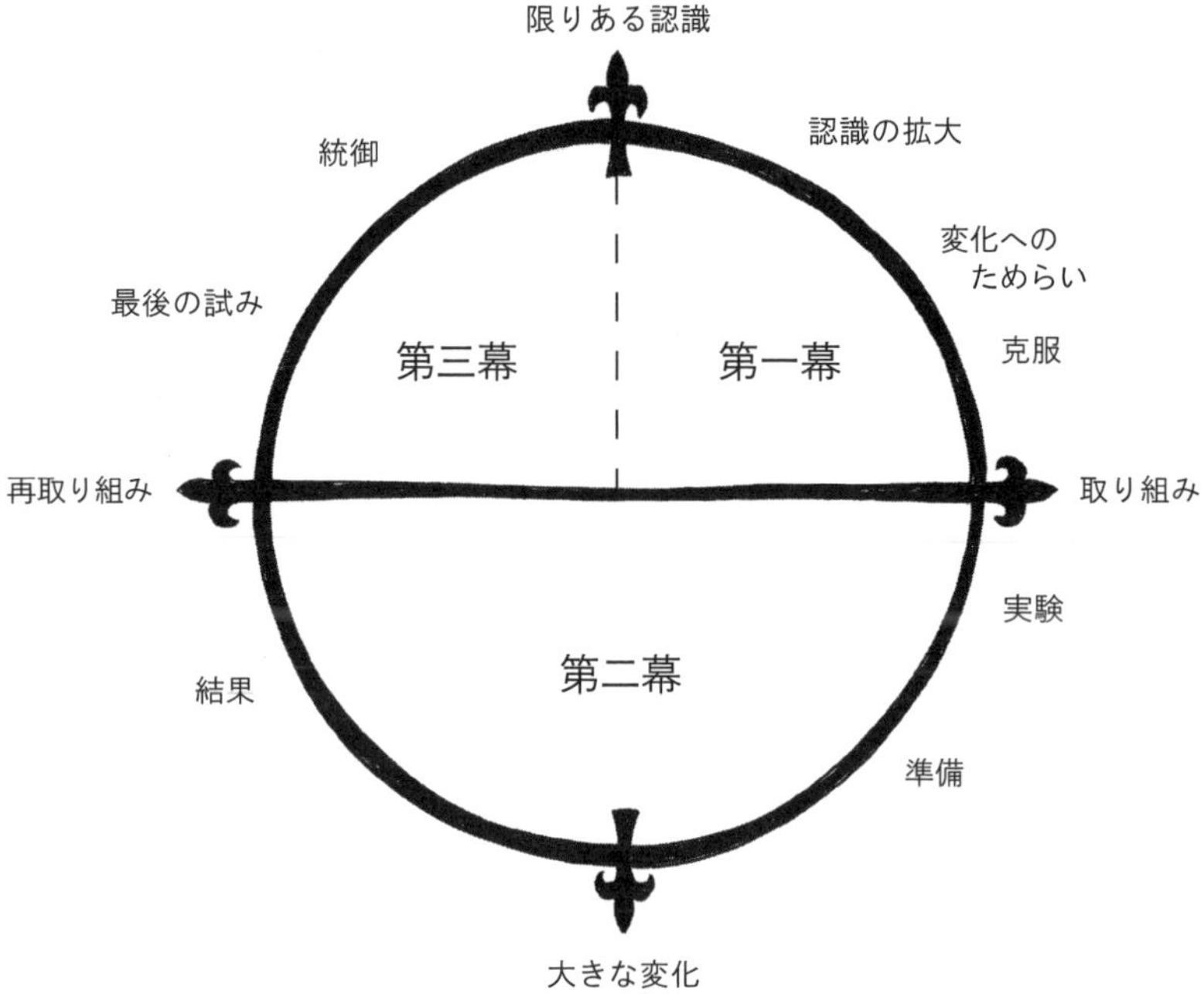

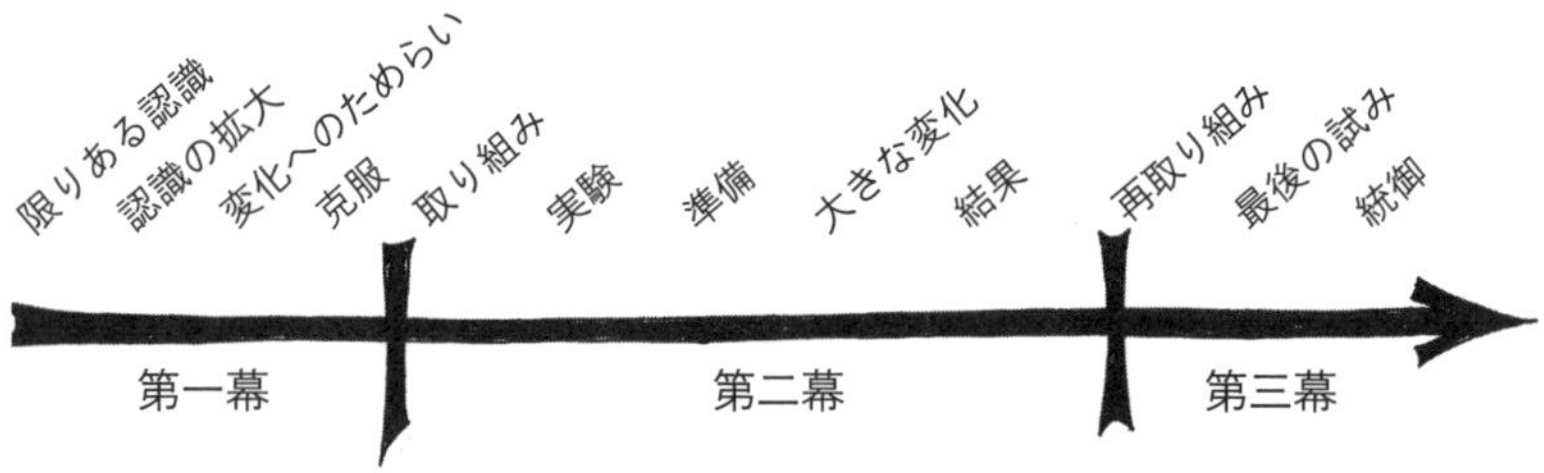

ッチコックは、物語のこのステージでよく高い場所を使い、〈特別な世界〉から生きて帰れない可能性を表現する。『北北西に進路をとれ』のケーリー・グラントとエバ・マリー・セイントは、ラシュモア山の頭像から宙づりになり、観客は二人の最終的な運命を思って最後までハラハラする。『めまい』、『逃走迷路』、『泥棒成金』のどのクライマックスでも、主人公は高い場所に連れだされ、生死がかかった最後の闘いを強いられる。

すばらしいドラマというものは、主人公がゴールにたどりつく直前、土壇場で失敗を犯すところから生まれることもある。『人類創世』の主人公は、火という宝を持って部族のもとに戻ってくるが、まさに自分の世界に戻るところで火種を水に落とし、火が消えてしまう。すべての望みが潰え、冒険の指導者である主人公に最後の試練が訪れる。しかし主人公は、実は火起こしの秘密を知っており、皆に大丈夫だと請け合う。〈最大の苦難〉の際、もっと進歩した部族が、特殊な棒で火を起こすのを見ていたのだ。しかし、その技をまねようとしても、やりかたが思いだせない。望みは再び消えたかに見えた。

そのとき主人公の〝妻〟、主人公が冒険の途中で出会った先進部族出身の女が、手を貸して火を起こそうとする。男たちは、女でありよそ者の彼女がこの仕事を任されることに不満を感じる。とはいえ、火起こしの秘密（火起こし棒を使う前に手につばを吐きかける）を知っているのは彼女だけだ。女は火起こしに成功し、部族が生きのびる可能性をよみがえらせた。実のところ、生きのびるには男と女の知識を併せることが必要だと学んだこの部族は、最終試験に合格することができたとも言える。最後の戸口でのつまずきが、〈復活〉と学びにつながったのだ。

主人公が犯した失敗が、身体的な出来事ではなく、帰還直前に戸口で犯した、道徳的または感情的なつまずきの場合もある。たとえば『汚名』では、物語の終わりで身体と感情の双方が試される。アリシア・ヒューバーマン（イングリッド・バーグマン）はナチスに毒を盛られ、深刻な身体的危険にさらされる一方で、任務遂行のためにアリシアを敵のもとに行かせたデブリン（ケーリー・グラント）は、彼女を救えなければ精神的危険にさらされることになる。

偽の権利主張者

おとぎ話の〈復活〉のステージによくあることだが、冒険に出て不可能な仕事をやりとげた〈英雄〉に、最後の脅威がやってくることがある。〈英雄〉が姫君や王国を手に入れる権利を主張しているとき、なりすましや**偽の権利主張者**が突然現れて、主人公に疑いをかけ、不可能な仕事をやりとげたのはこの人ではなく自分だと主張する。少しのあいだ〈英雄〉の希望は死んでしまう。再生のためには、〈英雄〉は自分が殺したドラゴンの耳や尾を見せたり、争いの相手である偽者〈影〉より優れているところを示し、自分が本当の権利者であることを証明しなければならない。

証明

証明は〈復活〉のステージの大きな役目である。子どもは夏の休暇先からみやげ物を持ち帰るのが好きだ。旅の思い出を残す意味もあるが、ほかの子どもに自分が本当にちょっと変わった場所を旅したと証明するためでもある。ほかの世界を訪れた旅人にとって、信じてもらえないことは大きな問題だ。

よくあるおとぎ話のモチーフに、魔法の世界から持ち帰った証明が消えてしまうというのがある。妖精から奪った金貨いっぱいの袋を〈日常世界〉であけると、濡れた落ち葉しか入っておらず、ほかの人々は、旅人が酔っ払って森で寝ていたにすぎないと考えるようになる。それでも旅人には、それが実体験だということがわかっている。このモチーフは、〈特別な世界〉での精神的・感情的な体験を他者に説明するのが難しいことを伝えている。自分でそこへ行くしかないのだ。〈特別な世界〉の体験は、自分の日常的な人生の一部にできないかぎり消えてしまう。旅の本当の宝は、みやげ物ではなく、自分の内面に残る変化や学びなのだ。

犠牲

〈復活〉のステージでは、しばしば〈英雄〉の**犠牲**が求められる。古い習慣や信条など、何かをあきらめなければならない。ギリシャ人が飲酒の前に神々のために注いだ献酒のように、何かを返上しなければならない。集団の利益のため、何かを共有しなければならない。

『ターミネーター2』では、変身する悪役は身体的なクライマックスにおいて打ち破られるが、物語はもっと感情的なクライマックスを観客に届ける。主人公のロボット、ターミネーター（アーノルド・シュワルツェネッガー）は、自身を犠牲にして未来の暴力を阻止しようとする。見かたを変えれば、この時点の〈英雄〉はジョン・コナー少年であり、自分の〈師〉であり父親的存在だったターミネーターが死へ飛び込むのを容認したジョン・コナーは、自分の一部を犠牲にしたのだというふうにもとれる。同様の自己犠牲のクライマックスは『エイリアン3』にも見られる。自分の体内でモンスターが育っていることを知っているリプリー（シガニー・ウィーバー）は、集団のために自分を犠牲にする。文学における古典的な犠牲は、ほかの男の命を救うためにギロチン台にのぼる男が登場する、チャールズ・ディケンズの『二都物語』などに見られる。

犠牲《サクリファイス》はラテン語の「神聖化する」という意味の言葉から来ている。〈英雄〉は物語を神聖なものにするために犠牲を払い、ときには自分自身の何かをあきらめるか返上する。ときには集団の死んだ一員を捧げることもある。

『スター・ウォーズ』のクライマックスで、ルーク・スカイウォーカーはデス・スターの破壊をもくろむたくさんの同志たちの死を目にする。ルーク自身も部分的に自分のパーソナリティ、すなわち機械への依存をあきらめる。オビ＝ワンの声を頭の中で聞きながら、ルークは〝フォースを信じる〟ことを決意し、機械よりも人間の本能を信頼することを学ぶ。

またルークは、シリーズ第二作『帝国の逆襲』のクライマックスでも、別の個人的犠牲を払う。皇帝から逃げようとするルークは、逃亡中に片手を失う。その代償として、ルークは三部作第三作『ジェダイの帰還』で、フォースの新しい制御力を手に入れる。

組み込み

〈復活〉のステージは、〈英雄〉がすべての登場人物から吸収し自分に組み込んだ、あらゆる教訓を披露する場でもある。組み込みとは、文字どおり主人公が旅の教訓を自分の体の一部にするということだ。理想的なクライマックスは、〈英雄〉が旅の途上で学んだすべてをテストしつつ、〈師〉、〈変身する者〉、〈影〉、〈戸口の番人〉、〈仲間〉から吸収したものを披露できる場を提供する。『シティ・スリッカーズ』の主人公たちは、さまざまな〈師〉や競争相手から学んだすべてを応用しながら、クライマックスを耐えぬいていく。

変化

〈復活〉のステージにおける、さらに高いレベルの演劇的な目的として、〈英雄〉が本当に変化したことを、外面的にも伝えるというものがある。古い自己が完全に死に、新しい自己は古い自己を陥れていた誘惑や中毒にも反応しないということを、証明する必要がある。

書き手にとって難しいのは、変化が外観や行動にも見えるようにするという点だ。周囲の人々が、主人公が変わったと気づくだけでは充分ではない。主人公が自分の変化について言葉で説明してもまだ足りない。主人公の服装、ふるまい、態度、行動の変化に、観客が気づかなければいけない。

『ロマンシング・ストーン』では、視覚的な観点からわかるような〈復活〉の感覚が、巧みに表現されている。クライマックスのアクション場面で、ジョーン・ワイルダーとジャック・コルトンは、悪役を倒し、ジョーンの姉を救出し、宝を手に入れるために結束する。だが、ジャックはすぐに手を引き、ジョーンのロマンスのプロットは混乱に陥る。男性を通じて手に入れかけていた完全性は、最後になって奪い去られる。ジャックはジョーンに別れのキスをし、君は主人公になれるだけのものをつねに持っていると告げるが、最終的にジャックは、心よりも金を追いかける。ワニがのみ込んだエメラルドを追っていく。ロマンスを失い、満足できないジョーンを残し、ジャックは断崖から飛びおりる。アクションのプロットは勝利のうちに終わったが、感情のプロットは悲劇に陥る。つまり、ジョーンの感情的な完全性への望みは死んだのだ。

ジョーンが城壁の先を見やるショットがしだいに消えていき、二、三ヵ月後のニューヨークのオフィスで〈復活〉したジョーンのショットに変わる。エージェントが、現実の冒険をベースにしたジョーンの最新作の原稿を読んでいる。ジョーン・ワイルダーが変化したことは、スクリーン上のあらゆる部分からも見てとれる。ジョーンはどん底を経験し、一度は死に、そして感情的に生まれ変わった。原稿を読む冷徹なエージェントの目に涙が浮かぶ。これはジョーンの最高傑作だとエージェントが断言し、とても早く完成したことに驚いている。〈特別な世界〉での〈最大の苦難〉で作家として成長したジョーンは、これまで観客が観てきたジョーンよりも〝バランスがとれて〟きれいになっている。

この場面の終わりに、ジョーンは感情の最終試験を受けることになる。ジョーンの現実の人生とはちがい、ヒーローとヒロインが結ばれた最新作の結末について、エージェントが言及する。エージェントは彼女らしい強引さでジョーンに顔を近づけ、ジョーンのことを「世界最高クラスの救いようのないロマンチスト」と呼ぶ。

ここでジョーンの壁が崩れ、好きな男を手に入れられなかった悲しい現実を嘆くこともできただろう。救いようがないというエージェントの評価に、賛同することもできただろう。かつてのジョーンなら本音が出たかもしれない。だが、そうはならない。ジョーンはこの感情のテストにも見事打ち勝ってみせる。おだやかに、しかし断固として、こう反論するのだ。「いいえ、希望にあふれたロマンチストよ」。ジョーンの瞳にはまだ心の痛みが残っているが、それでも大丈夫だということは観客にもわかる。ジョーンは、相手が自分を愛してくれるかどうかに関係なく、自分を愛することを学び、かつてはなかった自信を手に入れた。そのあとジョーンは通りを歩き、以前なら恐怖を感じていたような男たちのこともあっさりかわす。ジョーンは〈復活〉した。外見も行動も変化をとげ、そのことがスクリーンにも表れ、観客の心に伝わってくるのである。

〈復活〉――『オズの魔法使』の事例

『オズの魔法使』は『ロマンシング・ストーン』ほど主人公の変化を視覚的に描写してはいないが、生まれ変わりと学びは言葉で表現されている。ドロシーは、魔法使いが誤って気球で飛び去ってしまい、希望が死んでしまったと思われるところから、再び立ち上がることで〈復活〉をとげる。家に帰るというドロシーの望みはかないそうもないと思われたとき、人々を家や家族とつなげるポジティブなアニマの象徴、良い魔女がまたしても現れる。実はドロシーは最初からずっと、家に帰れる力を持っていたのだと魔女が明かす。いままでそれを言わなかったのは、「私を信じないだろうと思ったから。自分で学ぶ必要があったから」だと。

ブリキ男が率直にこう訊ねる。「君は何を学んだんだい、ドロシー?」ドロシーは、自分の「心が求めるもの」を、「自分の家の裏庭」で探すことを学んだと答える。ジョーン・ワイルダーと同様に、ドロシーも幸福や完全さは自分の内にあることを学んだが、この変化は言語で表現されていて、『ロマンシング・ストーン』の〈復活〉の場面でスクリーン上に見られた外観や行動の変化ほどの効果はあげていない。なんにせよ、ドロシーは何かを学び、ここから最後の〈戸口〉へと踏みだしていく。

〈復活〉は〈英雄〉の最終試験であり、〈英雄〉が何を学んだかを見せる機会である。〈英雄〉は最後の犠牲を払い、生死の謎をより深く体験することにより、完全に浄化される。この危険な地点を通過できない者もいるが、生きのびた者は、〈ヒーローズ・ジャーニー〉の円環を閉じるため、さらに〈宝を持っての帰還〉に向かって進んでいく。

考察

1 『キング・コング』の〈復活〉のステージは何か? 『風と共に去りぬ』は? 『リンカーン』は? 『ミレニアム ドラゴン・タトゥーの女』は?

2　あなたの主人公が物語の途中で身につけてしまう、ネガティブな特徴は何か？　最初からずっとあり、修正の必要がある欠点は何か？　そのまま修正せずにおきたい欠点は何か？　主人公の性質として必要な部分はどれか？

3　あなたの主人公が通りぬけようとするのは、どんな最後の死と再生の〈苦難〉だろうか？〈復活〉するのは主人公のどんな側面だろうか？

4　あなたの物語に身体的対決は必要だろうか？　主人公は決定的な瞬間において能動的になれているだろうか？

5　あなたの主人公のキャラクター・アークを検証してみよう。段階的な変化をとげ、現実味のある成長となっているだろうか？　最後の変化は、行動や外観にも見えているだろうか？

6　主人公が死んだり、教訓から学ばなかった悲劇において、なんらかの学びを得るのは誰だろうか？

宝を持っての帰還

ステージ12　宝を持っての帰還

「ちがうわエムおばさん、本当にあった場所なの。いいところばかりじゃなかった。でも、だいたいはきれいなところだった。だけどね、私はずっとみんなに言いつづけていたの。『おうちに帰りたい』って」

——『オズの魔法使』

すべての〈苦難〉を生きのび、死をくぐりぬけた〈英雄〉は、スタート地点に戻り、家に帰るか別の旅を続けることになる。とはいえ、〈英雄〉はつねに、新しい人生、終えたばかりの旅路ゆえに永久に変わってしまった人生を始めるという感覚で前進することになる。本物の〈英雄〉になったのであれば、〈特別な世界〉で手に入れた**〈宝を持っての帰還〉**を果たすことになるだろう。他者と分け合うための何か、あるいは傷ついた土地を癒やす力のある何かを運ぶために。

帰還

『人類創世』における〈帰還〉のステージは、物語というものはおそらくこんなふうに生まれたのだろうと思わせるような見事な一連の場面が展開され、狩猟採集民たちがわれ先にと争って外の世界の冒険譚を語ろうとする。この映画の主人公は、たき火を囲んだ集いの場で、冒険の実りを楽しんでいる。狩人集団の〈トリックスター〉の道化師が語り手となって、〈試練〉段階の冒険を演じてみせ、音響効果や滑稽な身ぶりで、冒険で遭遇した〈戸口の番人〉、すなわちマンモスの真似をしてみせる。傷を負った狩人も、手当を受けながら笑っていて、物語の癒やしの力を映画的言語で宣言しているようでもある。〈宝を持っての帰還〉とは、日常的な生活に変化が加わり、冒険の教訓が傷を癒やすために使われることを意味する。

大団円

〈帰還〉のステージを大団円《ディヌーモン》と呼ぶこともある。フランス語で「解決する」「結び目をほどく」を意味する言葉だ。物語とは、一貫したデザインで登場人物の人生が織り込まれた織物のようなものだ。複数のプロットラインが結びついて対立や緊張感を生み、普通はこれらの結び目をほどくことにより、緊張感が解放され、対立が解決することが望ましい。また、英語では「やり残したことを片づける」の意味で「糸始末していない糸を結んでおく」という言いまわしがあるが、物語の大団円ではその処理もおこなわれる。糸を結ぶにしろほどくにしろ、物語は織物であり、正しく仕上げなければ糸が絡まったままのぼろ布になってしまう、ということがよくわかる。だからこそ〈帰還〉のステージでは、サブプロットや、物語中のすべての問題や疑問を処理することが重要なのだ。〈帰還〉で新しい疑問が出てきてもかまわない――実際それは望ましいことだ――が、すべての古い疑問は、処理されるか、最低でももう一度提示される必要がある。書き手は通常、すべての筋書きやテーマに沿った円が閉じる感覚を生みだすよう努めていくことになる。

二つの物語形式

〈ヒーローズ・ジャーニー〉に決着をつける手法には二種類ある。特に西洋文化や米国映画で好まれがちな、閉じて完成するという感覚のある**循環型**は、より伝統的な手法だ。そしてもうひとつの手法は、アジアやオーストラリアの文化圏やヨーロッパ映画によく見られる。答えのない疑問、あいまいさ、未解決の対立などの感覚が残る**開放型**《オープンエンド》のアプローチだ。主人公はどちらの形式においても認識力を成長させるが、開放型では主人公の問題がきちんと解決されない場合もある。

循環型

最もよく使われる物語設計の形式は、**循環型**もしくは**密閉型**《クローズ》と呼ばれ、この形では物語がスタート地点に戻る。主人公は文字どおり円を描き、元の場所、もしくはスタートした世界へ戻る。〈帰還〉は、視覚的もしくは比喩的に循環し、スタートのイメージを再現するか、第一幕の会話からの台詞や状況を反復する。未処理の問題を処理し、物語に完成の感触を与えるひとつの方法である。主人公は旅を完了させ、イメージや台詞は新たな意味を持つ。当初提示されていたテーマは、〈帰還〉において再評価される。たくさんの音楽的な要素も最初のテーマに立ち戻り、結末においてもう一度テーマを表現しなおす。

主人公をスタート地点へ〈帰還〉させたり、始まりはどんなふうだったかを思いださせることで、観客にちがいを比べてもらうことができる。主人公がどのぐらい遠くまで来たか、どう変わったか、かつての世界はどうちがって見えるかの尺度を与えることができる。こうした完成や比較の循環的な感覚を生みだすため、書き手は当初の主人公なら切りぬけられなかったような困難な体験を〈帰還〉時の主人公に与え、観客に主人公がどれだけ変わったかを見せることもある。『ゴースト／ニューヨークの幻』の主人公は、〈日常世界〉にいたときは「愛している」という台詞が言えなかった。だが、死んでしまい、死の世界でいくつものテストに合格した主人公は、〈帰還〉時にこのとても重要な言葉を、まだ生きている妻に聞かせるために口に出すことができるようになる。

『普通の人々』では、若い主人公コンラッドが〈日常世界〉であまりに抑鬱状態となり、母親が作った朝食を食べられなくなってしまう。いくつもの死と再生の苦難をくぐりぬけたあとの〈帰還〉のステージで、コンラッドはガールフレンドのもとへ行き、自分の馬鹿なふるまいを謝ろうとする。ガールフレンドが中へ入って朝食を食べていかないかと誘ったとき、コンラッドは空腹を感じている自分に気づく。食べる力が戻ったことで、内面の変化が外面的にも伝わる。行動が実際に変化していることを見せるのは、単にコンラッドが前とちがう感覚についてしゃべったり、ほかの誰かが彼の成長に気づいて言及する以上に劇的な効果をあげる。象徴的に変化を伝えることで、間接的にではあるが強力に、ただの説明よりも効果的に、観客の心にその変化を響かせることができる。コンラッドの人生のひとつの段階が終わり、円が閉じて新しい円が始まるのだという感覚を、さりげない手法で伝えているのである。

完全性の達成

ハリウッド映画の「ハッピーエンド」は、完全性の達成を描くおとぎ話の世界を連想させる。おとぎ話は「そしていつまでも幸せに暮らしましたとさ」といった完全性の表現で終わることが多い。おとぎ話が壊れた家族にバランスをもたらし、完全さを取り戻させる。

結婚式は、物語の結末によく使われる手段である。結婚は新しい始まりであり、独身だったときの古い人生の終わりであり、新しいひと組の片割れとして送る新たな人生の始まりである。新しい始まりは、完全で傷ひとつない理想的な形だ。

新しい関係を結ぶことは、物語の終わりに新しい始まりを示す別の方法でもある。『カサブランカ』では、ハンフリー・ボガートが〈復活〉のステージでつらい犠牲を払い、愛する女性と結ばれるチャンスをあきらめる。彼が得た〈報酬〉、その体験から持ち帰った〈宝〉は、クロード・レインズ演じる新たな〈仲間〉だ。ここでのボガートの台詞は、映画史のなかでも最も有名な締めの台詞のひとつだ。「ルイ、どうやらこれは美しい友情の始まりのようだな」

開放型の物語形式

物語の作者たちは、完全性や閉じた円を生みだすためにさまざまなやりかたを考えてきたが、どれも本質的には、第一幕で生まれた演劇的な問いに対処する手法である。だが、始末されていない糸の端が何本かあることが望ましい場合もある。〈帰還〉のステージを**開放型**にすることを好む作者もいる。開放型の視点では、物語はいったん完結したあとも語られつづけていく。観客の頭や心のなか、映画を観たり本を読んだりしたあとのコーヒーショップでの会話、ときには議論のなかでも、物語は続いていく。

開放型を好む書き手は、道徳的な結論を読者や観客にゆだねようとする。疑問に答えがないこともあれば、たくさん答えがあるときもある。問いに答えたり謎を解決したりして物語を終わらせるのではなく、物語が終わったあとも長く観客のなかで反響するような、新しい問いを示して締めとすることもある。

ハリウッド映画はしばしば、問題がすべて解決し、観客の文化的前提を乱したりしない、紋切り型のおとぎ話のようなエンディングを好みがちだと批判される。対照的に、開放型のアプローチは、世界はあいまいで不完全な場所だという観点に立っている。厳しく現実的な鋭さのある、より洗練された物語には、開放型のほうが適しているかもしれない。

〈帰還〉のステージの役目

旅のほかのステージと同じように、〈宝を持っての帰還〉のステージにもさまざまな役目があるが、旅の最後の要素としての特殊な部分も持っている。〈帰還〉のステージは〈報酬〉のステージに似たところがある。どちらも死と再生の瞬間のあとにやってきて、死を生きのびた結果を描くステージだ。〈帰還〉にも、獲得、祝祭、聖なる結婚、たき火、自己実現、報復、反撃など、〈剣を手に入れる〉ステージの役目が登場することがある。とはいえ、〈帰還〉は観客の感情に触れる最後のチャンスだ。こちらの意図どおりに観客を満足させるか刺激するかして、物語を終わらせなければならない。作品の最後という独特の位置のせいで、このステージには特別な重みがあり、書き手や主人公にとっては落とし穴の多い場所でもある。

サプライズ

〈帰還〉で何もかも予想どおりにきちんと解決しすぎると、おもしろみはなくなる。よくできた〈帰還〉は、プロットの糸を解きほぐす場だが、ある程度の驚きもそなわっている。ちょっとした予想外の味わい、突然の種明かしなどがあるほうがいい。古代のギリシャ人やローマ人は、芝居や小説の終わりによく「真実の認識」場面を組み込んだ。たとえば、羊飼いとして育てられた若い男女は、驚いたことに、ずっと前に結婚することが定められていた姫君と王子だった、といった具合だ。これが悲劇であれば、オイディプスが〈最大の苦難〉で殺した男は自分の父親であり、聖なる結婚で自分が結ばれた女は自分の母親だった、といった驚きが待っている。「認識」は喜びよりも恐怖の引き金となる。

〈帰還〉のステージにひねりが加わることもある。たとえば、観客にあることを信じさせてミスリードし、最後の最後にまったく別の現実を明かすこともできる。『追いつめられて』では、映画の最後の十秒で、主人公に対する観客の認識が完全にひっくり返る。『氷の微笑』では、最初の二幕でシャロン・ストーン演じる人物が殺人犯ではないかと疑っていた観客が、クライマックスでは彼女の無罪を確信するが、予想外のラストショットにより、またしても疑いに引き戻されることになる。

通常、こうした〈帰還〉には皮肉っぽく冷笑的な空気がただよい、観客は「ほーら、だまされた！」と言われた気分になる。人間はまともな生き物だとか、善は悪に打ち勝つなどと愚かにも考えていたことを見ぬかれた気になる。そこまで冷笑的ではないにしても、ひねりの効いた〈帰還〉は、O・ヘンリーなどの小説にも見受けられる。O・ヘンリーは、ときどきこうしたひねりを使って人間の性質のポジティブな面を見せるが、短編『賢者の贈り物』はその好例だ。若く貧しい夫と妻が、相手を驚かせるため、犠牲を払ってクリスマスプレゼントを用意する。夫は高価な時計を売り、妻の長く美しい髪につける髪どめを買うが、妻はそのきれいな髪を切って売り、夫の大事な時計につける鎖を買う。贈り物も犠牲もおたがい無意味にはなるものの、夫婦には愛という宝が残されるのだ。

報酬と懲罰

〈帰還〉のステージには、最後の報酬と懲罰を与えるという特殊な役目がある。これは物語世界のバランスを回復し、完全さの感覚をもたらすためでもある。最終試験のあとで答案を返されるようなものだ。悪役は、その邪悪なおこないによって最終的な運命を決められ、簡単には許されない。観客は許したがらない。懲罰は罪に見合ったものであるべきで、**詩的正義**がなければならない。つまり悪役は、犯した罪に応じて、死んだり、報いを受けたりしなければならない。

〈英雄〉も、自分にふさわしいものを手に入れなければならない。実際には受けるに値しない報酬を、主人公が手に入れてしまう映画はたくさんある。報酬もまた、〈英雄〉が払った犠牲に見合ったものであるべきだ。お行儀よくしていれば不死を手に入れられるわけではない。また、〈英雄〉が教訓を学べていなければ、〈帰還〉で罰を受けることもある。

もちろん、人生は公平ではない、この世で正義がなされるのはまれなことだ、というのが書き手の視点なら話は別だ。〈帰還〉のステージでの報酬と懲罰の扱いにより、ぜひそれを表現してみてほしい。

宝

〈ヒーローズ・ジャーニー〉の最終ステージにおける本物の鍵は、〈宝（霊薬）〉である。主人公が〈特別な世界〉から持ち帰り、〈帰還〉して分け合おうとしているものはなんだろう？　共同体で分け合うにしろ、観客と分け合うにしろ、〈宝〉を持ち帰ることが主人公の最終試験だ。〈宝〉は主人公が〈特別な世界〉にいたことの証であり、他者に手本として示せるものであり、何より、死は乗り越えることができるということを伝えるものだ。〈宝〉には、〈日常世界〉の生活を回復させる力が宿っていることもある。

〈ヒーローズ・ジャーニー〉のどのステージもそうだが、〈宝を持っての帰還〉とは、文字どおりの意味になることもあればメタファーとなることもある。危機にさらされている共同体を救うために持ち帰る、実際の物質や薬が〈宝〉だということもある（テレビシリーズの『スター・トレック』の一部プロットや、『ザ・スタンド』の冒険の目的もこうしたものだ）。〈特別な世界〉から奪い取り、冒険者のグループ内で分け合うための、文字どおりの宝という場合もある。金、名声、権力、愛、平和、幸福、成功、健康、知識、語るべき優れた物語など、もっと比喩的で、人々を冒険に駆り立てる何かの場合もある。最高の〈宝〉は、主人公や観客に、さらに高次の認識をもたらすものだ。映画『黄金』は、物理的な宝と思われた黄金が、実は価値のないほこり程度のものであり、本物の〈宝〉は長く平穏な人生を生きる知恵だということを伝えている。

アーサー王伝説の〈宝〉は、かつては共有され、荒廃した土地を癒やす力を持った聖杯だ。漁夫王は再び安らかに休むことができる。パーシバルや騎士たちが、この聖杯を自分たちだけで所有していたら、癒やしはおこなわれない。

共有すべき何かを持ち帰らなければ、旅人は〈英雄〉にはなれず、ただの自己中心的で無学な卑劣漢となるだけだ。教訓からも何も学んでいない。成長もしていない。〈宝を持っての帰還〉とは、〈英雄〉となれるかどうかの最終試験であり、冒険の実りを共有できる程度に成熟したかどうかを示すための場なのだ。

愛の〈宝〉

愛情は、当然のことながら、最も強力で人気のある〈宝〉のひとつだ。主人公が最後の犠牲を払うまでは、報酬として与えられないこともある。『ロマンシング・ストーン』のジョーン・ワイルダーは、男に対し持っていた幻想をあきらめ、かつての自分の不安定なパーソナリティに別れを告げる。ジョーンへの報酬は、どう運び込まれたものか、ニューヨークのジョーンの自宅近くに突然現れたロマンティックなヨット、そして、ヨットとともに現れてジョーンをさらっていくジャック・コルトンだ。ジャックは自分が追った〈宝〉――貴重なエメラルド――を、別の形、つまり愛に変えた。ジョーンは、ロマンスなしでも生きられると学んだからこそ、ロマンスの報酬を得ることができたのだ。

変化する世界

〈宝を持っての帰還〉のステージでは、〈英雄〉が持ち帰った知恵があまりに強力で、〈英雄〉のみならずその周囲まで変わってしまうということも起きる。世界のすべてが変貌し、その意義も広がっていく。『エクスカリバー』にもこうした美しいイメージが登場する。パーシバルがアーサー王を癒やすために持ち帰った聖杯により、よみがえった王は騎士たちと再び馬で乗りだしていく。彼らの通る場所で次々と花が咲き、騎士たちは新しい命に満たされる。彼らは生きる〈宝〉であり、その存在だけで自然を生き返らせるのだ。

責任の〈宝〉

〈英雄〉が得る力強い〈宝〉のひとつとして、〈英雄〉が〈帰還〉することで負うことになる、さらに広範な責任というものがある。〈英雄〉は孤高でいることをあきらめ、集団内のリーダーや奉仕役の立場に立つようになる。家族や人間関係が始まり、街が築かれる。〈英雄〉の中核は自我から自己へと移り、ときには集団にまで広がる。ジョージ・ミラー監督の孤高の主人公マッド・マックスは、『マッドマックス2』や『マッドマックス／サンダードーム』でひとりでいるのをやめ、孤児グループの〈師〉となり養父となる。〈宝〉はマックスの生き残り技能と、破滅がやってくる前の世界の記憶であり、マックスはそれを孤児たちに引き継がせる。

悲劇の〈宝〉

悲劇の〈英雄〉は、自分の悲劇的な欠点によって死んだり打ち負かされたりする。それでもその体験から学べることはあり、持ち帰れる〈宝〉もある。学ぶのは誰か？　悲劇の主人公のあやまちや、その結果を目にする観客だ。賢明な観客は失敗を避けることを学ぶことができ、それがその体験から持ち帰れる〈宝〉である。

つらい思いをして学ぶ

ときとして〈宝〉は、旅路で誤って曲がった道を悲しく振り返る、〈英雄〉の姿そのものだったりもする。〈英雄〉がその体験をくぐりぬけてきたことで、**つらい思いはしたが賢明になれた**と認めることにより、物語が閉じる感覚が生まれる。〈英雄〉が得た〈宝〉は苦い薬だったが、おかげで同じまちがいを犯さずに済むし、〈英雄〉の痛みは、同じ道を選んではならないという、観客への適切な警告ともなる。『卒業白書』や『ハード・プレイ』の主人公たちは、痛みと喜びの混じった学びの道を歩む。最終的には愛という名の褒美を失い、夢見た女性を手に入れることなく〈帰還〉し、体験を〈宝〉として自分をなぐさめることになる。こうした物語は、勘定書を締めくくり、主人公たちに最終的な差引残高を示すかのような感覚を生みだす。

つらい思いをしても学べない

「つらい思いはしたが賢明になれた」主人公は、自分が愚かだったことを認め、それを第一歩として回復に向かう。しかし、もっと悪いケースとして、それを理解できない愚か者もいる。こうした主人公は、あやまちに決して気づかなかったり、形だけは行動しても教訓から学べなかったりする。過酷な苦難に耐えてもなお、同じ厄介事に巻き込まれるような行動をくり返してしまう。**つらい思いをしても学べない**タイプだ。これも循環型の締めくくりの一種だ。

こうしたタイプの〈帰還〉のステージでは、ワルっぽい、あるいは愚かな登場人物が、一見すると成長し変わったかのように見える。特に、ビング・クロスビーとボブ・ホープのコンビ映画シリーズにおけるボブ・ホープや、『48時間』『大逆転』のエディ・マーフィのような道化か〈トリックスター〉的な人物は、教訓を学んだと自分でも言い張る。しかし、物語の最後で〈宝〉をつかみそこない、最初のあやまちをくり返してしまう。もともとの自制のきかない態度に戻り、円環を閉じて失敗を決定づけ、そしてまた冒険をくり返すのである。

〈宝を持っての帰還〉に失敗したときの懲罰はこれだ——**失敗した主人公やほかの登場人物は、教訓を学ぶか〈宝〉を持ち帰って共有するまでは、何度でも〈苦難〉に立ち向わなければならない。**

エピローグ

本編が動きだす前にプロローグを置く物語があるように、本編のあとに**エピローグ**を必要とする物語もある。エピローグ、そして小説の場合はまれにあとがきが、少し先の時間に飛び、登場人物たちがどうなったかを見せて物語を完成させることがある。『愛と追憶の日々』には、メインの物語から一年後の登場人物を見せるエピローグがある。伝えられる感情のなかには悲しみや死もあるが、それでも人生は続いていく。『ベイビー・トーク』のエピローグは、メインプロットが解決してから九ヵ月後、主人公の妹が生まれたことを伝える。『アメリカン・グラフィティ』のように、人格の形成期や臨界期にあった人物を描く物語や、『グローリー』や『特攻大作戦』のような戦争映画は、最後に、登場人物がどんなふうに死んだのか、どんなふうに人生を歩んだのか、どんなふうに記憶されたのかを伝える短いパートを添えることがある。『プリティ・リーグ』には長めのエピローグがあり、映画の本編で描かれた女性野球選手のキャリアがフラッシュバックするなか、年老いた本人が野球殿堂を訪れ、たくさんのチームメイトに会う。選手たちのその後が明かされ、存命中のチームメイトたちは六〇代となり、いまでもプレイできるところを見せようと試合をおこなう。彼女たちのスピリットは、主人公や観客を生き返らせる

〈霊薬〉だ。

こうしたことが〈帰還〉のステージの目的であり役目だ。そして、〈宝を持っての帰還〉には、避けるべき落とし穴もある。

〈帰還〉の落とし穴

〈帰還〉をだいなしにするのは簡単だ。最後に来て破綻する物語はたくさんある。唐突すぎる、焦点が合っていない、驚きがない、満足感がない。書き手が生みだした雰囲気や思考のつながりがあっさりと消え、すべての努力が無駄になる。あいまいすぎる〈帰還〉になることもある。『氷の微笑』の結末のひねりは、女の罪の不可解さを解決できていないという批判も多く、テレビシリーズ『ザ・ソプラノズ　哀愁のマフィア』のあいまいなエンディングに不満を感じた視聴者も多かった。

未解決のサブプロット

もうひとつの落とし穴として、書き手が〈帰還〉のステージにすべての要素を持ち込みきれないというケースがある。書き手がサブプロットを未処理のままにすることは、最近ではそうめずらしいことではなくなっている。主要登場人物に仕上げの対処をしようと急いだせいで、観客は大いに興味を持っているというのに、脇役や二次的なアイデアの先行きが忘れられてしまうのかもしれない。古い映画の場合、作り手が時間をかけてすべてのサブプロットを解決するので、より完成度や満足度が高い傾向がある。演じる俳優も、序盤、中盤、終盤で自分の役割を果たすことが求められている。うまくやるコツはこれだ――サブプロットは、第一幕、第二幕、第三幕に**最低でも一ヵ所ずつ、物語全体で三つの「受け持ち区域」や場面に分散すべきである。**すべてのサブプロットは〈帰還〉のステージで認識されるか、解決にいたらなければならない。各登場人物は、さまざまな〈宝〉や学びを得て、場を去るべきである。

多すぎるエンディング

一方で〈帰還〉のステージは、ぎこちなかったりしつこく見えるものにすべきではない。〈帰還〉をうまくまとめるもうひとつのコツは、″ＫＩＳＳ″の手法で進める、すなわち**単純に、馬鹿馬鹿しくする**《キープ・イット・シンプル・ステューピッド》ことだ。たくさんのエンディングを作りすぎて失敗した物語は数多くある。観客が物語は終わったと感じているのに、書き手が、おそらくは正しい結末を選べないためか、いくつものエンディングを試そうとする。これは観客をいらだたせ、書き手が生みだしてきたエネルギーを消してしまう。人々は物語が終わったことを確認し、すぐに立ち上がって劇場を去る、あるいは、力強い感情に満たされて本を閉じたいものだ。原作小説の難解さを取り込もうとした『ロード・ジム』のように、過剰にあいまいな映画は観客を疲れさせ、クライマックスやエンディングが永遠に続くような気にさせてしまう。

〈帰還〉を単純にする手法の極端な例は、『ベスト・キッド』のクライマックスとなる空手の試合の場面だ。最後のひと蹴りが出て主人公が勝つと、エンディングテーマの音楽とともに、すぐさまクレジットが流れだす。ほとんど大団円すらない。少年が〈宝〉の教訓をよく学んでいることは、観客にも訓練の段階でよくわかっているからだ。

唐突なエンディング

書き手がクライマックス後すぐに場面を終わらせると、〈帰還〉が唐突に見えることがある。登場人物に別れを告げ、なんらかの結論が引きだせるだけの感情的余地が観客に与えられないと、物語が不完全に終わった気がしてしまう。唐突な〈帰還〉は、別れの挨拶もなく相手に電話を切られたり、飛行機が着陸する前にパイロットがパラシュートで脱出してしまうようなものである。

焦点

第一幕で提示され、第二幕で検証された演劇的な問いの答えがここで出ていないと、〈帰還〉の焦点がぼやけて見えてしまう。あるいは、そもそも書き手が正しい問いを示すことに失敗しているのかもしれない。書き手がそれに気づかないいまま、テーマを移行させてしまったのかもしれない。ラブストーリーとして始まった物語のはずが、政府の汚職の暴露ものに変わってしまうようなこともある。書き手が物語の糸を見失ってしまったのだ。もとのテーマに〈帰還〉して円環を閉じなければ、物語の焦点は合わずじまいで終わるだろう。

句読点

〈帰還〉ステージの最後の役目は、物語をきっちりと締めくくるということだ。物語は感情の句読点を打つことで終わらなければならない。文と同じで、物語が終わる方法は四つある。句点（「。」）、感嘆符（「！」）、疑問符

（「?」）、そして、考えをあいまいに引きのばすことを示す三点リーダー（「……」）だ。

物語の必要性や書き手の態度に応じ、句点で締めくくりをつけたければ、きっぱりと意見を表明をするイメージや会話の台詞、たとえば「人生は続いていく」「愛はすべてに打ち勝つ」「善が悪に勝利する」「人生とはそういうものだ」「家よりいい場所はない」といったフレーズで物語を終えることもできる。

動きをかき乱したり警告を発することが作品の狙いであれば、エンディングで感嘆符的な効果を与えることも可能だ。ＳＦやホラー映画なら、「われわれはひとりじゃない！」「悔い改めよ、さもなくば破滅だ！」といった雰囲気で終わることもあるだろう。社会派の物語なら、「二度とごめんだ！」「立ち上がれ、抑圧の鎖を捨てよ！」「何かしなければ！」といった情熱的なトーンで終わりたいこともある。

より開放型のアプローチなら、疑問符の効果や、不透明さを残す感覚がある終わりかたが望ましいかもしれない。最後のイメージが、「主人公は〈宝を持っての帰還〉を果たすのか、それとも〈宝〉は忘れられてしまうのか？」といった問いを投げかけることもある。また、開放型の物語は、三点リーダーのような感覚であいまいに消えていくこともある。口にされない問いかけが宙をただよったり、対立が解決されないまま残ったりして、エンディングが疑念や曖昧さを暗示する。「主人公は二人の女性のどちらかを選べず、そしてその結果……」「愛と芸術は調和せず、そして……」「人生は続き……続き……さらに続き……」「彼女は殺人犯ではないと証明された、だが……」

どんな方法にしても、物語のエンディングそのものは、すべてが終わったことを宣言しなければならない――ワーナー・ブラザーズのカートゥーン映画が、最後に「これで終わりだよ、みんな！」という決まり文句を登場させるように。昔の語り部なら、「……そしていつまでも幸せに暮らしましたとさ」以外にも、「以上、これで終わり、誰か水をくれるかい?」といった儀礼的な言葉で民話を終わらせるだろう。ときには、主人公が馬で夕陽のなかに消えていくなどの最後の情景が、物語のテーマを視覚的なメタファーで総括し、観客に終わりを知らせることもできる。『許されざる者』では、クリント・イーストウッド演じる主人公が妻の墓から離れ家に戻っていく最後の情景が、旅の終わりを知らせ、物語のテーマを総括している。

以上は〈宝を持っての帰還〉のほんのわずかな特徴にすぎない。私たちもこうして旅の振り出しに戻ってきたが、未知の部分、予期せぬ部分、未探索の部分の余地は少し残しておこうと思う。

〈宝を持っての帰還〉——『オズの魔法使』の事例

ドロシーの〈帰還〉は、〈仲間〉に別れを告げ、愛、勇気、常識の〈宝〉を彼らからもらえたことに感謝するところから始まる。そのあとドロシーはかかとを打ち合わせ、「おうちがいちばん」と唱え、故郷カンザスへ戻れるよう祈る。

白黒の〈日常世界〉へ戻ったドロシーは、頭に包帯を巻いた状態で、ベッドで目を覚ます。〈帰還〉はいろいろな意味にとれる。オズの国への旅は「現実」だったのか、それとも頭を打った少女の見た夢だったのか？　ただし、物語の観点からは、それは問題ではない。ドロシーにとっては本当の旅だ。ドロシーは、まわりに集まっているのがオズの国にいた人々だと気づく。だが、〈特別な世界〉での体験により、ドロシーの認識は変化している。恐ろしい体験もあればすばらしい体験もあったことは覚えているが、ドロシーは自分が学んだことに目を向けようとする——家よりすばらしい場所はない。

二度と家を出て行ったりしないというドロシーの言葉は、文字どおりに受け取るべきではないだろう。ドロシーの言う家は、カンザスのちっぽけな木造家屋のことではなく、自分自身の魂のことだ。いまやドロシーは、自分の最も優れた特質を手に入れ、欠点をコントロールし、内なる男性性と女性性のエネルギーのポジティブな形に触れ、完全に統合された人間となっている。旅路で出会った人々の全員から学んだすべての教訓は、ドロシーと一体化している。ようやく自分であることに幸福を感じたドロシーは、これからも、どこにいようとも、家にいると感じられるようになるだろう。ドロシーが持ち帰った〈宝〉は、家というものへの新しい観念であり、自分の自己の新しい概念なのだ。

こうして〈ヒーローズ・ジャーニー〉も終わりを告げる。正確には、人生の旅や物語の冒険に真の終わりはないので、しばらくの休止となる。主人公も観客も、今回の冒険から〈宝を持っての帰還〉を果たすが、教訓を自分のなかに受け入れるための探求は続いていく。〈宝〉の意味は人それぞれだ——知恵、体験、金銭、愛、名声、人生のスリル。しかし、優れた物語は、良い旅と同じようにその人を変化させ、認識を深め、生き生きとして人間的な、完全かつすべての一部となるための〈宝〉を残してくれる。〈ヒーローズ・ジャーニー〉の円環は完全円となるのである。

考察

1 『ゲット・アウト』の〈宝〉とは何か？ 『バードマン あるいは（無知がもたらす予期せぬ奇跡）』の〈宝〉は？ 『パラサイト 半地下の家族』は？ 『マリッジ・ストーリー』は？

2　あなたの書く物語の主人公は、体験したことから何を持ち帰っただろうか？　それは主人公の内にとどまったままだろうか、それとも誰かと共有されたのだろうか？

3　あなたの書く物語は、メインの出来事やクライマックスが終わったあとも、長く続きすぎていないだろうか？　クライマックスのあとですぱっと終わると、どんな効果が上がるだろうか？　観客を満足させるには、どのぐらいの大団円が必要だろうか？

4　物語の過程で、主人公はどんなふうにして少しずつ責任を引き受けていくだろうか？〈帰還〉はより大きな責任を担う地点になっているだろうか？

5　いま、あなたの物語の〈英雄〉は誰だろう？〈英雄〉が替わったり、〈英雄〉になろうと立ち上がった人物はいないだろうか？　期待はずれなのは誰か？　最終的な結果にサプライズはあるだろうか？

6　あなたの物語は語る価値のあるものだろうか？　努力する価値のあるものにするために、その物語を充分知り尽くしただろうか？

7　人生の〈ヒーローズ・ジャーニー〉において、あなたはいまどこにいるだろうか？　あなたが持ち帰りたいと願う〈宝〉はなんだろうか？

エピローグ

EPILOGUE

旅を振り返って

旅を振り返って

「楽しいことはとんでもなくたくさんあったし、一分一秒を楽しんだよ」
——エロール・フリン

〈ヒーローズ・ジャーニー〉の終わりまで来たところで、代表的な映画作品の物語においてこの旅のモデルがいかに機能するか、検証してみるのも有意義なことではないかと思う。〈ヒーローズ・ジャーニー〉のアーキタイプや構造を創造的に楽しく活用している映画の事例として、『タイタニック』、『パルプ・フィクション』、『ライオン・キング』、『シェイプ・オブ・ウォーター』を選んでみた。また、〈ヒーローズ・ジャーニー〉の発想の発展に大きな役割を演じてきた、『スター・ウォーズ』シリーズについても論評していく。

これらの映画を分析し、そのなかの〈ヒーローズ・ジャーニー〉を追っていくことは、有意義な訓練になる。その物語の欠点をあらわにすることもあるが、意味や詩的なつながりが驚くべき水準まで掘り下げられていることもわかるだろう。映画、小説、あるいは自分の書いている物語に対して、自分でも分析してみることを強く勧めたい。物語や人生の状況にこうした素材を適用すれば、豊かな報酬をもたらしてくれる。とはいえ、これらの事例を提示する前に、いくつかの警告やガイドラインについても話しておきたい。

書き手への警告

まず、執筆者への警告（書き手への注意喚起！）である。**〈ヒーローズ・ジャーニー〉はあくまでガイドラインである。**料理のレシピ本でもなければ、どんな物語にでも厳密に当てはめることのできる数式でもない。効果的に使うために、物語をこれと一致させる必要はないし、これはほかのストーリー分析の流派、範例、手法についても同じだ。物語の成功やすばらしさの最終的な尺度は、どれだけ確立されたパターンに従っているかではなく、どれだけ観客に長く人気を博したか、どれだけの影響を残したかだ。物語を構造モデルに強引に当てはめたりするのは、馬の前に荷車をつなぐようなものだ。

〈ヒーローズ・ジャーニー〉の特色が何も表れていない物語でも、優れた作品にすることは可能だ。実際、表れないほうがいいのだ。人々は、なじみのある伝統手法や、自分の期待するものを創造的に裏切られるのが好きなのだから。あらゆる〝ルール〟を破ってもなお、物語は普遍的な人の感情に触れることができるのだ。

形は役目に追随する

忘れないでほしい――物語の構造は、物語の必要に応じて決まる。形は役目に追随する。あなたの信念や優先事項はもちろん、あなたが表現しようとしている登場人物、テーマ、スタイル、基調、雰囲気、それらがすべてプロットの形や設計図を決定する。構造も、観客や、物語がいつどこで語られるかの影響を受ける。

物語の形は、観客の求めるものとともに変化する。異なるリズムを持った新しい物語のタイプは、日々生みだされていく。世界の観客が何かに注目するスパンはどんどん短くなり、観客のセンスもかつてよりずっと洗練されている。書き手は、観客がなじみの構造のなかでひねりや近道についてこられるという前提で、動きの速い物語を構築することができる。

新しい言葉は毎日生みだされ、物語が書かれるたび、物語についての新しい見解が示される。〈ヒーローズ・ジャーニー〉は単なるガイドラインであり、あなた自身の物語言語や秘訣を作りだしていくためのスタート地点にすぎないのである。

メタファーを選ぶ

〈ヒーローズ・ジャーニー〉のパターンは、物語や人生のなかで進行する物事のメタファーのひとつにすぎない。私も、物語に見られるパターンを説明するためのメタファーとして、ハンティング、大学の授業、人の性的な反応などを引き合いに出したことがあるが、使えそうなものはほかにも限りなくある。ストーリーテリングをよりよく理解する助けになりそうなら、別のメタファーをいくつでも考えてみるといい。物語を12のステージではなく、九イニングある野球の試合と比較し、〈剣を手に入れる〉ステージではなく〈七回の攻防〉にたとえてみてもおもしろいかもしれない。航海、パン作り、川くだり、車の運転、像の彫刻といったものの手順のほうが、ストーリーテリングの有意義な比較対象になることもあるかもしれない。人の旅路のさまざまな側面を表現するために、いくつかのメタファーを組み合わせるべきときもあるだろう。

〈ヒーローズ・ジャーニー〉のステージ、用語、発想は、物語のデザイン・テンプレートとして使うことができる。このガイドラインに厳密に従いすぎないかぎりは、物語のトラブルシューティング手段として使ってもいい。おそらくは、〈ヒーローズ・ジャーニー〉の発想をよく知ったうえで、それをすべて忘れて作品を書くことが最善策かもしれない。迷ったら、旅の地図を確認するみたいに、使っているメタファーを参照するといい。ただし、地図は旅そのものではない。車のフロントガラスに地図を貼りつけたまま運転はできない。地図は、走りだす前や、方向がわからなくなったときに見るものだ。旅の喜びは、地図を読みそれに従うことではなく、未知の場所を探索したり、ときどき寄り道したりすることだ。創造的に道に迷い、伝統の境界を越えることによってのみ、新しい発見もできるというものだ。

デザイン・テンプレート

新しい物語の構想や、執筆中の物語の修正のためのアウトラインとして、〈ヒーローズ・ジャーニー〉を試してみたい書き手もいるだろう。ディズニー・アニメーションで私たちが使っていた〈ヒーローズ・ジャーニー〉モデルは、物語の筋を引き締め、問題を特定し、構造を説明するためのツールだった。たくさんのライターが、〈ヒーローズ・ジャーニー〉や神話のガイダンスを活用し、脚本、ロマンス小説、テレビのシットコムの筋書きを組み立ててみたと私に知らせに来たものだ。

映画や小説の構想を練り始めるにあたり、まずは〈ヒーローズ・ジャーニー〉の12のステージを、一二枚のインデックスカードに書きだしてみるという人もいた。主要な場面やターニングポイントが多少なりとも思い浮かんでいる場合、それが12のステージのどこにはまるかを、それぞれのカードに書き込んでいく。そうやって、登場人物の不明な点や、彼らに何が起きるかを埋めていきながら、物語の詳細を決めていく。〈ヒーローズ・ジャーニー〉の発想を活用し、登場人物についての疑問も出していく。この物語の〈日常世界〉や〈特別な世界〉とはどんな場所か？　主人公にとっての〈冒険への誘い〉とは何か？〈冒険の拒否〉ではどの程度の恐れが表現されるか？　それは〈師との出会い〉で克服されるのか？　主人公が越えなければならない〈最初の戸口〉は何か？　すぐに空白は埋まり、すべての登場人物やサブプロットの〈ヒーローズ・ジャーニー〉を作る段階へと進んで、やがて設計図が完成するはずだ。

あるステージの役目にぴったりはまる場面もあれば、〈ヒーローズ・ジャーニー〉モデルの〝まちがった〟地点に来てしまう場面もあるだろう。〈師〉が〈冒険への誘い〉を提示して〈冒険の拒否〉が起きるのが、〈ヒーローズ・ジャーニー〉モデルの指示する第一幕ではなく、第二幕か第三幕でなければならない場合もあるかもしれない。心配はいらない――自分が正しいと思う場所に場面を配置してかまわない。モデルはあくまで、こうした出来事がいちばん起きそうな場所を教えているだけだ。

〈ヒーローズ・ジャーニー〉の構成要素はすべて、物語のどの時点に出てきてもかまわない。『ダンス・ウィズ・ウルブズ』では、本来なら〈ヒーローズ・ジャーニー〉の中盤か終わりに見られるはずの〈最大の苦難〉や〈復活〉が物語の皮切りになるが、それでも物語は成立している。どんな物語も〈ヒーローズ・ジャーニー〉の要素で構成されてはいるが、その配列は、物語の必要に応じ、ほぼどんな順序にすることも可能だ。

ステージを書きだしていくとき、一枚の紙ではなくインデックスカードを使う理由もそこにある。インデックスカードなら、必要に応じてカードを移動させながら場面の位置を決めたり、〈誘い〉や〈拒否〉が何度もくり返される場合には（『タイタニック』もそうだ）、カードを追加することもできる。

自分の物語を視覚化していくにつれ、この旅のどのステージにもそぐわない場面が出てくることもある。自分だけの用語やメタファーを作って場面のカテゴリーをカバーしたり、〈ヒーローズ・ジャーニー〉の用語を調整して自分の物語世界のイメージに合うようにしてみてもいいだろう。

〈ヒーローズ・ジャーニー〉再生産のデモンストレーション

さてここで、まったくタイプのちがう四本の映画に目を向けてみよう。古くからあるパターンを新しく組み合わせることで、〈ヒーローズ・ジャーニー〉のモチーフがどんなふうに再生産されてきたかを見てみよう。

『タイタニック』の〈ヒーローズ・ジャーニー〉分析

一九一二年四月一四日夜、リバプールからニューヨークへ初めての航海中だった巨大な遠洋定期船、タイタニック号が氷山にぶつかって沈没したことで、感情に桁外れの影響をもたらす物語が形をなしはじめた。沈没するはずがないと言われた豪華客船の乗客の半数を超える、一五〇〇人以上が死亡したという驚愕のニュースは、世界中を駆けめぐった。その後、臆病者や勇敢な人々、傲慢な自己主義者や高潔な自己犠牲者などの個々の物語が出始めた。これらの糸が、恐怖、悲劇、死といった強力な要素とともにひとつにまとまって生まれた壮大な物語は、書籍、記事、ドキュメンタリー、映画、舞台劇、果てはミュージカルにもなり、長年くり返し語られてきた。タイタニック号の災難は欧米の人気文化となり、ピラミッド、UFO、アーサー王伝説などのように、永久的に人々を魅了するテーマとなった。

そしてタイタニック号の悲劇から八五年後、ハリウッドの二つの映画会社、パラマウントと20世紀フォックスがめずらしく手を組み、別バージョンの物語を送りだした――ジェームズ・キャメロンの『タイタニック』である。この作品は、プロダクションバリューやその豪華絢爛さにおいて、すべてのタイタニック関連映画の頂点に躍りでたのみならず、製作に二億ドル以上、さらに宣伝と配給にも何百万ドルとかけた、これまで作られた映画のなかで最も金がかかった映画となったのである。監督兼脚本家のジェームズ・キャメロンのビジョンは、二つの映画会社からの共同出資財源を必要とするほど壮大なもので、端からその状況を見ていた人々は、この映画が船と同じ運命をたどることを予想していたという。この新作映画はまちがいなく沈没し、二つの映画会社とそのトップ幹部たちまで道連れにするだろう。映画がどれほどヒットしようが、特殊効果がどれほどすばらしく仕上がろうが、こんな桁外れな作品をここまで傲慢に製作し、そのコストを埋め合わせるのはとても不可能だと。

要するに、映画ができる前に作品批評をするのが得意な批評家たちが言わんとしたことは、この作品にはたくさんのハンデがありすぎるということだった。第一に、この物語の結末は誰もが知っている。乗客が踊り、船が氷山に衝突し、人が死ぬ。次に何が起きるかわからないことによる驚きの強力な要素が、この映画にはまったくない。

第二に、これは時代ものの作品であり、第一次世界大戦前のあまり知られていない時代の話だ。時代ものに金がかかることは誰もが知っているし、現代の観客にも「関わりがある」ことでなければヒットしにくい。第三に、この脚本の構造には、タイタニック号の設計と同じぐらいの欠陥がある。観客がおよそ一時間半、通常の映画と同じぐらいの長さのメロドラマに耐えたのち、やっと氷山とアクションがやってくる。作品の結末は悲劇で、通常は興行収益につながりにくい。上映時間は三時間以上もあり、映画館のオーナーにとって理想的な映画の長さのほぼ二倍近くで、映画館での一日の上映回数も減ってしまう。そして最後に、この作品の主要キャストは、当時は大スターとは見なされていない役者たちだった。

国際配給権の獲得を見返りに製作資金の大半を出してきた20世紀フォックスは、特に不安をつのらせていた。タイタニック号の物語は、アメリカやイギリスではなじみがあるが、アジアやそのほかの海外市場ではそこまでではない。遠い昔の難破船を描いた時代ものの映画を、元気はつらつとした世界の観客たちが、果たして観に来てくれるものだろうか？

これが、来た。前例がないほどたくさんの観客が、くり返し足を運んだのだった。この映画の製作関係者を含め誰もが驚いたことに、驚異的スケールの世界中の観客が、『タイタニック』という作品を歓迎した。膨大な制作費は二ヵ月とたたないうちに回収され、フォックスとパラマウントは莫大な利益を手にすることとなった。世界の興行収入成績において、この作品は一六週間以上もトップの座に君臨した。アカデミー賞も総なめにし、一四部門でノミネートされ、最優秀作品賞と最優秀監督賞を含む一一部門でオスカーを獲得、またさらに興行収入を伸ばした。サウンドトラックもチャートの一位となり、四ヵ月その座を譲らなかった。

『タイタニック』フィーバーは、映画館に足を運び、音楽を聴くことだけにとどまらなかった。現代社会はコレクションというものが大好きで、物語の小さな断片を手に入れたいという古くからある衝動を、途方もないスケールで楽しむことができる。新石器時代の人々が自分のお気に入りの女神や守護動物の像を骨で彫刻したのと同じ情熱で、現代の映画観客も『タイタニック』体験の断片を手に入れたがるようになった。

観客は、船の模型、この映画についての書籍、この映画についての映画、そしてさらに、救命ボート、デッキチェア、豪華な目録に載った陶磁器といった映画の小道具を買い求めた。高い金額を支払ってハイテクの潜水艦に乗って海底へ降り、実際に巨大な船の残骸のある乗客たちの厳粛な墓場を訪問するファンまで現れるようになった。

映画が四ヵ月にわたって興行収入トップの座を維持していたあいだ、人々も何が起きているのかを考え始めた。単なる一本の映画に対するこの異様な反応は、いったい何がかき立てたものなのだろうか？

映画史上の画期的な事件

驚異的な興行収入成績や、その忘れがたい内容ゆえに、文化的背景のなかにいつまでも記念碑として残る作品というものがある。『タイタニック』は、『スター・ウォーズ』、『イージー・ライダー』、『未知との遭遇』、『パルプ・フィクション』などと同じように、そうした記念碑的作品となった。こうしたタイプの映画は画期的な事件と呼べるものであり、古い殻や境界を破り、映画というものの観念をまったく新しいレベルにまで投げ飛ばしてしまう。画期的な事件となった映画には、非常にたくさんの人々に共鳴する何かがそなわっている。普遍的と呼べる感情を表現したり、広く共有される願いをかなえたりしている作品のはずだ。『タイタニック』がかなえた普遍的な願いとは、果たしてなんだったのだろう?

当然ながら私は、この映画が〈ヒーローズ・ジャーニー〉のモチーフとコンセプトを徹底的に活用し、意図的に普遍性のある願いを満足させたことが成功の要因だと考えている。ジェームズ・キャメロンは、一九九八年三月二八日の『ロサンゼルス・タイムズ』紙への書簡でこう述べている。「(『タイタニック』には)あえて人間の普遍的な体験や感情を織り込んでいます。それらは時を超えるものです——われわれの基本的な感情の構造を映しだす、なじみ深いものです。アーキタイプを使うことにより、この映画はあらゆる文化や年代の人々の心に触れることができたのです」

このアーキタイプのパターンが、遠洋定期船の沈没といった大混乱の出来事を、一貫した設計に落とし込み、いかに人生を生きるべきかという問いを投げかけ、それについての意見を提供するのである。

『タイタニック』は叙事詩的なスケールの物語であり、贅沢なほどゆったりとした語りのペースで、時間をかけ、独自の〈ヒーローズ・ジャーニー〉構造を完成させる精緻な仕掛けを設定している。このプロットラインのなかでは、中心となるタイタニック号の乗客の物語と並行して、少なくとも二つの〈ヒーローズ・ジャーニー〉が展開する。ひとつは物質的な宝を探す学者兼探検家の男の物語で、もうひとつは崇高な情熱をよみがえらせるために沈没現場へ戻る老婦人の物語である。さらに三つめの〈ヒーローズ・ジャーニー〉として、タイタニック号の世界を訪れ、難破した船から教訓を学ぶ、観客の物語を加えてもいいだろう。

数多くの映画に見られる手法だが、『タイタニック』は途中何度か、現代に設定された外部の物語が〝ブックエンド〟のように挿入され、これがいくつかの重要な役目を担う。第一に、この部分で実際に難破した海底のタイタニック号のドキュメンタリー映像を使うことで、この映画がただの架空の物語ではないこと——実話のドラマ化だということ——を知らせる。難破した船、そして乗客が残した悲しげな日用品の遺物は、この作品中最も強力な要素のひとつだ——これは誰にでも起きうることであり、実際に起きたことであり、われわれのような普通の人間に起きたことなのだ。

第二に、老婦人ローズという人物を紹介することで、ブックエンドの仕掛けがこの物語の時代と現代とをつなげ、それによってタイタニック号の沈没がそれほど昔のことではなく、ひとりの人生の枠のなかで起きた事件だということを思いださせている。老いたローズは、タイタニックのことを覚えているたくさんの人々、そして実際に事故を生きのびたわずかな人々が、現在でも生きているという事実を劇的に表現している。

第三に、このブックエンドの仕掛けが謎を生む——タイタニックの生き残りだと称するこの老婦人は何者なのか、探検家が必死になって探している宝石はどうなったのか？　ローズは愛を見つけたのか、その恋人は生きのびたのか？　こうした疑問符が観客の注意をとらえ、タイタニック号の物語のおおよその結末がわかっているにもかかわらず、サスペンスが生まれる。

『タイタニック』は**〈英雄〉**のひとり、ブロック・ロベットのちょっとした物語と現代的な人物像を紹介するところから始まる。学者でビジネスマンで探検家のロベットは、公の場でどうふるまうべきかもよくわかっていない。彼の〈**日常世界**〉は、金のかかる科学的な冒険の資金を得ようとする見世物師のような世界だ。ロベットが解決すべき〈**外的な問題**〉は宝探しで、彼はタイタニック号で失われたと思われているダイヤモンドを見つけようとしている。そして〈**内的な問題**〉は、確かな見識と優れた価値体系を見つけることだ。

学者兼探検家という人物像は、アーサー・コナン・ドイルのチャレンジャー教授、『ロマンシング・アドベンチャー／キング・ソロモンの秘宝』のアラン・クォーターメイン、『キング・コング』の探検家兼見世物師のカール・デナム、そして最近ではインディ・ジョーンズなど、アーキタイプになるぐらい一般的に見られる。こうした架空の登場人物たちは、ハワード・カーター、ハインリヒ・シュリーマン、ロイ・チャップマン・アンドリューズ、ジャック・クストーなど、実在の冒険する考古学者や研究者を模倣したものだ。学者で冒険家でビジネスマンであり、実際にタイタニック号の残骸を発見したロバート・バラードは、ロベットのモデルのひとりでもあるが、そのバラードも、この船をいかに尊重すべきかという、自身の〈ヒーローズ・ジャーニー〉をやりとげた。最初はある種の学術的征服者となったバラードだが、徐々に乗客の悲劇に深く心を動かされるようになり、沈没の現場は聖なる場所で、この船で亡くなった人々の記念碑としてこのまま残されるべきだと考えるにいたった。

このプロットラインにおいては、若い学者が自分の最優先使命に従い、宝を探そうとしている。だが、この映画の本体となる老婦人の物語の魔力を通じ、探検家は金銭で動く資本主義者から真の心の探検家となり、人生には宝石や金よりも重要な宝があるということを理解するようになるのである。

冒険の目標

ロベットが自分の冒険で探している聖杯はなんだろう？　〝碧洋のハート〟と呼ばれるダイヤモンドだ。この名前は、愛というテーマと、映画の背景とを結びつけている。この宝石は「マクガフィン」――観客の注意を惹きつけ、登場人物の望みや野心を象徴する小さな有形物――である。ダイヤモンドは、完璧、不滅、神の永遠の力を象徴する。数学的な精密さでカットされた面は、創造的な神の手と精神によって生みだされた、壮大な設計図の物理的証明である。金、銀、宝石といった物質は、神と同じく不滅の存在に見える。肉や骨、葉や樹木のみならず、銅や鋼でさえ腐食していくのに、宝石は無傷で不変のまま残る。海底に叩きつけられても、奇跡的に完全な状態で生きのびる。宝石や貴金属は、つねに香や香水、美しい花、聖なる音楽などとともに使われ、神々の世界を示す宗教的で劇的な表現だ。宝石は天国の小さなかけらであり、不完全な世界における完全性の島であり、楽園を垣間見せる「理解の扉」である。〝碧洋のハート〟は、この映画が尊ぶ愛と名誉の、理想的な観念の象徴なのだ。

ロベットはリモートコントロールのロボットで船をくまなく探すが、少なくとも予期していたようには事は運ばず、ロベットの探す天国はひとかけらも見つからない。回収した金庫をあけても、見つかったのは、かつては紙幣だったと思われる朽ちた紙類だけだったが、奇跡的に残っていた絵に、ロベットが探しているダイヤモンドだけを身につけた、全裸の若い美女が描かれていた。ロベットはＣＮＮに出演し、そのときの映像が老婦人ローズとその孫娘リジー・カルバートが目にする〈冒険への誘い〉となる。

年老いたローズの**〈日常世界〉**は、カリフォルニア州オーハイに住む、老齢ながら活動的な芸術家としての生活だ。ローズは自分自身の物語の**〈英雄〉**であり、長年の人生にクライマックスと結末をもたらそうとすると同時に、ロベットや観客の〈**師**〉となって、タイタニックの〈特別な世界〉を案内し、より高い価値体系というものを教える。ローズの〈**外的な問題**〉は、タイタニックでの体験をどうやって理解してもらうかだ。そして〈**内的な問題**〉は、長年ローズの無意識の世界を浮遊していた強い記憶を引き揚げることだ。ローズは、ロベットが見つけた絵の女性は自分であり、ダイヤモンドのことも知っていると訴え、ロベットに〈**冒険への誘い**〉をかける。ローズの物語を受け入れることに若干の〈**拒否**〉を示したのち、ロベットは〈誘い〉を受け入れ、ローズを自分の捜索船に連れていく。そこでローズは、タイタニックの最初で最後の航海の物語を語り始める。

メインの物語――〈日常世界〉

ここで映画はブックエンド仕掛けになっている現代のパートを離れ、メインの物語とタイタニック号の世界へ突入する。観客はここで初めて、真新しい壮麗な船の姿を目の当たりにする。〈**日常世界**〉の舞台である慌ただしげな波止場で、主人公、すなわち〈**英雄**〉の二人、若きローズとジャックが紹介される。ローズは、彼女の婚約者、この作品の〈**影**〉であり悪役でもあるキャル・ホックリーの取り巻きたちのなかにいて、キャルの美しい「所持品」として、装飾をこらした〈**戸口**〉、船の昇降口の前にやってきたところだ。キャルはいかにもビクトリア朝時代のメロドラマから抜けでてきたかのような、冷笑的な「悪役」だ。また、準悪役でキャルの腹心の部下、キャルの傲慢な願いを実行してまわるラブジョイも登場する。

観客はまず、自動車から現れる、優美な白手袋に包まれたローズの手を目にする。つながれたり離れたりする恋人たちの手は、この先も視覚的に流れを表現する糸となっていく。ローズは上品に着飾っているが、老いたローズがナレーションで伝えるように、囚われ人のような気持ちを感じている。旅に出る〈**英雄**〉ではあるものの、この時点では**〈犠牲者〉**のアーキタイプの仮面をつけ、美しいが無力な嘆きの乙女としてふるまっている。

キャルにはその階級の人々の持つ傲慢さと偏狭さがあり、男性性や結婚というものの暗い〈影〉の側面も見せている。キャルが**〈極性〉**の一方にいて、抑圧や横暴さを示す一方で、ジャックはその対極にいて自由や愛を説く。タイタニック号は、正直な働き者の男たちが生みだした想像力の偉業ではあるが、そこには根深く致命的な欠点、キャルのような傲慢な男たちの過失が存在する。キャルはタイタニック号の持つ傲慢な面と一体化し、自分と同じ身分の高い「紳士たち」によって造られた船が沈むはずがないと信じきっている。「神ご自身ですらこの船は沈められない」とも主張する。神話の世界では、こうした言葉は神々の怒りを招くもので、耳をそばだてた神々は、すばやく罰を与えにかかる。

ローズの母親のルース・デウィット・ブケイターも、もうひとりの〈影〉であり、女性性の暗い部分や、抑圧的で息苦しさを強いがちな母性を象徴し、王女メディアやアガメムノンの不貞な妻クリュタイムネストラのような、魔女じみたずる賢い女王の面を見せる。

ローズは、愛していない男との結婚を仕向けられ、暗い**〈冒険への誘い〉**を受け取っている。ローズが母やキャルとともに**〈最初の戸口の通過〉**をするさまは、王室のパレードか何かのようだが、ローズにとっては屈従に向かっての行進であり、タイタニック号はアメリカでの監禁生活へ向かう奴隷船のようなものだ。明白な**〈冒険の拒否〉**こそしていないが、ローズが〈乗り気でない英雄〉なのは確かだ。

ここで第二の主役で**〈英雄〉**のジャックが、その**〈仲間〉**である若いイタリア移民のファブリッツィオとともに登場する。彼らはギャンブルに興じ、すべてを賭けてチャンスをつかもうとしている。進む時計の針が、すぎていく時間、人生のもろさや貴重さを表現する**モチーフ**となっている。ジャックの**〈日常世界〉**は放浪と冒険であり、彼は幸運と自分の技能や才能を信じている。ジャックがカードゲームに勝ち、タイタニック号の三等船室の切符を手に入れることが、ジャックにとっての**〈冒険への誘い〉**となる。ジャックはこの時点ではまったく**ためらい**を見せない——こちらは〈乗り気でない英雄〉ではない。とはいえ、ジャックがファブリッツィオに向けて、自分のことを「この世でいちばん幸運なクソ野郎だ」と言い放つのは、かなりの**皮肉**ではある。この先に待っていることを知ったら、ジャックとて怯えただろう。

ジャックはやや超人的な人物として描かれ、大きな欠点も見当たらないが、無二の愛を見いだして勝ち取るという**〈内的な問題〉**に立ち向かうことになる。ジャックに欠点があるとすれば、いくぶん生意気で尊大なところで、これはのちのちキャルやラブジョイを相手に問題を深めることになる。**〈外的な問題〉**、つまりジャックの試練となるのは、上流階級の世界に足を踏み入れること、そしてその後は船の遭難から生きのびることになっていく。ジャックはどちらかと言えば**〈触媒としての英雄〉**で、すでに充分成長していてあまり変化もしないが、他者の変化を手助けするために自分の力を使う。また**〈トリックスターの英雄〉**でもあり、策略や変装で敵の守りを破りにいったりする。最後は究極の英雄的〈犠牲〉を払い、自分の命と引き替えに愛する女性を救う。

ジャックとローズは**〈両極〉**の組み合わせだ。男と女、貧乏人と金持ちなのはもちろんだが、逃走と拘束という大きな両極の力を表現してもいる。ジャックは自由人の代表で、境界に縛られず、社会から負わされる制限も受け入れず、自分のいる場所からあえて高く飛ぼうとするイカロスだ。映画の序盤では、ローズは自分の意思に反し拘束の側にいて、社会の慣習、母親の貪欲な意思の力、そして社会の闇の王子キャル・ホックリーとの結婚の取り決めに縛られている。あたかも冥界に引きずっていかれるペルセポネだ。キャルはペルセポネをさらった冥界の神ハデスで、金に取り憑かれ、厳格で独善的だ。ハデスは富の神でもあり、死者の裁判官のひとりでもある。冥界でのペルセポネの恋人は、アドニスと呼ばれるすばらしく美しい若者だ。アドニスのように、ジャックもローズの暗い監禁部屋へやってきて、人生の喜びを思いださせるのだ。

ローズの〈**内的な問題**〉は、自分の〈**日常世界**〉から逃れ、ジャックが体現する自由と飛翔の能力を身につけるにはどうするかということだ。ローズの〈**外的な問題**〉は、自分が学んだことを長く幸福な人生で実践できるよう、とにかく生きのびるということだ。

『タイタニック』は〈**師**〉の役目を担える人物を慎重に探し、別の時代の異なる人物にその仮面をつけさせている。老いたローズのほか、ジャックを一等船室の〈**特別な世界**〉へ招き入れ、ジャックが紳士として通るよう、親切な魔法使いのように適切な衣装をそろえてくれる、モリー・ブラウンも〈**師**〉の役割を演じている。

スミス船長も、船上の小さな世界の指導者となり王となり、航海全体で〈**師**〉を演じることになる。ただ、船長は致命的な欠点のある王で、尊大で自己満足的なところがあり、自身のキャリア最後の航海が成功をおさめることに過剰な自信を持っている。

ジャックもローズの〈**師**〉の仮面をつけ、人生をいかに楽しみ、いかに自由になるかをローズに教える。ジャックは多くの女性が夢見るような男で、惜しげもなく誓約を与える。ひと目見ただけで、ローズを捨て置けないと判断し、「僕はもう関わり合いになっている」と考える。のちに船が沈むとき、ジャックはローズに、できるだけ水から出ておくこと、沈む船の吸引力から遠ざかるように泳ぐことなど、生き残るための重要な知恵を与える。

ローズのもうひとりの〈**師**〉は、船の設計者のトーマス・アンドリューズだ。ローズはタイタニック号について知的な質問をして、アンドリューズの敬意を勝ち取った。のちにアンドリューズは、船内に閉じ込められているジャックを探す方法をローズに教えてくれる。ローズがアリアドネなら、アンドリューズはダイダロスだ。恐ろしい迷宮の設計者であるダイダロスは、若き姫君のアリアドネに迷宮の秘密を教える。アリアドネの家族の暗い面を象徴する怪物と戦うため、あえて迷宮に入っていこうとする恋人のテセウスを、アリアドネが助けてやれるようにするためだ。

『タイタニック』の〈**最初の戸口の通過**〉は、船が外洋に「乗りだしていく」様子がていねいに描かれる一連の場面である。この場面のクフイマックスは、ジャックとファブリッツィオが船首にいて、ジャックが「おれは世界の王だ！」と叫ぶところだ。ジャックとローズはそれぞれに〈戸口〉を越えた――どちらも別の世界に足を踏み入れ、どちらとも愛と危険の〈特別な世界〉に突入したのだ。

ジャックとローズが拘束の力と対立するなかで、〈**試練、仲間、敵**〉が動きだす。ローズが船から身を投げようとしたことがきっかけで、ジャックとローズは〈仲間〉の関係になる。ジャックがローズを**救出**したため、ローズとキャルは一等船室の食堂での食事にジャックを招待する。ジャックは〈**師**〉モリー・ブラウンの助けを借りて〈**特別な世界**〉に入っていき、ディナーの席で厳しく**試され**、〈**敵**〉のキャルやローズの母親に嘲られる。ジャックはこの試練をくぐりぬけ、相手の嘲りに立ち向かい、この映画のテーマでもある自分の信条を披露してみせる――人生は贈り物であり、それをあるがままに受け入れ、毎日を大切にすることを学ぶべし。ジャックはますますローズの尊敬を勝ち取り、キャルとの反目を決定的にする。

ローズの〈**試練**〉はその少しあとにやってくる。「本物のパーティー」を見せると約束していたジャックが、ローズを三等の〈**特別な世界**〉に案内する。ひっきりなしの騒々しい音楽、ダンス、そして飲酒。酩酊と情熱とエクスタシーの神、ディオニュソスの世界へ入るための手ほどきだ。ローズは、自分の住む社会における若い女性の規範を試される――この野卑で騒がしい酒宴は不愉快なものか？　ローズは、飲酒でも喫煙でもダンスでも移民たちに打ち勝ち、このテストに合格する。

〈**最も危険な場所への接近**〉のステージは、恋人たちがためらいながらもロマンティックに距離を詰めていく場面で表現され、ジャックがローズを船首像のように船の舳先に立たせ、飛ぶ方法を、生と死のあいだでバランスを取る方法を教える叙情的な場面へと続いていく。ジャックが世界の王なら、ローズは女王となる。

さらに〈**接近**〉は深いところへと続き、ローズはジャックに自分の絵を描いてほしいと頼み、迷うことなく裸の自分をさらしてみせる。これはジャックにとっての〈**試練**〉で、ジャックは紳士として、プロの芸術家としてふるまい、ローズの無防備さにつけこむこともせず、このエロティックな時間を楽しむことによってテストに合格する。

恋人たちが〈最も危険な場所〉へ近づくうちに、〈**戸口の番人**〉が大勢現れ、よく練られた多層的な〈**最大の苦難**〉が始まる。ホワイト・スター・ラインの客室乗務員たちが、扉、エレベーター、ゲートを固め、キャルに放たれた猟犬の群れのように恋人たちを探す。拘束の世界から逃げたジャックとローズは、船倉の奥深くに入り込み、親密さの〈**最大の苦難**〉にともに向き合う。二人は〈**最も危険な場所**〉、高級車の一台にもぐり込み、そこで恋人として結ばれる。オルガズムによる「小さな死」のなかで、ローズの手が窓ガラスにつけた筋は、まるで溺れる犠牲者、愛に溺れる者の手のようにも見える。この大きな〈戸口〉を越えたことで、二人は古い命を捨て、新しい命に生まれ変わる。

タイタニック号にとっての致命的な〈**最大の苦難**〉は、それから間もなくやってくる。船が衝突した氷山は、高慢な限りある命の生き物を罰するために神々に遣わされた、物言わぬ無情な女神ネメシスの精霊のようでもある。船の死、それにともなう数多くの乗客の死が、この物語の次の中心的な動きとなる。

ジャックとローズは、自分たちの死と再生の体験から、多少の〈**報酬**〉を手に入れている。ふたりは結ばれ、生き残るための闘いにおいてたがいに助け合う。ローズが試されるのは、救命ボートで逃げられるチャンスを与えられたときだ。キャルがジャックを見捨てて死なせようとしているのを感じ取ったローズは、ジャックと運命をともにするため、必死になって船に戻る。

〈**帰路**〉のステージは生き残りを賭けた闘いとなり、船がまともに機能しなくなったことにしびれを切らしたキャルが、ジャックとローズを銃で始末しようとする古典的な〈追跡〉場面も登場する。ほかの登場人物たちも生と死の試練に直面し、名誉の死を選ぶ者もあれば、なにがなんでも生きのびようとする者もあり、ラブジョイのように生きのびるための卑しい努力を尽くしながら死んだ者もある。第二幕は、船が海底へと沈んでいくなか、ジャックとローズが船尾の手すりの上でバランスを保ち、船にしがみついているところで終わる。

〈復活〉の始まりは、ジャックとローズが海で凍えながら体温を保とうとする場面だ。二人は浮遊する船の残骸にしがみついているが、ジャックはそれがひとりの体重しか支えられないことを悟り、古典的な〈英雄の犠牲〉を払ってローズの命を救おうとする。ジャックはすでに人生を充分に生き、ローズとともに完璧な幸福を味わうこともできた。ローズはまだ自由と人生を知り始めたばかりで、ジャックはローズに二人分の豊かで満足な人生を生きてもらおうとする。自分がローズの心と記憶のなかで〈復活〉できることを信じ、自分の命を手放す。

ローズ自身も死の間際まで行くが、死者の顔に埋め尽くされた海で生存者を捜す一艘の救命ボートによって〈復活〉する。ジャックから学んだすべてを試される最後の〈試練〉で、ローズは力を振り絞って泳ぎ、死んだ船員の口に残っていた警笛を手にして、それで助けを呼ぶ。老いたローズはそこで物語を締めくくり、観客を再びブックエンド仕掛けになっている現代のパートに引き戻し、タイタニック号の犠牲者数を告げる。

ロボット潜水艇は、おだやかに、静かに沈没現場を離れる。捜索船上のロベットは、古いパーソナリティ特性のささやかな〈犠牲〉として、ダイヤモンドを見つけたときお祝いに吸おうとしていた葉巻を投げ捨てる。そしてローズの孫に、自分は三年のあいだずっとタイタニックのことを考えてきたが、そのメッセージを何も理解していなかったと話す。ロベットは〈最大の苦難〉によって〈変化〉し、そして洞察力とローズの孫の共感という〈報酬〉を得る。これはロマンスの息吹なのか、ジャックとローズの愛のシンプルなバージョンが実現するチャンスはあるのか？　ロベットは、自分が探してきた物理的な宝は見つけられずにいるが、ジャックのように、感情の新世界でもっとすばらしい宝を見つけたのだろうか？

老いたローズは、ジャックとともに船首に立って空を飛んだときのことをまねるように、捜索船の手すりのそばに立つ。遠い昔にそうしたように、手すりによじのぼる。この最後の**サスペンス**の瞬間、観客にはローズの意図が読めない――ロミオの死に取り残されてしまったジュリエットのように、海の底のジャックのもとへ行くために飛びおりるのか？　だが、そこでローズは、あのダイヤモンドを取りだす。自由の女神像の下に立つ若きローズが、ポケットに生きのびた報酬としての〈**宝**〉があることに気づいたときの姿がフラッシュバックする。最後の劇的な**クライマックス**で、老いたローズは、小さな声を漏らしながらダイヤモンドを海中に投げ入れる。ローズの最後の**犠牲**として、ダイヤモンドはジャックと同じように謎めいた海にのみ込まれ、ローズの経験や記憶は物理的な所有物よりも重要なものであることを伝えてくる。これこそが、この映画が観客に持ち帰ってもらいたい〈**宝**〉であり、癒やしのメッセージだ。

最後に、長く満ち足りた人生の写真に囲まれ、眠りに落ちていく老いたローズの姿がフェードインする。〈**最後の苦難**〉ののち、〈**最後の報酬**〉として、ジャックの預言は実現する――ローズは冒険家となり、パイロットとなり、女優となり、カリフォルニアの埠頭で馬に乗り、子を産み、持ち帰った〈**宝**〉としての二人分の人生を生きてきた。ローズの家族の歴史に刻まれた暗い傷は癒やされたのだ。

ローズの夢のなかで、タイタニック号の〈**特別な世界**〉、そしてそこにいた乗客たちが息を吹き返し、無意識の力で〈**復活**〉を果たす。観客は、ローズの視点を通じて、ホワイト・スター・ラインの〈**戸口の番人**〉たちのそばを通りすぎ、永遠に生きる善良な人々が住む一等の天国へと入っていく（悪役たちがそこにいないことはすぐわかる。凍てつく水の地獄に浮いているにちがいない）。ジャックは時を越えた超自然的存在となり、かつて彼が立っていた壁時計のそばに立っている。ジャックが手をさしのべ、ローズは再びその手に触れ、二人はキスをし、そして船の旅仲間たちはこの最後の**聖なる結婚**に喝采を送る。カメラは丸天井、そして天空をとらえ、スクリーンが純白になる。ローズは〈宝〉を手に入れたのだ。

批判

『タイタニック』は確かに完璧な映画ではないし、その欠陥を指摘する批評家もそれこそ船一杯分ぐらいはいるだろう――脚本は無骨で、「くそっ!」「ああ、なんてこと!」「いまいましい!」といった粗野でわかりきった発言で場面が終わる傾向がある。始まりからしばらくは、汚い言葉を吐く病気にでもかかったかのような映画だ。大げさに現代的な会話と行動様式で「今日的な」物語にして、現代の観客に迎合するような感じがある。また、一面的な登場人物も多く、特に悪役は冷笑的で陰影が感じられない。

ビリー・ゼインの演技は悪くないのだが、脚本のなかのキャルの役は物語構造のなかでも最大の弱点となっており、もしキャルがあれほどあからさまな悪人でなく、もっと魅力的でローズにふさわしい、ジャックにとっても真の競争相手になれるような男だったら、ライバル関係ももっと効果的なものになったはずだ。そのほうが本当の競い合いとなっただろう。最高に魅惑的な若い男と、片手に金の入った袋、もう片方の手に拳銃を持つ、意地の悪い侮辱的な卑劣漢とでは、一方的な勝負にしかならないのはわかりきっている。

タイタニック号が沈んでいこうとしているときに、キャルがジャックとローズを銃撃するチェイスシーンは、馬鹿馬鹿しく芝居がかったやりすぎの場面で、そこでうんざりしてしまったという人々もいた。単に物語の目的を実行しているだけかもしれない――キャメロンとしては、主人公二人をもう一度タイタニック号の船腹に追い込む必要があり、それをキャルにやらせたかったのだろう――が、誰かを助けるために船内に戻らせるなどの仕掛けを使っても、同じ結果を得ることはできたはずだ。

ひょっとすると、この苦難の部分は、まったく必要なかったかもしれない。ここをカットしたほうがよかったように思えるし、一連の水中場面の緊張感も、すでにたくさんのゲートを破ったあとではしつこく見えてしまう。これらの一連の場面は、襲いかかってくる水流からジャックとローズが逃げるクライマックスのショット――死の力と闘う二人の象徴的な描写――に向けて盛り上げるためのもののようだ。しかし、このショットはこの映画のなかでも最も効果の薄かった場面のひとつで、役者たちの顔が電子的な魔法によって居心地悪そうにスタントの役者の顔に貼り付けられ、完璧とは言えないできばえだった。一連の場面全体をカットするか短縮してもよかった――それがなくても緊張感は充分にあったのだから。

とはいえ、ここでやりたいのはあら探しではなく分析だ――こうした作品の欠陥にもかかわらず、キャメロンはなぜ成功をおさめられたのだろう?

すばらしい物語

第一に、タイタニック号とその乗客の運命は、それ自体が壮大な物語であり、沈没したその日から人々を魅了しつづけている。つい最近、ドイツの企業が製作したタイタニック沈没の映像化作品がフィルム保管室で見つかったが、この作品は実際の悲劇から何週間もしないうちに作られたものだ。これを皮切りに、この遭難事故に関するたくさんのドキュメンタリーや映像作品、そして無数の書籍や記事が生まれてきた。悲劇的だがどこかおとぎ話のようなダイアナ妃の物語もそうだが、タイタニック号の沈没を取りまく出来事は、深みのあるアーキタイプ的なイメージと調和し、誰にでも共有され理解される演劇的なパターンにぴったりとはまっていると言えよう。

『タイタニック』の象徴主義

その古風で原型的な名前を始めとして、タイタニック号には象徴や意味がたくさん積み込まれている。船の名は、その建造者の心理をさまざまに明かしてくれる。映画のなかでローズは、タイタニック計画の裏にいる事業家のブルース・イズメイに、名前の由来を訊ねている。イズメイの返答は、巨大なものを思い起こさせる名前にしたかったというもので、これに対しローズは、男性はサイズにこだわりすぎる、とフロイト的なほのめかしで切り返す。

映画では「タイタニック」という言葉の神話的な起源には触れていないが、この名前を選んだ英国紳士たちは、古典を熟知し、まちがいなく起源を知っているはずである。この言葉は、オリュンポスの神々の強力な敵である古の巨神族、ティターンから派生している。ティターンは、世界が生まれたときから存在する根源的な力——貪欲、無礼、冷酷——であり、神々は、この巨神たちがすべてを滅ぼして略奪する前に、彼らを倒して地中に封じ込めるため、大きな戦争をしなければならなかった。この船ができた当時のマスコミが、アスターやグッゲンハイムのような一等船室の乗客を「産業と資本の巨人《タイタン》」と呼んだとき、そこには彼らの帝国の巨大さ以上の意味が込められていた。

タイタニックが造られる何年か前に、ドイツの考古学者が、「ペルガモンの大祭壇」と呼ばれるヘレニズム期の神殿を発掘した。この大祭壇には、神々と巨神たちの戦いがレリーフとして劇的に描かれ、神々と古の敵ティターンとの叙事詩的な闘争を回顧するものとなっていた。この祈念碑は実質的に、すばらしい特殊効果映画の絵コンテを石で作ったようなものだ。タイタニック号の建造者たちもおそらくこうしたレリーフ画を見ているはずで、自分たちやそのクライアントのアイデンティティとして、神々ではなくその古くからの敵であるティターンのほうを選んだのだ。この選択は神々への挑戦にほかならない。建造者たちがこんな壮大な名前を船につけ、運命を試すような真似をしていると感じた人々は、この船が航海に出る前からたくさんいた。さらにまずいことに、この船は絶対に沈まないという宣言までされていた。愚かな冒涜であり、神の全能の力に挑むようなふるまいだ。迷信深い、ツタンカーメンの墓の呪いにも似た雰囲気がタイタニック号を包み、建造者たちはその尊大さと高慢さで神の怒りを買ったと信じる人々もいた。

タイタニック号の物語は、「愚者の船」という古い文学のコンセプトとも共鳴している。この風刺文学のコンセプトは、コロンブスが初めて新世界に向けて出航した時期に生まれたものだ。最初に形になったもののひとつが、ゼバスティアン・ブラントの物語形式の詩『阿呆船』で、コロンブスが初めて大西洋を横断してからわずか二年後に出版されている。愚か者の国ナラゴニアへ向かう船の乗客の物語で、当時の愚行を痛烈に非難する描写がされている。これは広く翻訳され、書籍や戯曲にも翻案された。

「愚者の船」とは寓意であり、哀れな乗客たちが船を満杯にしている状況のなかで、社会の生活や階層のあらゆる状態が冷酷に愚弄されている。当時の人々や社会体制の欠陥を容赦なく描きだす、冷笑的な物語だ。

『タイタニック』もまた、大ざっぱな社会批判をおこなっていて、裕福で権力を持つ人々が愚かな怪物として、高潔だが無力な貧者は金持ちの犠牲者として描かれている。例外は、貧しくとも無力ではないジャックと、裕福だが怪物ではないモリー・ブラウンだ。モリーは、ジャックと同じ地位から身を立てたにわか成金のアメリカ人で、アメリカ移民の体験の健全な面を象徴している――野心的で、社会階級のはしごをのぼってはいるが、心が広く平等主義、寛大で公正だ。『タイタニック』は「愚者の船」よりは希望もあり、そこまでシニカルではなく、その愚かさや犠牲を超越して、有意義な人生を最大限に生きられる者もいることをほのめかしている。

「愚者の船」の皮肉は、乗客がどのみち全員行き場なく破滅することがわかっており、必死の努力をしても無意味で愚かだという観点があるからこそ生じるものだ。『タイタニック』も、沈むことがわかっている船の切符を手に入れ、自分たちの幸運に大喜びするジャックとファブリッツィオの姿に、同様の皮肉が感じられる。この皮肉は、遭難する運命にあると観客が知っている船の物語領域にも、ずっとつきまとうことになる。

「愚者の船」の発想は、ひと言で言うなら「同じ船に乗り合わせた者同士」という古い言いまわし、つまりは「運命共同体」という言葉で表すことができる。生まれ、財産、地位などの表面的なちがいに浅はかな注意が向いてしまい、絶対不変の道徳規準に誰もがとらわれてはいるものの、重力、運命、死、税金などの避けられない力には、誰しも等しく従わされているものなのだ。

海原を孤独に進む長旅途上の船は、人間の生きる環境や、人生における魂の孤独な道行きの象徴としても使いやすい。北大西洋をぽつりと進むタイタニック号は、それ自体が小さな世界であり、小宇宙であり、その時代の社会のほぼ完璧な模型である。船上の二千人は、当時を生きていた多くの人々の代表のようなものだ。

船自体もそうだが、この物語のスケールは雄大かつ等身大以上のもので、すべての文化圏、とりわけこの当時の欧米世界全体を語るに足るだけの大きさをそなえている。この広大な物語は、この文化圏に属するあらゆる人々の性質や極性をある程度表現している人物を選び、その生や死を見せることで、わかりやすく消化しやすい物語となっている。

『イーリアス』、『オデュッセイア』、『アエネーイス』、アーサー王伝説、ワーグナーの『ニーベルングの指環』といった過去の壮大な物語たちと同じように、『タイタニック』もまた、途方もない物語の一部分、旧世界と新世界の二つの世界の橋渡しとなる部分を語る。ここにあげた壮大な物語のなかには、無数のサブストーリーや叙事詩群が含まれ、それぞれが演劇的な構造と完成形を持っている。ひとつの作品がすべての物語の糸を語ることはできないが、個々の物語は全体の状況の感覚や演劇的事実を伝えることができる。『タイタニック』はあちこちのサブストーリー――現場に急いだカルパチア号、アスターやグッゲンハイムの物語、遭難の知らせを送る電信技手の苦難など――の劇的表現ができていない点を批判されてきた。だが、すべてのサブストーリーを語りきれる映画はない。未来のストーリーテラーなら、光を当てるべきその他の出来事や個人を選ぶことができるかもしれない。タイタニック号の物語をあまねく語るため、たくさんの芸術家が生みだした物語を組み合わせなければ、それは不可能だ。ホメロス、ソフォクレス、エウリピデス、ストラウス、カザンザキス、ホールマーク・プロダクションズ、クラシック・コミックス、そのほかたくさんの芸術家たちが『オデュッセイア』の叙事詩的物語を語ろうとしてきたが、その物語自体は、トロイア戦争という途方もない物語に含まれる数多くの叙事詩群のひとつにすぎない、というのと同じことなのだ。

大西洋の高速横断の物語ということでは、『タイタニック』は二〇世紀の大きな関心事、スピーディーな旅や世界への意識の高まりを象徴している。何世紀もかけてアメリカに引き継がれてきた欧州文化、自由という誘惑的な約束に惹かれアメリカ大陸を埋め尽くしていく移民の波。映画のなかでは、移民の夢のシンボルであり新参者を呼び寄せる灯台として、自由の女神がくり返し登場する。気の毒なファブリッツィオは、船がシェルブールから大西洋へと出ていくと、もう自由の女神が見えるふりをしだした。

フランスからアメリカに贈られた自由の女神像は、本国から植民地へ神や女神の像を贈り、精神的な糸や宗教的結びつきによって植民地との結びつきを図るという古代のならわしを、壮大に実践した例とも言える。フランスとアメリカ合衆国は、同じ時代に革命をやりとげ、自由への情熱によって結ばれた国同士で、これは新世界と旧世界の文化的な絆のひとつとも言える。

『タイタニック』公開時（一九九七年）の状況も、この成功を評価するうえで考慮に入れるべきだろう。この映画は、人々が国際社会や、欧州とアメリカのつながりをより意識するようになった時期に公開された。湾岸戦争、ベルリンの壁崩壊、ロシア共産主義の破綻などの衝撃に加え、気象パターンが世界的に予測困難なものへと移行したことで、人生の船がもろく見える不透明な時代がやってきた。あと二年で世紀末がやってくることもあり、世紀の始まりを振り返ろうという雰囲気もあった。

その何年か前に海底でタイタニック号の残骸が発見されたことも、新しいタイタニック映画のお膳立てとなった。船体の発見は科学の大きな勝利であり、心理的にも強烈な瞬間であった。この深さに沈没した船は、何世紀か前であれば発見は不可能だった。長年にわたって海底で埋まり、その後発見されたタイタニック号は、失われた記憶を意識下から取り戻すという、人間の驚くべき力の強い象徴となった。海底まで降りていってタイタニック号を見ることは、神の所業のようなもので、失われた宝を意識下から発見する真の〈ヒーローズ・ジャーニー〉とも言える。

この発見は、クライブ・カッスラーの小説『タイタニックを引き揚げろ』でも描かれたように、タイタニック号の回収という空想につながり、すぐに現実的な可能性となった。専門家は船の残骸の引き揚げは可能だと言い、実際たくさんの遺物が運び上げられたが、そのときの世論は、難破船は犠牲者の記念碑としてそこに残しておくべきという意見が多勢だった。難破船と痛ましい人々の遺体を映したドラマティックなテレビの生中継も、タイタニックの新しい映画の公開に適した環境を提供した。

この映画の多くを若者のラブストーリーに費やしたことも、『タイタニック』が大人気を博した要因のひとつだ。相容れない派閥同士の若者が恋に落ちるロミオとジュリエット的な仕掛けは、観客の心をたやすくつかむ物語となった。

キャメロンがタイタニックの物語を表現するために選んだジャンルはロマンスで、この選択が女性の観客を呼び込んだ。タイタニックの物語として、ミステリー、探偵物、宝探しといったジャンルを選んでもよかったし、ことによればコメディでも可能だった。それらの断片もときおり顔を出すが、主要テーマ、物語設計の原理はあくまでロマンスで、物語の構造もロマンスとして成立している。この選択によりキャメロンは、観客が強く一体化できる明快な定式を手に入れた――若い救い主が介入し、残酷な年長男性の支配から女性を救いだす、三角関係の物語だ。

三角関係は、ロマンス小説はもちろん、フィルム・ノワールやハードボイルド・フィクションの世界でもおなじみのパターンだ。グィネビア、ランスロット、アーサー王の物語のように、三角形の舞台の上で、対立、嫉妬、ライバル関係、裏切り、復讐、救出などが演じられる。ロマンス小説では、ヒロインが二人の男のうちひとりを選び、フィルム・ノワールでは、若い女性が黒幕のボスと若い流れ者か探偵とのあいだで決断をくださなければならない。

『タイタニック』のレオナルド・ディカプリオは、三角形の一方の角で流れ者を演じる。ディカプリオのすばらしく魅力的なパワーの秘密は、男らしい行動と女性的な敏感さをそなえた、感受性の強い若者のアーキタイプを映しだしているところにある。ピーター・パンでありプエル・エテルヌス（永遠の少年）であるジャックを演じるのに、ディカプリオはうってつけの役者であり、その美しい自己犠牲の死によって、永久に若者のままでありつづける。一方のローズは、邪悪なフック船長から逃げるために、ベッドシーツにくるまったまま船を逃げまわるウェンディで、永遠の少年に飛ぶことや人生を楽しむことを教わる。氷山と時を刻む時計は、『ピーター・パン』で時計をのみ込んだワニと同じ役割を担う。氷山も時計も〈影〉の投影であり、人々が認めたがらなくても、遅かれ早かれ破壊をもたらしに来る無意識の力だ。

神話の時代にまでさかのぼれば、ジャックの儚げで若々しい人物像は、巨人を倒したダビデのようでもあり、それ以上に、アドニスや北欧神話のバルドルのような、若くして悲劇的に死んだ不運な神々とも共鳴するところがある。また、女性の野性的な面に訴え激情に駆り立てる、歓楽と情熱と酩酊の神ディオニュソスに似た面もある。ローズがビールで完全に酔っぱらい、踊り尽くした三等でのパーティーは、実にディオニュソス的なお祭り騒ぎで、ローズはジャックに手ほどきを受け、古の謎の世界に足を踏み入れたのだ。

ジャックは〈**英雄**〉だが、特殊なタイプの〈**触媒としての英雄**〉で、物語による変化はあまりとげない**放浪者**だが、ほかの人物の変化の引き金になる。ジャックは優美な異界の存在で、ローズの心以外にはなんの形跡も残さずに消えてしまう。ジャックの乗船記録はなく、何ひとつ残さず、手がかりもなく、ただ残ったのは老いたローズの思い出だけだ。ロベットの仲間のボーディーンは、老いたローズの〈**戸口の番人**〉の立場を取り、話ができすぎている、ローズのロマンティックな作り話かもしれないとさえ主張する。別世界へ向かう旅人が誰でもそうであるように、ローズも信用を勝ち取らなければならない。

若いローズの人物像からは、「嘆きの乙女」のアーキタイプが表出している。要するに、生死のはざまをさまよい、口づけで目を覚ます眠れる森の美女や白雪姫、自分の姿を消せる男があとをつけ、異世界の魔法から救出される一二人の姫君、空を飛ぶ謎めいた若神のクピドに恋をするプシュケ、冷酷な王に冥界にさらわれるペルセポネ、魅力的な若き崇拝者によって粗暴な夫の手から奪われるトロイアのヘレネー、情熱的で芸術家肌の神ディオニュソスによって不幸な結婚から救われるアリアドネなどは、みなローズと同種の女たちだ。

「嘆きの乙女」のアーキタイプは、支配と従属のパターンを永久にくり返し、受け身の犠牲者の態度をうながされるため、このアーキタイプの女性はずっと苦悩することになる。とはいえ、このアーキタイプはたやすく一体化できて共感もしやすく、何かにとらわれ縛られていると感じている無力な人々なら、誰もが持つ感情を表現する。「混乱にある女性」は、すぐさま一体化や共感を誘い、観客が感情的に関わろうとするので、映画やテレビドラマでは重要な商品となる。『タイタニック』の観客は、囚われの身のローズを気の毒に思うと同時に、ローズが自由を得て、みずから「嘆きの乙女」の仮面を捨てて、〈英雄〉の役割を演じられるようになっていくさまを楽しむことができる。

この映画にはもうひとつ、特に女性層に訴える要因がある。『タイタニック』は特殊効果を使ってはいるが、SFや戦争、タフガイの冒険などが前面に出ている映画ではない。女性の興味を閉めだしたり無視したりせずにスペクタクルを提供し、愛と貞節の問題を扱った感情のメロドラマによって人間性の尺度も与えてくれる。『タイタニック』は女性のみならず男性にも便宜をはかり、なかなかない**比較**の機会を提供している。この映画は、悲惨な究極の状況におかれた人間の行動事例を提示しており、観客はこれと自分とを比較することができる。映画館の安全な座席から思索をめぐらせ、同じ状況なら自分はどうするだろうと考えることもできる。タイタニック号の試練を自分ならどう切りぬけようとするだろう？　名誉ある勇敢な死に向き合えるだろうか、それともパニックになって自分本位の逆上した行動に出るだろうか？　先を争って生きのびようとするだろうか、それとも女性や子どもが先に救出されるよう、救命ボートの席を譲るだろうか？

この映画には、列車の転覆事故やハイウェーの玉突き事故のような、人を惹きつける何かがある。こうした災難を見て、犠牲者と比べて自分がいかに幸運かを考えるのは当然のことだ。観客は、同情を持って人々をながめつつも、自分がこの苦しみのなかにいるわけではないことに救いを覚える。自分が見ているものに教訓を求め、運命や名誉についての結論を引きだそうともする。

映画のジャンルを称する言葉のひとつに「スペクタクル」があるが、これは古代ローマの「スペクタクル」、すなわち、ローマ帝国全土にある円形闘技場や円形劇場でおこなわれる儀式的な演劇、戦闘、競走、試合、競技会などのことを指す言葉から来たものだ。当時最もスリリングだった（そして費用のかかった）娯楽は、「模擬海戦」

と呼ばれる演出された大きな海戦で、円形闘技場に水を張っておこなわれ、観客はそこで、激突し合い転覆する船、溺れる水夫や不運な乗客を観て楽しんだという。

『タイタニック』はこうした伝統の「スペクタクル」にほかならない。こうしたショーの上演のためには確実に命が犠牲にされたが、この映画自体もまさに死の祝宴であり、娯楽と啓発のために一五〇〇人もの死を再演してみせたのだ。これほど壮大なスケールの死のスペクタクルには、それでも人の心を奪う何かがあり、古代の剣闘士の戦いや儀式的な生け贄とも通じるものがある。膨大な数の生命力が一度に解放され、それを観客は、ほとんど死肉を食う悪鬼のようにむさぼり食う。人々がとんでもない高さから落ち、船のさまざまな装備に叩きつけられるさまを、観客は死の光景をのみ込もうとするかのように、目を見ひらいてながめる。凍てつく海の様子を観ながら、乗客がどうやって死ぬのか、自分たちがそこにいたらどうなるのかを学ぶことになる。

『タイタニック』は、観客が強く共鳴しがちな恐怖を活用している――万人に共通の高所の恐怖、囚われたり閉じ込められたりする恐怖、底なしの海で溺れる恐怖、火災や爆発の恐怖、孤独や孤立の恐怖。

この映画は、想像のつく恐怖を提示する。誰にでも起きうる恐怖だ。支配階級の富裕層、労働者、移民、夢見る旅人、恋人たちなど、当時の社会のあらゆる階層の人々を映画が見せることで、観客もそこに一体化する。そして、ある種の無情な力――自然、死、物理、運命、偶発的事故――は、どの階層の誰にでも、例外なく影響を与えるという真実を知ることになる。この間、人間たちの物語は、たったひとつのアーキタイプに集約される――〈犠牲者〉だ。

『タイタニック』が一貫した作品となっているのは、時間、場所、テーマの均一性があるからだ。中心となる物語を、タイタニック号の航海からその死までの時間に閉じ込め、ドラマティックなエネルギーを凝縮させている。映画の後半、同時に次々と起きる出来事を追うなかで、この凝縮はさらに強まっていく。大海原にただ一隻浮かぶ船の世界に動きを封じ込めることで、人生の縮図が見えてくる。この船は死の海に浮かんだ生命の島であり、宇宙の大海原をただよう地球島だ。ひとつのテーマ——愛は人を自由にし、死をも超越する——に凝縮されることにより、『タイタニック』の着想や主張は、首尾一貫した設計図に織り込まれる。

キャメロンは、大きく腕を広げ、観客が自分の物語と一体化するよう手招きしている。この船には観客全員が乗り込める余地がある。船が沈んでいくあいだ、英語=トルコ語辞典を手に半狂乱になって廊下の表示板を読もうとする非英語圏人の描写にも、観客はみな共鳴してしまう。人は誰でもどこかのよそ者だ。みんな同じ船に乗っている。

この映画は幅広い年齢層にアピールできるようなキャスティングがされている。若い層は若者のラブストーリーに気持ちを重ね、高齢層は老婦人となってもなお生き生きと行動するローズに共鳴し、ベビーブーム世代は学者兼探検家のロベットやローズの孫に共感するかもしれない。

ただ、この映画には黒人やアジア人が登場しないという点では、普遍的とは言いきれない。ローズが感情的に縛られていることのメタファーとして、奴隷が引き合いに出されるが、このメタファーはその時点で破綻している——ローズの甘やかされた生活は、中間航路を行くアミスタッド号の船底の生活とは到底同じには見えない。とはいえ、世界中の人々のほとんどが自分と重なる何かを見いだせる程度には、『タイタニック』の象徴するものは広い範囲に及んでいると言えよう。

キャメロンが最も成功しているのは、視覚的にも感情的にも詩的な作品を生んだ点だろう。『タイタニック』はプロットを流れに沿って織り上げたタペストリーだ。大きな物語とささやかな物語を詩的に編み上げることに成功している。ロベットの小さな物語と、興味深い人生を歩んだ老婦人ローズの大きな物語を結びつけたり、ジャックとローズの小さな物語を、のちに二〇世紀の壮大な物語のひとつともなったタイタニック遭難の大きな物語とつなげたりして、非常に巧みな統合をおこなっている。

キャメロンは、そうしたつながりを凝縮し焦点を絞るために、すべての糸を通すための小さな針穴となる**象徴**を見つけだすことで、つながりをすべて組織化している。ロマンスと海をつなぐ〝碧洋のハート〟という名前の宝石は、すべてのプロットラインを結びつけ、首尾一貫した構造にまとめるためのメタファーとなった（キャメロンは『アビス』でも同様の目的で結婚指輪を使っている）。

ヨーロッパ生まれのこの宝石は、かつてはあの不幸なルイ一六世の王冠を飾り、ヨーロッパの体験や知恵、芸術や美を象徴する宝だが、同時に階級闘争や流血の惨事の象徴でもある。

映画の終わり、老いたローズがこのダイヤモンドを投げ捨てるという行為は、すべてのプロットの糸を本当の**大団円**にまとめるための、力強く詩的なイメージとなっている。ここですべての結び目が解け、すべてのプロットの糸がなめらかに終わりを迎える。ロベットは宝を手に入れることはできなかったが、愛のチャンスを手に入れ、キャルはローズのハートもダイヤモンドも手に入れることができず、老いたローズは自分の秘密を守り、それを海に帰した。この宝石はローズとジャックのあいだの私的な品であり、ローズは長年それを手もとにとどめおいたが、いまそれを返したのだ。

観客にも宝石の物質的価値は伝わる——それほど価値があるものを投げ捨てることには衝撃もある——が、その衝撃によって、『タイタニック』の体験は何もかも、消えゆく記憶の象徴に収束されていく。この映画によってかき乱された感情や、無意識の断片が適切な場所へと戻り、それでも記憶は残る。宝石がくるくると回りながら沈んでいくさまは、この映画の作り手がタイタニックについて何を伝えたいのかを教えてくれる。人々の悲劇の謎も、その記念碑も、もとの場所にそのまま残しておこうではないか、ということだ。

無意識の世界への旅から戻った〈英雄〉はみなそうだが、老いたローズも選択を迫られる。自分の宝について声を上げ、そこから利益を得るか、あるいはそれについて伝道でもするべきだろうか？　それとも、ただ自分の人生の仕事に取りかかり、学んだことを自分の身から発散させ、それによってまわりにも必然の変化をもたらし、よみがえらせ、回復させ、それを世界へと広げていくべきなのか？　この〈宝〉を外的に表現するのか、それとも内的に表現するのか？　ローズは明らかに後者の道を選び、〈特別な世界〉から持ち帰った〈宝〉をわが身に封じ込めて内面化した。ケルトの物語に、冥界の冒険から帰還した英雄がそのことを自慢したのち、自分の持ち帰ってきた妖精の宝がただの海草であったことに気づかされるという話がある。だが、ローズのようなたぐいまれな〈英雄〉は、妖精の秘密を守り、長く幸福な人生を送るのだ。

　ジェームズ・キャメロンは、自分のケルト族の先祖への敬意として、甲板の下で民族音楽を奏でさせたり、感情がほとばしる場面でもそうした音楽を使っている。一等乗客が踊っていた上品なヨーロッパ人のダンスや、演奏されていた教会音楽とは対照的で、詩的な感触をもたらしている。昔々の管楽器や竪琴を手にしたケルトの吟遊詩人が、タイタニックの叙事詩を語っているかのようだ。

　こうしたものは、あたかもケルト風の編み込み模様のように、視覚的な詩や構造的なつながりに支えられている。船首と船尾、甲板の上と下、一等と三等、光と闇といった単純な極性が、ほとんど数学的な厳密さで配置され、強い対称性の軸を与えている。キャメロンはたくさんの詩的メタファーを作品に登場させている——世界の模型としての船、価値と愛の象徴としてのダイヤモンド、すぎゆく時間の象徴としての時計、ローズの無垢さの象徴としての中央階段の天使像。ポピュラーミュージックによって大胆に映画を締めくくることで、この映画は観客自身のメタファー、観客自身の人生を解釈するためのツールを提供して終わる。

　最終的にこの映画が提供する〈宝〉は、**カタルシス**だ。アリストテレスが見いだした健全な清めの感情であり、観客が何よりも欲しがるものだ。人々がこの映画に賞賛を送ったのは、何かを感じるまれな機会を与えてくれたからだ。人は通常、強い感情からしっかりと守られているもので、この映画は衝撃的な効果と強い情緒でその守りを叩き壊し、どんなに冷笑的で守りの固い人間でも反応し、緊張を解放せずにはいられなくする。パニックを起こした乗客たちが救命ボートの席を争うショット、ジャックとローズが生き残ろうと闘うショット、怯えた犠牲者たちが恐ろしい死へと落ちていくショット、どれも耐えがたいほどの緊迫感をもたらすが、それでもそこには報われ満足できる何かがあり、だからこそ人々は最後まで映画館の座席でそれを見守り、また何度でもそこへ戻ってくるのだ。この映画がもたらす感情の解放に、観客が飽きることは決してない。この映画は、どんな年齢層にも、恐怖に震え、号泣し、貴重な何かを感じるチャンスを与えてくれる。

このスペクタクルを目撃する観客は、登場人物たちとともに苦難をくぐりぬける。ジョーゼフ・キャンベルは、儀式の目的は自分を疲れ果てさせ、守りを削り落として並外れた体験に身をゆだねることにある、と述べている。観客を疲れ果てさせることは『タイタニック』の戦略のひとつと見られ、観客をタイタニックの世界に長時間熱中させることで、乗客が感じたものを観客にも感じさせようとしている。

シニカルで醒めたこの時代に感情をむきだしにすることは、映画製作者にも観客にも勇気がいる行為だ。『タイタニック』、『イングリッシュ・ペイシェント』、『ブレイブハート』、『ダンス・ウィズ・ウルブズ』、『ラ・ラ・ランド』のような映画は、壮大なスケールでセンチメンタルになるという大きな賭けに出た作品だ。映画館の暗闇は、観客に防壁を与えてくれる——そこで静かにすすり泣いても、その無防備な感情はまず誰にも見られることはない。だが、映画製作者は感情を公にし、シニカルな社会の陽の下にさらさなければならないし、その勇敢な行為は敬意を払われてしかるべきだろう。

『タイタニック』の余波

映画産業における『タイタニック』の長期的な影響はどうなっていくのだろうか？　この作品の成功は、大きなギャンブルがときには報われるということを示している。多額の製作費も長期的にはおおよそ相殺される——一九六〇年代に20世紀フォックスをあやうく潰しかけた『クレオパトラ』でさえ、最終的には製作費は回収され、いまでは同社の王冠の宝石的な地位を獲得している。『タイタニック』はすぐに利益をあげた成功例で、ほかで多額の製作費をつぎ込む人々に、こんな大当たりが起きるかもしれないという希望を与えることはまちがいない。

とはいえ、短期的には、予算に厳しい制限を課す幹部も出てきた。フォックスやパラマウントの幹部はギャンブルに勝ったとはいえ、映画公開までのサスペンス期間を楽しんだわけではないし、あんな大汗はもう二度とかきたくもないだろう。もちろん、社の重要幹部たちが全員一致でリスクを冒す価値があると判断すれば、ときには『タイタニック』並みの大がかりな作品を製作するという特別プロジェクトを実行することもあるだろうが。『タイタニック』級のスケールの映画は、今後もまずまちがいなく作られるだろうし、もっと画期的なレベルの作品も出てくるだろう。スペクタクルを観たい観客はつねにいるし、多くの人々の感情を動かす作品ならなおさらだ。一方で、その対極にある低予算映画が、費用対効果で大作以上の利益をあげることもある。ハリウッドの大手映画会社もインディペンデント映画の製作者からそうした例を学びつつあり、大作でギャンブルに出ているあいだも、入念にターゲットを絞って観客を特定した低予算映画を撮り、利益の流入を絶やさないようにしている。

また、『タイタニック』成功の重要要因と広く見なされている、若者のラブストーリーを中心に脚本を書くというキャメロンの選択も、映画製作者に影響を与えていくだろう。金のかかる時代物は、ロマンティックなメロドラマ、とりわけ若い恋人たちのドラマを前面に押しだすことで、映画館に足を運ぶ観客のコア層を招き寄せるというのが、ハリウッドのセオリーとなりつつある。

『タイタニック』があまりに稼いだせいで、大衆にアピールして大予算を回収するため、脚本家が脚本の「レベルを下げる」ことを強いられ、脚本の弱さが常態化することを心配する批評家もいる。しかしこれはいまに始まったことではない。製作費がかさむ作品については、映画会社やプロデューサーはつねに、広い観客層にアピールするための議論を重ねている。一方で、もっと洗練された作品を好み、知性と普遍的感情をそなえた物語を生みだそうとする映画製作者の味方に立つ観客も、きっと増えてくるのではないだろうか。

相乗効果

ジェームズ・キャメロンによれば、『タイタニック』に作用した相乗効果は、さまざまな要素が積もり積もっていき、単なるパーツの総計以上のものが生じた結果だったという。化学物質を組み合わせると予想外の力や機能が生じることがあるのと同じで、演技、セット、衣装、音楽、演出、ストーリー、文脈といった要素や、観客の求めるもの、芸術家の技能などがひとつになった結果、個々の要素の総和を超えた、謎めいた有機的な作品が生まれ、それが感情的で変化をもたらす大きな力を持つにいたったのだ。

試練、戸口の通過、苦難、サスペンス、死、再生、救出、逃亡、追跡、聖なる結婚など、〈ヒーローズ・ジャーニー〉のモチーフやアーキタイプの活用も、この相乗効果の一部をなしている。こうした仕掛けが長い物語のなかで観客に参照ポイントを与え、一貫した作品を生むことに貢献し、最大限のカタルシス効果に向かわせる。〈ヒーローズ・ジャーニー〉の伝統に従い、『タイタニック』は死を探求しつつも、全力で生を受け入れることを訴えてみせた。

結局のところ、映画の成功の秘訣は謎のままだ——観客と物語とのあいだに結ばれる密約のようなものだ。小型潜水艦の乗組員たちのように、この謎に光を当てることはできるかもしれないが、結局われわれには、ただ驚きながら退却することしかできないのだ。

『ライオン・キング』の〈ヒーローズ・ジャーニー〉分析

一九九二年の夏、私はディズニー・フィーチャー・アニメーションの幹部たちに、〝ジャングルの王〟と呼ばれているプロジェクトの物語素材をレビューしてほしいと頼まれた。当初は〈ヒーローズ・ジャーニー〉のツールを使って物語の問題を解決する仕事のひとつでしかなかったが、このプロジェクトはのちに、当時のディズニーで最も成功したアニメーション映画『ライオン・キング』として結実した。

カリフォルニア州グレンデールのとある産業区域にある〝アニメーションの国〟に車で向かうあいだ、私はこのプロジェクトについてそこまでに知ったことを思い返していた。これは通常とはちがう仕事で、人気のある児童文学や古典を翻案するというディズニーの伝統からはずれたものだった。ディズニー初めてのオリジナル作品で、ジェフリー・カッツェンバーグと若いアニメーターのチームが、会社のジェット機に乗っているときに物語をまとめた。ニューヨークで最新作の『美女と野獣』の試写がおこなわれ、そこから戻る道中のことだった。

アニメーション部門に転身してきたばかりの熱意あるリーダーだったカッツェンバーグは、アニメーターたちと、成人して最初に感じたことは何かという議論を始めた。カッツェンバーグ自身は、男になったことを実感したと話し、そしてそこにいた全員で、このことについての映画をつくったらおもしろいのではと考え始めた。こうした物語に合いそうな構成や舞台について議論し、そして最終的に、すべてをアフリカの動物の世界で描いてみたらどうだろうという話になった。ディズニーは一九四二年の『バンビ』以来、動物だけを使ったアニメーション映画を製作していないため、新鮮だし、自然を扱った番組が好きな大衆にも喜ばれそうだ。人間のアニメーションにすることで起きる問題も回避できる。人間の登場人物をアニメにするには、特定の人種層を登場させたり、ある程度まで髪や肌の色を選んで、さまざまな観客が感情移入できる対象を見つけられるようにしなければならない。動物を使えばこうした制約は減り、人種や遺伝的な問題もあまり考えずに済む。

父と息子の物語は、『ハムレット』からのインスピレーションによって発展した。カッツェンバーグは、いくつかの原典から借りたプロット要素を使い、アニメーションの物語を支えることを好んだ。要するに、『オデュッセイア』や『ハックルベリー・フィンの冒険』の脚本の流れに、『或る夜の出来事』や『48時間』のテーマや構造を織り込むといったやりかただ。『ライオン・キング』の場合は、『バンビ』の要素を持ちつつも、そこに『ハムレット』のプロット要素を織り込み、より豊かで複雑な作品にすることを試みた。主人公の父親を崖から突き落とし、不正なやりかたで王座についた嫉妬深いおじや、最初は幼さが残っていたものの、しだいに自分の意志を持ち復讐に転じる若い主人公なども、こうした要素の一部である。

〝ジャングルの王〟の脚本を読んだのち、私に与えられた仕事は、『ハムレット』をていねいに読み、この脚本に使えそうな要素を抜きだすというものだった。私は『ハムレット』のプロットの〈ヒーローズ・ジャーニー〉分析をおこない、転換点と動きを明らかにしておいて、脚本家がシェイクスピアとのつながりを茶目っけたっぷりに活用できるよう、たくさんある印象的な台詞のリストを作った。ディズニーのアニメーション映画は、あらゆる観客層のために作られていて、体を使った幼い子ども向けのギャグ、ティーンエージャー向けの皮肉っぽい言葉遊びやアクション、大人向けの洗練された「わかる人にはわかる」ジョークなどが盛り込まれる。シェイクスピアの要素は、特に悪役のスカーに織り込まれ、スカーの声は英国俳優のジェレミー・アイアンズが担当した。アイアンズは、ひねりをきかせた『ハムレット』の引用をおどけた皮肉なスタイルで演じ、これが大人の観客に向けた隠し味となった。

ディズニーのアニメーション部門の建物に到着した私は、のちに『ライオン・キング』となる作品制作の〈特別な世界〉へと入っていった。どのアニメーターの仕切りボックス席にもアフリカの生活の写真やデッサンが貼ってあり、何人かのスタッフが、インスピレーションを集めるため、アフリカまで撮影冒険旅行に行ったという。試写室には絵コンテがあり、私はアニメーターやデザイナーたちと座って、監督のロブ・ミンコフとロジャー・アレーズによる最新のプレゼンテーションを見せてもらった。

これは、〈ヒーローズ・ジャーニー〉の発想を、大きなプロジェクトで試す絶好の機会だった。私は文字どおり、この物語に意見を言える何百人のなかのひとりにすぎないが、私の反応や意見が作品の最終版に影響を与えるチャンスを与えられたことは確かだった。のちに『ライオン・キング』となる物語をアニメーターたちが説明するあいだ、私は次のようなメモを取った。

『サークル・オブ・ライフ』のリズムに合わせ、アフリカの動物たちが、子ライオンのシンバの誕生を祝うために集まってくる。シンバの父親はプライドロック周辺地域の王、ムファサだ。この集まりの客のなかにはヒヒのラフィキがいるが、王の相談役で気むずかしい鳥のザズーに追い払われる。シンバは生意気な子ライオンに育ち、『王様になるのが待ちきれない』を歌う。父親に従わず、こっそり若い雌ライオンのナラを連れ、気味の悪いゾウの墓場の探検に出かけ、そこでムファサの嫉妬深い弟のスカーの下僕、恐ろしげな二匹のジャッカルにコミカルにおどかされる。ムファサはシンバとナラを救うが、言うことを聞かなかったシンバのことを厳しく叱りつける。

シンバが王の務めについて父から学び始めたばかりのころ、ムファサはスカーのひそかな策略にかかり、ヌーの暴走に巻き込まれて無残に死んでしまう。父親の死は自分のせいだとスカーに思い込まされたシンバは、スカーに殺されると思い、砂漠を横断して逃げた。ハムレットがおじに父を殺されたあと、デンマークの宮廷を出ていったのと同じように。

第二幕では、罪の意識にさいなまれたシンバが、みずみずしいジャングル地域の〈特別な世界〉へやってきて、そこで二匹の楽しい相棒、早口のミーアキャットのティモンと太っちょのイボイノシシのプンバァと出会う。彼らが本作のローゼンクランツとギルデンスターンとなる。シンバに罪の意識を忘れさせようと、彼らは『ハクナ・マタタ』の「どうにかなるさ」という哲学や、尽きることのない虫のご馳走を食べてジャングルで生きのびる方法を教える。シンバは立派な若ライオンに成長し、そしてある日、プンバァを威嚇した別のライオンに遭遇する。実はそのライオンは、美しく力強い雌の若ライオンとなったナラだった。シンバとナラのあいだに愛が芽生え、ロマンティックなデュエットがくり広げられる。だが、ナラには使命があった。ナラはシンバに、スカーがプライドロックの暴君となって動物たちを奴隷にしていることや、ナラを妻にしようとしていることを伝える。プライドロックに戻り、王として正当な地位を継承してほしいと、ナラはシンバに懇願する。いまだ罪の意識を消せないシンバは、自分の強さに確信が持てずにためらう。多くの〈英雄〉のように、シンバも〈特別な世界〉の楽しさを捨てる気になれない。だが、父の霊が現れ（『ハムレット』の第一幕でハムレットの父親の亡霊が現れたように）、自分の運命に向き合えと説く。

第三幕では、シンバが罪の意識を振り払い、プライドロックへ戻ってスカーに立ち向かう。激しい戦いが起きる。シンバの「男らしさ」と王位継承権は、究極の試練にさらされる。シンバの仲間たちが助けにやってきて、スカーは詩的正義により権力の座から突き落とされ、かつて自分がムファサにしたのと同じように死に追いやられる。

シンバは父の後を継ぎ、「生命の輪《サークル・オブ・ライフ》」は続いていく。

プレゼンテーションで示された『ライオン・キング』から、〈ヒーローズ・ジャーニー〉の要素を見いだすのはそう難しいことではなかった。シンバは〈**日常世界**〉の特権階級にあり、いつか自分が王になることを知っている古典的な〈英雄〉だ。最初の〈**冒険への誘い**〉は、成長し、王たる者の責任に向き合えという、父からの要求である。王として土地を支配する権利を勝ち取ることは、さまざまな寓話やおとぎ話に登場する大人になることのメタファーだ。シンバのうぬぼれや不服従が〈**冒険の拒否**〉となる。シンバはさらに別の〈**誘い**〉を受ける——禁じられた場所の探検、ナラとの幼いロマンス、そして何よりも、父の死による生きのびるための逃亡で、シンバは人生の新しい段階に突入する。

シンバは物語全体にわたってたくさんの〈**師**〉に恵まれる。父親は最初の偉大な教師であり、王として歩む道や「サークル・オブ・ライフ」をシンバに示すが、ザズーからも駆け引きや政治的手腕を、そしてラフィキからも人生の魔術的な面を学ぶ。第二幕のシンバの〈**師**〉はティモンとプンバァで、彼らはハクナ・マタタのライフスタイルを教えてくれる。第二幕の終わりには、ナラがシンバに愛と責任を教えにやってきて、さらに父親の霊も超自然的な〈**師**〉として現れ、運命に向き合うようながす。クライマックスでは、スカーに立ち向かうシンバを、ナラ、ティモン、プンバァが〈**仲間**〉として支える。ナラはシンバの視点からはある種の〈**変身する者**〉でもあり、いたずらっぽい子ライオンから、隆《りゅう》として力強い雌ライオンへと大幅な変化をとげ、愛情深い顔を見せる一方で、シンバに領地を救うためにやるべきことをやらせようともする。

〈**影**〉の力はスカーやその手下のハイエナたちに表現されている。スカーは王という地位の暗い面を象徴し、独裁的で無慈悲だ。大人の世界の無情なモデルと読むこともできる。人生に負わされた若いころの傷を、嫉妬や冷笑、皮肉や被害者意識の言い訳にしてきた者が、ずっと犠牲を強いられた立場からついに権力をつかんで暴君に転じる。スカーは主人公シンバの潜在的な暗い面でもある。シンバが罪の意識を捨てられずに責任を負うことを拒んでいれば、苦々しく辺境地を生きる悪い雄ライオンとして、利用できる弱者が現れるのを待つだけになっていたかもしれない。ハイエナは、雄々しく狩りをするよりも食べ物をあさって生きることを選ぶ、ライオンよりも劣った動物として描かれている。彼らは暴君にあっさり従い、弱い者をいじめる。暴君の臣民を苦しめ、いばりちらすのが楽しいからだ。

少々風変わりなヒヒで呪術師のラフィキは、この脚本中でも最も興味深いキャラクターで、**〈師〉**と**〈トリックスター〉**の要素が共存している。最初のころのバージョンでは、ラフィキの役目があまり明確ではないように思われた。単にコメディのためだけの役割で、魔法で騒ぎを起こしても誰からも敬意を得られない、頭のおかしなキャラクターにしか見えなかった。王はラフィキを厄介者扱いし、王の相談役を務める鳥のザズーも、ラフィキが赤ん坊のシンバに近づこうとすると追い払った。脚本のなかでは最初の場面以来ほとんどやることもなく、大半は**〈師〉**よりも、コミック・リリーフとしての**〈トリックスター〉**のおもむきが強かった。

絵コンテのプレゼンテーション後のミーティングで、私はラフィキを**〈師〉**として少しまじめに扱うことを提案した。疑い深いザズーが引き続きラフィキを追い払うのはともかく、より賢く思いやりのあるムファサなら、ラフィキとシンバを接触させようとするのではないかと思った。その場の儀式的な側面を強調したいと思い、私は洗礼や命名の儀式や、新しい王と王妃がひたいに聖油を塗られる戴冠式などを引き合いに出した。ラフィキがベリージュースやジャングルにある何かを使い、赤ん坊のライオンを祝福してもいいかもしれないと。するとアニメーターのひとりが、ラフィキの杖に奇妙な瓜がついていることを指摘し、ラフィキがそのひとつを謎めいたしぐさで割って、子ライオンに色のついた瓜汁で印をつけるというのはどうかと言った。

『ライオン・キング』（ロジャー・アラーズ&ロブ・ミンコフ監督、1994）より。〈師〉は〈英雄〉に、選ばれしリーダーとしてのしるしを与える。

私は、さまざまな宗教におけるお披露目の儀式のなかで、崇拝を示すために掲げられる、神聖な書、イメージ、人工物などについても考えてみた。そして、小さなころ通ったカトリックの教会にあったステンドグラスの窓のことを思いだした。祭壇に色のついた光を投げかけるよう意図的に配置されたステンドグラスは、驚くべき効果を生みだしていた。ふと私の脳裏に、ラフィキが集まった動物たちに向け、赤ん坊ライオンを掲げてみせるさまが浮かんできた。その子と、王族としてのムファサの血筋の特別さを承認する神聖な刻印を与えるかのように、雲の隙間から陽光が射し、子ライオンを照らしだす。その瞬間、私には、部屋のなかでエネルギーが弾ける音が聞こえた気がした。同じ映像が同時にそこにいた何人かの頭に浮かぶのを感じ、私は身震いした。アイデアが物語の真実を表現できていることを知らせる背筋の震えだった。

　この段階で白熱した議論のひとつは、ムファサの死についてだった。アニメーターの何人かは、親（たとえ動物の親でも）の死ぬ姿を生々しく描写するのは、強烈すぎるのではないかと感じていた。絵コンテには、ムファサがヌーの暴走のせいで踏み潰されて死に、幼いシンバがやってきて、死体をそっとつつき、匂いを嗅ぎ、命の気配を探そうとするものの、やがて自分の父が死んだということを理解する様子が描かれていた。確かに小さな子には鮮烈すぎるかもしれなかった。

ディズニーはつねに、暗く悲劇的な、人生の残酷な面も見せてきたはずだと意見する者もいた。そのために批判されることはよくあるものの、こうした場面もまた、バンビの母親の死から『黄色い老犬』で家族に飼われた猟犬の死まで、ディズニーの伝統の一部なのだと。ウォルト・ディズニーは、老犬の死に関する論争をどうにかしのぎ、そしてのちには、愛されたキャラクターを殺すのは観客と結ぶ契約の違反行為だと感じるようになった。『ジャングル・ブック』のアニメーション化の際にこうした問題が浮上したとき、ウォルトはこう主張したという。

「クマは生きのびさせるからね!」

結局われわれは、『ライオン・キング』では直接的に死に向き合うことにしようと決め、その場面は最初の絵コンテどおりに撮影された。われわれの出した結論は、ネイチャー・ドキュメンタリーのリアリズムを目指した映画を作ろう、観客は動物の暴力を現実的に扱ったものを観るのに慣れているはずだ、この場面がトラウマになってしまう幼い子どもだけでなく、あらゆる層の観客のためにこの作品を作ろう、というものだった。私もこの選択に賛同し、自分たちが描こうとしている動物の世界に忠実な判断だと感じていた。ただ、第二幕以降はリアリズムから逸脱し、生き残りのための必死の闘いになるはずの部分が、屈託のないコメディになってしまったことは少々残念だった。

第一幕の構造的要素のひとつ、恐ろしいゾウの墓場への遠足の部分も引っかかった。あそこはいい場面ではあるが、私は本能的に、配置した場所が悪いと感じていた。あの冒険は、死の国への暗い訪問であり、第二幕の〈苦難〉のステージのほうがふさわしいように思えたのだ。第一幕ですでにシンバの父親の死に重きが置かれるし、ゾウの墓場の場面は第一幕を過剰に長引かせ、死のエネルギーで圧倒してしまう気がしたのだ。私はこのゾウの墓場を、第二幕で死と再生の中間の危機となる〈**最も危険な場所**〉にとっておき、第一幕のこの場面は、シンバが父親の忍耐を試すため、別のもう少し軽い、そこまで深刻ではない罪を犯す場面にしたらどうかと提案した。この助言は聞き入れてもらえなかったが、受け入れてもらえたらちがいが生まれたかどうかは私にもわからない。

だが、この映画でいちばん弱さが出たのは、第二幕での転換点だったと私は感じている。第一幕の動物たちのほとんど写実的とも言える場面の数々は、より古めかしいディズニー・カートゥーンのスタイルに取って代わられ、特にティモンとプンバァの喜劇的な場面に顕著だった。シンバは成長した肉食動物であり、虫を食べて生きるというのはあまりにも現実味がない。この映画は、現実的な一連の〈**試練**〉が生じた第一幕の流れにさらに追随し、中盤近くで命に関わる〈**最大の苦難**〉へと向かっていけたはずなのに、そのチャンスを逃してしまったと思う。真の生き残り術、獲物に忍び寄る方法、狩りの方法、自分のもののために戦う方法などを、誰かがシンバに教えるべきだった。私はさまざまな可能性を提案したつもりだ。ティモンとプンバァが教えることも可能だったし、別のライオンに出会って生き残りの技能を教わってもよかったし、ラフィキが現れてムファサの教えを引き継いでもよかった。シンバが本当に試される、本当の〈**最大の苦難**〉の場面を作り、ワニ、水牛、ヒョウなど、手強い敵との戦いのなかで、自分の成熟した力を見つけるようにしたほうがよかったと思う。

怯えた子ライオンからさっそうとした若獅子になっていくシンバの成長過程は、シンバが丸太橋を渡っていくあいだに、年を重ねる様子を二、三回のすばやいディゾルブで見せるだけで、私の目からはあまりにすばやく処理されたように見えた。シンバが狩りを学ぶ場面をモンタージュにして、最初はコミカルに、その後はだいぶ自信を得ていくといった展開にしたほうが、もっと効果的な物語の流れになったはずだ。ティモンとプンバァはこの物語に必要なコミック・リリーフをもたらしてくれるが、シンバの成長や、学ばなければならない課題の過程をドラマにする助けにはなっていない。彼らの教えはくつろいで人生を楽しむということだが、シンバが本当に必要とするものは、彼らには与えることのできないものだ。第二幕でシンバが学んだこと（のんびりとリラックスし、人生を楽しみ、ストレスで疲れることなく、不埒で大ざっぱになり、愛を見つけて受け入れる）は、シンバが最終的に直面しなければならない〈**苦難**〉の準備にはまるでならない。

その一方、ラフィキにはまだこの物語でやるべき仕事があるとも感じた。ラフィキには、マーリンのような、もっと経験豊かな賢者になってほしかった。かつては王の相談役を務めた者として、王位を奪った敵には無害に見えるよういかれたそぶりを装いつつ、若い王子がひそかに成長していくあいだにその面倒を見て、王子が正当な王座を奪還する準備が整うまで訓練するような存在に。私は、ラフィキがシンバとともに〈**特別な世界**〉に行き、第二幕で〈**師**〉の役目を担えるようにすべきだと訴えた——旅を終えた〈英雄〉が、死に堂々と立ち向かうときに必要なものを、ラフィキから与えさせたかった。ラフィキは、ティモンやプンバァには教えられなかった、真の生き残りのすべをシンバに授ける必要がある。私は、シンバ〈**特別な世界**〉に到着して間もなくラフィキが現れ、シンバを試練へと導き、その難度を上げ、スカーとの最終対決に向けて準備をさせる様子をイメージしていた。もちろんティモンとプンバァにも、引き続きコミック・リリーフとしてそこにいてもらえばいい。

ラフィキのキャラクターは、その後の製作プロセスにわたり大幅に発展した。アニメーターはラフィキを真の〈**師**〉に育て、シンバに厳しい助言と苦難を与えるものの、インスピレーションをもたらし、父の幻影のもとへシンバを導く、しゃがれ声の導師に仕上げた。私としてはもっと活動的にして登場場面も多くしたかったところだが、それでも第二幕の前半にラフィキの短い場面がいくつか追加された。ラフィキはスカーのせいで荒れ果てたプライドロックをながめながら、シンバは死んだものと思い、洞穴の壁面に描いたシンバの絵を悲しげにこすって消そうとする。その後、シャーマンの力により、シンバがまだ生きていることを知ると、壁画のライオンに大人のたてがみを描き加え、それから若い〈英雄〉を自分の運命に立ち向かわせるために乗りだしていく。ラフィキが実際に動きだすのは第二幕の終わりで、彼はシンバを超自然界との交わりの儀式に召還する。この儀式は、**〈冒険への誘い〉**と**〈拒否〉**、そしてシンバが死（父の亡霊）と遭遇する**〈最大の苦難〉**、自信と覚悟の拡大という形で得られる**〈報酬〉**の要素を含んだものだ。

父親の亡霊との遭遇もまた『ハムレット』からの借用だが、シェイクスピアの若い主人公が父親の亡霊と出会うのは第一幕だ。この場面は『ライオン・キング』のなかでもパワフルな場面として作られたが、小さな子どもはときどき混乱するようだ。私がこの映画を映画館で観ているときも、「あのライオンは死んだんじゃないの？」「生き返ったの？」と親に訊ねる子どもの声が聞こえた。父の幽霊の登場は劇的で感動的だが、言語や知的なレベルに働きかける場面でもある。シンバは父の助言に励まされるが、その教えは試練として演劇的に生かされてはいない。ラフィキの教えのほうが、より具体的で現実的だ──ヒヒのシャーマンはシンバの頭を叩き、自分のあやまちは過去に置いてこいと教えたりする。

絵コンテのプレゼンテーションの段階では、シンバがプライドロックへ帰還するときの詳細は決まっていなかった。われわれはいろいろな選択肢を話し合った。シンバはナラ、ティモン、プンバァと**〈特別な世界〉**を去り、ともにスカーと対決するのか。シンバとナラが結ばれてティモンとプンバァに別れを告げるが、ティモンとプンバァは考えを変え、あとを追ってくるのか。最終的には、シンバが夜のうちにひとりでこっそりと旅立ち、ナラやティモンやプンバァは翌朝目が覚めてそれに気づくというものになった。ラフィキが彼らに、シンバは自分のいるべき正当な場所を手に入れるために去ったのだと話し、彼らはすぐにシンバを追いかける。

第三幕はクライマックスの戦いまであっという間に進むが、シンバにはまだ、父の死は自分のせいだという罪の意識が残っていて、それが少し重すぎる気もする。スカーはその過去を蒸し返し、シンバに父の死の責任を認めさせることで、ほかのライオンたちとシンバを敵対させようとする。私には、脚本家がこの問題を重く描きすぎていて、仰々しいメロドラマになっているように思えた。シンバが不安に満ちた現代的な主人公になりすぎて、動物のアニメーション映画よりは小説で扱うべき題材のようにも感じた。ただ、それが〈復活〉の瞬間をもたらしているのも確かで、シンバは自分の父の死から逃げるのではなく、その責任を受け入れることにより、最後の試練をくぐりぬけることができた。

『ライオン・キング』の欠点は、男性のキャラクターを中心にしすぎていて、それと比べると女性の力があまり見えない点だとも言える。ナラはかなりよくできたキャラクターだが、シンバの母親はあまり活躍せず受動的だ。第一幕でシンバにしつけをしたり、第二幕でスカーに抵抗したりすれば、もっと意味のある存在にできたかもしれない。このアンバランスさは、ジュリー・テイモアのミュージカル版『ライオン・キング』で修正され、女性キャラクターの重要性や動きが増えており、ラフィキも女性のシャーマンに変わっている。

『ライオン・キング』の公開までは、かなり気をもむ状態が続いた。制作陣の誰ひとりとして、この映画がどんな形で上映されるか知っている者はいなかった。ディズニーのアニメーション映画は、『リトル・マーメイド』や『美女と野獣』のおかげで人気が上昇しており、もし『ライオン・キング』がそれを超えられなかったらと不安を感じる向きも多かった。幸い、この作品はすばらしい興行収入をあげ、当時としては最も成功したアニメーション映画となり、史上最高の利益をあげた映画ともなった。いったいなぜか？　動物や、生き生きとしたアフリカ風音楽のアニメーション映画を人々が楽しんだという面も確かにあるが、この物語が持つ〈ヒーローズ・ジャーニー〉モデルの普遍的な力も大きな要因だ。成長の試練や、世界のなかで正当な居場所を主張する古典的な〈ヒーローズ・ジャーニー〉のモチーフが、多くの人の内面にある何かをおのずから刺激したのだ。〈ヒーローズ・

ジャーニー〉のなじみのリズムが、『ライオン・キング』を導いた唯一の原理というわけではない——実のところ、ドタバタ喜劇や単なる戯れなど、ほかの要素がときどきその原理を押しのけてしまうこともある——とは言うものの、これが〈ヒーローズ・ジャーニー〉の原理を意識的に適用し、幅広い観客に働きかけ、劇的な満足感を与える作品となったことはまちがいない。『ライオン・キング』のなかの〈ヒーローズ・ジャーニー〉の骨組は、本作の息の長さにもつながり、すでにブロードウェー・ミュージカルのヒット作や、ジョン・ファブロー監督によるCGのリメイク作品（二〇一九年）が生まれ、ディズニープラスのストリーミングサービスでも、数えきれないほどの続編やアニメシリーズが配信されている。

『パルプ・フィクション』の〈ヒーローズ・ジャーニー〉分析

参照——脚本／クエンティン・タランティーノ、原案／タランティーノ、ロジャー・ロバーツ・エイバリー

一九九〇年代後半、若い人たちがいちばん話題にしたがった映画は『パルプ・フィクション』だった。この映画のなかに、いったいどうやったら〈ヒーローズ・ジャーニー〉の構造が見つかるのか、みんなが知りたがった。構造、内容、骨組、会話など、編集の伝統に対する大胆な挑戦的態度に誰もが興味を惹かれた。人々はこの作品の激情的な強烈さと冷笑的なユーモアを楽しんだ。俗悪さや突発的な暴力を嫌う人もいたが、非オーソドックスなテーマや妥協のないスタイルでもエンターテインメントとして大成功をおさめられると証明してみせたこの映画に、多くの人々は敬意を払っていた。とはいえ『パルプ・フィクション』は、その革新的な性質にも関わらず、神話の〈ヒーローズ・ジャーニー〉の頼もしい伝統的ツールを使うと、きちんと解釈ができるのである。この方法を使えば、この作品は少なくとも三人の主人公たち、ビンセント、ジュールス、ブッチによるそれぞれの旅を描いた映画だということが見えるはずだ。

ポストモダンの鏡

若い人々が『パルプ・フィクション』に反応したのは、自分たちも見ながら育ってきたポストモダン芸術の感受性が、作品に表れていたからかもしれない。ポストモダニズムは、戦争の世紀、社会の分断、急速なテクノロジーの変化によって世界が吹き飛び、粉々に砕けたところから出てきた産物だ。機械や、逆上したかのような電子化のペースにより、認知の扉は砕け散った。若い人々は、過去のあらゆるスタイルのアートや文学からちぎれたイメージや短い物語の断片が、猛烈な勢いでランダムな爆撃を仕掛けてくるのを意識するようになっている。こうした断片は、内容的には古い物語世界のルールに従っているものの、特に秩序もなく若者の意識に襲いかかってくる。

若い人々は、割れたガラスの反射を見るように、この世界を見ている。テレビのチャンネルを次々替え、みずから物語を切り分けたり、スタッカートのような途切れ途切れの編集スタイルで、自分のために物語を切り刻んだりする。物語の筋や時間やジャンルを、驚くべきスピードで処理することにも慣れている。テレビのアーカイブ的な性質のおかげで、イメージや時代はたえずかきまわされ、ポストモダン時代の若者はスタイルのごった煮のなかで生きている。若者たちは、六〇年代のヒッピーからヘビメタまで、カウボーイからサーファーまで、ギャングからグランジロックやプレッピーまで、どんなスタイルのファッションも自分で選ぶことができる。あらゆる選択肢のなかから、慣用句や態度、それ以外のことまで学んでいる。エンターテインメントや情報の断片をランダムに試し、古い世界の時間やシークエンスの考えかたなどは気にしない。

『パルプ・フィクション』は、スタイルも内容も、ポストモダンの条件を反映している。ポストモダニズムが最も顕著に表れているのはこの映画の独特な構造で、伝統的な映画が尊重する直線的な時間は無視されている。一連の場面は、日本刀で切り分けて宙に放りだしているようにも見えるが、実際には一貫したテーマで進み、場面の順序も明確な感情の効果を生むよう慎重に選ばれている。ポストモダニズムの形跡は映画の内容にも見られる。ビンセントとミアが踊るナイトクラブは、完璧なポストモダン的小宇宙だ。現代の登場人物たちは、過去の時代の偶像たち――マリリン・モンロー、ジェームズ・ディーン、エルビス・プレスリー、ジェーン・マンスフィールド、エド・サリバン、バディ・ホリー、ディーン・マーティン、ジェリー・ルイス――でいっぱいの環境にいる自分に気づく。偶像の多くはすでに亡くなっているが、その不朽のイメージを通じて不気味なほど生きつづけている。ビンセントとミアは、三〇年ぐらい映画では使われてなさそうな音楽に合わせ、目新しい一九六〇年代のダンスを踊る。『パルプ・フィクション』は、現在の集合的無意識からたやすくはずれ、前時代のイメージやサウンドを燃料に噴出する、ポップカルチャーのジェット気流の一部なのだ。

相対性と世界文化

『パルプ・フィクション』は、文化の相対性感覚においてもポストモダン的である。映画の舞台はアメリカだが、ワールドワイド文化やグローバルな視点の感覚が全体を貫いている。登場人物はたえずひとつの文化を別の文化と比べ、ひとつの基準を別の基準と比べている。ジュールスとビンセントは、アメリカのファストフードが妙な名前をつけられて他国で消費されていることについて議論し、ほかの国のドラッグの法律に驚嘆する。アメリカ人ボクサーのブッチは、南米の女性タクシードライバーと、別々の文化圏の人名メモを見せ合う――彼女のスペイン語の名前は詩的で意味深いが、ブッチに言わせれば、アメリカ人の名前にはなんの意味もない。こうしたほかの文化への意識が、この映画の世界的な人気にも貢献しているのかもしれない。

『パルプ・フィクション』の登場人物たちは、もはや適切な倫理規範などひとつも存在しないというポストモダン的な感覚を映しだすかのように、価値体系についての議論に熱中する。ジュールスとビンセントは、足のマッサージの道徳的意義や、弾痕のパターンの宇宙的重要性について議論する。ビンセントが対処する必要のない無意味な偶発的事件と感じたものを、ジュールスは行動の完全な変化を起こすような神聖な奇跡と見る。ポストモダンの世界ではすべてが相対的で、なかでも道徳的価値はそれがいちばん顕著だ。観客はジュールスのことを冷酷な人殺しと見ていても、周囲の人間と比べれば、ヒーローのように見えることもある。この物語は、欧米社会の道徳に対する狭量な価値判断は時代後れだと訴えているようにも見える。新しい世界では、それぞれの人間が自分自身の道徳律を選び、それについて激論を交わし、そこに生死を賭けなければならないのだ。

『パルプ・フィクション』の「永遠の三角関係」

『パルプ・フィクション』が利用したポップカルチャーの流れに、伝統的なフィルム・ノワールと、その源となった一九三〇～四〇年代の大衆雑誌《パルプ・フィクション》に掲載されたハードボイルド・フィクションがある。『タイタニック』同様、この映画も、強力な「永遠の三角関係」のアーキタイプが採用されている。『パルプ・フィクション』の「黒幕のボス」は謎めいた犯罪組織のボスのマーセルス・ウォレス、「若い女」はマーセルスの妻のミア、「若い男」はいつものように若い女を惹きつけてしまったビンセントで、ミアとビンセントは「黒幕のボス」への忠誠心を試される。ビンセントは、過酷な肉体の誘惑に屈しなかった聖杯探求の騎士のように、「黒幕のボス」を裏切ることとなくこの試練を切りぬける。が、のちにわかるように、ビンセントの〈ヒーローズ・ジャーニー〉の分岐点となる別の闘いの場で、彼はもっと精神的な試練に屈してしまうのだ。

「プロローグ」――〈日常世界〉

「プロローグ」と銘打った『パルプ・フィクション』のオープニング部分で、二人の若者が「平凡なデニーズ、ロサンゼルスにあるとがった屋根のファミレス」に座って話をしている。これ以上ないほど日常的な風景だ。しかし、若い男（パンプキン）と女（ハニー・バニー）の会話のテーマは、武装強盗の形式の是非論だ。ここは変わった種類の〈日常世界〉であり、下層犯罪者の地下世界であり、多くの人間は考えてみたこともない世界だ。われわれのまわりじゅうに頭の鈍い悪党の集団がいて、おそらくはわれわれのお気に入りの五〇年代風のファミレスですぐ向かいに座り、強盗や殺人を働くチャンスをうかがっているなど、考えるだけでも恐ろしいものだ。

パンプキンは、**〈冒険の拒否〉**の特徴的な台詞を吐く――「だめだ、忘れろ、危険すぎる。そういうのはもうやめたんだよ」。どうやらハニー・バニーがたったいま、**〈冒険への誘い〉**として、これまでやってきた自分たちの犯罪稼業（彼らの**〈日常世界〉**）、つまり酒店に盗みに入ることを提案したようだ。酒店を経営しているアジア人やユダヤ人を貶めながらも、パンプキンは英国訛りで自分自身とハニー・バニーを説得して、警備も防犯カメラもない、従業員が英雄的にふるまう必要のない、このファミレスから盗もうということになった。パンプキンはある種の**〈師〉**を演じ、強盗が恐怖を煽り策略を駆使して支配権を握った銀行強盗事件の話を始めた。おたがいの気分を盛り上げたパンプキンといかれたガールフレンドは、**〈戸口の通過〉**をおこなって拳銃を振りまわし、すぐに死の可能性を発動する。そこでレトロなサーファー音楽が渦巻き、観客はタイトルと映画の本編のなかに放りだされる。

このオープニングの一連の場面は、「混乱させて暗示感応性に導く」という映画のルールを実行している。二人のごろつきがこの物語の主人公たちなのか、それともただのブックエンド的仕掛けの部分なのかはまだわからない（のちに後者とわかる）。作り手の意図は、観客を少しのあいだ混乱させて放置し、この二人の重要性を推測させることだ。観客は、この短気な二人やファミレスの人々の運命も推測するしかないまま捨て置かれる。

ビンセントとジュールス

ここで初めて観客は、大型のアメリカ車に乗った二人の主人公、ビンセント・ベガとジュールス・ウィンフィールドを目にする。この二人も自分の**〈日常世界〉**にいて、ヨーロッパ諸国のファストフードのメニューや習慣のちがいをテーマに、平凡な会話をしている。ビンセントはヨーロッパにいたことがあり、そこではいろいろな物事が異なる――ビッグマックはフランスでは〝ル・ビッグマック〟だし、アムステルダムのドラッグの法律もちがう。**〈特別な世界〉**に行ったことがあるビンセントは、以前の冒険を思い起こしている、経験豊かな雰囲気の主人公だ。

ビンセントとジュールスは、アパートメントの建物の前で車を停めると、車のトランクから銃を取りだす。あたかも自分のオフィスにいるありふれた一日、これが〈日常世界〉のいつもの仕事という雰囲気で。

仕事に取りかかるためにアパートメントへ近づいていくあいだ、二人の会話は彼らのボスであるマーセルス・ウォレス（「黒幕のボス」）の妻、ミア（**〈変身する者〉**）の話題になる。マーセルスがフロリダにいるあいだ、警護がてら妻とデートしてやってくれと頼まれ、面倒な立場に陥っているビンセントにとって、これは**〈冒険への誘い〉**の最初の合図である。この〈誘い〉の危険さは、足のマッサージに関する複雑で哲学的な議論のなかで（**〈冒険の拒否〉**という形で）明らかになる。ジュールスは、アントワン・ロッカモラという名のサモアのギャングが、ミアの足をさすっていたというだけの理由で、バルコニーから温室に突き落とされたという話を持ちだす。やったことに対して罰が重すぎるとジュールスは考えているが、ビンセントは、足のマッサージは官能的な体験になりうることをよく理解していて、それで殺されても文句は言えないと思っている。なんにせよ、ビンセントは〈誘い〉を受け入れ、ミアの警護につくことになっている。ミアと面倒なことになったりはしない、デートにすらならないと言うが、ジュールスは懐疑的だ。

戸口でしばらく待ったあと、二人は**〈戸口の通過〉**をし、「明らかに逃げ場がない」三人の若者のアパートメントに突入する。三人はマーセルス・ウォレスの求めている何かを持っていて、謎のブリーフケースの中身を取引する際に支払いを踏み倒そうとしたようだ。ジュールスは、彼らのリーダーのブレットを威嚇するかのように立ちはだかり、ブレットのファストフードを食べ、どこでこれを買ったのかと訊ねる。ウェンディーズやマクドナルドのハンバーガーではなく、ビッグ・カフナのバーガーだった。カフナとはハワイの言葉で魔術師のことで、ここで大きな魔法の到来が暗示される。実際、このブリーフケースには魔力があり、ビンセントがブリーフケースをあけて中身を確認するときも、ビンセントはその輝きで催眠術にかかったかのような顔になる。ブリーフケースの中身は何か？　それ自体は意味のない小道具であまり重要ではなく、タランティーノはヒッチコックの伝統に従い、それがなんだったのかはあえて伝えようとしない。登場人物にとっては重要な何かであり、それのためには死の危険も顧みないということが伝われば充分だ。聖杯や金の羊毛のような、英雄を冒険に引きずりだす欲望すべての象徴である。

怯えた若者と対峙するビンセントとジュールスは、このとき運命的な**〈冒険への誘い〉**を運ぶ**〈使者〉**となり、死の同志、**〈影〉**に仕える者としてふるまう。二人は懲罰の女神ネメシスの使いであり、神々の秩序に背いた者に罰を与える。この場合、神はマーセルス・ウォレスだ。ブレットとロジャーは「黒幕のボス」に背き、ブリーフケースの取引をごまかそうとした。

ジュールスは、挑発ひとつせずにロジャーを撃つことで、その力を見せつける。ブレットを殺す前には、いつもの儀式として、聖書のエゼキエル書二五章一七節をそらんじる。

「正しき者の道は、利己的で邪悪な暴君の不正でふさがれるものである。仁愛と善意の名において、兄弟の真の守護者であり、姿を消した子たちの探し手であり、暗い谷をゆく弱き羊飼いに祝福あれ。われは、わが兄弟に毒を盛り破壊を試みた汝を、大いなる復讐心と憤怒をもって打ち倒す。わが復讐がなされるとき、わが名が主であることを汝は知るであろう」

事実上、この言葉はこの映画のテーマの言明であり、多様に解釈できる複雑な言葉である。これを聞くかぎり、ジュールスとこのメッセージの共通項は、「大いなる復讐心と憤怒」というほんの一部分でしかない。なぜなら、このスピーチが終わると同時に、ジュールスとビンセントはブレットを徹底的に銃撃するからだ。

そこで奇跡が起きる。ジュールスの友人のマービンが部屋のすみでうめいているあいだに、第四の若者がバスルームを飛びだしてきて、ジュールスとビンセントを大型のハンドガンで撃ち始める。しかし、奇跡的に弾丸は二人に一発も当たらない。若者はジュールスとビンセントから反撃されて殺される。

この一連の場面は、物語を構成する糸の一本における、主人公たちの〈日常世界〉を確立する。二人は権力のあるギャングのもとで働く用心棒で、ファミレスにいた二人の若者より一段か二段上の地位に属してはいるが、それほどちがいはない。二人の主人公は、自分たちのあいだにある倫理体系を理解しようとしていて、名誉と義務の境界線に関心を寄せている。そこまでは同じ道を歩んできた二人の主人公だが、その道がここから分かれようとしている。たったいま起きた奇跡に対し、二人はまるで異なる反応を示すからだ。

「ビンセント・ベガとマーセルス・ウォレスの妻」

タイトルカードが表示され、プロローグやブックエンド的挿入部が終わり、最初のパルプ・フィクション短編が始まる。だが、ビンセントとミアを一緒に登場させる前に、ストーリーテラーは二人の新しい登場人物、マーセルス・ウォレスとブッチ・クーリッジを紹介し、前もってブッチの物語の糸をスタートさせる。「ギャングと王が混ざったような人物」として描かれるマーセルスと、年季の入ったプロボクサーのブッチが話をしている。ブッチの〈ヒーローズ・ジャーニー〉では、**〈日常世界〉**にいるブッチが、八百長試合をするという暗い**〈誘い〉**を受けたところだ。

マーセルスは**〈使者〉**であり**〈師〉**でもあり、神のようでもあり、姿は後ろからしか見えず、**〈師〉**の知恵と明確な人生哲学に固執している。おそらくは意図的に、首の後ろに貼ってあるバンドエイドが見えている。ボールドヘッドを剃っていたときにできた切り傷か、それとももっとまずい何かを隠しているのかはわからない——一九五〇年代の古典的ＳＦ『惑星アドベンチャー　スペース・モンスター襲来！』のように、脳に移植されたエイリアンがいるのかもしれない。ブリーフケースの輝く中身と同じで、これも解決されないまま捨て置かれる謎のひとつだ。

マーセルスはブッチに、プライドを捨ててフェザー級世界チャンピオンの夢をあきらめ、確かなものを手に入れるよう助言する。八百長試合の〈誘い〉を持ちかけられたブッチは、あっさり承諾する。金もさっさと受け取る。ブッチは〈誘い〉を受けたかに見えるが、あとからわかるとおり、実はこの〈誘い〉を**〈拒否〉**するつもりでいる。自分で自分に賭け、試合に勝ち、大金をせしめようと考えているのだ。

ビンセントとジュールスがブリーフケースを持って入ってくるが、服装は前の場面とはがらりと変わっている。Ｔシャツにショートパンツという身なりは、バーではいささか浮いている。実はその姿は、観客が最後にビンセントとジュールスを見た映像から数日後のもので、二人がそこまでにいくつもの大きな〈**苦難**〉をくぐりぬけてきたことを、観客はあとになって知ることになる。

ビンセントはブッチと口論になり、ブッチをへぼボクサーとののしるが、これは〈**試練、仲間、敵**〉のステージでよくある対立だ。ビンセントは挑戦状を叩きつけるが、ブッチはこれを拒む。ブッチとの偶然の出会いはビンセントの〈**試練**〉となり、ビンセントの短所、つまり目上の人間に対する敬意のなさがあらわになる。ブッチは経験豊かな〈英雄〉であり、ビンセントはこの〈**師**〉から教えをもらえるかもしれないのに、ブッチを馬鹿にしてしまう。挑戦に対するブッチの〈**拒否**〉は、ブッチの成熟した注意深い人物像を伝える。ビンセントはマーセルスの友人なので、ブッチもここは賢明に見逃してやる——この場では。彼らは〈**仲間**〉になれた可能性もあったが、ビンセントの傲慢さゆえに〈**敵**〉同士となってしまった。

ここから物語の糸は、ミアとのデートという〈**誘い**〉を受けたビンセントを追う。〈**最初の戸口の通過**〉をしてミアに会う前に、ビンセントはいかにも地下社会の犯罪者らしくふるまい、自分と同族の〈**師**〉——つきあいのあるドラッグの売人、ランス——に会う。〈師〉のねぐらはロサンゼルスのエコーパークにある古い家だ。この〈師〉ランスは、狩人のなりをして魔法の水薬と癒やしの薬草を携えたシャーマンみたいな男で、さまざまなヘロインを並べてビンセントに好みのものを選ばせてくれる。ビンセントは大金を払っていちばん強いものを選ぶ。

ビンセントはヘロインを打ち、至福の状態でぼんやりしながらミアを迎えに行く。ビンセントのもうひとつの欠点はこれだ——ドラッグ中毒という弱みだ。ビンセントは〈**戸口の通過**〉をしてマーセルスの家に入っていく。〈**戸口の番人**〉みたいな、太古の何かの文化から生まれた奇妙な金属製の像のそばを通りすぎる。まるで神々が見張っているかのようだ。

家のなかでは、神のごとき「黒幕のボス」の領土をミアが仕切り、マーセルスのおもちゃで遊んでいる。ノワール映画に出てくる多くの「黒幕のボス」と同じように、この家にも上階に隠し部屋があり、ミアはそこからビンセントを監視し、幽体離脱したみたいな声でビンセントを遠隔操作する。この**〈特別な世界〉**は別のルールで動いている。ビンセントの**〈日常世界〉**では、自分と、自分の持っている拳銃が絶対の支配者だ。しかしここでは、裸足の女が生死の支配権を握っている。ミアが物事を決定し、その夜のテーマ曲を選ぶのだ。

さらに**〈特別な世界〉**に分け進んだビンセントは、ミアを六〇年代風の奇妙なカフェに連れていき、そこから**〈試練、仲間、敵〉**のステージとなる。ジャック・ラビット・スリムズは、ポストモダン世界のお手本のような場所で、ひっきりなしに切り刻まれたちょっと昔のイメージが、再利用され、新しい仕事に利用されている。マリリン・モンロー、エルビス、バディ・ホリーといったレジェンドたちが、給仕をしたりハンバーガーを運んだりしている。

典型的な〈ヒーローズ・ジャーニー〉のステージ6である酒場の場面で、ミアとビンセントはたがいに**〈試練〉**を与える。メニューから何を選ぶかは、登場人物の重要な手がかりとなる。紙巻きタバコを巻いて火をつけるのも男根崇拝的だ。二人は冷静だが探るような会話をして、おたがいを値踏みする。ビンセントは大胆にもミアを試し、窓から投げ飛ばされた例のマフィアとの関係について訊ねる。ミアが後ろ暗いことをしていたと決めつけるような物言いを避け、外交的手腕を示したことで、ビンセントはミアから与えられた**〈試練〉**を切りぬける。こうして二人は**〈仲間〉**となる。

二人は別の形でもつながりを持つ。ミアが〝鼻におしろいをはたく〟ために立ち上がったのは、実はコカインを吸うためだったことが明らかになる。ビンセントと同じようにミアもドラッグ中毒が弱みで、これがミアを**〈最大の苦難〉**に導くことになる。

ダンスコンテストへの参加を呼びかけられ、二人は**〈最も危険な場所への接近〉**をおこない、生死のかかるセックスにまた一歩近づく。ダンスフロアでノリノリに踊る様子からも、この二人のセックスは明らかにすばらしいものになりそうだ。二人のダンスの動きや手のしぐさは、〈**変身する者**〉のアーキタイプを表現し、二人は恋愛への〈**接近**〉のなかで、さまざまな仮面やアイデンティティを試そうとする。

ビンセントとミアは家に戻り、〈**最大の苦難**〉に直面する。ミアはとても誘惑的な態度をとるが、ビンセントはバスルームに引きこもり、心を鬼にしようとする。鏡に映る自分に向かって、絶対にミアとセックスするなと戒める。少なくともこの場では、ビンセントは重要な〈**試練**〉をくぐりぬけ、強い誘惑を感じてもボスへの忠誠心を守る。ビンセントのモチベーションは、あまり高尚なものではない――ミアと不倫してマーセルスにばれたら殺されるのはわかりきっている――それでもこの〈**試練**〉を通過できたことは事実だ。

一方のミアは、ビンセントのコートからヘロインを発見し、コカインだと思って貪るように吸い、気絶してしまう。ビンセントは鼻から血を流しているミアを見つけてパニックになる。ビンセントは、ミアの死どころか、自分の死――ミアが死んだら自分はまちがいなく殺される――にも向き合えていない。彼のヘロイン、彼の弱みが、ミアが持っている刺激への欲望をかき立てたばかりか、問題まで引き起こしてしまった。

ビンセントは〈師〉の家へ行き（〈**帰路**〉）、医学書、マーカー、そして太いアドレナリン注射を半狂乱になって探した。そして、ミアの心臓に針を突き刺すため、〈英雄〉的な勇気を奮い起こす。古典的な吸血鬼映画の奇妙な逆転劇のようにも見える状況で、ビンセントはミアの心臓に杭ならぬ注射を打ち込み、ミアは息を吹き返して〈**復活**〉を果たす。ビンセントはサー・ランスロットのように、死の国から死者を呼び戻す、神がかりの力を発揮したのだ。

ビンセントはミアを家に帰す（〈**宝を持っての帰還**〉）。青ざめて弱々しくなったミアは、ある種の〈**宝**〉として、自分が出演していたテレビドラマのつまらないジョークを言ってくれる。二人はもうひとつの〈**宝**〉として、〈**最**

大の苦難〉をともに生きのびたことによる、友情めいた感情とおたがいへの敬意を共有する。何が起きたかはマーセルスに言わない約束も交わす。観客は、マーセルス・ウォレスに何かあれば、この二人は結ばれるかもしれないという印象を受けるだろう。

ブッチの物語

物語は、ボクサーのブッチの〈ヒーローズ・ジャーニー〉へと切り替わる。観客はブッチの最初の〈日常世界〉へと引き戻され、ブッチが子どものころテレビで『スピード・レーサー』〔訳注：日本のアニメ『マッハＧｏＧｏＧｏ』のアメリカ放映時タイトル〕を観ていた、一九七二年の郊外の暮らしが描かれる。〈冒険への誘い〉を運んでくる〈使者〉もしくは〈師〉は、空軍士官クーンツ大尉で、彼はブッチの父親が先祖から引き継いで所有していた金時計を持ってきてくれる。クーンツの長い独白により、ブッチの一家に生まれたアメリカ人兵士たちが身につけてきた、この時計の伝統が明かされる。大尉とブッチの父親がベトナムの捕虜収容所で耐えた〈最大の苦難〉についても語られる。この時計は、英雄が父親から引き継ぐ魔法の剣のようなシンボルとつながる、勇ましい伝統のエンブレムとなる。だが、ブッチの父親がこの時計を五年間どこへかくしていたかという下卑た詳細や、ブッチの父親の死後二年にわたり大尉も同じ場所にそれを隠していたという告白に、観客は一気に現実に引き戻される。〈師〉の〈寄贈者〉としての役目をまっとうし、大尉は時計をブッチに渡す。

そこで再び観客は現在に投げ戻され、ブッチが新たな〈誘い〉を受けるのを見る――マネージャーからブッチに電話があり、試合に出て八百長をしてくれと頼まれるのだ。

「金時計」

このタイトルカードで、別の〈ヒーローズ・ジャーニー〉の糸が始まったことが明確になる。外にいるタクシーから聞こえてくるラジオ音声を通じ、マーセルスに八百長をやると約束したはずのブッチが、試合に勝って相手のボクサーを死なせてしまったことがわかる。ブッチはマーセルスの**〈誘い〉**を拒んだものの、別の誘いには応じた——自分自身の心の**〈誘い〉**に従って立派に闘い、そして、マーセルスをだまして大金をせしめろという**〈誘い〉**にも応じたのだ。

ブッチは**〈戸口の通過〉**をおこない、窓から大型のゴミ収集箱の中に飛びおりる。タクシーに乗ると、手からグローブをむしりとり、自分のボクサーとしての人生をそこに捨てていこうとする。この**〈試練、仲間、敵〉**の場面で、コロンビア出身のタクシードライバー、エスメラルダ・ビラロボスが、会話を通じてブッチの気持ちに探りを入れる。エスメラルダは、自分の名前には美しい詩的な意味があると説明するが〈〝狼のエスメラルダ〞〉、ブッチは、たいていのアメリカ人と同様、自分の名前にはなんの意味もないと答える。ここでも文化の相対性の響きが感じられる。エスメラルダは、人を殺してしまうのはどんな感じがするのかと、病的なまでに好奇心を示す。恐怖を感じるどころか、興奮しているようだ。何もかもが相対的だ。ブッチ自身は、相手のボクサーを殺したことを正当化する。相手がもっと優れたボクサーなら、生きのびていたはずだと。ブッチはエスメラルダを**〈仲間〉**にし、ブッチを乗せたことは警察にも絶対言わないと約束させる。

ブッチはこの行動で、マーセルス・ウォレスとその手下を**〈敵〉**に回す。マーセルスは、ブッチを見つけるためなら、インドシナにでも人を送りだすだろう。

〈最も危険な場所への接近〉のステージで、ブッチは電話をかけ、自分の勝利を確認する。それからフランス人ガールフレンドのファビアンがいるモーテルへ行き、金を手に入れたら国外へ高飛びする計画を立てる。親密な

〈**接近**〉場面に特有の二人のいちゃついたおしゃべりは、ビンセントとジュールスの会話の場面と同様、一見ありふれたものに見える。ここにも文化的相対性や、異なる価値体系の感覚が存在する。ここに見られるのはジェンダー間の差異で、ガールフレンドはブッチに、女性の太鼓腹についての自分の意見をきっちりと理解させようとする。二人は愛を交わし、すべてはうまくいくというまちがった感覚のまま、夜が明ける。

翌朝、すぐに新たな〈**冒険への誘い**〉が鳴り響く。ブッチのアパートメントにある父親の時計を、ファビアンが持ってきていなかったのだ。ブッチはどんな〈師〉にも相談せず、マーセルスにつかまるかもしれないという恐怖も乗り越え、時計を取りに向かう。アパートメントへ車を走らせ、〈**戸口の通過**〉をおこない、危険が増した〈**特別な世界**〉へ突入していく。

慎重にアパートメントに〈**接近**〉したブッチは、時計、すなわち〈**剣**〉を手に入れる。だが、ブッチを始末するためにマーセルスに派遣された〈**戸口の番人**〉、ビンセントと出くわしてしまう。ビンセントは、バスルームの便座に座り、本（ピーター・オドンネルのスパイスリラーコミック『唇からナイフ』）を読んでいた。ビンセントは愚かにも敵をあなどり、キッチンカウンターに拳銃を置いてくるという、致命的で悲劇的なミスを犯していた。トイレで水を流す音を聞いたブッチは、拳銃を手にしてビンセントを殺す。ブッチにとっては死の瀬戸際の〈**最大の苦難**〉だが、ビンセントにとっては悲劇的な〈**クライマックス**〉であり、彼は自分の欠点のひとつ――年長者に対する敬意のなさ――によって死に追いやられた。拳銃も持たず、トイレから出てきたところをやられるという屈辱的な形で、真の詩的正義による罰を受けたのだ。この時点では観客にはわからないが、ビンセントは奇跡――前の場面で第四の若者に撃たれずに済んだという奇跡――を認めなかったことの代償を支払わされているようにも見える。ビンセントの死は、神の介入を認めるのを拒んだことに対する、天罰のようでもある。

〈**報酬**〉の時計をポケットに入れ、ブッチはガールフレンドと合流するために〈**帰路**〉につく。その途中、ブッチはまさに自分の〈影〉である相手、道路を横断しているマーセルスと出くわし、車ではねる。だが、ブッチも別の車と衝突事故を起こして怪我をし、意識もうろうとなり、あっという間に〈逆転〉が起きる。通行人には死んだと見えたマーセルスは息を吹き返し（〈復活〉）、銃を手にふらふらとブッチに向かっていく。

ブッチはよろめきながらメイソン＝ディクソン質店に入っていき、マーセルスもその後を追う（〈帰路〉での典型的な〈追跡〉）。ブッチはマーセルスにパンチを浴びせ、もう少しで殺しそうになるが、ショットガンで武装した店のオーナーのメイナードに止められる。

ブッチもマーセルスも、自分たちがこれまで見てきた何よりも不気味な〈最も危険な場所〉、自分たちが生きている地下世界のさらに下層にある地下世界に入り込んだことに気づいていなかった。メイナードはブッチを殴り倒し、メイナードと同様にアメリカの白人男性社会の最悪の〈影〉を体現したような男、ゼッドを呼ぶ。マーセルスとブッチが目を覚ますと、二人はＳＭプレイ用のさるぐつわをかまされ、依然として迷宮の深い洞穴のような店の地下室にいた。

ゼッドはレザーで全身を固めたギンプという男を、部屋のさらに下の深いあなぐらから連れてくる。知的障害のある兄弟なのか、それともメイナードとゼッドの拷問に遭っておかしくなった気の毒な犠牲者なのかはわからないが、ギンプはマーセルスとブッチを待つ恐怖を暗示する存在だ。邪悪な二人のサディスティックな楽しみのため、最初の犠牲者として選ばれたのはマーセルスで、彼は以前の犠牲者のラッセルという男がいた部屋に連れていかれる。ここには、ほかの誰かが以前冒険に挑み、そしてまっとうできずに死んだという感覚がある。

ブッチの耳に、二人がマーセルスをレイプする様子が聞こえてくる。マーセルスの男としての名誉が死に追い込まれる、恐ろしい〈最大の苦難〉だ（これらの場面にもまた相対性の感覚がある。ここまでのマーセルスやブッチの行動がどれほど無情なものであろうと、それよりひどい悪党やさらに下層にある地獄は存在するのだ。マーセルスとブッチは社会の視点からは似たような悪党であり〈影〉だが、この質店の連中と比べれば〈英雄〉だ）。

ブッチはチャンスをとらえて拘束を逃れ、ギンプを殴り倒す。気絶したギンプの体は鎖につながれたままぶらりとたれさがる。ブッチは地上階へ逃げ、実際にドアに手をかけていまにも飛びだそうとするが、良心の痛みを感じる。そして、真の英雄的な犠牲を払うことを決意する。マーセルスが八百長を拒んだ自分を殺したがっていることはわかっていたが、それでも命の危険を冒してマーセルスを助けに戻るのだ。ブッチはたくさんの武器のなかから日本刀を選び（文字どおり〈剣を手に入れる〉）、〈最大の苦難〉に挑むために再び〈最も危険な場所〉へとおりていく。

ブッチはメイナードを殺し、マーセルスはショットガンを手にしてゼッドの股間を撃つ。マーセルスは自由になり、ほとんど確実だった死から〈復活〉をとげる。ブッチの英雄的な行動と、ほかのボクサーを殺したという事実は、道徳の帳簿上では帳尻が合った。マーセルスはこの経験で〈変身〉し、ブッチに〈恩恵〉を与え、ここで起きたことを絶対に他言せず、ロサンゼルスから出ていくと約束するなら、命を助けて逃がしてやると言う。それからマーセルスは〈師〉のミスター・ウルフを呼び、この状況を片づけさせる。

ブッチは、いわば〈剣を手に入れる〉ことに成功し、地下室の異常者のひとりが所有していたバイクを奪う。この〝馬〟に乗って〈英雄〉は〈帰路〉につき、愛する美女を迎えにいく。賭け金という〈宝〉を手に入れるのは無理かもしれないが、〈英雄〉はそれ以上にすばらしい人生の〈宝〉を手にした。〈ヒーローズ・ジャーニー〉で正しい道徳的判断をした者が手に入れた〈宝〉、すなわち〝恩寵《グレース》〟という意味ありげな名前のついたバイクに乗り、ブッチはファビアンと一緒に旅立っていった。

「ボニーの一件」

ここで物語は再びビンセントとジュールスの物語の糸に切り替わり、ジュールスが若者たちのアパートメントで聖書の一節を唱えた場面に戻り、観客はもう一度聖書の引用を聞くことになる。もうひとりの若い男が飛びだしてきて二人を撃とうとした場面は、明らかに致命的な〈**最大の苦難**〉だった。二人は当然死ぬところだったが、どういうわけか生きのび、弾丸は二人に当たらずに壁に穴をあけただけだった。

死と接触したことに対し、二人はまったく異なる反応をする。ビンセントはただの幸運か偶然と片づけるが、ジュールスは**神格化**ととらえる。彼は深く感動し、これは奇跡であり神のおこないであり、態度の変化を求める合図だと考えた。二人の反応はある種の〈**試練**〉であり、ビンセントはこのテストに失敗したが、ジュールスは成功をおさめたようだ。ジュールスはこの体験から、〈**報酬**〉としてすばらしい精神の目覚めを得るが、ビンセントは何も手に入れられない。

（観客はすでにブッチがビンセントを殺したところを観ているので、この場面はビンセントにとっては〈**復活**〉のようなものだ。観客は彼の死を目にし、また生き返るところを見ていることになる。これもまた断片化されたポストモダンの時間感覚の表現で、直線的な時間の観念は独断的な伝統であることを伝えている。）

この死と再生の瞬間からの〈**帰路**〉、ビンセントはまたしても敬意のなさという欠点のせいで、致命的なミスを犯す。死の道具に充分な敬意を払わず、車内で拳銃を振りまわしているうちに、まちがって後部座席にいる仲間のマービンの頭を撃ってしまう。

ジュールスは掃除をしなければならないと考え、友人で〈**仲間**〉のジミー・ディミック（演じているのはクエンティン・タランティーノ）の家に向かう。ジミーはいかにも中産階級らしい男で、犯罪の世界とのつながりはまるで感じられない。夜勤の仕事から間もなく戻ってくる妻のボニーが、道義にはずれていると怒りだすのを心配している（ここでこの映画の作り手は、犯罪の地下世界と、観客の多くが住むブルジョワの世界の対比を示している。滑稽なのは、この三人が、人を殺したことで自分の身に及ぶ法的な危険より、ボニーの怒りのほうを恐れているということだ）。

ジュールスとビンセントは自分で掃除をするが、完全にはきれいにできない。客用のタオルを血だらけにしたことで、ビンセントはジュールスに叱りつけられるが、これもビンセントの不注意さや敬意のなさを示しており、観客はこの性質が彼を死にいたらしめることを知っている。もうひとりの〈**仲間**〉のジミーを〈**敵**〉に回す危険も生じている。

ジュールスはマーセルスに助けを求め、マーセルスは〈**師**〉であり〈**仲間**〉でもある、ウィンストン・ウルフ（ハーベイ・カイテル）を呼ぶ。ウルフという名は、別の物語の糸において〈仲間〉となった〝狼《ウルフ》のエスメラルダ〟ことエスメラルダ・ビラロボスを連想させる。どちらも、民話によく出てくる「手助けする動物」と同じような役割を果たしているとも言える。

ウルフは、不都合な証拠を何度も取りのぞいてきた、問題解決のスペシャリストらしい。超自然的な速さで現れて問題を預かり、知識豊かに指示を出す。しかし、ここでもビンセントの年長者への敬意のなさが顔を出し、あれこれ指示されても動こうとしなくなる。ウルフはユーモアを交えつつも、明白な威信を持ってこれに対処し、ビンセントに〈**仲間**〉を〈**敵**〉に回すような真似をするなと率直に言う。

ビンセントとジュールスが血だらけの車をきれいにし、それをウルフが監督する。この一連の場面全体が、若者たちにとっての長々とした〈**復活**〉で、二人も車も〈**帰路**〉前の状態に浄化される。一方、ジミーは掃除のためにシーツやタオルを〈**犠牲**〉にしなければならないが、ウルフはすぐさま〈**報酬**〉として、新しい備品を買う金を払ってくれる。

その後ウルフはビンセントとジュールスの血だらけの服をはぎとるが、これは、戦士を〈**復活**〉のための浄化の試練に立ち向かわせる、シャーマンと同じようなやりかたと言える。それから二人は石鹸で血を洗い落とし、ウルフに命じられたジミーがホースで冷水を浴びせる。ジミーが二人に提供した新しい服が、ボーイッシュなショートパンツとTシャツなのは暗示的だ。タフなギャングだったはずの二人は、学童か大学生のようになる。帰還した狩人のように、二人は死と再生の儀式を通じ、再び無垢な子どもに戻るのだ。死に遭遇しそれを処理した二人は、その死を浄化し、やっと〈**日常世界**〉に戻ることができる。二人はそのあいだもずっと、若者たちのアパートメントで直面した〈**最大の苦難**〉のなかから持ち帰った〈**宝**〉、あの謎のブリーフケースを手放さない。

ウルフは二人を廃車置き場に連れていき、そこに死体を捨てさせる。それから二人に別れを告げ、若いガールフレンドで廃車置き場のオーナーの娘、ラクエルのもとへ向かう。経験豊かな〈**師**〉は、この映画の世界でのルールを〝正しく〟守ることで、いかに〈**宝**〉を楽しんでいるのかが表れている。ウルフは、年長者に敬意を表することは気骨のあるしるしだと、ジュールスのことをほめる。

「エピローグ」

物語はようやくいちばん最初のダイナーの場面に戻り、この件に決着をつけるエピローグとなる。パンプキンとハニー・バニーが強盗を計画しているとき、ジュールスとビンセントは自分たちに起きたことを振り返っている。ビンセントは例によって否定しようとしているが、ジュールスは、今日自分たちが見たことこそ奇跡だと言い張る。ジュールスは、これからはちがう生きかたをする、テレビドラマの『燃えよ!カンフー』のケインのように「地球をさまよい歩く」ことを決意する。これは、犯罪者としての人生を生きるよりも、善行を積みながら平穏を求めてさまよいたいという意味らしい。ジュールスはまぎれもなく、道徳的な〈**復活**〉を通じて変化をとげた。ビンセントはいっさいに耳を貸さず、トイレに行く。最終的に殺されるときと同じ行動だ。

ジュールスの決意を試す最後の〈試練〉として、パンプキンとハニー・バニーが銃を振りまわしながら叫び始める。パンプキンは〈宝〉を手に入れようともくろみ、謎のブリーフケースをあけてその魔力にかかるが、ジュールスは相手の機先を制する（パンプキンのもくろみは、おとぎ話のモチーフとしてよくある、〈英雄〉が〈報酬〉を受け取ろうとする直前で現れて嘘の権利を主張する人物のようでもある）。

ジュールスは落ちついた口調で、それでも熱を込めて、パンプキンとハニー・バニーに話しかける。パンプキンに取引を持ちかけ、財布の金をやるかわりにブリーフケースを置いていくよう説得する。この映画において、生と死のあいだでバランスをとる最後の瞬間だ。ジュールスはまたしても聖書のあの一節をそらんじるが、その意味はジュールスにはこれまでとまったくちがって聞こえる。以前は、死を不当に扱いながら、神の怒れる顔を自分と重ねていたが、いまは慈悲と正義の手が自分のものに思え、「仁愛と善意の名において暗い谷をゆく弱き羊飼い」として祝福されようと思う。ジュールスは、考えなしの人殺し行為から、新たなレベルの英雄的行動へと自分の中心を移し、それによって戦士としての技能を善行に使うことができた。悲惨な状況になる可能性を鎮め、〈宝〉を失わずに立ち去ることができた。普通は最低でもひとりは死ぬ〈対決〉も、手際よく、ミスター・ウルフのように優雅に扱った。ジュールスは、容赦ない人殺しの〈影〉から、真の〈英雄〉へと成長したのだ。パンプキンとハニー・バニーも正しい判断をくだし、ジュールスの指示のもとで冷静さを保つことにより、自分の命という〈宝〉を持って立ち去った。二人が賢明であれば、魂のはしごをのぼり、ジュールスとビンセントの生きている場所に立ち、冒険に向けて準備できるだろう。

ビンセントとジュールスは〈宝〉の詰まったブリーフケースを持って立ち去る。この映画は「終わり」となるが、観客は、時間が直線的に進めば、まだこの先にいろいろな物語があることを知っている。ビンセントとジュールスは、バーにいるマーセルスにブリーフケースを届け、ビンセントはブッチに敬意を払わず、ミアとの〈最大の苦難〉に耐え、ブッチは八百長をせずにビンセントを殺し、そのあとマーセルスとともに〈最大の苦難〉を生きのびる。もしこれらの出来事が時系列に再配置されれば、本当の結末はブッチとガールフレンドがバイクに乗って去っていくところになる。

『パルプ・フィクション』のテーマは、試練に試される男たちであるようにも思われる。それぞれの登場人物が、それぞれの死と直面することにより、それぞれに反応する。映画の相対主義的な基調にも関わらず、ストーリーテラーは明らかに道徳的な視点を持っていると見える。語り手は神の椅子に座り、映画の道徳律に背いたビンセントには死の懲罰を、映画の枠組のなかで正しい選択をしたジュールスとブッチには生の報酬を与えている。映画制作者たちは、しきたりにとらわれない表向きを装ってはいるが、まったくしきたりに忠実で、ジョン・フォードやアルフレッド・ヒッチコックの映画のように厳しい道徳律に従っている。

最も興味深いのはビンセントの物語で、彼はまるで異なる二つの闘技場で試練に直面し、まったくちがう結果を出す。愛と忠実さの闘技場でミアとデートしたビンセントは、昔の騎士のような騎士道精神で勇敢にふるまい、これによって少しのあいだ生きのびるという報酬を得る。だが、神の力や経験豊かな年長者に対する敬意の闘技場では失敗を犯し、すぐさま罰を受ける。ここでも相対主義的なトーンが見られ、人生のひとつの闘技場で勝利をおさめても、必ずしもすべてに勝利できるわけではないという暗示になっている。

ビンセント、ジュールス、ブッチの〈ヒーローズ・ジャーニー〉の絡み合いは、演劇的、悲劇的、宇宙的、超越的なものをすべて含んだ、〈英雄〉のあらゆる可能性の範囲を示している。ジョーゼフ・キャンベルの神話の定義と同じように、『パルプ・フィクション』は「形は変わっても驚くほど中身は変わらない同一のストーリーであり、これから知られたり語られたりすること以外にも経験されるべきものがあることが執拗に暗示されている」作品なのである〔『千の顔をもつ英雄〈新訳版〉』ハヤカワ文庫・上巻、一七－一八頁〕。

『シェイプ・オブ・ウォーター』の〈ヒーローズ・ジャーニー〉分析

『シェイプ・オブ・ウォーター』は、批評家からも絶賛され、商業的にも成功し、アカデミー賞一三部門のノミネートを含め、監督、脚本家、キャスト、スタッフがさまざまな賞を手にした作品だ。監督のギレルモ・デル・トロと共同脚本のバネッサ・テイラーは、おとぎ話、寓話、ホラーのミックスを、マジックリアリズムの精神で巧妙に織りなし、奇妙な異界の何かに貫かれた、豊かで精密で現実味のある世界を表現してみせた。『パンズ・ラビリンス』や『ヘルボーイ』など、デル・トロの以前の作品と同様に、モンスターは奇妙で恐ろしげに見えるが、実はすばらしく人間味があり、心の通う相手だ。恐怖を提供するのは、怪物らしい貪欲さ、渇望、残酷さを充分にそなえた、普通の人間のほうなのである。

この映画は、豊かなメタファーとシンボルを使った詩的感覚で、様式的に構成されている。モンスターを救おうとするのは、口のきけない掃除人のイライザで、彼女の隠れた可能性の暗示として、異なる形で卵がくり返し使われる。水はいたるところに存在し、したたり、流れ、しみだし、沸騰し、イライザと彼女の愛する「生き物」とを結びつける媒介物となる。すべての色や構成要素、すべてのプロット要素、すべての登場人物の詳細や音楽の音色が、一貫したデザインを生むために徹底的に考えぬかれている。感受性の鋭い芸術家、ジャイルズのナレーションが、メインの物語に対するブックエンドのような形ではさみ込まれ、デル・トロは、この映画がジャイルズの夢想であり、動く絵画のようなものであり、すべてが文字どおりの真実というわけではなく、ジャイルズが抱いているイライザの思い出の印象を描いたものだということを伝えようとしている。

『シェイプ・オブ・ウォーター』には、デル・トロの映画愛があふれている。イライザと、その隣人でゲイのジヤイルズは、どちらも古いミュージカルを愛している。両者のアパートメントは映画館の上にあり、いまはその映画館で聖書の叙事詩的作品がかかっている。〈ヒーローズ・ジャーニー〉の第二幕の〈報酬〉のステージでは、せつなく風変わりな空想のシークエンスが、本格的なミュージカル映画のナンバーに変わり、そのなかでイライザと〝生き物〟がフレッド・アステアとジンジャー・ロジャーズのようにダンスを踊る。一方、『大アマゾンの半魚人』(一九五四年)、及びその続編の『半魚人の逆襲』(五五年)や『半魚人我らの中を往く』(五六年)といったほかの映画との関連性も、つねにこの作品の薄暗い深みを泳いでいる。

上記三本の映画はいわゆるB級映画だが、私(そしてデル・トロ)が幼いころに公開されたもので、私のなかに特別な共鳴を残した。この三本の映画に登場した半魚人、ユニバーサルのアイコン的キャラクターのギルマンは、その先駆けであるフランケンシュタインのモンスター同様、さまざまな楽しい感情をかき立ててくれる。幼い私は、ギルマンのパワーや奇妙さ、じっとこちらを見る巨大な目やうろこのついた皮膚を、大喜びで怖がった。その一方で、おそらく前史時代の種の最後の生き残りであるこの孤独な生き物には、同情を感じてもいた。自分の縄張りに侵入してきた人間を殺したりしてはいるが、完全に野蛮な生き物ではなかったし、美の真価を認め、疑うことを知らない水着姿の乙女のすぐ下を泳いだり、乙女の脚を水かきのあるかぎ爪で撫でたがったりする様子は、忘れがたいものだった。ドライブイン・シアターでシリーズ最初の映画を観たとき、私は五歳ぐらいで、ギルマンは帰りの車でもずっと私の隣にいる気がしていた。物言わぬ巨体の新しいモンスターが、私の無意識のなかを泳ぐようになった。ギルマンは私の夢にも出没し、私が真夜中にトイレに起きるときも、廊下をこっそりと歩いていた。ギルマンの奇妙さを恐れて身震いしながらも、私はギルマンに勇気づけられてもいた。

『大アマゾンの半魚人』は、デル・トロにも深い印象を残したようだ。小さいころにこの映画を観たデル・トロは、ギルマンに共感し、ギルマンがあの乙女を手に入れられなかったことにひどくがっかりした。「彼らが最後に結ばれることに、ほとんど実存主義的渇望」を感じたという。そののち、映画監督として地位を確立したデル・トロは、ユニバーサル・スタジオの幹部に『大アマゾンの半魚人』のリメイクを持ちかけたが、モンスター中心の翻案に相手が賛成しなかったため、このプロジェクトをおりた。『シェイプ・オブ・ウォーター』は、『大アマゾンの半魚人』とはまるでちがう物語だが、そのＤＮＡはいくらか引き継いでいる。モンスター映画のリメイクではないが、ある種のアンサー作品であり、モンスター映画に想像をかき立てられた幼い映画観客の感情や願いについて問いなおした作品でもある。

オープニングのイメージとプロローグ

最初のひとコマから、観客はすでに無意識のなかを泳ぎ、泡がダンスをしながらもつれ合う水の空間にいる。ナレーターのジャイルズ（リチャード・ジェンキンズ）の声がかぶり、物語の夢のようなプロローグが始まって、沈黙のプリンセスのおとぎ話、愛と喪失の物語、すべてを破壊しようとした怪物の物語が形作られていく。観客は、日用品、テーブル、椅子、時計が優雅なダンスを踊るようにただよう、水中の空間に滑り込む。主人公のイライザ（サリー・ホーキンズ）は、この超現実的な空間で、ナイトガウンとアイマスクを身につけて浮かんでいる眠れる美女だ。やがて水の要素が消え、日用品とイライザはそれぞれの位置に落ちつき、目覚まし時計が鳴り、イライザは水の夢から目覚める。

〈日常世界〉

時は一九六二年ごろ、イライザはボルティモアの政府施設で夜勤勤めをしていて、仕事に出る前の準備として毎日の儀式をやっている。昼食のために卵をゆで、ローブを脱ぎ、湯を張ったバスタブのなかで水の抱擁に身を任せる。物語の主人公が私的な部分まで紹介される。すべてはおもむきのあるグリーンの色調でまとめられ、センシティブなアーティストが企画したファンタジーの世界のようだ。すべては詩の網目のなかでつながっている。冒頭の場面の泡は、イライザが卵をゆでるあいだに沸騰する湯の泡と映像的な韻を踏む。卵は、バスタブでイライザが耽る官能的な楽しみを時間制限する、卵形のタイマーと韻を踏む。どちらも、イライザと〝両生類の男〟を結びつける、卵の贈り物の予兆になっている。

日常行動の詳細を見せることで、イライザの性格は手際よく描写されている。靴を大切にしていて、イライザのパーソナリティを表すすばらしい靴のコレクションを持っている。ルーティーンや儀式を大事にし、時間や仕事量を正確に測り、毎日のインスピレーションを与えてくれるカレンダーを必ずチェックしている。イライザが鏡をのぞくとき、首に平行して走る傷が映り、すべての〈英雄〉が背負う**傷**が視覚的に表現されている。

落ちついたグリーンの服を着て、イライザは廊下を横切り、隣に住む友人でゲイの芸術家、ジャイルズの部屋に顔を出す。ジャイルズはイライザの忠実な**〈仲間〉**だが、彼自身も〈ヒーローズ・ジャーニー〉の途上にあり、商業芸術家としてのキャリアの終わりや、近づいてくる老いへの危機感に直面している。イライザとは、古いミュージカル映画のファン仲間でもある。二人の部屋は古い映画館の上にあり、そこではいま、旧約聖書のルツが登場する聖書の物語を扱った映画がかかっている。

イライザは仕事場に向かうためにバスに乗り、ひとりで考えに耽る。仕事場は政府の秘密施設で、イライザの保護者的な友人のゼルダ（オクタビア・スペンサー）とともに、掃除人として真夜中のシフトで働いている。イライザのもうひとりの**〈仲間〉**であるゼルダは、ジャイルズ同様、イライザの手話を理解することができる。

〈冒険への誘い〉

施設のなかでは騒ぎが起きている。苦心して密閉されたコンテナに入っている新しい〝貴重品〟が、研究室に台車で運ばれてきたところだ。イライザとゼルダはコンテナの周囲を掃除するように言われる。イライザはコンテナのなかから聞こえる奇妙な物音に興味を惹かれる。

南米から来た〝貴重品〟、すなわちえらのある両生類の男（ダグ・ジョーンズ）は、思慮深い科学者のホフステトラー博士（マイケル・スタールバーグ）が研究することになっているが、男の運命は残酷な政府職員のストリックランド（マイケル・シャノン）が握っている。すでにストリックランドは、この生き物が連れてこられるときにひと悶着を起こしていて、この生き物が苦しみながら死ぬところを見たいとしか思っていない。

仕事を終えたイライザは、ジャイルズとダイナーで落ち合う。ジャイルズはこのダイナーでよく緑色のキーライムパイを頼むが、本当はカウンターで働くハンサムな若い調理人とつながりを作るための口実だ。家に戻ったジャイルズは、テレビで流れた人種間の争いの新しいニュースにストレスを感じ、陽気なミュージカルに現実逃避する。古いナンバーの『空中ブランコ乗りの男』が流れるなかで、イライザは毎日のルーティーンを少し短い時間でくり返し、そのさまを見た観客は、これがいつもくり返される日常の仕事だということを知る。

研究室のホフステトラーは、まだどのアーキタイプの役目を演じるかは明らかにされないが、ストリックランドはまぎれもなく、最も暗い悪行に引き寄せられている〈**影**〉だ。彼は古典的な「悪役の偵察」を敢行し、ゼルダとイライザが掃除をしている最中のトイレに強引に入ってきて、彼らのいる前で無礼にも小便をし、それから、あの生き物を虐待するのに使っている、ペニスのような形をした電流を発する牛追い棒を無遠慮に自慢してみせる。ストリックランドが去ったあと、二人はあの生き物の哀れなうめき声を耳にする。その声がイライザの心に〈**冒険への誘い**〉を伝える。

その後イライザとゼルダは緊急に呼びだされる。両生類の男がストリックランドの指を二本食いちぎったため、血だらけになった研究室の掃除が必要になったのだ。イライザがストリックランドの指を見つけ、〈画面外の〉外科処置で縫合されるものの、ひどい感染症を起こしてしまう。おとぎ話やフィルム・ノワールの〈影〉の人物にもよく見られることだが、ストリックランドの切断された指は、彼の内面の腐敗の象徴となる。

家に戻ったイライザは、自分がほんの少し目にした生き物のことを興奮気味にジャイルズに話すが、ジャイルズは役立たずの年寄りになりかけている自分の悲劇に夢中で、あまり聞いていない。ジャイルズはかつらをつけて若作りしようとするが、自分の老けた顔に嘆くことになる。商業芸術家としてのキャリアも終わりかけていて、最後の顧客を喜ばせることに一縷の望みをかけてはいるものの、その叙情詩的な絵のスタイルは、俗っぽく味のない写真に押しだされそうになっている。イライザと同じように、ジャイルズも〈戸口〉に立っている。

〈戸口の通過〉

イライザは次の夜、研究室に両生類の男以外誰もいないときをとらえ、〈戸口の通過〉をする。おそらくは、孤独で口をきかない存在への共感らしきものに心を動かされたのか、イライザは手を伸ばして、むいたゆで卵を贈り物として男に差しだす。男の全体像——背が高く、奇妙で、恐怖をかき立てる姿——が見えると、イライザは少し恐れを感じるが、すぐにその気持ちは消え、その美しさと威厳を認める。この場面とそのあとの場面で、両者のあいだに絆が生まれ、物語の二人の主人公としてロマンティックなつながりが結ばれる。だが、この生き物が併せ持つ恐ろしげな野生とおだやかな優雅さゆえに、彼はイライザにとっての**〈変身する者〉**となり、イライザの内面の可能性を目覚めさせる触媒となっていく。

〈試練、仲間、敵〉

ストリックランドはイライザとゼルダに対し、いつもながらの悪意に満ちた尋問をおこない、あの生き物から充分な距離を置くよう警告する。彼にとっては、純粋に邪悪で、破壊すべき生き物でしかないのだ。ストリックランドはイライザに、ラストネームの〝エスポジート〟は何を意味するのか訊く。誰も答えないが、ラテンアメリカ諸国では「孤児」、つまり捨てられた子どもを意味する言葉で、イライザは赤ん坊のころ、孤児院の近くに置き去りにされていたのだ。イライザの誕生に関してわかっていることは、誰かが残酷にも彼女の声帯を切り、それから捨てたということだけだ。

バスに乗って帰るイライザを照らしだす夜明けの太陽は、イライザのなかで新しい人生の可能性が夜明けを迎えたことを示唆する。

同じ太陽が、いかにも一九六〇年代らしい完璧な妻と子が待つ家に戻るストリックランドのことも照らす。好色な妻が夫を寝室に誘う。イライザとの遭遇は、ストリックランドのサディスティックな衝動を目覚めさせた。口をきかないイライザがどういうわけか性的興奮をかき立て、ストリックランドはそれを妻との野蛮なセックスに投影し、イライザの沈黙をまねさせるように妻の叫びを押さえ込む。

イライザは両生類の男との関係をさらに深めようと決意し、ポータブルのレコードプレーヤーをこっそり持ち込み、男を魅了する。二人は卵を分け合って食べ、おたがいのことを知ろうとする。家に戻ったイライザは、男に持って行くレコードを選び、愛の喜びに満たされて廊下で踊る。イライザの変化は仕事場でも表れ、ひそかに様子を見ていたゼルダやホフステテトラー博士もそれに気づく。

〈最も危険な場所への接近〉

ホフステトラーもイライザと同様、あの生き物は自然の奇跡だと感じているが、実は博士は、あの生き物に戦略的な価値が出てきた場合にそなえ、監視するために派遣されたロシアの諜報員だ。ホフステトラーは、自分の指令役で不作法な官僚主義者のミハルコフ（ナイジェル・ベネット）と会うが、ミハルコフはあの生き物の科学的な驚異にまるで関心を示さない。そればかりか、その生き物がアメリカの利益になる戦略的発見を生まないようにするためにも、生き物を殺してもらうかもしれないと告げる。この時点では、ホフステトラーは**〈変身する者〉**で、イライザの**〈仲間〉**になったり、イライザと生き物の脅威となる**〈影〉**になったりする。

一方、ストリックランドの上官であるホイト元帥（ニック・サーシー）が研究室を訪れたことで、ストリックランドへの圧力が強まる。両生類の男は、発見された現地の人々に神と崇められていた。ホイトは生き物の研究結果を欲しがっていたが、ストリックランドは、あれの秘密を知るには殺して解剖すべきだと強硬に主張する。ホイト元帥はまだ生かしておけと命じ、あの生き物を殺す命令をくだす権限はつねに自分にあるとも断言する。

イライザはジャイルズに、あの生き物を自由にする手助けをしてほしいと半狂乱になって懇願し、これはジャイルズの〈ヒーローズ・ジャーニー〉における**〈冒険への誘い〉**となる。ジャイルズはきっぱりと**〈冒険の拒否〉**をし、イライザに背を向け、自分のキャリアをよみがえらせる望みをかけて完成させた絵を持って、顧客に会いに出かけていく。しかしこれは徒労に終わる。顧客は絵を見ようともせず受け取りを拒み、今後作品は頼まないとつっぱねる。

捨て鉢になったジャイルズは、勇気を奮い起こしてダイナーの魅力的な若者に話しかけようとするが、ここでも望みは閉ざされてしまう。若者は、同性愛者嫌いの人種差別主義者で、黒人カップルへの給仕を拒むような男であることがわかる。

もう失うものはないと感じたジャイルズは、〈戸口の通過〉をおこない、両生類の男を解放しようとするイライザを助けることにする。自分の画家としてのスキルを活用して身分証を偽造し、ワゴン車をクリーニング店の車に似せて塗り替える（〈最も危険な場所への接近〉）。ジャイルズは、イライザが入念な救出計画を立て、恐れもせずにいることを賞賛するが、イライザは、自分も怖いのだと認める。イライザの計画は、防犯カメラを何分か止め、そのあいだに生き物をクリーニング店の車に積み込み、ジャイルズがその車で運び去るというものだ。

生き物にも死の危険が迫っていた。ホフステトラー博士はミハルコフから、研究室の動力や照明を破壊する装置とともに、両生類の男を殺すための強力な毒物の注射を提供されていた。

主人公たちへの圧力が強まる一方、ストリックランドは、衝動買いしたブルーグリーンのキャデラックの新車を誇らしげに走らせ、有頂天になっている。仕事場では口実を作ってイライザをオフィスに呼びだし、露骨に接近して首の傷を撫でようとする。イライザはその気味の悪い手を逃れて逃げるが、いつまで逃げられるか不安を覚える。

〈最大の苦難〉

イライザは計画を実行する。化学薬品か何かのドラム缶の上に乗り、よろよろしながら防犯カメラを動かして、搬出口が映らないようにする。ホフステトラー博士はイライザの動きに気づき、生き物を救いだそうとしていることを悟る。博士は〈仲間〉及び〈師〉に変身し、イライザに〈師〉の贈り物をする――両生類の男につけられた首輪の鍵と、男を塩水のなかで生かすための指示をイライザに与える。

ジャイルズはワゴン車のなかで〈英雄〉の〈最大の苦難〉に直面する。疑い深い〈番人〉の警備員に車を停められ、殺すとおどされる。幸い、ホフステトラー博士があの生き物を殺すための毒で警備員を殺し、研究室の照明システムを破壊してジャイルズとイライザを助ける。イライザは両生類の男を車輪つきの洗濯物搬送かごに入れて運ぼうとするが、ゼルダの予期せぬじゃまが入る。ゼルダは少しのあいだ〈**戸口の番人**〉として行動し、イライザの行く手を阻み計画に反対する。しかし、ホフステトラー博士がこの救出を助けていると知ったゼルダは、危険に直面しているイライザを心配しつつも、自分も手助けをしようと決め、再び〈**仲間**〉となる。

ジャイルズはイライザと生き物を乗せて車を走らせるが、偶然にもストリックランドの新しいキャデラックに衝突してしまう。ストリックランドは逃げていくワゴン車に発砲するが、弾は当たらない。これがイライザの策略と気づいていないストリックランドは、頭のおかしいロシアのスパイチームの仕業だと思い込む。激高しながらも、上官であり父親的存在のホイト元帥に失敗を犯したと思われるのを恐れるストリックランドは、両生類の男をすぐに取り返さなければ、自分のキャリアも終わってしまうと考える。

イライザは自宅のバスタブに生き物を入れるが、生き物はあえいで死にかけ、〈**危機**〉と〈**最大の苦難**〉が迫る。イライザは、生き物を塩水のなかに入れるようホフステトラー博士に助言されたことを思いだし、半狂乱になって戸棚から塩を探し、バスタブの水に混ぜる。古典的な死と再生の情景描写ののち、両生類の男は一瞬死んでしまったように見えながら生き返る。イライザとジャイルズは安心のあまり笑いだし、この〈最大の苦難〉を生きのびたことの〈**報酬**〉を得る。

イライザは塩を仕入れるついでに、自分との絆が強まった生き物のために、友情のしるしとしてセンチメンタルなカードを買う。あと何日かすれば、海に通じている運河の水路に一〇月の雨がたまるはずなので、そこに生き物を放すつもりだ。残り時間は貴重だ。

イライザが働いているあいだ、両生類の男の付き添い役を務めるジャイルズは、孤独や、自分が時代遅れになったという感覚について男に話す。相手は共感しているように見える。だが、ジャイルズが眠りに落ちてしまうと、両生類の男は水から出て、歩きまわってアパートメントを探索する。ジャイルズの飼い猫の一匹がフーッと威嚇してくると、男は威嚇しかえし、猫の頭を噛みちぎってしまう。ジャイルズは猫の金切り声で目を覚まし、両生類の男に向かってわめく。男は怖くなってアパートメントを飛びだそうとし、ジャイルズとすれちがうときにその腕に引っかき傷をつけてしまう。ジャイルズにとってはもうひとつの、死に近い**〈最大の苦難〉**だ。

そのころイライザとゼルダは、疑いをつのらせたストリックランドから再び尋問されていたが、二人は生き物が連れ去られた夜には何もおかしなことはなかったと言い張る。その後、ホフステトラー博士がひそかに二人のところへやってきて、両生類の男は無事かと訊ね、すぐにでも解放してやるよう念を押す。イライザは、あなたはいい人だと博士に手話で伝え、博士はヨーロッパ人らしい礼儀正しさで、自分のファーストネームはドミトリーだと告げ、お二人に会えて光栄だと挨拶する。

ジャイルズからの緊急連絡で、生き物が逃げたことを知ったイライザは、かぎ爪が残した血の跡をたどり、階下の映画館で生き物を見つける。生き物はスクリーン上に展開される聖書の叙事詩物語に夢中になっていた。イライザは彼を抱きしめ、上へと連れ帰る。

〈報酬〉

両生類の男とジャイルズは仲なおりをし、男は祝福か何かのようなしぐさで、ジャイルズの頭と腕の傷に触れる。バスルームでイライザと親密なひとときをすごしているとき、生き物は好奇心からイライザの首の傷を触り、イライザは恐ろしくなって逃げだす。イライザは自分のベッドで寝る支度をしてアイマスクもしたものの、考えなおして両生類の男のもとへ行き、服を脱いでバスタブに入り、カーテンを引く。二人の抱擁の様子は観客の想像にゆだねられる。

その夜イライザは、官能的な眩惑も覚めやらぬままに仕事に向かい、風に吹かれてバスの窓についた水滴をながめ、二つの水滴が踊りながらひとつになるさまに魅了される。仕事場でもつい笑みが浮かび、ゼルダは両生類の男とイライザのあいだに何かあったことを感じ取る。イライザは生き物の体の細部について、ゼルダに少しだけ手話で伝える。

ホフステトラー博士は、疑いを抱くストリックランドと、自分の指令役のミハルコフの両者から圧力を受ける。ミハルコフからは、生き物を殺したらすぐに任務を解くから、その準備をしておけと言われる。博士は、生き物を殺したふりをし、死体は自分が処分したと主張するが、ミハルコフは信じようとしない。

イライザは、両生類の男とすごすうちに、バスルームのドアをタオルで封じ、部屋を水で満たして、魚人の恋人とセクシーな泳ぎを楽しむことはできないかと考えた。しかしこの楽しい時間も、映画館のオーナーが天井から水が漏ってくると苦情を言いに来たせいで終わりを告げる。ジャイルズがバスルームのドアをあけると、大量の水が勢いよくあふれだしてくる。

ジャイルズは、両生類の男が触れた自分の腕の傷が治り、頭にふさふさと若々しい毛髪が生えてきたことで、この男が神のような力を持っていることに気づく。〈英雄〉の〈苦難〉を生きのびた〈報酬〉として、ジャイルズは文字どおり変化し若返った。しかし、生き物のほうは弱ってきていて、ジャイルズとイライザは、男をすぐにでも解放してやるべきだと感じる。

カレンダーに印をつけた日がついにやってきて、イライザは悲しい気持ちで両生類の男のそばに座る。空想の場面のなかで、イライザは男のために「私がどんなにあなたを愛しているかあなたにはわからない」と歌い、二人は官能的なハリウッドの白黒映画のナンバーに合わせ、恍惚としてダンスを踊る。

〈帰路〉

ストリックランドは怒り狂いながら両生類の男の行方を**〈追跡〉**する。ホフステトラー博士があの生き物を救うために陰謀をくわだてたと確信し、博士を尾行してセメント工場へ行く。そこにはミハルコフがいて、生き物を殺し損ねた処罰を部下に命じ、博士は銃で撃たれる。そこへやってきたストリックランドはミハルコフとその部下を殺し、そのあと死にかけていたホフステトラーを残虐に痛めつけ、生き物救出の裏に卑しい掃除人の女たちがいることを聞きだす。

ストリックランドはゼルダのアパートメントに押しかけ、両生類の男を探す。ゼルダの臆病な夫は、男がイライザの部屋にいることを明かしてしまう。ゼルダがどうにかイライザにそのことを知らせ、イライザは生き物とジャイルズを連れて、ストリックランドがアパートメントにやってくる前に逃げる。だが、ストリックランドはカレンダーから手がかりをつかみ、イライザが両生類の男にほろ苦い別れを告げている現場にやってくる。

〈復活〉

ストリックランドはジャイルズを殴り倒し、イライザと生き物を拳銃で撃つ。ジャイルズは起き上がり**〈復活〉**、ストリックランドの頭を木ぎれで殴る。両生類の男は癒やしの力を自分に使う。血まみれになったストリックランドは、その様子を見て**天啓**を受け、「本当に神だったのか」とつぶやくが、生き物のかぎ爪に喉を切り裂かれる。

〈宝を持っての帰還〉

両生類の男はジャイルズに最後の祝福を与え、ジャイルズも優しく手で触れ返す。死にかけているイライザをそっと腕で抱いたまま、生き物は運河に飛び込み、緑色がかった光の筋のなかでただようイライザの体のまわりを泳ぎまわる。映像にジャイルズの声がかぶり、二人はきっと愛し合って一緒に生きていくだろうと思った、と観客に告げる。それを証明するかのように、両生類の男がイライザの撃たれた傷を癒やし、首の傷を撫で、その場所がえらに変わっていく様子が示される（〈復活〉、〈宝〉）。イライザは苦しげに息をあえがせ、びくっとして目を覚ますが、すぐに呼吸できるようになり、二人は緑の光のなかを旋回する。ジャイルズは、だいぶ前に書いていた詩を添えた作品（〈宝〉）を完成させる。「あなたの形を感じることはできなくても、そこらじゅうにあなたがいるのがわかる。あなたの存在は、私の瞳をあなたの愛で満たす。あなたはいたるところにいて、そのことが私を謙虚にさせる」（明らかに一二世紀の謎めいたイスラム神秘主義者の詩人、ハキーム・サナーイーの言葉を言い換えたものだ）。

『シェイプ・オブ・ウォーター』は、色彩を強調した、荘厳で叙情的で超演劇的な、高度に両極化した世界を生みだしている。この世界では、悪人は本当に悪く、善人は本当に善良だ。デル・トロは、作品を一貫したデザインにまとめる接合組織を作るため、巧みで自信に満ちた、ときにはユーモラスなやりかたで、シンボルを活用している。卵はイライザの内面に隠された生命の象徴だ。卵をゆでるのに使うタイマーも卵形にして、卵の受精能力の可能性を、容赦なく進む時間と結びつけている。観客は、人生の時計がたえず時を刻んでいることを思いださせられる。イライザは短期間であの生き物との絆を作り、五分という短い時間で生き物を研究室から解放し、両生類の男を自然に帰さなければならないときまでのほんの何日かで情事を楽しむ。ジャイルズも時間の経過を知らせる存在となり、イライザに、自分のように孤独でいらいらしながら人生を終えるなと警告する。

この映画に登場するほかのさまざまなシンボルもそうだが、卵のシンボルには極性がある。イライザと両生類の男をつなぐ善意の道具となる一方、イライザが生き物に卵を持っていったことがストリックランドにばれたせいで、疑いを招く危険な品にもなる。登場人物たちにも明らかな極性がある。ジャイルズやゼルダなどの〈仲間〉は、イライザを励ましたり導いたりする一方、少しのあいだ厳しい〈戸口の番人〉となり、その行く手を阻もうともする。ホフステトラー博士はていねいに作られた〈変身する者〉で、最初は生き物をおびやかす〈影〉に見えるが、その後いちばん頼りがいのある〈仲間〉となって逃亡計画を助ける。両生類の男を生かす秘訣をイライザに与える〈師〉となったりもする。

この映画は、一見すると、〈ヒーローズ・ジャーニー〉の単純なおとぎ話バージョンに見えるかもしれない。しかし実際には、一般的なパターンに繊細なバリエーションを加え、アーキタイプを熟練の技で取り扱い、すばらしく柔軟に、たやすく活用している。

〈英雄〉は誰か？

この映画は、悪役も含めた主要登場人物たちのあいだで〈英雄〉の特性を分配することにより、〈ヒーローズ・ジャーニー〉に対し、オーソドックスではないが効果的なアプローチをおこなっている。観客がどこに感情移入するかという選択肢はたくさんある。イライザは物語の原動力であり、主役のポジションに立っている。これはイライザのラブストーリーであり、生き物を救うためにすべてを危険にさらすのも、イライザの選択だ。だが、自分の〈ヒーローズ・ジャーニー〉をやりとげようと決めるのはジャイルズも同じで、ある意味ジャイルズの旅は、イライザよりも複雑で完全な発展をとげる旅路となる。若さを取り戻すという探求の旅に長い時間を費やして失敗し、イライザの冒険への同行も手の込んだ〈冒険の拒否〉で拒んだのち、ジャイルズはついに〈戸口の通過〉を果たしてイライザを助けることに同意する。身体的な〈最大の苦難〉で死にも直面するが、活力と若さを取り戻すという〈報酬〉を勝ち取る。最終的には死との遭遇から再び〈復活〉をとげ、人生への〈帰還〉を果たすという〈宝〉を手に入れる。また、イライザと生き物の思い出という〈宝〉を観客にもたらし、彼らの愛は空間も時間も超越して、水のように形はないが、そこらじゅうに生きているということを伝えてくれるのである。

当初イライザとジャイルズはひとつの存在だった、とデル・トロが述べていることからも、その二人が〈英雄〉の役目の多くを共有するのは驚きではない。二人の生活空間にしても、昔はひとつの大きな部屋だったものが、二つに分割されてアパートメントになったような場所で、まるで同じ人間の頭にある別個の脳葉のようだ。にもかかわらず、二人の〈英雄〉のスタイルはまるでちがう。イライザは、献身的で情熱のある〈英雄〉で、〈冒険の拒否〉もまったくしないが、ジャイルズのほうは、最初はイライザの冒険チームに加わるのも拒み、自分が年を取っているという事実を否認する。イライザには衝動的なところはあるが、ほかには改善すべき目立った欠点は見当たらない。ジャイルズは欠点だらけだ――臆病で、痛ましいほどシャイで、自己欺瞞的で、ひとりよがりだ――が、それがかえってジャイルズを、バランスの取れた魅力的な〈英雄〉にしているとも言える。

ゼルダはまぎれもなくイライザの〈仲間〉で、少しのあいだ〈戸口の番人〉にはなるものの、ゼルダの旅もやはり〈英雄〉的で、自分の安全を危険にさらしてでもほかの誰かを助けようとする。ゼルダの〈ヒーローズ・ジャーニー〉がどう終わったのかはわからない。ストリックランドが死んだことで、ゼルダに迫った脅威も消え、機密を破ったかどで連邦刑務所送りになることもなかったと思いたいものだ。ストリックランドに生き物の居場所を教えたゼルダの臆病な夫には、きっと何か報いがあるだろうが。

ホフステトラー博士も、この物語で〈英雄〉のマントを共有する登場人物のひとりだ。博士は自分の〈ヒーローズ・ジャーニー〉のなかで、スパイとしての任務と、両生類の男に対する科学者としての畏敬の念に引き裂かれるが、このことは最初観客には伏せられ、博士は一時的に〈変身する者〉となり、生き物の周囲で渦巻く謎や陰謀の感覚を生む役目を果たす。秘密が明らかになるにつれ、博士がロシアのスパイで、両生類の男を殺す任務を背負っていることが観客にもわかるが、科学者としての本音や気高い性質ゆえに、博士も生き物の解放をもくろむイライザを助ける側に加担していく。博士も〈英雄〉の本質的な選択をおこない、自分の安全を危険にさらしながら他者を助けようとする。不運にも博士の旅の糸は悲劇的に途絶え、物語に必要な犠牲者として倒れることになる。それでも、博士の死によって物語の目的は達成され、ストリックランドがいかに容赦のない人間か、イライザと両生類の男がとらえられたらどんな扱いを受けるかを伝えてくれる。

デル・トロは、〈影〉のストリックランドにも、この作品のなかで〈ヒーローズ・ジャーニー〉の余地を与えている。ストリックランドは明らかな悪役だが、本人の心のなかでは、純然たる正当な〈英雄〉のはずだ。デル・トロと、ストリックランドを演じたマイケル・シャノンは、この映画が二〇世紀半ばに制作されたものだったら、ストリックランドが主人公だったかもしれないと話していたそうだ。デル・トロは、ケーリー・グラントが最も英雄的な役をやるときに身につけそうな、しみひとつないスーツとネクタイをあえてこの男の身にまとわせた。ストリックランドの視点からは、これは怪物映画であり、彼は地獄の忌まわしい生き物から人類を救う使命を受けた人間だったはずだ。食いちぎられ、二度と元に戻せなかった指は、〈英雄〉の受けた傷にも、〈影〉の内面にある堕落のしるしにも見える。これがストリックランドが〈英雄〉の映画だったなら、彼は脅威と感じた生き物から社会を救おうとして、無駄に命を犠牲にした悲劇の犠牲者だ。

両生類の男も〈ヒーローズ・ジャーニー〉の要素を表現しているが、最初のうちは、故郷からさらわれ、虐げられ、無力に鎖につながれる〈犠牲者〉のアーキタイプを担う。オープニングのジャイルズのナレーションで言及されるように、観客はこの生き物がこの映画の怪物だと最初のうち考えるが、生き物はイライザと交流するうちに人間らしくなっていく。見た目は恐ろしげだが、イライザの物静かなアプローチにたしなみを持って反応する。生き物は徐々に〈英雄〉のステータスに進み、施設から救出された直後からプロットのなかで活発に行動するようになり、アパートメントの建物の見知らぬ新世界を探索する。威嚇してきたジャイルズの猫と対面し、殺してしまったときはちょっとした〈苦難〉に陥り、映画館のなかをうろつく。イライザに救いだされてからも深刻な〈苦難〉がやってきて、塩水不足で死にかけたりもする。生き返ったあとは、〈英雄〉の〈報酬〉として、イライザとの親密な関係を楽しむ。最後の〈復活〉を賭けた対決で、生き物はストリックランドに撃たれて再び死に近づくが、傷を癒やし、みずからの神がかった力を通じて再生する。最後の場面はジャイルズの希望的観測かもしれないが、両生類の男は生まれ変わるための〈霊薬〉をイライザに与え、イライザの傷を癒やし、生きて呼吸するための新しい手段に変えたものと思われる。

誰が〈師〉か？

『シェイプ・オブ・ウォーター』には、イライザにとって明らかに〈師〉となる役目の人物は登場しないが、〈師〉の教えはいくつかの方法で表れる。医学的な贈り物と助言を与えたホフステトラー博士は、最終的には〈師〉であったことが明らかになる。ジャイルズは、イライザとの会話のなかで、一貫性に欠ける激しやすい口調で自分の若い自己に助言する。「もし私が自分のこの脳を――この心臓を――そこに移せるならな――もし私がそのころに、一八歳のころに戻れるなら――私がなにも知らなかった時代にさ――私は自分自身にちょっとしたアドバイスをするよ――こう言うのさ。自分の歯を大事にして、もっとセックスしろってね。もっといっぱいさ」イライザは臆病なジャイルズの〈師〉となり、夢を追いかけるには勇気と覚悟が必要だと身をもって示す。ホフステトラーの指令役のミハルコフと、ストリックランドの上官のホイト元帥は、悪意に満ちた教えを与える。どちらも教え子を励ましはするものの、結果を残せなければひどい罰が待っているという脅しをかける。

〈影〉

〈影〉のアーキタイプは、イライザと両生類の男をおびやかす連中、すなわちストリックランド、ホイト元帥、ミハルコフによって明確に擬人化されているが、作品全体を覆うさらに長い「影」も存在する。現代にいたっても根深く残る、二〇世紀半ばの男性支配の文化だ。悪役のふるまいは、人々が自然を恐れ、支配して利用したり、兵器として使ったり、金にしようとする手口を批判しているようでもある。それができない人々は、自然と共存することを学ぶより、自然を破壊することを選ぼうとする。

冒頭のジャイルズのナレーションは、「すべてを破壊しようとした怪物」のことを予告しているが、これはいくぶんミスリードをもくろんでいる。伝統的な怪物映画では、恐怖の怪物とは奇妙な生き物のことだが、デル・トロの世界では、両生類の男は深い部分に人間味を持っている。むしろ本当の怪物は、世界の驚異に敬意を払わない、残酷な人間のほうだ。

ストリックランドの人格には、幾層もの邪悪さが重なっている。彼は両生類の男を虐げて喜ぶサディストであり、下劣な空想でイライザを嫌な気分にさせ、聖書の物語のひねくれた解釈による世界観を支持している。ストリックランドが両生類の男を嫌うのは個人的理由によるもので、つかまえるときに大いに苦労をさせられ、そのあとで指を食いちぎられたせいもあるが、この生き物の存在自体がストリックランドの神というものの考えかたと折り合わず、反発を感じているのだ。ストリックランドの神は、おそらくストリックランド自身に似て、厳格で悪意に満ちた存在なのだろう。

ストリックランドは自分の非現実的な欲望の犠牲者だと考えるデル・トロは、次のように説明している。「ストリックランドは私が恐怖を感じる三つの物事の象徴です。秩序、確かさ、そして完璧さです。彼はその不可能な三つを求めていますが、それらは人生の責め苦の象徴なのです。そのどれかを持てる人間など存在しないのですから」(『バラエティ』誌のインタビュー、二〇一八年一月一〇日)

結論

『シェイプ・オブ・ウォーター』は、さまざまなことを念頭に置いた作品だ。モンスターのラブストーリーというデル・トロのイメージを満たすことはもちろん、古典的なハリウッド映画の魔法にも敬意を払い、男性優位社会を批判し、自然への思いやりを訴える。社会の負け組たちのこともあたたかく受け入れる一方、人間が自分のやりかたを変えて人生を変化させるための時間は、すぐにすぎていってしまうということを警告する。デル・トロはこの野心的な作品を、見事な効率のよさと語りのペースによって完成させた。この幻想的な物語に、現実味のある時代の細部を大量に添えて着地させた。一九六二年のキャデラック販売代理店の再現は、セットデザインのささやかな傑作と言ってもいい。ちっぽけだが雄弁な細部は実に本物らしく見え、私の子どものころに見たものとまったく変わらない。ストリックランドが自宅まで新車を運転していく場面では、彼の息子と娘がリビングルームの床で遊んでいる。息子がプラスティックのカウボーイと先住民のフィギュアで遊んでいるが、リトグラフ印刷されたブリキのカウボーイ小屋は、私が一九六二年に持っていたものとまさに同じ玩具だった。

私は映画『大アマゾンの半魚人』のファンでもあるので、デル・トロがもしこうした映画の重要な神話的源泉を完全に無視していたら、きっとがっかりしたにちがいない。幸い、デル・トロはこうしたものを尊重し、ユニバーサル映画版に共鳴するいくつかの場面を、コピーではない形で作りだした。両生類の男がジャイルズとイライザのアパートメントを探索し、その後階下の通りや映画館にも行くのを見て、私は『半魚人我らの中を往く』でモンスターが人間の日常世界に侵入し、大混乱と恐怖をもたらした場面を思いださずにはいられなかった。「モンスターの」目を通じて物語を語るというデル・トロの発想は正解で、『シェイプ・オブ・ウォーター』の観客は、通行人のためではなく、あの生き物のためにハラハラする。また、映画の終わり近くで、両生類の男がイライザを抱いて運河に飛び込む場面は、三本のユニバーサル映画に出てきた象徴的な場面を思い起こさせる。えらのあるギルマンが、悲鳴をあげる美女をさらって水に飛び込み、彼女を水中のねぐらで待つ未知の運命へと連れ去る恐ろしい場面だ。『シェイプ・オブ・ウォーター』では、両生類の男の意図はすぐに明らかになる。男はイライザを癒やし、自分と一緒に水中で暮らし、愛し合って生きることのできる存在に変える。ギルマンの意図がそうでなかったとは誰にも言えないし、一九五〇年代の厄介な科学者とマッチョな冒険家にじゃまされなければ、ギルマンも同じ奇跡を起こしてみせたかもしれない。

『シェイプ・オブ・ウォーター』は大衆を喜ばせるエンターテインメントで、ほぼ世界中の観客や批評家から喝采を浴びてはいるが、小さな欠点を指摘する人も少数いた。サリー・ホーキンズ演じるイライザは、人の心を動かす忘れがたいキャラクターだが、〈英雄〉の潜在能力を満たしてはいない。〈冒険への誘い〉に応じることにためらいも疑いもないため、イライザの先々の行動には、あまりサスペンスを感じられない。克服すべき明白な欠点もない。とはいえ、生き生きとして元気のいいキャラクターの魅力は、多くの人々にとってはどんな欠点もおぎなえる要素となる。

また、この作品は、論理的な制約をときどき強引に広げるところがある。たとえば、「この研究室で扱うなかでも最も重要な貴重品」のためのセキュリティはだいぶゆるく、金属とガラスのコンテナに入った生き物が台車で運ばれてくるところを、二人の女性掃除人がぽかんと見ていても誰もとがめない。両生類の男にはどういうわけか見張りもつかず、イライザは何度もロマンティックな〈接近〉をして、彼と二人きりですごしているが、研究室のほかの場所では活発に監視活動をしている防犯カメラも、なぜか二人のことはとらえていない。ただ、『シェイプ・オブ・ウォーター』は、厳密に論理展開された作品というよりは、ジャイルズが楽しんでいる詩的な夢想なので、さえない現実からの逸脱もそう重要ではないということは念頭に置いておきたい。

一九六〇年代という古い時代が背景ではあるが、この映画の「ほかの誰か」のために耐えるというテーマは、現代の観客の感情にタイミングよく訴えた。デル・トロは、社会の主流から追い立てられた「誰か」——口のきけないイライザ、差別を受けるゼルダ、性的マイノリティで恥ずかしがり屋のジャイルズ、そして奇妙さと特殊な性質ゆえに「正常な」人々を怖がらせる両生類の男——の視点でこの物語を語る。彼らはみな見くだされ、何が正常かという社会の考えにおびやかされているが、その彼らがおたがいに抱いている愛情は、そうしたすべてを超越する。自分が子どものころ、ホラー映画のモンスターをカトリックの宗教的発想と結びつけていたというデル・トロは、こうした究極の「誰か」についてこう述べている。「子どものころは、本当にこうした人々に救済されていました。ほかの人々が恐れるものに、私は美しさを見いだしていました。人々が正常と思うものに、私は恐れを感じました。本当の怪物は、人の心のなかにいるのだと思うようになったのです」(クリスティーナ・ラディッシュによるインタビュー、「Collider」、二〇一八年二月一二日)

デル・トロは、『シェイプ・オブ・ウォーター』を、「観客が映画館を出るときにハミングするような映画」にしたかったという。「音楽ではなく、映画を口ずさんでほしかったのです。セックスを、愛を、人生を、共感を、口ずさめる映画にしたかった」(「Indie Wire」、アウォード・スポットライト・シリーズ、二〇一八年一月二三日)。ハミングという言葉を聞き、デル・トロは、私が言うところの「観客の振動率」を引き合いに出しているのではないかと感じた。デル・トロが言わんとすることも、イメージや音、変化する状況下の魅力的な登場人物、詩的連想などにより、観客の振動率を変えたり観客の身体器官を刺激したりすると私が表現している状態のことではないかという気がした。『シェイプ・オブ・ウォーター』で、デル・トロは、あたかも巧みに作られた音楽のような、夢のごとき魅惑的な雰囲気を生みだし、観客の微妙な振動《バイブレーション》を変化させようとしている。デル・トロの視野、心、細部にまで行きとどいた気配り、そして映画への情熱のおかげで、観客もまた、昔ながらの〈ヒーローズ・ジャーニー〉モチーフの型破りな再創造を「口ずさむ」ことができるのだ。

『スター・ウォーズ』の〈ヒーローズ・ジャーニー〉分析

大ヒット映画における〈ヒーローズ・ジャーニー〉のステージについて話を終える前に、『スター・ウォーズ』シリーズの長年の影響についても述べておく必要がありそうだ。『スター・ウォーズ』の第一作、現在は『スター・ウォーズ　エピソード４／新たなる希望』と改題された作品が公開された一九七七年、私はまだジョーゼフ・キャンベルの発想についてじっくり考え始めたばかりだったが、『スター・ウォーズ』のなかに見いだした神話のパターンの力には強烈な確信を感じたものだった。キャンベルが言うとおりの〈ヒーローズ・ジャーニー〉コンセプトそのものが、作品に完全に表現されていたからだ。この作品は、私がキャンベルの理論を理解し、自分自身の発想を検証する助けとなり、画期的な映画界の事件のひとつともなり、さまざまな記録を破り、映画に何ができるかという基準を大きく引き上げた。

私が「神話的構造」というものを教えるうえで、この作品は〈ヒーローズ・ジャーニー〉の動きや原理を示す便利でよく知られた事例となり、旅の要素の役目が単純で明確で鮮明なものであることを伝えてくれた。『スター・ウォーズ』はポップカルチャーの言語に仲間入りし、善と悪、テクノロジーや信条について、人々誰もが感じていることを表現する便利なメタファー、シンボル、フレーズを提供した。続三部作、新三部作、副産物、フランチャイズ、ありとあらゆる玩具やゲーム、コレクターズ・アイテムなどにより、一〇億ドルにも及ぶ産業を生みだした。全世代がこの映画の影響を受けて育ち、無数のアーティストに野望をもたらしたり、創造的な夢を追求するインスピレーションを与えたりした。太古の神話と同じように、何百万人もの人々に比較基準を与え、メタファーや意味を提供し、現世での自分の限界を超えて大きく広がる力をもたらした。

一九七七年の『スター・ウォーズ』が一回限りの事件だったとしても、その文化的な影響はやはり途方もなかったはずだが、『スター・ウォーズ　エピソード5／帝国の逆襲』(一九八〇年)、『スター・ウォーズ　エピソード6／ジェダイの帰還』(一九八三年)とシリーズが続くことにより、その影響は三倍になった。シリーズを生みだしたジョージ・ルーカスは、ワーグナーの連作オペラ『ニーベルングの指環』並みのスケールで、全部で一二作の映画からなる叙事詩を広大なキャンバスに描こうとしていた。その後の一六年、ルーカスが本当にこの約束を守って作品を撮るのか、このサーガは過去に広がるのか、未来にも進むのか、ファンにはわからなかった。コミック、小説、アニメシリーズ、テレビスペシャルなどの媒体で、さまざまな外伝や前日譚が発展し、「拡張世界(エクスパンデッド・ユニバース)」と呼ばれていたものの、ようやく一九九九年にルーカスがシリーズの制作を再開し、三本の「新三部作」が公開された。ルーク・スカイウォーカーやレイア姫の前の世代の物語で、このシリーズ最大の悪の権化、ダース・ベイダーの誕生につながる事件や登場人物の欠点などが描かれた。

六本の作品からなる広大なキャンバスの当初の計画は、極性を持った世界観と英雄神話そのものが反映され、英雄的なモデルの光と闇の可能性を徹底的に探求するものと見えた。一九七〇年代から八〇年代にかけて公開された作品は、前向きな熱のこもった楽観的な英雄主義を表現し、若き英雄のルーク・スカイウォーカーは権力や怒りに強くそそのかされながらも、最終的には勝利をおさめ、道徳的にもバランスのとれた、キャンベルの言う典型的な「二つの世界の導師《マスター》」となった。過去の物語の三本(『スター・ウォーズ　エピソード1／ファントム・メナス』[一九九九年]、『スター・ウォーズ　エピソード2／クローンの攻撃』[二〇〇二年]、『スター・ウォーズ　エピソード3／シスの復讐』[二〇〇五年])は、演劇的な意図がまったく異なるものとなった。軽さやユーモアの場面も散在してはいるが、全体のトーンは暗く悲劇的で、怒り、プライド、野心などの致命的な弱点により、人の精神が壊れていくさまが描かれる。

全作品を貫いていると見える神話的なテーマは、父と息子のあいだの感情領域へのこだわりだ。オビ゠ワン・ケノービ、ヨーダ、クワイ゠ガン・ジン、ルークのおじのオーウェン、メイス・ウィンドゥなど、ポジティブな男性ロールモデル、代理父、師の影響は強調されているが、一方でこのシリーズは、若い男のパーソナリティの発達における、父の不在や遠く離れた場所にいる父の影響、あるいはネガティブなロールモデルの影響にも大きな関心を払っている。

最初に公開された三本では、自分の父親の正体を探し求め、自分自身の暗い部分と格闘するルーク・スカイウォーカーの冒険が描かれる。一九七七年に公開されたエピソード4は、多かれ少なかれアーサー王伝説に通じるところがある。つつましい環境で育った若い貴族が、自分の本当の出自を知らないまま、マーリンのような存在（オビ゠ワン）に見守られ、父の強力な武器、アーサー王の剣のエクスカリバーにも似た、ライトセーバーを与えられる。

そのあとの二作では、ルークは自分の家柄や、レイア姫が双子の妹だということを知る。代理父との関係はその後も発展し、生きた相手としてのオビ゠ワンからの影響力は失うが（霊的存在としてのオビ゠ワンは引きつづきルークを導く）、ヨーダが新たな父親がわりとなる。フォースの使いかたを学ぶうちに、ルークは闇の部分に惹かれるが、これはのちに自分の本当の父親だとわかる、邪悪なダース・ベイダーが象徴する部分でもある。多くの英雄たちがそうであるように、ルークも自分の父親が完璧ではないことや、自分にも同じ危険な傾向があること、それが父を暴君や怪物にしたという事実に直面することになる。このあたりのプロットは、前の世代の失敗によって壊れた剣を若い英雄が鍛えなおすことになる、ワグナーのジークフリートの筋書きとやや似ている。

『エピソード6／ジェダイの帰還』で、ベイダー卿がルークの妹のレイア姫をフォースのダークサイドに陥れようとしたことにより、ルークは自分の父親を殺すチャンスとモチベーションを得て、〈復活〉の試練をくぐりぬける。邪悪な父親像のようにふるまい、ダース・ベイダーをあやつる悪の皇帝は、ルークを強力なライトニングで破壊しようとする。死が息子に迫ってくるのを見て心を動かされたベイダーは、極性の要素を逆転させ、フォースのライトサイドに転じ、皇帝を死に追いやる。皇帝との戦いで自身も瀕死の状態になったベイダーは、ルークに自分のヘルメットをはずしてもらい、ハイテクなマスクの下にある弱々しい人間の顔を見せる。父は許しを請い、息子は応じる。傷つき、一度は腕を切断され、自分のダークな可能性に激しく誘惑されながらも、ルークはポジティブな力を持った英雄となり、その力を人々の幸福のために責任を持って使うことができるようになった。息子の腕を切り落とし、殺そうとまでした父親のことも許した。理論上ではシリーズの完全なラスト、エピソード6が終わる間際には、名誉を回復し許されたダース・ベイダーの霊が、オビ＝ワンやヨーダの霊とともに三位一体の父親像としてそこに立ち、息子をあたたかく見守る場面が出てくる。

エピソード6の公開の一六年後、ルーカスは、最初の三つのエピソードを埋めるために未完成のキャンバスの前に戻り、ルークの父親、若きジェダイの騎士アナキン・スカイウォーカーの隆盛期と失墜、そして邪悪なダース・ベイダーとなっていく様子を描こうとした。ルーカスによる父と息子、師と弟子の関係の探求は、『スター・ウォーズ　エピソード1／ファントム・メナス』（一九九九年）で、賢者クワイ＝ガン・ジンとそのもとで訓練に励む若きオビ＝ワンの描写から始まっていく。クワイ＝ガンと銀河の女王パドメ・アミダラは、のちにルーク・スカイウォーカーが育つことになる砂漠の惑星のタトゥイーンで奴隷になっていた、聡明で意志の強い九歳の少年、アナキン・スカイウォーカーと出会う。アナキンは機械の操作や操縦が驚異的にうまく、ジェダイの預言にある、フォースのバランスをもたらす「選ばれし者」ではないかと思われた。しかし、この少年にはすでに悪の種の芽生えが見られ、ひどく短気で抑制が難しいところがあった。ヨーダだけがこの少年の抱える問題に気づき、プライドと怒りがこの少年を支配してしまうかもしれないと警告する。

父と息子の物語としては興味深いことに、アナキン少年には伝統的な意味での父親がいない。過去の神話でも多くの英雄がそうだが、アナキンの誕生はほとんど奇跡に近いもので、母親は人間の男によって妊娠したのではなく、ジェダイがフォースの発生路と考えている〝ミディ＝クロリアン〟と呼ばれる謎の微生物によって「無原罪懐胎」した。『スター・ウォーズ』シリーズの道徳的指針において重要な要素は、人間がいかに純粋な有機的生物から、テクノロジーや機械によって未来を拡張したり変化させたりする存在になるかということだ。シリーズ全体にわたって暗示されている警告は、テクノロジーの可能性がいかに驚異的なものであろうと、人間はバランスを失わないよう慎重にならなければならず、化学や機械の可能性に人間性が譲歩しすぎて人の行く手を阻むようなことになってはならないということだ。生物学的な父親がいないという事実は、父親的存在を求めながらも、そうした存在に反発してしまう原因となり、やがて半分以上が機械でできた、ダース・ベイダーという怪物的な存在になってしまうことの説明にもなるだろう。

映画の複雑な時系列により、新三部作の観客は奇妙な立場に立つことになる。若いアナキンは、積極的に動く主要登場人物であり、観客がその運命を気にかけてしまう人物でもあり、〈英雄〉のアーキタイプの役目をまっとうしているように見える。が、アナキンがいずれSFにおけるヒトラーやチンギス・ハーンのような存在になるとわかっている観客には、たとえ最終的にアナキンが名誉回復するとわかっていても、全面的に共鳴するのは非常に難しい。新三部作は興行収入的には大成功をおさめたものの、主人公が卑劣な悪党となる運命が最初からわかっているので、それを観るという演劇的体験そのものは、当然ながらやや弱いものとなった。観客の多くはいくぶん超然として新三部作を鑑賞し、観客が熱心にルーク・スカイウォーカーの闘いを応援したエピソード4〜6のようなことにはならなかった。

ポジティブな力を持った登場人物に共感したい観客は、アナキンから、新三部作のほかの登場人物、たとえばクワイ＝ガン・ジンやオビ＝ワン、パドメ・アミダラ女王などに目を移した。それでもやはり、ルーカスがこの巨大かつ複雑な構成の作品を生みだそうとするなかで選んだ芸術的なリスクとして、新三部作への冷淡さは多少なりとも残ることになった。アナキンの物語は、話が進むにつれますます暗くなっていく。『スター・ウォーズ　エピソード2／クローンの攻撃』では、天才たる者の特別な地位のせいで、アナキンはプライドや傲慢さの餌食となっていく。父親的な存在に対するアナキンの複雑な感情が、オビ＝ワンやヨーダといったポジティブなロールモデルへの反発を生み、パルパティーン元老院議員（ダース・シディアス）のようなネガティブな父親役のゆがんだ助言を求めたりしてしまう。

若きアナキンを目覚めさせたのは、最も人間味のある要素、つまり愛情で、アナキンはパドメ・アミダラ女王とひそかに恋に落ちて結婚する。だが、アナキンの愛する能力は、母親がタスケン・レイダーに殺されたことでゆがんでしまう。この一連の流れは、ジョン・フォードの『捜索者』のような西部劇映画の世界を思わせる。アナキンは、野蛮な連中からひどい拷問を受けた母親を見つけ、その死に過剰反応して残虐な復讐に走る。これによってアナキンは、観客の視点からはほとんど救いようのない人物になり果ててしまう。

『スター・ウォーズ　エピソード3／シスの復讐』では、アナキンは愛するパドメを失う恐れに取り憑かれ、彼女が子どもを産んで死ぬという予知夢に悩まされるようになる。こうしてアナキンは、愛する者を死から救う霊薬をくれるという、パルパティーン元老院議員の誘いにあっさり与《くみ》してしまう。さらにアナキンは誤った選択をし、ポジティブなジェダイの師であるメイス・ウィンドゥがパルパティーンを殺そうとするのを阻止し、逆にウィンドゥはパルパティーンに殺される。パドメが公職を退いてほしいと懇願したときも、アナキンはまちがいを犯し、いつかパルパティーンを打ち倒したいというひとりよがりの望みのせいで、権力の中心にとどまることを選ぶ。

逆説的だが、自分がいちばん恐れていたパドメの死の原因を作ったのはアナキンと言ってもよく、アナキンは、パドメがオビ＝ワンと手を組んで自分を裏切ったと思い、パドメの首を絞めてしまう。パドメは絶望のあまり、ルークとレイアを産んだあとで亡くなる。アナキンはオビ＝ワンとの最後の決闘で完全に怪物へと身を落とし、オビ＝ワンに両腕と片脚を切り落とされ、灼熱の溶岩のそばに転がされる。実は悪の陰謀家ダース・シディアスだったパルパティーンは、アナキンを救い、機械を使って人間未満の生物ダース・ベイダーに生まれ変わらせる。この暗い悲劇的なクライマックスで、唯一の希望の光は、赤子のルークとレイアが養父母のもとに送られたことで、ルークはタトゥイーンのおじとおばの家で、レイアは惑星オルデランの貴族のオーガナ家で育てられることになる。

新三部作に対する観客や批評家の反応は、ジャー・ジャー・ビンクスなどのコメディ要素のキャラクターに対する猛烈な批判から、ルーカスがエピソード4〜6のころに持っていた明るく陽気な精神が失われたことへの落胆までさまざまだった。新三部作がかなり異なる雰囲気となった一因として、若き日の創作物へと立ち戻ったときのルーカス自身も、異なる人生のステージにあったということがあげられるだろう。七〇年代から八〇年代にかけて旧三部作を制作しているころのルーカスは、自分の子ども時代にすぐにでも戻れるぐらいの若さで、若者の楽観や希望にもしっかりと手を触れていることができた。一九九九年ともなると、無垢な時代へ戻るのはだいぶ長い道のりとなり、ルーカスの視点も、若くて腕白だった映画制作者のものではなく、責任を背負った親、企業の巨大ネットワークのトップの視点に変わっていた。エピソード1でルーカスはアナキン・スカイウォーカーの幼年時代を扱っているが、アナキンは天才少年というよりは、厭世的な成人のようでもあった。

かつてルーカスは、最初の六本の映画で自分のオリジナルのイメージは完成したと述べ、自分が築いた世界は、映画や小説、コミックブックやアニメシリーズ、ゲームや玩具など、ルーカス自身が監修したり、彼のコントロールから独立して進んでいるものたちの流れによって発展を続けると述べた。『スター・ウォーズ』の世界はそれ自体に明らかな生命が宿るようになり、もともとのクリエイターの意図からまったく離れ、その世界を手に入れたい、そこに住みたいと思うファンによって作られた、無数のオリジナルストーリーや工芸品によって装飾されつづけている。たとえば、ディズニープラスのシリーズ『マンダロリアン』が登場すると、ファンはマイナーなキャラクターをベビー・ヨーダと呼んで愛し、この小さな生き物を玩具にしてほしいと声をあげ、ディズニーが最新のスターキャラクターの商品やマーケティングキャンペーンをおこなう前から大きな需要が生じた。

二〇〇一年、私は、シリーズのリバイバルで人々の関心を頂点に導いた、「スター・ウォーズ現象」を検証するドキュメンタリー映画、『はるか彼方の銀河系で（A Galaxy Far, Far Away）』の制作に参加した。この映画は、『スター・ウォーズ』ファンの奇妙な執着や、彼らの人生におけるこのシリーズの重要性を、陽気な視点でとらえたものだ。映画のなかの父息子の意義深さを考えれば、この映画の制作者の主要な結論が、『スター・ウォーズ』サーガがまれに見る文化的な事件のひとつであり、世代をひとつにまとめ、父と息子のあいだに強い絆を作ったというものになるのは驚くことではない。このドキュメンタリーのなかでインタビューを受けたたくさんの若者が、『スター・ウォーズ』シリーズは父と息子が一緒に観ることのできる数少ない作品で、家族の思い出の重要な位置を占めるようになったと語っている。いくつかの欠点や失敗はあるものの、この映画シリーズは、神話的な想像力の見事な偉業であり、叙事詩的伝統を継承し、〈ヒーローズ・ジャーニー〉のモチーフに豊かなエネルギーがいまも波打っていることを証明してくれるものだと考えている。

シャーマン

ライターズ・ジャーニー

〈ヒーローズ・ジャーニー〉モデルの美点は、単に神話やおとぎ話のパターンを説明しているばかりではなく、ライターになるために、いや、もっと言えば、人間になるためにしなければならない旅の領域を、正確に地図にしていることにある。

〈ヒーローズ・ジャーニー〉と〈ライターズ・ジャーニー〉は、まったく同じものである。物語を書くために旅立った人間は、すぐさま〈ヒーローズ・ジャーニー〉の試練、試み、苦難、喜び、そして報酬に遭遇することになる。内的な風景のなかでは、〈影〉、〈変身する者〉、〈師〉、〈トリックスター〉、〈戸口の番人〉といった人々すべてに出会う。書くことはしばしば、人の魂の深部をつつき、体験からの〈宝〉——優れた物語——を持ち帰るための、内面世界への危険な旅となる。自尊心の低さやゴールに対する混乱は、作品をとどこおらせる〈影〉になったり、編集者やライター自身の批評的な面が〈戸口の番人〉となり、行く手を阻んだりもする。偶発的な出来事、コンピュータのトラブル、時間の使いかたや自制の難しさは、〈トリックスター〉のようにライターを苦しめ、嘲ることもある。成功という非現実的な夢や気を散らす何かが〈変身する者〉となってライターを誘惑し、混乱させ、目を曇らせたりする。締め切り、編集判断、進まない売り込みなどの〈試練〉や〈苦難〉のせいで、ライターはいったんは死んだようになり、そしてまた書くために〈復活〉する。

しかし希望を持とう。書くことは魔法だ。書くという行為の最も単純なものにも超自然的な力があり、それはほとんどテレパシーのようなものだ。考えてみてほしい——一定の決まりに沿った抽象的なマークを紙切れに書いておくだけで、何千年も先のまるで別の世界の誰かに、われわれの複雑な考えを伝えることができるのだ。時空の境目や、ひょっとすると死の境界さえ超越してしまうのだ。

文字とは単なる伝達や記録、歴史の回顧のためだけにあるものではない、と考える文化はたくさんある。文字とは強力な魔法の宿るシンボルであり、文字によって呪文を投げかけたり、将来を予測したりすることもできると信じられている。北欧のルーン文字やヘブライ語のアルファベットは、言葉を綴るための単純な文字であり、同時に宇宙の深い意義を象徴するものでもある。

こうした魔法的な感覚は、言葉を作るために文字を操作する行為を表すものとして子どもたちが教わる単語、すなわち「スペリング」という言葉のなかにも名残がある。われわれは、言葉を正しく「綴る《スペル》」ために、「呪文《スペル》」を唱え、この抽象的な任意のシンボルに意味と力を与えている。「棒や石で人の骨を折ることはできるかもしれないが、言葉では痛みを与えられない」などと言われることもあるが、これは明らかなまちがいだ。言葉には傷つける力も癒やす力もある。手紙、電文、電話の単純な言葉でも、ハンマーの一撃のような痛手を負わせることができる。それはただの言葉——紙に書かれたマークや空気の振動による音声——かもしれないが、「有罪である」「構え、狙え、撃て！」「誓います」「あなたの脚本を買い取ります」といった言葉は、人を拘束したり、判決を下したり、喜びを与えたりできる。その魔力で、人々を傷つけることも癒やすこともできるのだ。

癒やしの力は、言葉の持つ最大の魔力的側面だ。古代文化のシャーマンや祈祷師のように、ライターも癒やし手となれる可能性を持っている。

ライターとシャーマン

シャーマンは「傷ついた癒やし手」とも呼ばれる。ライターと同様、シャーマンは特殊な人々で、シャーマンの見る夢、幻影、独自の体験などは、ほかの人々とはまるでちがう。多くのライターがそうであるように、シャーマンは過酷な試練に耐えることで、自分の仕事の準備を整える。危険な病にかかることもあれば、断崖から転落してほとんどすべての骨が折れてしまったりすることもある。ライオンに噛まれたり、熊に襲われたりもする。体をばらばらにされ、新しい方法でもう一度継ぎ合わせられたりもする。ある意味シャーマンは、一度死んでよみがえった存在で、その体験が特別な力になっているのだ。ライターも、ある意味では人生にずたずたにされたのち、その技能を手に入れる人が多い。

シャーマンになるために選ばれた人々は、神々や精霊によってほかの世界に連れ去られ、そこで過酷な試練に見舞われるという、特殊な夢や幻影を見ることが多い。夢のなかで彼らは、テーブルの上に寝かされ、すべての骨や器官を取りのぞかれたり破壊されたりする。本人の目の前で、骨や器官が裂かれ、料理され、再び新たな配置で戻される。彼らはまるでラジオの受信機のように、新しい周波数に合わせて調整される。そうして彼らはシャーマンとなり、異世界からのメッセージを受け取ることができるようになる。

シャーマンは新しい力を手にして部族のもとへ戻る。ほかの世界に旅して、人生に導きや癒やしや意味を与える物語、メタファー、神話を手に入れて帰ることができるようになる。部族の人々が見る混沌として謎めいた夢の話を聞き、そこに物語の形を与えることで、正しい生活のための指針を提供する。

われわれライターも、シャーマンの持つ神のような力を共有している。ほかの世界を旅するのみならず、時空からほかの世界を生みだしてみせる。ライターが書くとき、ライターは本当にその想像の世界を旅している。真剣に書いてみたことがある人なら誰でもわかることだが、ライターに孤高の世界と集中力が必要なのはそのためだ。ライターは実際に、別の時間と空間を旅しているのだ。

ライターとしてほかの世界を旅するときのわれわれは、単なる白日夢を見ているわけではなく、魔力を使ってその世界をボトルに詰め、他者と共有するために物語の形にして持ち帰るシャーマンなのだ。われわれの物語には、癒やしの力、世界をもう一度新しくする力、人々が自分の人生をより理解できるようなメタファーをもたらす力がある。

ライターがアーキタイプや〈ヒーローズ・ジャーニー〉という古代のツールを現代の物語に適用できるのは、古の神話の作者やシャーマンの偉業の力を借りることができるからこそだ。神話の知恵で現代の人々を癒やそうとするライターは、現代のシャーマンなのだ。われわれライターもまた、神話が提示してきた不変不朽の、子どものような問いを投げかける。私は誰か？　どこから来たのか？　私が死んだらどうなる？　それは何を意味する？　私にふさわしい場所はどこか？　私自身の〈ヒーローズ・ジャーニー〉は、いったいどこへ向かうのか？

付録
物語の続き
執筆技術を身につけるための追加のツール

APPENDICES: THE REST OF THE STORY:
ADDITIONAL TOOLS FOR MASTERING

ストーリーテリングとは、プロットや登場人物だけにとどまるものではない。優れたストーリーテラーになりたければ、あなたの考えを表現し、あなたに見える現実を反映するための、さまざまな種類のツールが必要となるだろう。このセクションでは、この業界の過去の名匠たちに有益と証明された、精神的・感情的なツールを集めてみた。あなたの執筆に深みや広がりを与えてくれる、必須のテクニック、原理、心理学的な本質について説明していこうと思う。

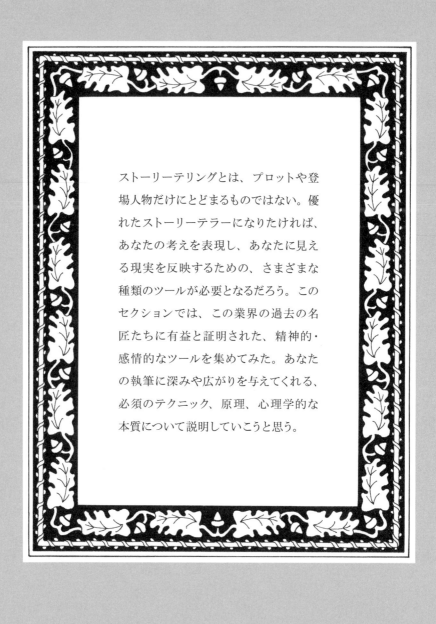

重要な取引は何か？

ハリウッドはのるかそるかの業界で、何かを教える時間などはめったに割いてくれないが、自分のキャリアの初期、オライオン・ピクチャーズのリーディングを担当していたころに、ひとつ有益な教えを受けたことがある。ベテランのストーリー編集者のミグズ・リービーが、リーディング担当者のミーティングの席上で、あなたがたは誰ひとりシーンというものの意味がわかっていない、と告げたのだ。私は驚いた。わかっていたつもりだった。シーンとは映画の短い断片で、ある場所で一定の時間に起きたある動きや、そこに与えられた情報を描いているもの、と大学院の映画学科では教わっていた。

ちがいます、とそのストーリー編集者は言った。シーンというのは「ビジネス取引」なのだと。金は絡んでいないかもしれないが、登場人物のあいだの契約や権力のバランスの変化がつねに絡むものなのだと。二人かそれ以上の人物が、そのあいだにある一種の取引の処理に介入し、交渉なり闘いなりをくり広げる。新しい契約が結ばれた時点で、そのシーンは終わらなければならない。

ときには長きにわたって確立されてきた権力構造がひっくり返ることもある。地位の低い側が、脅迫状を使って権力をつかむ。人々が独裁者に謀反を起こす。誰かが人間関係を終わらせたり、耽溺していたものを乗り越えたりする。

新たな同盟や敵対関係が形成される場合もある。たがいに憎みあう二人の人間が、危険な状況で新たな取引をして手を組む。若い男が若い女をデートに誘い、女は男の申し出を受けるか拒むかする。二人のギャングが別のライバルを消すために協定を結ぶ。保安官が暴徒に強いられて男を引きわたし、リンチへと発展する。

シーンの内容は、新たな取引を結ぶための交渉であり、取引が成立すればシーンもそこで終わりだ。新しい取引がなければシーンもない。少なくともそういったシーンは、脚本上重要なものにはならない。カットしてもいいシーンとされるか、重要な力の交換があるようなシーンに書きかえられる。

ストーリー編集者に言わせれば、シーンとは何かを知らないライターは大勢いて、単なる「登場人物の組み立て」のため、あるいは話の説明のために、シーンとは呼べないものを挿入してくるという。シーンをどこから始めてどこで終わらせるかわからずに、紹介やおしゃべりで時間を無駄にし、取引が終わったあともシーンを引きのばそうとする。シーンは取引だ。取引が終われば舞台をおりるだけだ。

この原理はシーンの本質を明確にするのにとても役に立ったし、脚本の大きな問題点をマクロレベルで突きとめる助けにもなった。どんな物語も、大きな取引の交渉のくり返しであり、社会で対立する権力同士の契約なのだ。ロマンティック・コメディは、男女間の契約交渉のくり返しだ。神話や宗教的な物語やファンタジーは、人間と、その物語の世界で戯れるもっと大きな力とのあいだに、くり返し交わされる盟約なのだ。スーパーヒーローの冒険や、道徳的ジレンマの物語では、善と悪の不安定なバランスが何度も検証される。多くの映画のクライマックスは、新しい合意事項を説明する法廷での判決であり、悪人への刑罰の宣告であり、潔白な者への無罪宣言であり、議論されていた取引条件の規定である。どんな状況においても、物語はひとつの契約にたどりつき、新しい契約が結ばれたことを発表して終わる。

映画のなかで大きな契約が結ばれるのがいつかを知っておけば、映画がどこで終わるべきかもわかる。最近の映画は、観客にとってはすでに物語が終わっていても、さらに長々と続くことが多い。契約の最終条件が決まれば映画は終わりなのに、余分な装飾やエンディング、一〇年後の話などを挿入したりすれば、観客は落ちつかなくなる。私が幼いころ、ドライブインシアターで映画を見ていると、二本立ての映画の二本目がラストシーンを迎える前に、エンジンをかけて走り去ってしまう客がたくさんいたものだ。怪物が殺されたり殺人鬼がつかまったりすれば、映画全体の取引は完了で、主人公が恋人とキスしたり、車で夕焼けのなかに消えたりするのを見る必要はない。「取引が終われば舞台をおりる」のは、シーンだけでなく、物語の全体的な構造に関しても正しいルールなのだ。

もうひとつの取引――観客との契約

シーンが取引なら、物語はなんだろう？　物語も取引ではあるが、この場合、シーンにおける登場人物同士の契約ではなく、物語の作者と観客との契約ということになる。契約条件はこうだ――観客は物語の作者に、価値あるものを与えることに同意する。つまり、金銭、そしてそれ以上に価値あるもの、時間だ。映画の脚本家は観客に対して、自分に、自分だけに、九〇分ほど注目してくれるように頼む。小説家ならもっと長時間になる。よく考えてみてほしい！　ひとつのことに注意を払わせるというのは、この世におけるもっとも貴重で価値ある商品のひとつであり、まして、人の注意を惹こうと競い合うものが無数にある現代ではなおさらだ。二分か三分でも何かに注目することは、大きな賭け金の支払いを意味するわけで、本や映画のチケットに払う一〇ドルかそこらの金額以上に価値の高いことなのだ。だからこそ、作者も本当に良質なものを提供し、契約をまっとうする必要がある。

観客との契約を満たすには、さまざまな方法がある。これまで私は、〈ヒーローズ・ジャーニー〉モデルこそこうした契約のすべてであり、絶対に必要なものだと考えてきた。いまでも、観客との契約条件を履行するために、死や変身の味わいも含むカタルシス作用のある人生のメタファーを提供するうえで、このモデルは最も信頼できる方法だと思っている。観客はどんな物語からもこのモデルを読みとる傾向があるし、実際、このモデルの要素をまったく持たない物語を探すほうが難しいぐらいだ。ただ、物語を契約完了まで持ちこたえさせる方法は、これひとつだけではないと感じるようにもなった。

作者は最低でも観客を楽しませなければならない。つまり、奇抜なもの、ショッキングなもの、びっくりするようなもの、サスペンスタッチのものに、観客の注目を惹きつけなければならない。感覚的なものを準備しよう。観客の感覚に訴えるもの、官能的もしくは本能的なもの、スピード感、動き、恐怖、セクシーさのあるものなど、観客が身体器官で感じられる体験を提供するのだ。

笑いも観客との契約を満たす方法のひとつだ。人は笑いに飢えているもので、何度も大声で笑わせてくれる映画は当たる。契約の笑い条項を満たしてさえいれば、物語の多少の馬鹿馬鹿しさや無意味さは見逃してもらえる。一九五〇年代の映画シリーズに登場したおしゃべりラバのフランシスが、心あたたまる示唆に富んだ〈ヒーローズ・ジャーニー〉の物語を見せてくれるとは誰も思っていなかったし、シマリスのアルビンとチップマンクスによって人生が変わることを期待する観客も皆無だったはずだ。

別の場所や別の時間への移動も、観客との契約を満たすことができる。私は『アビス』の細かいストーリーをあまり覚えていないが、暑い夏の午後に冷たく暗い海のなかへ二時間行けただけで、充分元を取れた気になった。ジェームズ・キャメロン監督は、洗練された『タイタニック』の世界、魅惑的な『アバター』の世界に見られるように、世界そのものを創造することに長《た》けている。キャメロンの映画が成功しているのは「私をどこかへ連れていって」という観客との契約を満たすからだとも言える。

観客から好かれている映画スターに魅力的なコンビを組ませるという方法は、映画会社が大衆との契約を満たすためによく使う方法だ。観客を煽る映画の予告編では、よくこんなうたい文句が登場する。「『アダム氏とマダム』のトレイシーとヘプバーンが『パットとマイク』で再共演!」。愛されているスターたちに別のコスチュームを着せることも、エンターテインメント契約を果たすひとつのやりかただ。「ラッセル・クロウのグラディエーター衣装がお好みなら、ロビン・フッドの装いのラッセルはいかが?」というふうに。

これまでにない目新しい映画も観客を惹きつけ、時間と入場料を投資してみようという気にさせる。みんなが話題にしている映画、『サイコ』『クライング・ゲーム』『パルプ・フィクション』『ブレア・ウィッチ・プロジェクト』『パッション』『300〈スリーハンドレッド〉』などについて語り合えるのは、それだけで価値あることなのだ。この契約条項を履行するには、奇妙なもの、恐ろしいもの、ショッキングなもの、スリリングなもの、驚くべきものを映画に織り込んでおけば、作品を観た観客が訳知り顔で人に語ってくれる。

エンターテインメント契約の条項を満たす最も強力な方法のひとつは、観客の多くが心の奥に抱いている願いをかなえるということだ——『ジュラシック・パーク』は恐竜がもう一度動きだすのを見せてくれるし、『スーパーマン』では空を飛んだりスーパーパワーを使う醍醐味を味わえ、『トワイライト』シリーズではセクシーなティーンエージャーの吸血鬼に誘惑された気分になれる。おとぎ話とは人の願いに駆りたてられて生まれるものだと考えたウォルト・ディズニーは、人々が求める健全なファンタジー体験を与えることがディズニー・ブランドの役割だと認識し、その願いをかなえる妖精や魔法使いや精霊のキャラクターをたくさん生みだした。

ときには、その映画が時代精神や公開当時の支配的な空気をとらえているというだけで、契約がまっとうできてしまうこともある。公開時に起きていた現実の問題と、映画の内容が偶然に一致することもある。原子力発電所のメルトダウンをフィクションとして描いた『チャイナ・シンドローム』は、公開後まもなくスリーマイル島

『マイレージ、マイライフ』（ジェイソン・ライトマン監督、2009）は、時代精神的なものを表現することで、契約を満たすことに成功した。

の原発事故が起きたため、一躍誰もが観たがる映画になった。『マイレージ、マイライフ』はそれ自体すばらしい演技と物語をそなえた映画だが、何年もかけた準備ののちに公開された時期は、ちょうどたくさんのアメリカ人が失業に直面していたときだった。国じゅうを飛びまわって人を解雇する野心的な男の物語は、観客の心に触れた。逆に、公開時期に起きた出来事が、映画をだいなしにしてしまうことももちろんある。９・１１のテロのあと、高層ビルが攻撃され破壊される場面があるからという理由で、お蔵入りになった映画はずいぶんある。その時期の観客は、そうした契約を求めていないと見なされたのだ。

策略や取引がすべてだと言わんばかりのこうした考えかたに、最初は私も抵抗していた――映画は単なるビジネスじゃない部分もあるだろうと思った。だが、やがて私も、ある意味これは正しいと感じ始めた。そもそも、聖書が神とその創造物との契約や取引を綴った書物なのだから、われわれも契約によって生きているのだとも言える。人は誰しも、自由やそれなりの安全を得る代償として、まともなふるまいをすることが求められているし、こうした取り決めは、人が社会全体と結んだ暗黙の取引、いわゆる社会契約と呼ばれるものだ。文明において必要な文書は、契約、協定、新しい取引条件の宣言といった形をとるもので、ハムラビ法典や婚姻前契約から基本的人権まですべてがそうだ。物語を語るときは、ひとつひとつのシーンに対し「ここで生じた取引はなんだろう?」と、物語全体に対しては「重要な取引はなんだろう?」と問いかけてみよう。観客、つまり観客の関心や、観客が割く時間について考え、契約の遂行に努めよう。最低でも彼らを楽しませ、願いをかなえ、刺激を与え、関心を惹き、ときには観客を少しでも変化させるようなものを提供できるように努力してみよう。

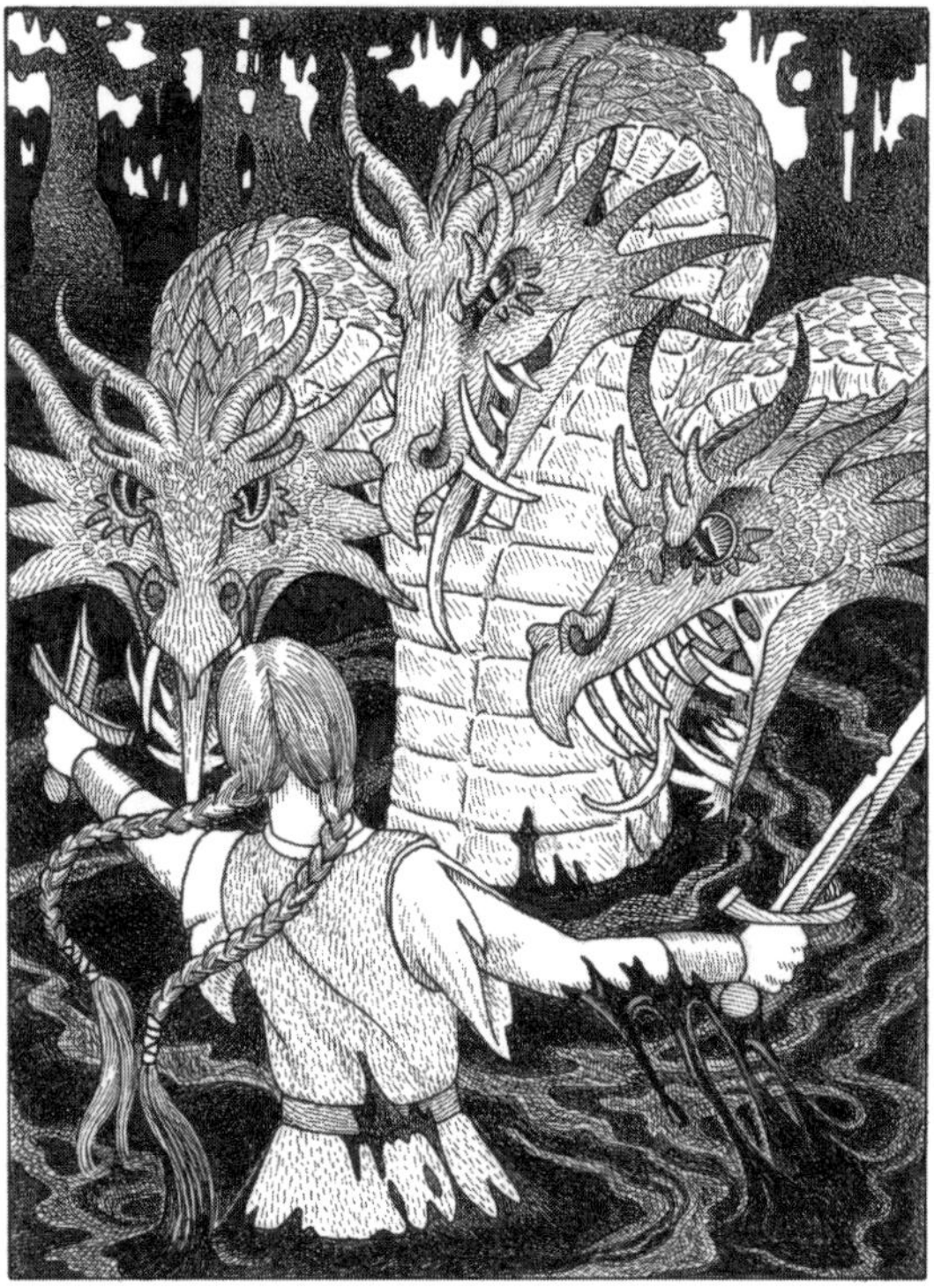

物語は生きている

物語は生きている

「人の作品のすべての源は創造的な妄想である。だとすれば、空想力を軽視するのは果たして正しいことであろうか？」

――カール・ユング

「お会いできてうれしい　私の名を推測していただけるといいのですが
ただ、あなたを困惑させてしまうのは　私の仕事の性質でしてね」

――ローリング・ストーンズ『悪魔を憐れむ歌』の歌詞より

前提――物語は生きており、意識もあり、人間の感情に反応する。

一九八〇年代にディズニー社が変革をおこなっていた一時期、私は世界の各文化圏で有名なおとぎ話のレビューをおこなうよう頼まれた。グリム兄弟やペローの童話集の『白雪姫』や『シンデレラ』や『眠れる森の美女』のような、ウォルト・ディズニーがカラフルな翻案をおこなった作品と似たタイプで、アニメーションの主題となりそうなヨーロッパの民話を探すことが目的だった。この仕事は、ラプンツェルやルンペルシュティルツヒェンなど、私にとっては子どものころからの古い友だちではあるものの、ウォルト・ディズニーがこれまで取り組んでこなかったキャラクターの精神を、もう一度研究する絶好のチャンスだった。私は、異なる文化からいろいろな種類の物語をサンプリングし、この一般サンプルから類似点や差異を見つけたり、ストーリーテリングの原理を抽出してみようと考えた。

本来なら児童文学と考えられている作品を、大人の目であれこれ見てまわるなかで、私は人類が生みだした力強く謎めいた創造物である物語というものに対し、いくつか確かな結論を得た。たとえば、私は「物語には癒しの力がある」と信じるようになった。物語は、感情的な難局を切りぬけるための手助けとなる、人の行動の手本を与えることができる。人は人生のいくつかのステージで似たような苦難と闘うもので、こうした手本は、生きるための別の戦略を試そうという気持ちをかき立ててくれる。また、「物語には〝生存価〟がある」、すなわち、人類の生き残りに寄与する性質があると思うようにもなった。物語は人類の進化に大きな一歩をもたらした。物語のおかげで人間は比喩的に考えることができ、蓄積された種の知恵を物語という形で引き継いでいけるようになったのだ。さらに、「物語はメタファー」であり、人々はこれを尺度として、自分の人生を登場人物の人生と比べながら調節することができる。多くの物語は基本的に旅をメタファーとしており、「良質の物語は少なくとも二つの旅、外面と内面の旅を描いている」とも言える――外面の旅とは、主人公が困難なことを試みたり何かを手に入れようとしたりする旅で、内面の旅とは、主人公が精神の危機に直面したり性質を試されたりして変化を迫られる旅だ。そして、「物語は方向を決める道具」でもあり、羅針盤や地図のように、方向、中心の位置、つながりを知らせ、人が自分のアイデンティティや責任、自分と世界の関係などを意識し、認識を高めるのに役立つものだ。

とはいえ、物語についての私の信条のなかでも、特に映画のような商業的な物語を育てるときに役立つと思うのはこれだ――「物語は生きており、意識もあり、人間の感情や願いに反応する」。

私はつねに、物語には命があるのではないかと考えてきた。物語には意識や目的があるように見える。生き物と同じで、物語にも自分の計画や胸中の考えがある。物語は人間から何かを得ようとする。人間を目覚めさせ、より意識的で活発な言動をさせようとする。エンターテインメントを装い、人に教訓を与えたがっている。娯楽のふりをして、人を教化し、道徳的な状況や闘争やその結果を見せることで、人の性質を少しでも高めようとする。ちょっとした方法で人を変えたり、人に自分の言動と登場人物の言動を比べさせ、もう少し人間的になるよう仕向けようとする。

意識や意図を持つ生きた物語の性質は、たとえばグリム兄弟の童話集におさめられたおなじみのおとぎ話のひとつ、『ルンペルシュティルツヒェン』に表れている。わらを黄金に紡ぐことができ、人間の子どもをよこせと不可解な要求をしてくる小さな男の話だ。ブラリバシウス（スウェーデン）、ティッテリンテューレ（フィンランド）、プラセオディミオ（イタリア）、レペルスティリイェ（オランダ）、グリグリグレダンムニュフレタン（フランス）など、奇妙でおかしな名前の小さな男が登場する物語は、さまざまな文化圏に散見される。

私が幼少期に出会った物語の精神を研究するうえで、この物語は難問を投げかけてきたもののひとつだった。この小さな男は何者なのか、どこでこの力を得たのか、なぜ人間の子どもが欲しいのだろうか？　物語に出てくる娘は、どんな教訓を学んだのだろうか？　大人になった自分が、ウォルト・ディズニー社のアニメーションの仕事で、再びこの物語についてじっくり考えてみても、やはり謎はたくさん残った。それでも、この民話の深い知恵は、物語が生きていること、物語みずから登場人物の願いや欲求や強い感情に反応し、人生の教訓を授けるような体験を提供せずにはいられないことを理解するうえで、私の大きな助けとなってくれたのである。

ルンペルシュティルツヒェンの物語

この物語は、危険な状況にある美しく若い娘、すなわち嘆きの乙女というアーキタイプの人物が登場するところから始まる。娘の父親の粉屋は、うちの娘はわらを黄金の糸に紡ぐことができると王に自慢した。これを真に受けた王は、「それはすごい!」と叫び、娘を城の一室に閉じ込めて紡ぎ車とわらの山を与え、朝までに父親が言ったとおり黄金の糸を紡げなかったら、殺してやると脅した。

娘は途方に暮れてすすり泣いていた。すると扉がひらき、小柄な男、いわゆる〝こびと〟が入ってきて、何をそんなに泣いているのかと訊ねた。おとぎの国の人々にありがちな傾向だが、男は娘の強い感情に惹きつけられたようだった。娘が自分の窮状を説明すると、男は、自分ならたやすく黄金の糸を紡げると言い、紡いでやったらお返しに何をくれるかと訊ねてきた。娘がネックレスを渡すと、男はすぐに腰をおろし、ぐる、ぐる、ぐる、と糸車を回してわらを紡ぎ、輝く金糸を糸巻きに巻いていった。

朝が来ると小さな男は姿を消した。王は金糸を見てとても喜んだが、もっと欲しくなり、娘をさらにたくさんのわらがある広い部屋に閉じ込め、朝までに金糸を紡ぐよう命じ、できなければ殺してやると言いわたした。その夜、娘は部屋でひとりなすすべもなく、またすすり泣いていた。すると、またしてもその感情に呼びだされたかのように、男が現れた。娘は今度は指輪を差しだした。ぐる、ぐる、ぐる、わらは紡がれて金糸になった。

翌朝、王はさらに大きな金糸の糸巻きができているのを見て喜んだが、ますます欲深くなり、娘を城でいちばん広い部屋に閉じ込め、天井に届くほどのわらの山を与えた。これを朝までに金糸にできたら王妃に迎えてやる、そのかわりできなければ殺す、と王は言った。

閉じ込められた部屋で娘がすすり泣いていると、今度も小さな男がやってきたが、娘にはもう差しだせるものがなかった。すると男は言った。「おまえが王妃になったら、最初に産まれた子どもをくれないかね」先のことなど何も考えられない娘は同意した。ぐる、ぐる、ぐる、わらの山はたちまち黄金の糸になった。王は金糸を手に入れ、約束どおり娘と結婚した。王妃となった娘は、一年たって可愛らしい子どもを産んだ。

ある日あの小さな男がやってきて、娘の命を救った報酬として子どもを要求した。若い王妃は、代わりに王国の富をなんでも与えると言ったが、男は聞き入れず、「世界中の宝なんかより、生きているもののほうがいい」と言った。王妃は嘆き、泣き叫び、人間の感情に敏感な男も少し悲しくなった。そこで男は王妃と別の約束を交わした。王妃が男の名前を三日以内に当てることができたら、子どもを手放さなくてもかまわない。とはいえ、男は自信たっぷりで、自分の名前はすごく変わっている、絶対わかるまいと言い放った。

王妃は聞いたことのある名前をひと晩中考え、遠方まで使者を送っては変わった名前を集めて一覧を作らせた。一日目に男が訪ねてくると、王妃は全部の名前を伝えたが、正解はなかった。二日目はさらにたくさんの使者を王国の隅々まで送って奇妙な名前を集めたが、今回も男の名はそのなかになく、男はどうやら赤ん坊をもらえそうだと思い、笑いながら帰っていった。

三日目、いちばん忠実な王妃の使者が遠くから戻り、貴重な情報を報告した。新たな名前は見つからなかったものの、遠方の山の上に小さな家があり、その前で火が燃えていて、小柄で滑稽な男がそのまわりで踊っているのを見たという。男は大声で、自分の名前はルンペルシュティルツヒェンだと歌っていた。

小さな男は、王妃には自分の奇妙な名前を言い当てられるはずがないと確信し、また王妃の部屋にやってきた。だが、二つのまちがった名前を言ったあと（「コンラッド?」「ハリー?」）、王妃は正しい答えを言った――ルンペルシュティルツヒェンでしょう！　ここでこの物語は唐突な結末を迎える。男は、悪魔がその名前を教えたにちがいないと叫び、右足で激しく地団駄を踏んでいるうちに、床が抜けて脚が地面に突き刺さってしまう。男は両手でもう片方の足をつかみ、文字どおり自分の体を二つに裂いてしまうのだ！

人間の母親から子どもを奪おうと画策した男には、実にふさわしい結末ではないか。いや、本当にそうだろうか？

超自然的な力で錠のかかった部屋に入ってきて、わらを紡いで金糸にしたこの奇妙な男は、いったい何者なのだろう？　物語ではこの男のことを「小柄な男」「こびと」としか呼んでいないが、世界中の民話に登場するおとぎの国の人物、おそらくはエルフかノームであろうことはまちがいない。おとぎ話の人物の名前や正体は、きわどいものであることも多いため、語り部はこの男が何者か説明するのを慎重に避けたのかもしれない。だが、中世の時代にこの物語を聞いた人々なら、この小さな男が、おとぎの国からやってきた超自然的な生き物だとすぐ気づいたことだろう。ほかのおとぎの国の住民と同じように、この男も、特定の誰かの前に現れたいときに現れ、人間の子どもに興味を持ち、人間の強い感情に惹きつけられている。

おとぎの国の人々は、古くから多少の悲哀を匂わせていることが多いが、これはおそらく、人間が当然持っていて、彼らが持たないものがあるせいだと思われる。一説によれば、おとぎの国の人々は子を産むことができないため、人間の子どもに惹かれ、夜のうちにさらったりすることがあるのだという。シェイクスピアの『真夏の夜の夢』に登場する妖精の女王ティターニアも、可愛い玩具としてインドの小公子をさらってきた。妖精はときどきゆりかごから子どもを盗み、かわりに木片や、「取り替え子」と呼ばれる子どものレプリカ人形などを置いていったりする。

妖精が感情を感じる能力も人間とは異なるようで、妖精は人間の激しい感情の表出に関心を持ち、実際に惹きよせられたりもする。いわば妖精はパラレルな次元の存在で、儀式や祈りの集中的な感情の力が悪魔や天使を召還するのと同じように、妖精も強い人間の感情に呼ばれ、こちらの世界にやってくるのかもしれない。妖精は、愛や悲しみといった人間の純粋な感情を知らず、自分たちにないものに強い興味を示すのではないかとも言われる。

成人してからルンペルシュティルツヒェンの物語を再読してみると、娘の絶望の涙が、いともたやすく小さな男を呼びだせることに驚かされる。娘のすすり泣きは、助けを呼ぶ叫びや願いがこもっている。台詞を加えるなら、「お願い、私をここから出して!」というところだろう。おとぎの国の住民は、人間の感情、特に人間の強い願いに関心を持つ。この物語の場合、娘の願いは、命がけの絶望的な状況から脱出することだ。おとぎ話の因果関係のロジックでは、娘のこぼした涙は、ポジティブな結果を生むポジティブな行動だ。娘は泣くことで自分の無力さを認め、人々を取りまく精神世界へ助けを求める信号を送っている。「父が私にあると偽った魔法の力を本当に持っていて、私をこの恐ろしい場所から逃がしてくれる人はいませんか?」。物語はこの信号を聞き届け、娘の逃亡の願いをかなえる力を持つ、超自然的な生き物を使者として送ってくる。

ただし、例によってそこには罠がある。この苦境から娘を逃がす代償は非常に高く、ネックレスや指輪などの物質的な宝から、命そのものへと対価が上がっていく。しかし娘は、その場では深く考えてはいない。子どもを産むのはずっと先にある可能性だ。そのときが来るまでにはどうにかできるだろうし、小さな男が姿を消してくれるかもしれない。リスクがどうあれ、この部屋からも王の怒りを買う危険からも逃れるため、娘は条件に同意する。強い感情の爆発で表現された逃亡への願いが、小さな男を呼びだし、冒険を動きださせたのだ。

願いの力

私はしだいに、願いはストーリーテリングの基本原理なのかもしれないと思うようになった。主人公はたいていいつも困難な状況や居心地の悪い状況に陥り、逃げたい、あるいは環境を変えたいとしょっちゅう願っている。願いはしばしば言語化され、映画の第一幕ではっきりと表明される。『オズの魔法使』でドロシーが歌う『虹の彼方に』は、厄介事を置いてどこかへ逃げたいという願いの歌だ。『ロスト・イン・トランスレーション』のスカーレット・ヨハンソンは、映画の第一幕で作品のテーマを台詞にして言う。日本のホテルのバーで出会ったビル・マーレイへの「眠れればいいのに」というこの台詞は、精神的で感情的な平穏への願いが象徴されている。

どんなに取るに足らないものであれ、物語の序盤に登場する願いの表現は、観客に対して「方向づけ」という重要な役目を果たす。これが物語に、強いスルーライン、すなわち、主人公が明確なゴールに到達できるよう、主人公の内面や周辺の力を整理する「欲求の線」となるものを与える。ゴールがのちに再検討されたり、定義しなおされてもかまわない。このラインは、自動的に物語に強い極性を生みだし、主人公がゴールに到達するのを助ける力と、阻止しようとする力とのあいだに対立を生じさせる。

登場人物が願いを口にしなくても、人物のひどい状況がそれを伝えることもある。観客は、厄介事に巻き込まれている人物に強い共感を持ち、自分でも主人公の幸福や勝利や自由を願い、物語の極性の力に自分を位置づけようとする。

口に出そうが出すまいが、物語は願いを聞き、そこに隠された強い感情に引き寄せられる。カール・ユングは自宅のドアの上に「呼ぼうが呼ぶまいが神はやってくる《ボカトゥス・アトクィ・ノン・ボカトゥス、デウス・アデリット》」というモットーを刻んでいる。要するに、感情的な条件がそろい、気持ちが強まれば、変化に対する心の叫びが生じ、口に出そうが出すまいが、その願いが物語や冒険を呼び寄せるのだ。

人間の願いに対し、物語からの反応として、よく使者が送られてくる。ときにはそれがルンペルシュティルツヒェンのような魔法を使える小さな男ということもあるが、この使者がつねに主人公を特殊な体験、つまりは冒険に導く案内人となる――主人公は一連の試練に直面し、観客とともに教訓を得る。物語は、主人公に挑んだり主人公を助けたりする、悪役や競争相手や仲間を提供し、物語の計画に沿った教訓が伝えられる。また、主人公の信条や性質を試す道徳的なジレンマを与え、それとともに観客にも自分と物語の人物たちとを比べさせ、自分のふるまいについて考えさせようとする。

冒険には予想を裏切るという特殊な性質がある。物語は策略家だ。よく物語の案内役を演じるおとぎの国の人々のように、遠回しで間接的で少しいたずらっぽいやりかたで、主人公に予期せぬ障害を次々と与え、主人公がこれまでやってきたことを試そうとする。主人公の願いは普通はかなうものの、予期せぬ形でかなえられ、人生の教訓を与えられる。その多くは、簡潔に言えば「願いごとをするときは気をつけろ」というたぐいのものとなる。ラブストーリーや野望の物語のみならず、ＳＦやファンタジーでもそうした教えが伝えられる例は数限りない。

欲しいものvs必要とするもの

願いという引き金を通じ、物語は主人公の意識が一段高まるように出来事を配置することを好む。主人公は、最初はどうしても「欲しい」ものを願うことが多いが、物語は主人公がその先に目を向け、本当に「必要」なものに気づくように仕向ける。主人公は競走に勝つことや宝を見つけることを「欲している」つもりでいるが、実際には、主人公がなんらかの道徳的、感情的な教訓を学ぶ必要があるということを、物語が示してみせているのだ。チームプレイヤーになるには、もっと柔軟で寛容になるには、自分のために立ち上がるにはどうしたらいいのか？　最初に願いがかなう過程で、物語は、ぞっとするほど危険な出来事を提供し、主人公に自分の性質の欠点を修正するよう迫る。

主人公がゴールに到達するのに必要な障害を背負わせたりするせいで、まるで物語が主人公の幸福をじゃましているように見えることもある。主人公から何かを（ときには命そのものを！）奪おうとすることが、物語の意図のようにも思えてくる。だが、物語の本当の意図は善良なもので、物語は主人公に必要な道徳的教訓を伝え、主人公の人格や、世界を理解する力の不足分を埋めようとしているのである。

こうした教訓は、特殊かつ儀式的な方法で示され、われわれが「……であるばかりでなく……でもある《ノット・オンリー・バット・オールソー》（NOBA）」と呼ぶ、一般的な原理を反映している。NOBAは修辞的な仕掛けであり、易占いやタロットなど、「占い」でよく見られる情報提示の方法だ。NOBAとはつまり、「これはあなたも非常によく知っている真実だが、この真実にはあなたが気づいていないかもしれない別の一面もある」ということだ。物語は登場人物の行動を通じて、「あなたの習慣はあなたの足かせとなるばかりでなく、その習慣を断たなければあなたは破滅する」といったことを伝えてくる。あるいは、「その苦境はあなたを悩ませるばかりでなく、その苦境こそがあなたの究極の勝利を得る手段となる」といったふうに。

ラヨシュ・エグリが『マクベス』を使った例では、マクベスはその冷酷な野心ゆえに必然的に破滅したものという前提がなされている。しかしマクベスは、少なくとも最初のうちはそう思っていない。冷酷な野心を持つ者だけが権力の座にたどりつき、王となることができるのだと考えている。だが、マクベスの持つ権力への渇望に反応し呼び起こされた物語は、マクベスにNOBAの形で教訓を与える。野心を持つだけでは王になれないばかりか、マクベスの破滅を招くだけだと。

「しかし」「ただし」といった言葉は、法律家ならよく知っているように、契約条件を設定する際に便利に使える言葉で、弁論術やストーリーテリングの強力なツールにもなる。物語とは長文やパラグラフのようなもので、主語が主人公、目的語が主人公のゴール、動詞が主人公の感情の状態や身体的行動を表す。「誰々は何々を欲しがり、それを得るために何々をする」といった感じだ。ＮＯＢＡのコンセプトは、「しかし」「ただし」という言葉をこの文に導入する。そうすると、「誰々は何々を欲し、それを得るために何々をする。しかしそこには予想外の結果があり、誰々は生きのびるために順応や変化を強いられる」となる。

優れたストーリーテリングは、観客の心をとらえ、観客が主人公とともに願うように仕向ける。物語の主人公を共感しやすい人物にしたり、不運や誰にでもある判断ミスの犠牲者に見せることで、観客は「同一化」がしやすくなる。優れたストーリーテラーは、登場人物を愛される人物にしたり、普遍的な動機、欲求、人間的な弱みなどを持たせたりして、観客がその人物の運命に熱中するよう誘いをかける。主人公に起きる出来事は、感情的なつながりを通じて観客にも起きるというのが理想的な形だ。物語と主人公だけが積極的なドラマの行為者となるわけではない。観客も劇中の行為者であり、感情的に関与し、みずから主人公が勝つことを願い、教訓を学び、生き残り、成長する。観客は、願いがかないそうもなく、本当に必要とするものも手に入らなそうな、あやうい立場にある主人公と一体化する。

人は誰でもひそかな願いや欲求を抱えているものなので、主人公の願いは、多くの人々にとって一体化の強力なポイントとなる。実際、映画やテレビドラマを観たり、小説を読む主な理由のひとつはまさにこれだ――願いをかなえるためなのだ。ストーリーテラーの仕事の多くは、願いをかなえることだ。ディズニー帝国は、代表的テーマソングの『星に願いを』から、『眠れる森の美女』や『シンデレラ』で願いをかなえる魔法使い、『アラジン』で三つの願いをかなえてくれるジーニーまで、願いはかなうという信条を中心に、企業アイデンティティの全体を築き上げた。ハリウッドの映画会社の幹部やベストセラー作家は、観客のひそかな願いを知り、それをかなえようとする。近年人気の物語も、恐竜と一緒に歩いたり、エイリアンの惑星の土を踏んだり、神話の王国で大冒険をしたり、時がすぎるなかで時空や死そのものの境界線までも乗り越えてしまうといった、人々が抱くさまざまな願いをかなえてきている。いわゆる「リアリティショー」も毎晩のように願いをかなえ、何百万人もの視聴者に観られるスリルや、スターダム、大金、そして愛をつかむチャンスを、一般人に提供している。政治家や広告代理店も社会の願いを利用し、安全、心の平穏、快適さを約束する。ハリウッドでの売り込みテクニックの秘訣は、「もし〇〇（飛ぶ、透明人間になる、あやまちを正すために過去にさかのぼる、など）ができたらと思ったことはありませんか?」という問いかけから話を始めるということだ。物語の主人公の欲求を、たくさんの人々が持っているかもしれない強い願いと結びつけるのである。

観客の願い

観客自身が自分では何を願っているか、そして物語の主人公はどうか、といったことを考えておくことは無駄ではない。書き手は読者や観客に巧妙なゲームを仕掛けるものだ。登場人物を通して強い願いをかき立て、物語の大半で焦らし、登場人物は欲しいものも必要なものも手に入れられないのだと見せかける。通常は最後にその願いをかなえ、主人公がどれほど闘い、どうやって障害を乗り越え、どんなふうに願いを再検証したかを示す。主人公の欲求は、ときには最初に願ったものから、本当に必要なものに変化することもある。

観客の深い願いをくじく場合は、危険を覚悟したほうがいい。主人公が最終的に幸せになったり満足したところを見たいという観客の願いをつっぱねる映画は、あまりいい興行成績は望めないかもしれない。観客は、胸中では詩的正義を応援する――その努力に見合った報酬を受ける主人公や、誰かに負わせた痛みと同じ罰を受ける悪役を見たいと願う。詩的正義が妨害されたり、観客が登場人物のために願うのものと報酬や懲罰や教訓がマッチしていないと感じたら、観客は物語に違和感を感じ、満足できずに終わってしまう。

観客は主人公に対してと同じように、悪役にも願いを持つ。私の母は、人気の映画や本に鋭い目を持った批評家で、悪役がスクリーン上の母のヒーローに凶悪な真似をしたりすると、よく「こいつにはひどい死にかたをしてほしいわ」とつぶやいていた。映画が適切な詩的正義で悪役を裁かないと、母はがっかりして、その映画に駄作のレッテルを貼ったものだ。

観客の欲求をくじく戦略は、観客の思い込みに挑んだり、観客に厳しい現実を突きつけたり、警告としての悲劇や不運な状況を描いたりする場合には、効果をあげることもある。たとえば、小説『日の名残り』とその映画化作品では、英国貴族の一家に生涯仕えてきて、ほかの人々と感情的につながれない執事が描かれている。おそらく執事の願いは、自分の私生活を厳しくコントロールしているという感覚を持つことで、そこだけは譲れないことなのだ。この願いが、ほかの誰かと心身ともにつながりたいという、執事の心の奥底にある欲求を覆い隠してしまっている。観客は、執事の幸せを願い、晩年の人生に訪れた誰かと親密になる機会をつかんでほしいと思う。だが、その悲劇的な性格ゆえに、執事は変化のチャンスを逃し、そして映画は、執事は欲しいもの（プライバシーとコントロール）を得たものの、執事自身（と観客）が手に入れたいと願っていた必要なものは、もう決して手に入れられないのだということを匂わせて終わる。この物語は警告的で、観客への訓戒としても働く——人生が与えてくれるチャンスをつかまなければ、いらだちと孤独のなかで終わっていくことになるのだと。この場合、登場人物の幸せを見たいという観客の願いはくじかれるが、もし自分も人を愛するチャンスに心をひらかなければ、同じ悲しい境遇で終わるかもしれないというメッセージは伝わる。

願いに焦点を絞ることはたくさんの物語に命を与えるが、物語の感情的なメカニズムを活性化させることにもつながる。願いが行動になり、夢が実現すべきものにならなければ、物語、そしておそらくは人生も行き詰まり、非現実的で果てしない白昼の空想のままで終わってしまう。願いが重要なのは、それが精神状態のピラミッドをのぼる最初の一歩であり、何かすごいものに育とうとする熱望の種だからだ。願いは、物語の最初の意図や、誰かの人生の新しい始まりを形作る。「願いごとをするときは気をつけろ」という事例は数限りなく見られ、物語は願いが想像力の強力な活動だということをくり返し伝えてくる。人間の想像力は非常に強力で、特にそれが願いに集中すればなおさらだが、コントロールが難しくもあるということも、物語のなかでたえず支持されてきた考えだ。願いと想像力は、ともに協力し合って、欲しいものや人、望む状況や結果の精神的イメージをあざやかに生みだし、そしてそれが冒険を呼び寄せる。主人公は、その願いが実際にかなうイメージが見える方向へと、思いも寄らない厳しい方法で送りだされる。イメージは、最初は弱くぼんやりとしているか、さもなければ綿密だが理想化された非現実的なもので、まだ現実の経験の裏打ちもない空想の未来でしかない。

とはいえ、物語や人生を動かすためには、願いをほかのもの——ピラミッドの次のステップとしての行動——に変えるために、空想の泡を割る必要がある。監督の「アクション」というかけ声は、まさに映画の本質だ。「何かしろ、役者たちよ」ということだ。この「役者《アクター》」という言葉の語源は「する人《ドゥーアー》」で、つまり何かをする人々のことだ。夢も願いも、現実の過酷な試練においてアクションをとるなかで、何かをすることによって試される必要がある。

願いから意志への移行

登場人物は、争いや障害に遭遇することで、感情や意志のピラミッドのさらに高いレベルへ進むことを強いられる。意志は、単なる願いとはまったく異なる精神状態である。武術や古典哲学は、強い意志を育てることを人々に教える。それによって、願いをアクションに変容させ、気が散っているときでも、障害のせいで後退しているときでも、成長したパーソナリティがすぐ意図の中心線に戻るようにするためだ。意志とは、願いが集中力を持って焦点を絞ったことで、一歩一歩ゴールに近づこうとする堅実な意図へと移行した状態のことだ。願いは一度の後退で消えてなくなるが、意志は持ちこたえる。

意志とはある種のフィルターであり、ただの願いを持つ人々と、自分を改善し、真の変化のために代償を支払う覚悟を本当に持っている人々とをふるい分ける。焦点を絞った意志を持つことで、登場人物は人生がもたらす打撃や、それにともなう後退を受け入れることができるようになる。物語と同じで、武術もそれを学ぼうとする者に次々と打撃や敗北を負わせては鍛え、それによって意志を強める。抑圧された厳しい状況がくり返しやってくることで、人は耐久力を高め、争いや敵対にも慣れ、障害を乗り越える覚悟を持てるようになる。

願いをかけるときと同じで、意志の行動を起こすためには、力を動きに変える必要がある。強い意志の行動は、世界に合図を送りだす。何かを欲しがっている人間がここにいて、それを手に入れるために高い代償を支払う意志があると知らせる合図だ。こうした宣言により、あらゆる仲間や敵が、それぞれ伝授すべき教訓を持って集まってくる。

願いと同じく、意志もコントロールされなければならない。力を求める意志は危険なものになりうるし、過剰に強い意志は、弱い意志を圧倒して犠牲にしてしまうこともある。それでも、強い意志の発展は、単なる願いの段階を超えた、人間の成長に必要な段階なのである。

人に必要なことと、人の意志とのあいだにはつながりがある。どちらも願いや欲求から進化したものだ。願いの先に進み、自分に本当に必要なのは何か気づけば、漠然とした願いも、もっと集中した意志の行動へと明確化できる。多層的な自分の存在のすべてを、明確で現実的なゴールの方向に向かって正しく配列できる。『ルンペルシュティルツヒェン』に登場する娘は、最初はただ、さめざめと泣くだけの受け身の犠牲者で、部屋にひとりで座ってひたすら逃げたいと願っている。だが、少し時間がたち、自分の子どもの命を守る必要に気づいた娘は、意志を育て、自分のゴールに到達するまで、くり返し意志の力を使うようになる。

映画やファンタジーの言語、特にディズニーのバラエティショーの言語は、願いが持つ魔力を伝えようとする傾向はあるが、しばしばそこで終わってしまい、その先ピラミッドをのぼるためのステップについては言及されず、ほのめかしだけになってしまう。ファンタジーは願いのメカニズムを探求することだけに専念し、「願いごとをするときは気をつけろ」のコンセプトを発展させ、願いを洗練したり現実に合わせて再調整しなければならないこともあると知らせるが、より力強く集中した意志の精神状態までは進化させようとしないことも多い。ときには物語全体が願いのモードにとどまることもある。願いが強い意志へと発展することもなく終わり、それでも新しい願いは形成され、ひとつの目標から別の目標へと漠然とした欲求が移動するだけになってしまう。

願いや意志が自己中心的な精神状態に陥ることもある。人の感情的な成長のピラミッドをのぼるため、ほかにも選べるステップは確かにある。愛を学んだり、ほかの誰かに思いやりを持つことを学ぶのもそうだし、もっとスピリチュアルな物語では、人間の欲望を完全に超越し、より高次の意識の形と一体化することを学ぶ場合もある。とはいえ、願いやその進化形である意志が、ストーリーテラーにとって重要なツールであり、人々の成長に必要なステージであることは明らかだ。特に願いは、物語に命や意識を吹き込み、人々が生き残るうえで価値ある教訓を教えるための冒険をスタートさせることができる。

よくわからない理由で子どもを欲しがり、それが手に入らなかったせいで自分を二つに裂いてしまった、気の毒なルンペルシュティルツヒェンの場合はどうだろう？　物語の結末は、あまり公平なものには見えない。確かに彼は、母親から子どもを奪おうとはした。だが、もし彼にその権利があったとしたらどうだろう？　王妃にも、自分の自由と引き替えに子どもの命を差しだそうとしたという、母親としてはまずい過去があるし、父親と見られる王にしても、未来の妻の命を取ると脅したような男だから、子どもにとっては恐ろしいロールモデルだ。われわれが知るかぎり、この小さな男のほうが、子どもの両親のどちらよりもいい親になれたかもしれないのだ。ルンペルシュティルツヒェンは、若き王妃が不可能と見られた試練をクリアしたからこそ子どもを失ったわけだが、あの夜の取り決めに関係なく、彼に親権があるとしたらどうだろう？　すべてのわらが金糸に紡がれた三晩のあいだに、何もない部屋のなかで、本当は何が起きていたのだろう？

考察

1　物語の序盤で願いごとをしている登場人物の例をあげてみてほしい。その願いごとは、物語によってどんなふうにかなえられたか（あるいはかなえられなかったか）説明してみよう。

2　あなたの人生において、願いごとの役割はどんなものだっただろう？　願いごとをするときは気をつけなければならない、と学んだ経験はあるだろうか？　そうした経験のなかに物語の題材はないだろうか？

3　あなたの短期的・長期的な願いはなんだろう？　それはどうやったら意志や行動に変換できるだろう？　あなたの書く物語の登場人物の場合はどうだろう？

4　登場人物の願いに対し、予期せぬ答えで応じた物語の例をあげてみてほしい。また、何かを願っている誰かというアイデアを中心に、物語を書いてみよう。

5 古典的なおとぎ話や神話で、願いの表現や暗示が見られる物語はあるだろうか？ その願いはかなっただろうか、それともかなわなかったのか？ 願いのコンセプトを使って、おとぎ話や神話の現代版を書いてみよう。

6 神話を読んだり、映画を観たり、本を読んだりして、物語を満足させる普遍的な願いとはどんなものかを分析してみよう。あなたの書く物語には、人間的な願いが表現されているだろうか？

7 運命や宿命は存在するだろうか？ これらの言葉はあなたにとってどんな意味を持つだろう？ 現代生活においても、こうした言葉が持つ役割はあるだろうか？

8 願いというコンセプトについてブレインストーミングをおこなってみよう。白紙の中央に「願い」と書き、その周囲に、あなたがかつて願ったことや、いつかかなえたいと願っていることをすべて書きだしてみてほしい。何かパターンが見えないだろうか？ あなたの願いは現実的だろうか？ 願いがかなったらどうなるだろうか？ 願いをかなえることができずにいる理由は何か？ 同じことを自分の登場人物にもやってみよう。その人物の願いは何か？ 願いをゴールに到達するための意志に変えるには、どうすればいいだろう？

極性

極性

「単一性《ワンネス》を履修した学生は、二重性《トゥーネス》に進むこと」

——ウディ・アレン

〈ヒーローズ・ジャーニー〉の不変の特色は、二つの本質的な自然の力である電力や磁力と同じように、物語に「極性」を与える傾向があることだ。物語は、存在する要素を対照的な特性や方向性を持った対立陣営に分け、この極性を通じて、電力や磁力のようにエネルギーを生んだり、力を行使したりする。極性は、いくつかの単純なルールに管理されてはいるが、無限の対立や複雑さを生み、観客の関心をとらえることができる、ストーリーテリングの本質的な原理である。

物語が満足のいく完成された表現と見なされるには、単一性——統一的なまとまり——の感覚が必要だ。物語には、首尾一貫した作品として統合するための、物語の根幹となるひとつのテーマが求められる。その一方、物語には、緊迫感や動きの可能性を生む二重性の側面も必要とされる。物語をまとめるためにひとつの考えやひとりの登場人物を選ぶと、すぐさま自動的に正反対の対照的な概念や敵対人物が生まれ、両陣営間のエネルギーをコントロールする二元性や両極性を持ったシステムが生じることになる。単一性は二重性を生む。ひとつの存在が二つの可能性を含むのだ。

　宇宙のなかの二つの点を思い浮かべてみてほしい。すぐにそのあいだに力の直線が生じ、相互作用、コミュニケーション、取引、動き、感情、対立の可能性が見えてくる。

　信頼の性質に関する物語を書けば、そこにはすぐさま疑念が発展する可能性が生じる。信頼という概念を検証しそれに挑むには、疑念が必要だからだ。あなたの主人公が何かを欲しがっているなら、主人公がそれを手に入れることを望まず、主人公と対立して主人公の隠れた性質を引きだす誰かがいなければならない。でなければ物語は成立しない。観客は二人の強い登場人物の争いという極性の物語を楽しむもので、『アフリカの女王』や『ドライビングＭｉｓｓデイジー』などはこれにあたるが、一方で、生きるための重要な原理によって両極化した物語が、登場人物たちを同時に二方向に引っぱろうとする様子も人々を楽しませる。登場人物たちは、義務と愛情、復讐と許しといったもののあいだで引き裂かれる。『バディ・ホリー・ストーリー（The Buddy Holly Story）』のようなショービジネスの物語では、誠実さと野心の両極化が起きる。主人公は、一緒に成長してきたグループに誠実でいようとする気持ちと、新たなレベルの成功に向かうにはそうした人々を捨てなければならないという野心の板ばさみになる。

　〈ヒーローズ・ジャーニー〉では、すべての側面で両極化が起き、最低でも二つの筋道、すなわち各要素の内面と外面、プラスとマイナスの可能性が生じる。この極性により、潜在的な対照性、挑戦、対立、学びが生まれる。両極化された自然の磁場が、電力エネルギーを生むために使われるのと同じで、物語の極性は緊迫感や登場人物の動きを生み、

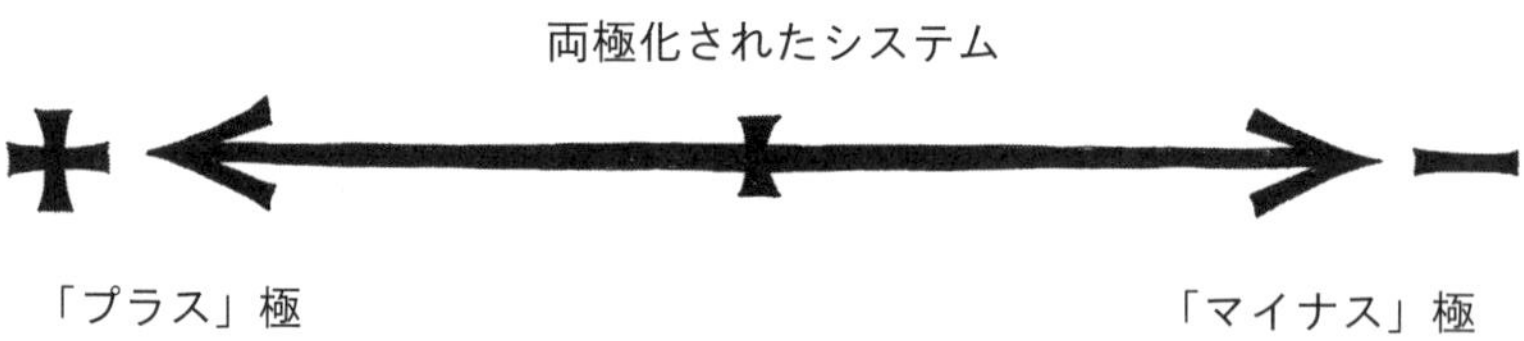

観客の感情をかき乱す。

人々は、自分を取りまく物理的な事実と、深くしみついた精神的な習性の両極世界で暮らしている。物理的な水準においては、昼と夜、上と下、地球と宇宙、内と外といった、非常に現実的な極性に支配されている。人の体も、左右に配分された四肢と器官、左右に分かれてまったく別の責任を負っている脳など、やはり極性を持っている。高齢者と若者、生と死などの極性のカテゴリーは、誰もが無視できない現実である。

世界というもの自体が、物質とエネルギー、物質と反物質、正と負の電荷をおびた原子、N極とS極を持つ磁気、プラス極とマイナス極を持つ電力といったシステムに両極化されている。銀河全体も両極化され、星や塵やガスでできた回転する円盤が北極と南極を定め、それ自体が極性を持つ磁場になっている。そしてもちろん、現代のコンピュータテクノロジーの世界全体が、0と1の単純な二進法システムからできていて、オフとオンの両極のスイッチにより、ひとつの小さな両極から無限のコンピュータパワーを生みだす仕組みとなっている。

また極性は、思考の習慣としての浸透力も持っている。人々はしばしば、すべての問いには正か誤の答えがあり、すべての言説は正しいかまちがっているかで判断でき、すべての人々は善か悪、正常か異常かで分けることができると思いたがる。物事はすべて現実かそうでないかのどちらかだ。あなたは私の敵か味方のどちらかだ。こうしたカテゴリー分けは、ときには有用なこともあるが、そのやりかたには制限もあり、現実を的確に表さないこともある。両極化は政治や弁論にはパワフルな力を発揮し、政治指導者やプロパガンダの唱道者が世界を「われわれ」と「彼ら」のカテゴリーに人為的に分断することで、怒りや激情が動員しやすくなる。世界を単純化すれば物事を扱いやすくはなるが、たくさんの中間層や別の見解を無視することにもなる。

とはいえ、極性は人間関係に生じる現実の現象であり、ストーリーテリングにおいては対立の重要な原動力でもある。人間関係のなかにいる登場人物たちは、両極化され、対立を通じて成長や学びのプロセスをたどることが多い。極性は一定のルールに従うもので、優れたストーリーテラーは本能的に、極性の演劇的な可能性を活用している。

極性のルール：

1　両極は惹かれ合う

極性の第一のルールは、両極は惹かれ合うということだ。物語とはある意味で、謎めいた見えない誘引力を持つ磁石のようなものだ。二つの磁石をきちんと並べ、片方のS極をもう片方のN極に向ければおたがい強く引き合うが、対照的な二人の登場人物が強力に惹かれ合うのもこれと似ている。両者のちがいのぶつかり合いは、観客の注意を惹きつけておくことができる。

それぞれの対照的な性質のせいで最初は衝突していた二人が、自分の必要とするものを相手が持っているということに気づき、おたがいを補完する形で惹かれ合い、恋人、友人、仲間となっていくことがある。人は無意識のうちに、自分の弱みや強みとつり合う、長所や短所を持っている相手を探しだすのかもしれない。

主人公と悪役は、争いのなかで取っ組み合ったり、同じ環境にいてもまったく対照的で両極端なやりかたで動くため、抑圧された状況下で人間が選べるあらゆる対処法をそこに見ることができる。徹底的に正反対な現実の見かたをする国同士が、両極の対立に引きずり込まれることもある。

2　両極化された対立は観客を惹きつける

両極化された人間関係においては、両極端な登場人物が、自分の境界、世界に対する概念、生きるための戦略を探っては試すため、当然ながらそこには対立が生まれる。観客はこれに果てしなく魅了される。磁気エネルギーと同じで、対立は興味深いものであり、見る者の注意を自動的に引き寄せる。磁石や磁気を与えられたものには、鉄やニッケルなど特定の金属を引きつける力があるが、両極の対立に満ちた人間的な状況は、観客や読者の注意を惹き、そこに集中させる。

3 極性はサスペンスを生む

極性は争いだけでなく、結果にまつわるサスペンスも生む。最後にはどちらの世界観が勝つのか？ どちらの登場人物が優位に立つのか？ 生き残るのは誰か？ 正しいのは誰か？ 誰が勝ち、誰が負けるのか？ 主人公が両極のどちらかを選んだら、結果はどうなるのか？ 両極化されたシステムは、まず観客の注意を引きつける。誰でも自分の人生が、同様の矛盾や対立によってジグザグに切り刻まれることがあるのを知っている。夫と妻、親と子、従業員と上司、個人と社会など、一度に複数の極からの糸によってさまざまな方向に引っぱられることがあるのを知っている。観客は、両極化された状況がどうなるのかを興味を持ってながめ、自分の人生にこうした試練が起きたらどう対処すべきか、手がかりを探そうとする。

4 両極は逆転することがある

両極化されたドラマのなかで、両陣営間に何度か対立が起きたのち、対立がヒートアップすると、二人の人物をそれぞれに引き寄せていた力が入れ替わり、引き寄せる力から拒絶の力に変わることがある。くっついている二つの磁石は、ひとつがひっくり返ればぱっと離れ、両極性が逆転する。ちょっと前まで強く惹かれ合い、離れがたく感じていた二人が、次の瞬間には拒絶の力が強く働き、一緒にいることもできないほどになってしまうことがある。

電場や磁場の奇妙な特性として、両極がとつぜん入れ替わることがある。交流電力のシステムでは、エネルギーが流れる方向が、一秒に五〇〜六〇回もプラスとマイナスが逆転する。天体の磁場はそこまでひんぱんではないにしても、予測不能の周期で両極が逆転する。理由は不明だが、太陽の巨大な磁場は、その両極を一一年ほどの周期で逆転させるため、生じた放射線の巨大な嵐が目に見えない津波のように地球を覆い、世界的な規模で通信や電子機器に障害を起こす。科学者によれば、地球の磁場は何千年ものあいだに何度も極を入れ替えており、おそらくは地球が存在している期間のうち、磁石やコンパスが南を指す時間はかなりあるものと見られている。こうした大規模な極の逆転は、恒星や惑星のライフサイクルの一部分で、巨大な心拍のようなものなのかもしれない。

両極の逆転は、物語のライフサイクルの一部でもある。ワンシーンのなかでも、誘引力や権力の一時的な短い逆転が生じることもあるし、それが物語の重要な部分やターニングポイントで起きることもある。恋人同士のどちらかが、態度をくつがえしたくなるような新情報を得た場合、ワンシーンのなかでも信頼が不信に変わったり、肉体的に魅了されていた相手に嫌悪が湧いたりする。情報がまちがっていることもあるし、相手への関心が一時的におびやかされるだけのこともあるが、それでも二人の登場人物を結びつけるエネルギーの道筋に緊張感が生じ、それがドラマを生む。

5　運の逆転

物語の両極が逆転すると、登場人物の運がいきなりくつがえり、幸運や環境が変化し、不運な条件が幸運に転じたり、その逆が起きたりする。よくできた物語の場合、主要登場人物にこうした逆転が三回か四回、あるいはもっとたくさん起きるもので、ことによってはシーンごとに運が逆転するような作りの物語もある。実のところ、これは最低条件と言ってもいいかもしれない――ワンシーンのあいだに、多層的な物語のどこかで、誰かの運が最低でも一度は逆転することが望ましい。権力の移行、強者に対して立ち上がる負け犬、勝者のアスリートにやってくる運命の一撃、不意の幸運や突然の退却、こうしたものはすべて両極の逆転であり、物語にめりはりをつけ、ダイナミックな展開の感覚をもたらす。逆転の瞬間はスリリングで強い印象を残す。『ノーマ・レイ』の主人公が、工場労働者を組織するために立ち上がる場面のように。

アリストテレスの逆転の概念

アリストテレスは『詩学』のなかで、演劇的な仕掛けとして欠かせない逆転について述べている。彼はこれを「ペリペテイア」と呼んだが、これはアリストテレスが自分の生徒とともに歩きながら話をし、考えを育てながら行き来したリュケイオンの歩廊、「ペリパトス」から来ている。ひょっとするとアリストテレスは、柱廊を歩きながら、自分の理論構造を使って徹底的に議論を積みあげ、それからまた逆方向に引き返しながら、徹底的にその議論を破壊していったのかもしれない。

アリストテレスは、主人公の状況を突然ひっくり返すことで、観客に抱かせたい感情、つまり、不当な不運に苦しむ誰かへの憐れみや、誰にでも起きることへの恐れを生みだすことができると述べている。物語は、観客と似たような人物をあやうい状況に置き、主人公の運を何度となくくつがえして観客の感情をとらえる。『パピヨン』、『恋におちたシェイクスピア』、『マスター・アンド・コマンダー』などの映画では、共感しやすい登場人物に運の逆転が起き、自由や勝利の瞬間と、危険や失望や敗北の時間とのあいだを行き来する。

主人公の人生における運の逆転は避けがたいものであり、それが良質なエンターテインメントを生み、観客の注意を惹きつける。観客は、次に何が起きるかを見守り、物語の結末でプラスとマイナスのどちらのエネルギーが優位になるのか考える。映画『タイタニック』のように結末がわかっていてさえも、観客は、運命や脚本家が用意した競い合いの行方や、さまざまな波乱に対する登場人物の反応を楽しむことができる。巧みに組み立てられた物語でくり返される逆転により、アリストテレスの言う感情的効果、すなわち「カタルシス」の瞬間に向かってパワーが蓄積され積み上げられていく。感情を爆発させ身体的解放をおこなうカタルシスは、憐れみの涙、恐怖の身震い、大爆笑を誘発する。逆転は、ドラムのビートのように観客の感情に影響をもたらし、身体器官の反応の引き金となる。アリストテレスの理論によれば、このドラムビートは観客の体内に緊張感をためながら大きくなり、物語のクライマックスで心地よい感情の震えを放出するが、これが起きると有害な考えや感情も浄化される。物語は、カタルシス的な感情の解放を起こす力を持っており、現在でも人々はそれを大いに必要としているのだ。

災厄的な逆転

アリストテレスの時代にギリシャ演劇が始まって以来、登場人物の運が最大級の逆転を起こすことを「大惨事《カタストロフィ》」と呼んでいる。「カタ」はギリシャ語で「さかさまに」「下に」を意味し、「ストロフィ」は「回転する」「ねじれる」の意味で、よってカタストロフィとは、「ひっくり返る」もしくは「ねじれて落ちる」ということになる。「ストロフィ」は革の帯やひも、かごを編むような長い植物繊維のことも指すため、細長い断片《ストリップ》、縞《ストライプ》、帯《ストラップ》の語源にもなっている。このことは、帯状のプロットやさまざまな登場人物の運を編み、連結したり交差させたりしたものが芝居だということを示唆するようでもあり、普通は主人公の運が下がれば敵対者の運が上がり、そしてその逆も起きる。また、古典的なギリシャ演劇では、動きに合わせて重要な台詞を朗唱する合唱舞踊団《コロス》がおこなう、舞台上で回転する動きのことを「ストロペ」と呼ぶ。これに対し、返答の台詞を朗唱するもう一方のコロスが、バランスをとるためにおこなう逆回転の動きを「アンティストロペ」と呼ぶ。社会のなかの相反する思考の糸や感情を表現する、こうした動きや台詞により、演劇はある種の両極的な舞踊と見なされていた。また、物語の「ターニングポイント」と言えば、通常は逆転が絶頂に達したり、大惨事が起きたりする地点のことで、古典的に構築された演劇では結末の直前にやってくるものであり、アリストテレスが推奨したカタルシスの効果を得るように仕掛けられる。

6 秘密の認識

古代の世界で最も好まれた、感情的に緊迫する逆転現象は、登場人物の隠された正体や秘密の関係性が明かされる場面であり、それによって登場人物の運も逆転する。長く離れていた恋人が再会する場面、暴君が処刑しようとしていたのが自分の息子とわかる場面、仮面をつけたスーパーヒーローの正体がわかる場面、王子がシンデレラの足にガラスの靴をはかせ、夢見ていた女性を発見する場面。ロビン・フッドの映画では、変装し、自分がいないあいだに何が起きているかを見るために、イングランドをこっそり動きまわっていたリチャード一世が、長衣を脱ぎ捨て、立ち上がるライオンの紋章が描かれた袖なしの外衣を見せる場面が最大の見せ場だ。ロビンやその仲間たちはすぐに王に気づき、畏怖の念とともにうやうやしくひざまずく。物語のなかで流れが決定的にくつがえる瞬間である。

『トッツィー』や『ミセス・ダウト』などの映画では、ずっと変装したままだった登場人物が秘密を明かす場面が、効果的なクライマックスの逆転を生みだしてくれる。主人公は、正体がばれることを恐れつつ、正直になってみずから本当の自分を受け入れたいとも思っていて、正体を明かすことで大騒動が起きることも少なくない。一度は惨事になったと見えても、結局は二重の逆転が生まれ、劇的な達成感につながることもある。

7 ロマンスの逆転

磁流や電流のように目に見えない線を描いて進み、物語の登場人物を結びつけたり、現実の人間関係を作ったりする流れというものがある。人は、自分と特定の誰かとのあいだにエネルギーの流れを感じ、その人と一緒にいたいと思うようになり、そのエネルギーの流れが抑圧されたり、さえぎられたり、逆転したり、完全に途絶えたときもそれを感じ取る。ロマンスを演じる二人の役者、コメディに登場する二人のバディ、冒険物語の二人のライバルに「良好な相互作用」や「火花」があれば観客にも伝わるもので、逆に人間関係に充分な流れが感じられなければ、観客は落胆する。友情やロマンスの両極が逆転したり、惹かれ合っていた強い力が拒絶に転じれば、それも伝わるものだ。

ロマンスの物語では、恋人たちが、惹かれる気持ちと拒絶、信頼と疑いなどの両極を行き来し、何度となく逆転サイクルをくぐりぬける。ヒッチコックのロマンティックなスパイものスリラー『北北西に進路をとれ』や『汚名』、あるいは『白いドレスの女』、『カジノ』、『危険な情事』などの映画はみなそうである。相手の嗜好がなんとなく自分と似ていることに気づいたり、自分のパーソナリティに欠けている要素を相手が提供してくれたりすると、相手に魅力を感じ、ロマンスが始まる。恋人たちは、当初思っていたのとはまるでちがう相手の一面を発見し、一時的に離れたりもするが、観客はこの状況の逆転をながめ、ひねくれた楽しみを味わう。惹かれたり拒絶したりという何度かの逆転ののち、恋人たちは最終的に強く結ばれ、二人の内面の力は、つながりを深める調和のエネルギーによって正しく整列する。もちろん、悲劇的に終わる不運な恋愛関係の物語はまた別の形をとる。

一方、ラブストーリーは拒絶と不信から始まることがある。両極の逆転が何度かあり、その過程で惹かれたり拒んだりのエピソードを経て、二人がちがいを克服し、共通点を発見するにつれ、拒絶はしだいに惹かれる気持ちへと逆転していく。

8 極性とキャラクター・アーク

安心して使える両極化プロット形式のひとつに、バディもののコメディや冒険譚のジャンルがある。ミスマッチな二人の主人公が、二層構造の冒険を一緒にやりぬく物語だ。二層のうちのひとつは外的な層で、警官、スパイ、あるいは一般人の二人が、なんらかの外敵と闘い、善と悪のあいだで両極的な闘争をくり広げる。一方、もうひとつの内的で感情的な層においては、両者はおたがい両極の関係にあり、ライフスタイルも哲学も背景も、普段はまるっきり正反対だ。二人ともおおよそ同じ外的なゴールを求めてはいるが、まったく対照的なやりかたでゴールに近づこうとし、その極性を通じて、争いやドラマ、サスペンスやユーモアが生まれてくる。『大逆転』、『リーサル・ウェポン』シリーズ、『ズーランダー』、『ラッシュアワー』シリーズなどが代表的な例だ。

こうした物語が定式化された一九八〇年代から九〇年代にかけて、ディズニーやフォックスなどの映画会社が検討していたバディ物語を、私も大量に読んだものだ。たやすく先が見えるとはいえ、二人の主人公や英雄のみならず、両極化された敵対関係にある二人の人間が登場する、いわゆる「二人芝居」と呼ばれる物語を書き手がどう扱うか、その無数の方法を研究するうえでは興味深い体験だった。

史上初の記述形式の物語とされるギルガメシュの叙事詩は、極性のあるバディの冒険ものが追随すべきプロトタイプと言っていいだろう。プレイボーイの王ギルガメシュは、行動の制御がきかない人物で、家臣たちは王の気をそらしてくれる誰かを遣わしてほしいと神々に祈った。神々は、ギルガメシュへの大きな試練として、野蛮な森の巨人エンキドゥを送り込んできた。王と巨人は最初戦ったが、やがて良き友人となり、ともに怪物と戦い、たがいの異なる男らしさをあまねく探求し合った。しかし、エンキドゥが死を迎えたことで、この冒険に悲劇的だが気高いターニングポイントが生じる。ギルガメシュは、とらえがたい不死の秘密を求め、精神的な旅に向かうのだ。

友情やパートナーシップであれ、同盟やロマンスであれ、両極化された関係は、登場人物の徹底した探求を可能にする。社交的な人物と控えめで内向的な人物、極度にきちんとした人物と乱雑にやりたがる人物など、言動が両極端な二人の人間が一緒にいれば、自分と対極にあるエネルギーによって、自分の基準や習慣を徹底的に試されるからだ。次に示すのは、人間関係において生じがちな両極の例をあげたリストだ。対極の組み合わせを中心に、物語全体を組み立てていくこともできる。ほかにもまだ事例はたくさんあるはずだ。

だらしない	vs	きちんとした
勇敢	vs	臆病
女らしい	vs	男らしい
開放的	vs	閉鎖的
疑い深い	vs	信じやすい
楽観的	vs	悲観的
計画的	vs	自然発生的
受動的	vs	能動的
感情を抑えた	vs	仰々しい
話し好き	vs	寡黙
過去にとらわれる	vs	未来を見る
保守主義	vs	自由主義
ずるい	vs	節操のある
正直	vs	不正直
散文的	vs	詩的
不細工	vs	優雅
幸運	vs	不運
計算された	vs	直観的
内向的	vs	外向的
うれしい	vs	悲しい
物質主義	vs	精神主義
礼儀正しい	vs	無礼
統制的	vs	衝動的
神聖	vs	冒涜的
先天的	vs	後天的

変化の原理

極性のある人間関係は、一時的に均衡やバランスのとれた状態に到達することがあるが、たいていの両極システムは長くバランスを保つことはできない。つねにエネルギーが流れ、変化が生じる。両極の一方がもう一方に力を行使することもある。両陣営とも自分の立場の極限に追いやられ、状況が過剰に両極化すると、極性が逆転する傾向がある。変化の原理である古代中国の易経の哲学によれば、物事はつねに、反対方向に向かおうとする流れの過程にある。極端な理想主義者は皮肉屋に変わりやすく、情熱的な恋人たちは冷酷に憎み合う者同士に変化しがちだ。卑屈な臆病者にも英雄になれる隠れた可能性がある一方、聖者が大きな罪を犯すようになることもめずらしくはない。こうした永久に変化を続ける現実の特性は、カンマのような二つの形がたがいに渦巻くように組み合わさり、おたがいのふくらんだ部分の中心に核がある、道教の陰陽のシンボルにも表現されている。

両極化したシステムほど、極性が逆転しやすい。少しずつ、漸進的に逆転が起きることもあれば、いきなりの惨事のように突然起きることもある。両極化した同士の対立という刺激のもとでは、登場人物は振り子のように揺れながら行き来を始め、ときには相手からこれまで以上に離れたり、より近づいたりもする。刺激が頂点に達するまで続くと、登場人物の両極が入れ替わり、一時的に逆の極にやってくる。

恥ずかしがり屋の人物がくり返し外向的な人物の影響を受け、前進と後退をくり返し、それでも刺激が続くと、喜劇的、もしくはドラマティックな逆転を起こして、自信を持って社交的になるために未知の体験を実験し始める。『ナッティ・プロフェッサー　クランプ教授の場合』や『恋愛小説家』などの映画は、このテクニックを使って極端な行動というものを探り、登場人物が徐々に、その後鮮烈に、極性をくつがえす姿を観客に見せてくれる。

逆転は、最初は気づかない程度に始まり、砂時計の砂粒のように、少しずつ場所を入れ替えていく。古典的なスクリューボールコメディ『天国漫歩』では、頑固で支配的で、生涯にわたりいくじのなかった男が、二人のいたずら好きの幽霊、おおらかで自由で反逆児的なカービィ夫妻と両極的関係になる。コズモ・トッパーは、最初のうちカービィ夫妻の激しい活力を中和するように、ますます頑固になっていく。だが、この極端なポジションも不自然なもので、本質的に不安定だ。カービィ夫妻が続けざまに挑んでくるので、トッパーはためらいながらも、自分とは正反対の自由でおおらかな行動を実験し、そしてまた居心地のいい頑固さに戻る。この過程を何度かくり返しているうちに、ピークに達したトッパーはこれ以上我慢できなくなり、夫妻の無鉄砲なライフスタイルに完全に屈し、極性を逆転させてしまう。最終的にトッパーは、自分本来のおとなしい行動に戻るが、それでも自由な面に触れることはできるようになり、いままでより幸福になる。

とはいえ、ときには両極の逆転が物語の序盤でいきなり起き、極端な両極のポジションを維持する努力が悲惨なまでに崩壊することもある。『ファーゴ』でウィリアム・メイシーが演じた人物は、極性を逆転させることによって、ルールに従ってきた人生をくつがえして誘拐計画を立てようとするが、これが悲惨なまでに予想外の展開を招いてしまう。『ライアーライアー』は、これまでの人生では誰にでも嘘をつき、そんな自分を正当化してきた男が、誠実で正直な息子の誕生日の願いごとのせいで、いついかなるときも真実を言わなければならなくなってしまう。どちらの映画の登場人物も、かつての自分がいた極端なポジションと、悲惨な新しい状況のせいでいきなり追い込まれた正反対のポジションとのはざまで、板ばさみ状態にされてしまう。

9 反対側の極

登場人物が極性の逆転を起こすとき、この両極化された人間関係の相手がたには何が起きるのだろうか？ こういうときでも、相手がたのほうはそれほど変化せず、主要登場人物に変化を起こす触媒になるだけというケースもある。『天国漫歩』のカービィ夫妻も、コズモ・トッパーのような決断力のない弱虫に変わったりはしない。ただ、夫妻の視点にも多少の変化は起き、自分たちがあまりにトッパーに厳しすぎたことを認め、自分たちがちょっかいを出しすぎてトッパーに問題が生じたのだから、それを解決してやらなければならないということぐらいは考える。登場人物の極性が逆転すると、対極にいる人物や対極の力から、多少なりとも逆方向の動きが生まれるというのが、極性の法則だ。

登場人物Aが地殻変動的な極性の移行を起こした場合、Aと対極関係を結んでいる登場人物Zも、自分の居心地のいい場所をいくらか失ったり、ときには完全に正反対の側に追いやられたりする。両極関係にある両人が突然同じ種類のエネルギーを表出すれば、両極の片側が急に混雑しだすこともある。

登場人物Zが怠惰な生活習慣を持ち、いつもエネルギッシュな登場人物Aにすべての仕事を頼るようになったせいで、エネルギッシュなAが突然怠惰になる実験をしようと決めたりすると危険なことになる。仕事をする人間が誰もいなくなり、生来怠け者のZが労働者としてなじみのない役割を強いられるため、喜劇的な結果を招く可能性が出てくる。映画『大逆転』では、登場人物たちがあえてたがいの立場を入れ替え、なじみのない行動を試す。『アナライズ・ミー』は、正反対の極性を逆転させた二人の登場人物を中心にした物語で、ロバート・デ・ニーロ演じるギャングは自分の弱い面を発見し、ビリー・クリスタル演じる柔弱な精神分析医は、生き残るためにタフガイを演じなければならなくなる。

10　極端に走る

両極システムの実験中に、極端に走る者が出てくることもある。コメディや悲劇では、極性の一方に偏っている人物が、自分が慣れていない対極の性質を試すのみならず、対極の極限まで暴走してしまうことがある。たとえば、恥ずかしがり屋の人物が、新たに見いだした自信を極限まで広げた結果、人当たりのいい自信家になるはずが、ただの不愉快な輩になってしまったりする。劣等感を過補償しようとするあまり、バランスのポイントを見失ってしまうのだ。その後はまたもとの極性に後退して不機嫌になったり、生来の言動がますます際立ってしまったりする。こうした振り子の揺れをくり返しながら、最終的には新しくふるまう術を学び、中間のどこかに落ちつく場合もある。

なんらかの性質を修正する方法を学ぶには、実験によって境界を見つけるプロセスが重要だ。両極の人間関係の片方だけが多くの経験を積んでいて、昔の実験ですでに充分愚かな真似もしてきた結果、女、トランプ、拳銃、車、金などの扱いを綿密に知っている場合もある。経験の浅い人間にとってはすべてが未知なので、こうしたビギナーならではの人物が犯す滑稽なまちがいを見せる物語を作ることもできる。

一方で、礼儀正しさ、誠実さ、思いやりなど、経験豊かな人物が弱みとする逆側の領域も存在し、こちらでも不慣れな性質を身につけようとコミカルな努力を強いられることがある。ただし、経験豊かな人物は、経験に乏しい人物と比べ、それほど長きにわたって学ぶ必要がない場合が多い。

11 逆転の逆転

登場人物は、ひとつかそれ以上の行動面において、自分と対極にいる誰かと接触した衝撃により、おたがいに学ぶものである。登場人物たちは、自分にとって快適な範囲を超えた行動を実験するために、極性を逆転させる。だが、それで物語が終わることはめったにない。たいていの場合、登場人物は物語によって課された一時的な愚行から目覚め、元の性質に戻ろうとするために、最低でももう一回は逆転が起きる。物語、そして人生においても言えることだが、人には自分の基本的な性質にとどまろうとするという強力なルールがある。登場人物の変化は確かに起きるし、物語に変化は不可欠だが、通常はほんの小さな変化が起きるだけで、無視したり拒んでいた性質を本来の性質に統合しようと、ほんの一歩踏みだす程度にとどまる。

最初の逆転によって有益な何かを学び終えた人々は、再び自分本来の性質が属する極へと引き下がるものの、戻る先は最初とは少しちがう場所になる。登場人物の現実的な変化は、完全に一八〇度の逆転が起きたりするのではなく、もっとゆるやかな動きになる。物語でも人生でも、両極が完全かつ永続的に逆転してしまうことはめったにない。

物語が正しく機能しているのなら、なじみのない物事を実験した登場人物は、自分に欠けた性質があることに気づき、その要素を自分の人生に織り込む。そのあと自分本来の快適な場に戻ってはいくが、そこは極端に偏った場所ではなく、より中心に近い、バランスのとれた場所になる。

このプロセスにおいて、登場人物も観客も、双方の極と、そのあいだの範囲にわたるすべての地点を体験する。多くの場合、二つの極のちょうど真んなかで結末を迎えるというのは、好ましくはないし現実的でもない。多くの物語の登場人物は、おおよそ最初にいた極の側に戻ることが多いが、最初よりは中央寄りの、もう一方の極にも近づいた場所になる。登場人物の行動可能範囲は、極端な位置を避け、対極の領域に少し重なるようになり、以前はなかった性質の余地を残す、よりバランスのとれたパーソナリティを生む。この場所なら、登場人物が何かおびやかされたときに元の快適な範囲に戻ることも、対極にある何かを体験するために手を伸ばすことも可能なので、結末を迎えるにはちょうどいい場所である。

易経と呼ばれる中国の書物では、これがより安定した状態であり、極端な場所よりも好ましい位置とされる。易経では、三枚の硬貨を投げ、二枚が表で一枚が裏、もしくは二枚が裏で一枚が表という状態になれば、それが安定し、よりバランスのとれた現実的な状況を象徴するものとされる。三枚が表、または三枚が裏という状態は、極端な偏向、ひとつの物事への過剰な偏りを象徴し、すぐに状況を打破するか、極性を逆転させて正反対にするかしなければならない。

極端な位置からスタートしたり、極端な位置に追いやられる登場人物は、極性の逆転のプロセスに向けて機が熟した状態にあるとも言える。

Aの快適な範囲
頑固で統制的

Zの快適な範囲
開放的でおおらか

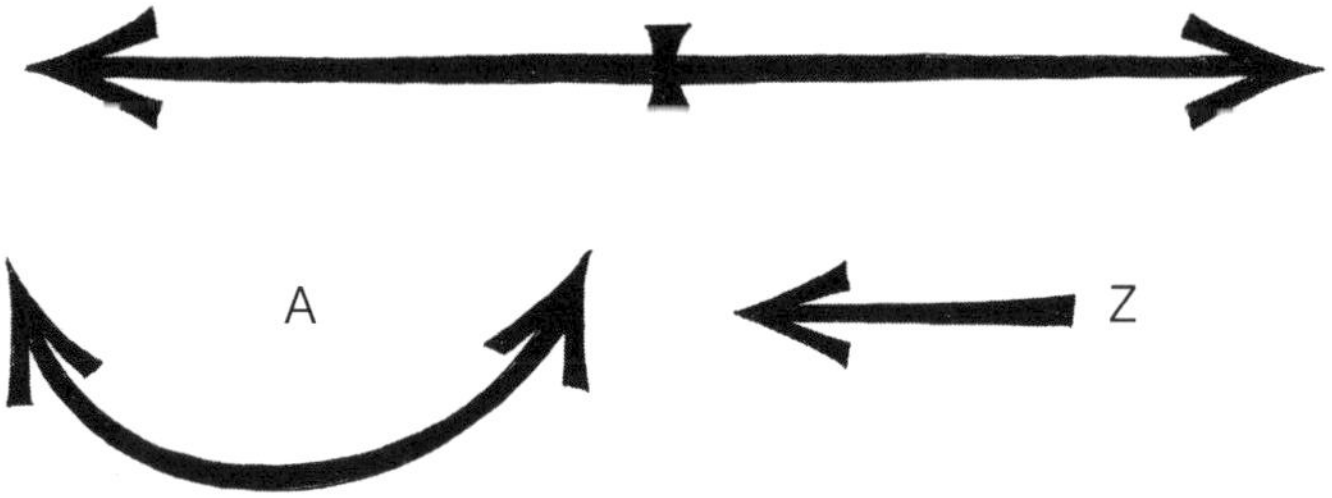

Zからの圧力で、Aは振り子のように揺れ始め、極端な言動の実験をする

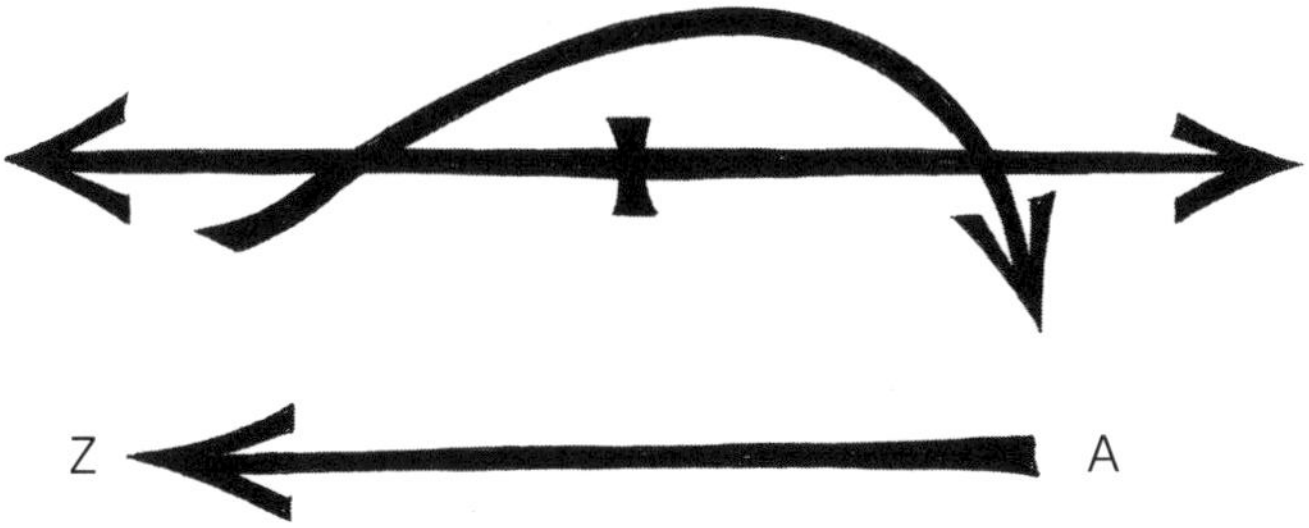

Aは一時的な極性の逆転を体験し、Zを対極へと押しやる

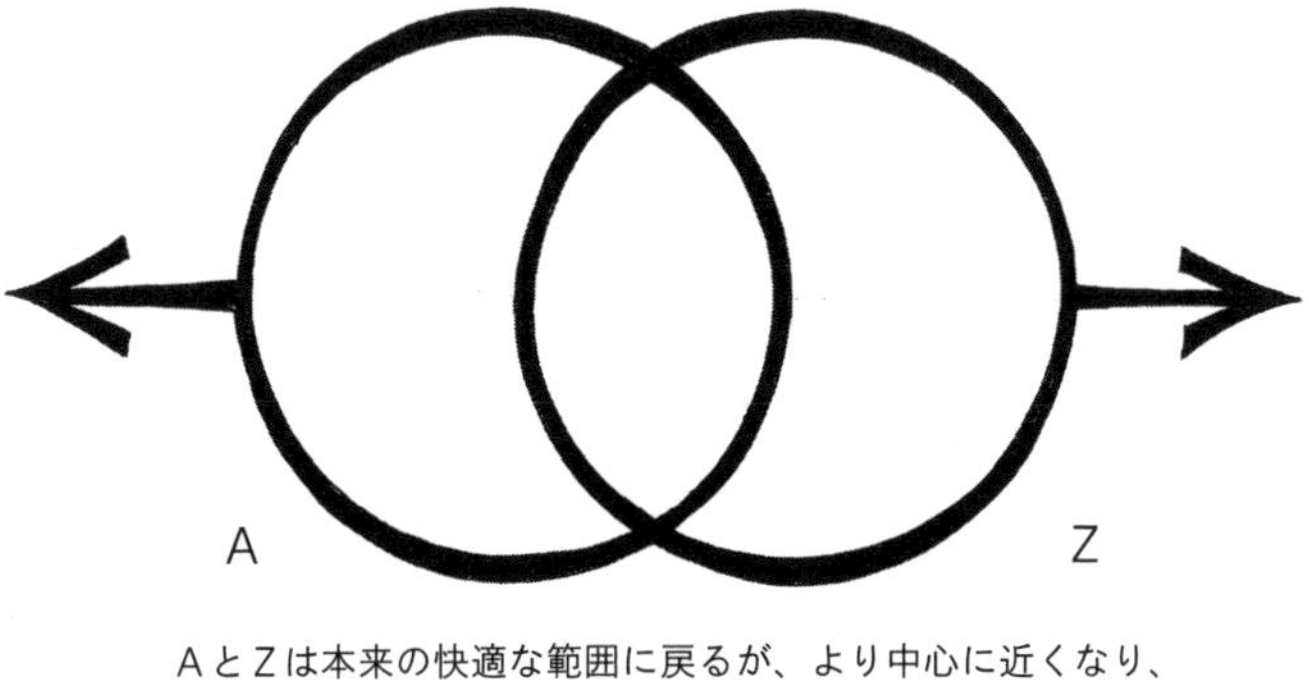

AとZは本来の快適な範囲に戻るが、より中心に近くなり、
両極の双方の体験を許容できる可能性が広がる

12　極性は解決策を求める

物語の全体を通じて両極化されている大きなアイデアやライフスタイルは、何かほかのもの、つまり第三の選択肢へと転換することで、二つの要素間の対立を解決しようとすることがある。

古典的な西部劇『赤い河』は、年長のジョン・ウェイン（トム・ダンソン）と、若いモンゴメリー・クリフト（マシュー・ガース）のまったく正反対の生きざまを描いている。ダンソンは勇敢だが、頑固で極端なマッチョで、その冷酷さは、柔和なガースが持つ情け深さとは対照的だ。旧約聖書の怒りっぽく嫉妬深い神と、新約聖書で描かれるおだやかで思いやりのある神の子との、聖書的な両極のようにも見える。両者の争いは熾烈を極め、ダンソンは、これまで息子のように思っていたガースのことを、追い詰めて殺してやると誓う。両者はクライマックスで戦い、どちらかが死ぬまでこの極性は解決しないかに見えたが、純粋な女性の力が介入し、悲劇的な運命は回避される。ジョアン・ドルー演じる若い女性、テス・ミレーが威嚇の銃声でこの争いを引き分け、二人の男に「誰が見たって二人のあいだに愛があるのはわかる」と言い聞かせる。男たちは彼女の言葉が正しいと気づき、争いをやめる。ダンソンは、ガースを受け入れたしるしとして、自分の牛のブランドを変更すると宣言し、極性は解決する。二人の正反対の生きかたは、第三の選択肢に取り込まれ、ダンソンの極端な男っぽさは、女性的な感情や思いやりとバランスをとるようになる。映画の序盤でダンソンが女性的な面を拒んだこと、つまり、ダンソンが愛する女性を連れてテキサスへ向かうことを拒んだことが、プロットが動きだす引き金となったことを思えば、この解決は物語的にも理にかなっている。

物語の命題（テーゼ）とは、主人公の観点や生きかたである。反対命題（アンチテーゼ）となるのが、競争者の正反対の観点や生きかただ。この両極化された対立を解決するのが総合（ジンテーゼ）だ。主人公の願いや世界観が、新たに学んだものや、競争者との衝突によって得た強さと総合され、修正されることもあるだろう。主人公が人生に対する急進的で新しいアプローチを見つけるかもしれないし、元の場所へ回帰はするものの、主人公が両極的な争いをくぐりぬけてきたことにより、その場所はつねに変動させられるようになっているかもしれない。通常、主人公は両極から何かを学び、それを自分の新しい行動パターンに統合するものだ。

両極化そのものが、誤解に基づいたまちがい、あるいは、両陣営が最初によくコミュニケーションをとっていれば生じないはずのものだと気づけたおかげで、物語の極性が解決されることもある。両極化されたロマンスは、愛の闘技場でコミュニケーションをとる困難さを表すように、誤解を中心に据えた物語が作られることがあるが、恋人たちが実はずっと同じことを言わんとしていたと気づけば、物語は終了となる。

13　両極化された世界

極性はメタパターンであり、大規模な文化の衝突から、親密な人間関係や個人の内面の極性にいたるまで、物語のすべての層で機能するシステムだ。スケールの大きなものとしては、物語は二つの文化、世代、世界観、人生哲学などの両極の衝突を表現することができる。古代の神話は、神々と巨人、あるいは、火や氷などの原始的な要素のあいだで続く、永久的な争いによって両極化されていた。西部劇では、先住民対騎兵隊、大牧場主対移民の農民、元南軍兵対元北軍兵など、対立勢力のあいだできっぱりと両極化された町や状況に、主人公が足を踏み入れるところから始まるものが多い。フィルム・ノワールや「警官と泥棒」的な犯罪ものジャンルの世界は、陽の当たる法遵守社会の上位世界と、犯罪者の住む暗い地下世界のあいだで、両極に分断されている。映画『タイタニック』は、甲板の上と下で両極化された世界が、社会階級や、支配したい側と自由になりたい側のあいだの闘争を象徴している。『ターミネーター』や『マトリックス』のシリーズは人間と機械で両極化され、『スター・ウォーズ』のシリーズはダークサイドとライトサイドのフォースで分断されている。『プラトーン』では、戦争を生きぬこうとするなかで、二人の年長兵士のあいだで残忍な生き残り策と人道的な生き残り策の選択を迫られる若い兵士によって、その極性が表現されている。

14　内面の両極性

物語は、人の内面に存在する極性を中心に組み立てられることもあり、『ジキル博士とハイド氏』や『ファイト・クラブ』などの映画がこれに当たる。『サイコ』は、死んだ母親の女性的な面を内面化した男を描いており、映画の半分は母親の声で語られる。こうした映画は、本来見えないパーソナリティの二重性を外面化し視覚化している。

極性を持った内面の闘いということでは、『ロード・オブ・ザ・リング／二つの塔』でゴラムが自分のパーソナリティの善と悪の面のあいだを行き来する場面は、ほかに類を見ない見事さだった。善良な面は、ゴラムがスメアゴルという名のホビットだったときのアイデンティティの名残で、自分の主人のフロドが示してくれた親切や人間性を思いだし、勇ましく誘惑に抗う。しかし最終的には、変質してゴラムとなった言葉巧みでずる賢い邪悪な面が、激しい憎悪と嫉妬の力で勝利し、ゴラムの内面のパワーバランスを逆転させる。性質の極性は、ゴラム救出の望みの側に寄っていたが、指輪が欲しいというゴラムの貪欲さにより、ホビットを裏切るという確信へと移行する。ここでの極性は、分裂した自己の内的な闘争を表すために使われている。

15 アゴン──競い合いの力

世界のいたるところで、世界創世を両極化された状況として想像した人々はたくさんいた。神は闇と光を分け、大地と天を分けた。創世の物語のいちばん初期の段階で、原始の神々は混沌の怪物と戦い、そして最も初期の演劇は、こうした両極的な闘いを再現した宗教的な儀式だった。古代世界では、運、愛、戦争、勝利といった抽象的な性質が擬人化され、人間化され、神として崇拝され、極性の強い力はギリシャの神の形を借りて「アゴン」として認識された。アゴンとは、運動競技のイベントやあらゆる競い合いを支配する、闘争と対立の力であった。アゴンには裁決の意味もあるため、ここには法的議論の裁定も含まれた。運動競技のイベントであれ法廷であれ、誰が最も優れているか、誰が正しいかを決めるには裁定が必要だ。

アゴンの姿は、「ハルテレス」と呼ばれる跳躍用の重りを両手に持った、若い運動選手の姿で描かれていた。重りは幅跳びのときに跳躍に勢いをつけると考えられており、祈り供物を捧げた運動選手に特別な強みを与えるという、アゴンの性質の象徴と思われる。古代オリュンピアにはアゴンに捧げる供物の祭壇があり、そこでオリンピック競技がおこなわれた。アゴンやその背景についてはあまり知られていないが、ゼウスの子どもたちの一族だったと見られ、速さ、勝利、競争心、ときには混沌など、運動選手の人生に大きな役割を持つ性質について責任を負っていたと見られる。

アゴン（agon）の精神は、「主人公（protagonist）」と「競争者（antagonist）」という両極の言葉にも埋め込まれている。人は闘ったり競ったりしている主人公を応援し、競争者の敗北を願う。

英語の「苦悶《アゴニー》」という言葉はアゴンから派生し、闘いの過程には痛みや困難がともなうこともあると伝えている。この言葉は、両極的な表現の片方の極点として使われることがあり、映画『The Agony and the Ecstasy』〔訳注：邦題『華麗なる激情』〕もそうだし、オリンピック競技のテレビ番組では「勝利の身震い、敗北の苦悶《アゴニー》」といったフレーズが使われる。こうしたフレーズは、両極化されたアゴンが生む劇的な感情の極限を表現している。誰かと「敵対する（antagonize）」ということは、相手の人物とともに、何もなかった場所にアゴンや対立を生むということだ。

アゴン――芝居の議論

古代ギリシャ演劇におけるアゴンとは、そのときの社会問題について対照的な見解を持つ、二人の登場人物のあいだの礼儀正しい議論であり、コロスによって裁定がくだされる。アゴンは、芝居、小説、映画の脚本上でおこなわれる、主要な哲学の議論や生きかたの衝突を表すため言葉として、現在でも使われることがある。『ウォール街』や『ア・フュー・グッドメン』などの映画や、『ザ・ホワイトハウス』のようなテレビドラマは、アゴン、すなわち現在の社会問題についての議論を物語にしたものだ。

現代の公の場でのアゴン

ギリシャやローマのアゴンは、歌、芝居の創作、音楽の作曲、弁論などの正式な競争のことも意味している。現代のスターシステムの賞と同じく、一年を通じて最も優れたパフォーマンスには賞が与えられた。こうした「アゴン的」な競争は、現代のスポーツリーグのように組織化され、地元や地域で競い合ったのち、首都の年に一度の大きな祝祭の場で、国家的な大会が開催された。現代でも、毎年こうしたアゴンが求められ、地域、国、そして世界単位で、どのチームや演者がいちばん優れているかが決められている。現代の運動競技システムでは、各ステージでチームや個人をたがいに競わせ、両極化されたアゴンをくり返し生みだしては、最後にたった二チームか二人の個人が決勝に残る。いつまでも人気のあるゲーム番組や、その日のリアリティ番組の競い合いのなかで、アゴンは大いに盛り上がっている。

個人的なアゴン

個人レベルでのアゴンは、ひとりの人間が自分の一面を別の一面と闘わせる挑戦のことを意味した。たとえば、精神は、怠けがちな体の傾向をつねにコントロールしようとする。作品に取り組んでいるときの芸術家の闘いもアゴンであり、創造力を形にしようとする芸術家の意志は、それを困難に陥れようとするどんな力にも立ち向かっていく。また、人生を厳しいものにする外的な条件、たとえば生まれつきの障害、事故、不公平な扱いと闘うこともアゴンである。

古代の娯楽はすべてアゴンの極性原理に基づいている。現在でも、スポーツ、政治、そしてエンターテインメントにおいて、人々に磁力のような効果をもたらしている。

16 極性が方向を与える

磁石は方向を知るために広く使われている。自動的に北の方角を指すコンパスのおかげで、南、東、西、そしてそのあいだの方角をすべて知ることができる。物語の極性も同様で、白い帽子と黒い帽子で良い人間と悪い人間を表すといった単純なレベルから、もっと洗練された心理ドラマまで、観客に対して登場人物や状況の方向性を与えることができる。極性は、誰が権力を持っているのかを観客に知らせ、それがどう動く可能性があるのかを示唆する。物語中で観客が共感すべきなのは誰かを教え、登場人物たちや状況が両極の力のどちらに寄っているかを理解する手助けとなってくれる。

たいていの場合、書き手は観客に対して公正な態度をとり、物語の方向性をわかりやすく伝える必要がある。両極化された町や家族や社会、対照的な敵対者のあいだで両極化されたアゴン、極性が逆転しそうなパーソナリティ、こうしたすべては、物語のなかの何が上で何が下か、何が正しく何がまちがっているのか、観客が判断するうえで役に立つ。両極化された状況に対し、登場人物がどんな選択をくだすかを見て、観客はまたたく間にその人物に共感したり反発したりする。書き手はそこからまたシーンにプラスやマイナスのエネルギーを送り込み、登場人物に一時的な勝利や敗北をもたらしつつ、最終決着まで進めていくことができる。

もちろん、グレーゾーンを緻密に扱い、登場人物や状況を明白に両極化しないからこそ、目を見はる興味深い物語が生まれるということもある。登場人物に味方したり、登場人物を単純なカテゴリーに押し込むのを好まない芸術家もいる。こうした芸術的アプローチの余地はあるにしても、極性とは、同じ部屋で二人の登場人物が一緒にいるだけで、自然に生まれてくるものでもある。

結論

このように、極性は物語の便利なツールで、現実を組織化する実践的な方法だが、使いかたを誤ると、本来はもっと複雑なはずの状況を、極度に単純化してしまいかねない。現代の洗練された観客は、強い極性のある物語も好むものの、たとえそれが純粋な空想世界の話であろうと、物語や登場人物に現実味を持たせる微妙な陰影や矛盾した原理があったほうが、もっと物語を楽しんでくれるものだ。どんなテクニックにも言えることだが、物語の両極化は、ときにぎこちなくあからさまな効果を与えることがある。陰影や変化の可能性のない両極化は、二人の人間が怒鳴り合っているだけの退屈なものになりがちだ。一方の極にある人物や状況から、対極にある性質の芽生えが見えてくるのは楽しい。それはほんの一瞬かもしれないし、逆転の可能性を匂わせたものの、その後は永久に消えてしまうこともある。あるいは、登場人物や状況がゆっくりと動きだし、やがて劇的な極性の逆転につながることもある。

政治、スポーツ、戦争、人間関係の極性は、人々を分断することもあるが、ともに闘うことによって、人々を結びつける可能性も持っている。年老いた兵士は、自分の孫たち以上に、かつての敵とのあいだにたくさんの共通点があったりする。両極化された家族の反目も、長い年月がすぎ、何を争っていたかをどちらも思いだせなくなれば、雪どけが起きるかもしれない。

物語の極性は、アイデアやエネルギーを組織化する概念的な枠組を形作り、それぞれの登場人物、言葉、コンセプトの周囲に、プラスとマイナスの電荷を蓄積していく。役に立つ顕著な言動を物語にしたり、人間関係のパターンを突き止めることで、人間の生き残り術として機能することもある。本質的な演劇的機能を担い、観客の心をかき乱したり、感情的に没頭させたり、身体器官の反応の引き金を引いたりもする。こうして、ページ上の言葉、ステージ上の役者、スクリーン上の映像は、観客を惹きつけ、ささやかながら意味のある感情の解放を観客にうながすのである。観客が滑稽な映画の登場人物に大笑いしているときは、自分自身のことも笑っている。悲劇やロマンスの登場人物の運命に涙するときは、自分のためにも泣いている。最新のホラー映画やホラー小説に震えているときは、自分のためにも震えている。観客は、精神と物質、男性と女性、生と死、善と悪の強い極性のなかで自分の役どころを感じ取り、解決策を探る物語のなかで健全な解放を見つけだすのである。

考察

1 「生きるべきか死ぬべきか、それが問題だ」。シェイクスピアは、双子や恋人たち、相反する発想など、さまざまな二重性や極性を戯曲やソネットに活用した。『ヘンリー四世』の第一幕と二幕では、ハル王子とサー・ジョン・フォルスタッフが騎士道という同じコインの裏表であることが示され、ハル王子は名誉を、サー・ジョンは不名誉を象徴している。シェイクスピアの戯曲を読み、どれだけの極性が見つかるか試してみよう。こうした極性は、読者や観客にどんな効果をもたらしているだろうか？

2 『パルプ・フィクション』か、『ロード・オブ・ザ・リング』三部作の『旅の仲間』を観てほしい。二重性や極性のある関係がいくつ見つかるだろうか？　そうした関係は、演劇的体験に何かを付加するだろうか、それともただの反復だろうか？

3 自分でも両極リストを作ってみよう。ランダムにひとつの組み合わせを選び、そこから登場人物や物語が生みだせるかやってみよう。

4 「アゴン」は競い合いや闘いを意味するが、人生の中心となる挑戦を意味することもある。一時的な挑戦かもしれないし、その人が生涯にわたって取り組まなければならない大きな挑戦かもしれない。あなたにとって、いま現在の、あるいは長期的なアゴンはなんだろう？　あなたの登場人物にとってのアゴンとはなんだろう？

5　アゴンは、物語の中心となる議論や問題を指すこともある。あなたの戯曲や脚本、コンピュータゲームのストーリー、短編・長編小説において、アゴン、すなわち中心的な議論となるものはなんだろう？　対立している性質は何か、各陣営の主張はどんなものだろうか？

6　本章の両極リストを見てほしい。それぞれの両極をプロットの仕掛けに使い、映画や物語を考えることができるだろうか？

7　あなたの家族の極性はなんだろう？　あなたの住む町が西部劇のロケ現場なら、町に馬でやってくるよそ者はどんな極性を見いだすだろう？　国家レベルではどんな極性が動いているだろう？

8　あなたや周囲の誰かの人生で、極性の逆転が起きたことはあるだろうか？　どんなふうに起きたか、あなたはどう感じたか説明してみよう。

9　三〇分のテレビドラマで、極性を機能させるにはどうすればいいだろう？　何かひとつドラマのエピソードを観て、極性とその逆転の瞬間を見つけてみよう。

10　優勝を争っているあなたのひいきの二チームや、二人のアスリートを想像してみよう。両者の対照的な性質は何か、強みと弱みは何か？　勝者はこの極性をどう活用しているだろうか？

カタルシス

カタルシス

「行動を刺激していくんだ
満足を得るんだ
それがなんのためのものなのかを知るんだ
真夜中をすぎたら　何もかもさらけだすんだ」
——J・J・ケイル『アフター・ミッドナイト』の歌詞より

本書でも何度か使っている「カタルシス」という言葉は、アリストテレスの著作にも見られる概念で、演劇や物語の一般的な理論の一部として残ってきた用語である。アリストテレスによれば物語の要となる重要な概念であり、そのルーツは、言語、芸術、儀式というものが始まったときにまでさかのぼる。

アリストテレスがカタルシスという言葉で何を意味しようとしたのかは、実はほとんどわかっていない。アリストテレスの著作はいまでは散逸してしまっている。残っているのは彼が書いたものの半分にも満たず、その多くが建物の地下から見つかった乱雑でぼろぼろの手稿だ。カタルシスという言葉が何を意味したのかは、学者のあいだでも意見が割れている。熱心すぎる写学生が『詩学』を書写するときに勝手に手を入れ、そこに挿入された言葉だという説もある。アリストテレスが最初のほうで、あとでカタルシスという言葉の定義をすると言及しているのに、実際には定義されていないからだ。

アリストテレスが何を意味しようとしたかはともかく、やがてカタルシスという言葉は、優れたエンターテインメント、偉大なる芸術、心理的な洞察の探求などによってもたらされる、感情の突然の解放を意味するようになった。人の精神や人類の歴史に深く根ざした現象だ。少し物語の起源を振り返ってみれば、カタルシスがつねに求められている効果であり、実際に演劇的体験の主要動因にもなっていることはわかると思う。

演劇、物語、芸術、宗教、哲学の起源を見つけるには、人類の進化のごく初期段階までさかのぼって考える必要がある。われわれはそうした時代の人々のことを、洞穴のなかで奇跡的に保存された、およそ四万年前のすばらしい壁画や彫刻に垣間見ることができる。息をのむほど真に迫った動物や狩人の表現を見ると、当時の人々が洞穴の奥まで巡礼していたこと、彼らが狩った動物や、自分たちのまわりにあると信じていた自然の力を自分たちで演じ、儀式をおこなっていたということがよくわかる。こうした儀式や、初期の物語や演劇を通じて、人々は自然の力を支配したりなだめたりしていたのだ。ジョーゼフ・キャンベルは、フランスのレ・トロワ・フレール洞窟にある有史以前の絵画を見ていて、枝角のついたシャーマンの衣装を身にまとう人物がひとりいることに気づいた。この人物が、部族が生きるために依存している動物の霊を具現化する、仲介者を演じているようだった。

現在でさえ、深い洞穴に入っていくとき、身体的なカタルシスや感情的反応を避けるのは難しいものだ。遠い昔の人々は、細いトンネルの先をあやうげに照らすろうそくだけを持って、地中の重苦しさを感じながら中へ入り、炎の輝きのすぐ外に広がる果てしない暗闇を感じ、そこに忍び込んでくるかもしれない力や存在を想像したことだろう。大きな洞窟の奥に入るだけでも、現在でさえ驚異の念を感じずにはいられないし、ましてその洞窟の壁に、天井全体を飛びまわりそうな巨大な動物が描かれているのを、ちらちら揺れるろうそくの灯りだけを頼りに見ればなおさらだ。若い人々が、部族の謎、深い信仰、自然との盟約の本質の手ほどきを受けるには、そこはきっと完璧な舞台だったことだろう。

暗い場所で物が動くように見せかけるとき、ろうそくが大いに静かな力を発揮することは私も知っている。いちばんコストがかからず効力のある特殊効果の道具だ。私は『ハムレット』の舞台であるエルシノア城に行ったことがある。デンマーク人からはヘルシンゲルと呼ばれるデンマークのはずれのこの地は、海峡を挟んでスウェーデンに面している。極寒の城の地下室には、デンマーク版のアーサー王やエル・シドとでも呼ぶべき、剣をひざの上に横たえて王座に腰かける無骨なバイキングの不気味な像がある。オジェ・ル・ダノワとも呼ばれるシャルルマーニュのパラディンのひとりで、万一のときにデンマークを守る伝説的な守護者、ホルガー・ダンスクの像だ。丸天井のある部屋へ列をなしてやってきた観光客の一団や学童たちは、寒さに震えながら像の前に立ち、生きているかのようなその姿を驚嘆してながめる。そんなふうに見えるのは、像の足もとにろうそくがあるからで、最近では電動式の偽物を使ってはいるが、そのちらつく小さな炎が効果を上げているのだ。それがなければ洞穴と同じぐらい真っ暗な地下室で、その不安定な炎が神経質な光を像の顔に投げかけ、部屋の壁では影が踊ったり揺れたりしている。腕やうなじの毛が逆立つような不気味さのなかで、石器時代以来の人類の神経システムを通して目の前の石像を見ていると、まちがいなく生きているような気がしてくる。眠ってはいるが呼吸をしているバイキングの首領が、いまにも目覚め、王座から駆けおりてきそうだ。デンマークの不滅のファイティング・スピリットは、いまはまどろんでいるが必要ならいつでも動きだせると言わんばかりで、そこには演劇的で説得力のある幻影が生まれている。古代の人々が、またたく松明やオイルランプの光のなかで洞穴の壁面を見て、巨大な馬や野牛が駆けまわっているように感じ、同じ畏怖の念を感じたとしても驚きではない。

現代の観光客向け洞穴ツアーでは、一時的に電灯を消し、観光客にまったく光のない暗闇の洞穴の感覚を体験させることがある。われわれの先祖も、洞穴の儀式で同様の演劇的なテクニックを使い、オイルランプや松明を消して、新参の若者に深い闇を体験させたのかもしれない。恐ろしいと思う者もいれば、魂が広がる感覚を覚えた者もいるだろうし、幻を目にして、動物とのつながりや、この世界を創造した強大な力を感じる者もいるかもしれない。ひょっとすると、絵はそうした幻の記念碑で、修正されたり上書きされたりしながら、手ほどきを受けた若者たちの世代から世代へと引き継がれていったのかもしれない。

洞穴から出ることもまた別の冒険の過程であり、クライマックスとしてやってくるのは、陽の光の下、ひらけた空間に再び出られたという安堵感だ。洞穴で一度死んだ、あるいは死か別の永続的な力の至近距離まで近づいたような感覚を持ち、その後そこを出ることで、新しい命を得て生まれ変わったように感じる人もいるだろう。

古代の人々には、こんなふうに劇的な体験を拡大し、宗教的な気持ちをかき立てるために使う場所が、ほかにいくつもあったはずである。居心地のいい小さな森、自然の円形劇場、オリュンポス山のような人里離れた山の頂上、聖なる井戸や泉、石碑の行列。人々の畏怖の念を強めたり、さらに大きな力で人々を結びつけたりする空間を作るため、樹木の列が弧を描くように植えられたりしていたかもしれない。こうした空間では、人間の世界と神々の世界をつなぐ儀式がおこなわれてきた。人々は、神、英雄、怪物などの役を演じ、天地創造や先祖の物語を再現した。こうした儀式を文章化したものが初期の演劇で、最初はコロスが朗唱していたが、やがて個々の登場人物を役者が演じるようになっていった。

遊牧生活をしていた人間が、エジプト、メソポタミア、インダス文明のような定住の農耕生活の社会に移行していくにつれ、物語もまた異なる劇場での表現や演劇的形式を見いだし、時間や星の壮大な暦に重きをおくようになった。

大河の岸辺の肥沃な大地で文明が築かれ、人口も増えてくると、人々が共有感覚を持てるような、秩序と統一性を持った演劇的儀式が求められるようになった。人々はともに助け合い、川の泥からレンガを作り、人工の山のような巨大な聖なる塚を築き、これによって自分たちの社会と天国をつなぎ、神々の世界に続く階段にしようとしたのである。

また、聖なるピラミッドやジッグラトには、すべての民の健全な宗教感情をかき立てるためにおこなわれる、演劇的な儀式表現の壮大な背景幕という役目もあった。

こういった宗教的な見世物は、巨大な天体時計や、太陽、月、星の動きによって定められた暦に合わせ、緻密な正確さをもって演じられた。人生は短いが、人々が何千年にもわたっておこなった観察の蓄積は、さまざまな形で記述されて引き継がれてきた。とりわけ、一年の正確な転換点――春分と秋分、夏至と冬至――には綿密な注意が払われ、この四つの点が季節の区切りとなった。この区切りには年ごとに大きな祝祭がおこなわれ、新年の始まりにはさらに大がかりな祝祭が開催された。

人が時間のサイクルに寄せる関心は、生死に直結した現実的なものだった。二、三日種まきや刈り入れが遅れただけで作物がだめになるし、冬のあいだ何も食べるものがなくなれば、多くの人間が死ぬことになる。農耕以前の時代でさえ、狩人は、動物の動きや果実の実りが、天体の暦に基づいていることを知っていた。

季節の転換点の祝祭でおこなわれる演劇の主体は、入念に作り込まれた冒険の上演である。王や神の像が「消え」る。誘拐されるか盗まれることもあれば、混沌の闇の力によって殺されたりばらばらにされることもある。社会全体がそれを悼むふりをし、一定期間の生活の楽しみをあきらめて、さらわれたり死んだりした神や王に同情を寄せる。

古代のバビロンでおこなわれていた季節の祝祭では、神の像が実際に神殿から持ち去られ、砂漠に埋められたり破壊されたりした。その後、像は祝祭が終わる前に正しい位置に戻されたり、新しいものに置き換えられたりし、人々は安堵とともにそれを祝福する。

社会人類学者ジェームズ・フレイザーが著書『金枝篇』のなかで実証していることだが、発展の初期段階の社会は、王の執務を一時的な仕事ととらえることが多く、その期限はせいぜい一年程度だった。非常に原始的な社会では、前の王は処刑されるか、新しい候補者と儀式的な戦いをしなければならなかった。前王の生け贄的な死により、すべてが白紙に戻り、過去のあやまちは帳消しになる。のちのち、人気のある王や強い権力を持った王の治世が延びるようにはなったものの、前王が犠牲にされる伝統だけは残り、塚を構築する文化圏では、習慣、伝統、儀式的な行列などにおいて、それが象徴的に表現された。実際の前王の犠牲や後継者との交替は、エジプト神話のオシリスのような、神話的な死と再生の物語に置き換えられた。王は、死してまたよみがえった神と同一視され、実際には死なず、演劇的な儀式のなかで、神の死、体の切断、再生が演じられた。

宗教学者のセオドア・ガスターーは、近東の古代世界で季節ごとに連続しておこなわれた、神や王の死と再生に関連する「苦行」「浄化」「鼓舞」「歓喜」の四つの儀式について説明している。この四つの要素は、手の込んだ儀式的な演劇と組み合わせられることがあり、その社会に属するすべての人々が役者として参加した。どれも街全体が舞台であり、テーマは神と王の死と再生だった。ガスターーいわく、古代の儀式的演劇には、「空ける」を意味する「ケノーシス」の儀式と、「満たす」を意味する「プレロシス」の儀式という二種類があった。「苦行」と「浄化」は身体や精神を空にし、浄化して清めながら死の味を与え、「鼓舞」と「歓喜」は生の原理を再び呼び起こし、人々を満たして満足させた。

季節の転換点にこうした儀式をおこなうことは象徴主義的だが、厳しい労働の季節をすごした社会全体をクールダウンさせる実践的な手法でもあった。現代の人々が、年に何度か休暇を取り、労働の期間を分割して管理しやすく耐えられるものにするのと同じで、われわれの先祖も、非常に意識的な目的のもと、折にふれて労働習慣のリズムを賢く止めていたのだ。

「苦行」と「浄化」の段階では、人々は不在となった神や王を悼むため、できるだけ多くの生活システムを中断し、すべての商業、労働、訴訟なども停止する。店、倉庫、工場も閉鎖される。どの家庭の暖炉の火も、神殿の中で永久的に燃えている炎も消される。体内のプロセスでさえ止められ、人々は断食をしたり話すのをやめたりして生活の楽しみを放棄し、何時間かおとなしく考えに耽る。これは中休みであり、時間の枠からはずれた時間であり、じりじりと進む巨大な時計が刻んでいく時間である。暦のなかには、この聖なる転換点では通常の日常的なリズムには従わないことを示すため、祝祭の日に日付も名称も与えていないものもある。

「苦行」とは、断食によって体を死に近づけることを意味するが、体が喜ぶことはどんな小さなことでも否定するという意味もある。体は、ときどき卑しめ抑制することにより、体の主人が精神であることを教える必要があると信じられていた。いつもなら当たり前にあるものがないという状態は、そうしたものの価値を改めて知ることにつながる。また、人の精神に焦点を置くことで、つねに死の可能性が近くにあることを、人々に思いださせることにもなる。

この時点の儀式の重要な部分は哀悼であった。人々は、英雄であり神であり王である存在の死について、涙が流れるまで深く共鳴して熟考しなければならない。悲しみや哀悼の気持ちの引き金となるよう、特別な歌が作られたりもする。悲劇的な演劇の形式は、苦しみにある神や王への同情を喚起するための、哀悼の儀式や詠唱や舞踊から発展したものだ。「悲劇《トラジディ》」という言葉は、ギリシャ語でヤギを意味する「トラーゴス」から来たもので、これは毎年ヤギが王の身代わりとして生け贄にされることが多かったためだ。

「浄化」の儀式は、体や環境をできるだけきれいにする段階だ。人々は、前の季節からの古い皮膚をそぎ落とすことの象徴として、風呂に入り、油を塗って体を清める。家や神殿は水で洗い、燻蒸する。汚れた精霊を追いだすため、鐘や銅鑼を鳴らす。中国では何世紀にもわたり、同じ目的で花火を打ち上げている。

こうした古代社会の「浄化」とは、比喩的な意味でもあり、文字どおりの意味でもあった。人々は精神的にも比喩的にも、不快な感情、怒り、嫉妬などを一掃することが求められた。とはいえ、断食や、ときには人為的に吐くことで、不純物を体から除去することも必要とされていた。

カタルシスとは、アリストテレスの時代の医学用語で、体が毒物や廃物を除去する自然のプロセスを意味した。ギリシャ語で「純粋な」という意味の「カサロス」から来た言葉で、カタルシスとは清めのことだが、浄化の意味のほか、不純物を吐いたり強引に排出したりする行為も指す。くしゃみも不純物を鼻から追いだす「カタルシス」的反応だ。

アリストテレスは『詩学』のなかで、比喩として「感情のカタルシス」という言葉を使い、物語の感情的な影響力を、毒素や不純物をみずから追いだす体のやりかたと比較している。ギリシャなどの古代の人々は、人生が厳しいものであり、不愉快な妥協をしたり、屈辱に耐えなければならないこともあると知っていた。体の不純物や毒素が体内に蓄積されるのと同じように、感情的な毒素や不純物もたまっていくもので、定期的に一掃しなければ大惨事になりかねない。当時の人々は、芸術、音楽、運動競技、踊り、物語によって感情を解放しなければ、攻撃、敵意、堕落、狂気などの有害な感情が浮上してきて、社会にも危険を及ぼすと信じていた。心身の浄化や清めを季節ごとの祝祭で制度化し、年に四度のスケジュールで、人為的なカタルシスを触発するようにしたのもこのためだ。物語は神聖なものであり、日常的には消費できず、一年の重要な転換点に限られるものとされた。

断食や浄化は、人々のなかに、極度に演劇的な暗示感応性を生みだした。その後、その文化圏の神話史で起きた大きな出来事が壮大な演劇に仕立てられるようになり、社会全体の人々がそれを観ようと、都市国家の広場や通りに集まるようになった。観客たちも受け身の観客ではなく、演劇的な表現のなかで積極的に役割を演じた。門、並んだ通り、そびえ立つ神殿をそなえた都市そのものが、膨大な数の人々によって再演される天地創造の舞台のセットとなり、秩序の神々と混乱の神々のあいだで起きる大きな戦いや、神や王の死と再生がそこで演じられた。

ギリシャではこうした季節ごとの演劇的儀式の一般的なパターンが採用され、アポロンやディオニュソスのような神々の行事を中心とする年間の宗教的な祝祭の暦に組み込まれた。偉大なるギリシャ悲劇や喜劇は、神々や英雄にまつわる儀式的な再現や詩の詠唱から徐々に進化したもので、もともとは宗教儀式や神聖な芝居として、精神に有益な効果を与えるように作られたものと見なされていた。古代ギリシャの雄大な屋外劇場の数々も、元来は、死と再生の神のひとり、ディオニュソスに捧げる神殿として建てられたものだ。そこでは、大がかりな宗教的パレードの劇的なクライマックスとして、アリストテレスがカタルシスと呼んだ感情的な効果、すなわち、くり広げられる英雄の運命を観ることで憐れみや恐れを感じるよう、入念な仕掛けをそなえた芝居が演じられた。ギリシャ悲劇の主人公は、かつての神や王の身代わりで、その社会に属するすべての人々の代わりに犠牲的な死をとげ、観客は主人公の苦しみに共感することでカタルシスを得る。

アテナイの季節の祝祭では、アポロンやディオニュソスを讃える演劇的な儀式とともに、かつては終わりなき夏の豊かさを支配していた女神の母娘、デメテルとペルセポネ（コレ）の神話も演じられた。この物語は、季節がどんなふうに生まれたかを伝え、農作物の種まきや栽培や刈り入れ、冬を生きのびることなど、季節の周期が季節の祝祭とどう一致しているのかを物語っている。この物語の〈冒険への誘い〉は、冥界の王ハデスがペルセポネをさらったことだ。一〇月に起きたこの誘拐は、女性だけの三日間の祝祭、テスモポリア祭の儀式で再現された。これは身体と精神を空にする作業であり、「苦行」と「浄化」の時間が導入された。

この神話によれば、娘を失ったデメテルは悲しみ、豊穣の女神でありながら自分の仕事を放棄して、嘆き、娘を探そうとしたために、大地が荒れ果ててしまう。デメテルは叙事詩的冒険の主人公となり、冥界にいる娘を探すあいだもさまざまな役を演じ、神々に頼んで、ハデスにペルセポネを返すよう約束させ、ペルセポネは一年の一部分だけとはいえ、陽の当たる生き生きとした世界へ戻ることになった。

ペルセポネの帰還を祝福し、二月にはエレウシスの小密儀と呼ばれる祝祭が行われ、春の到来のしるしとなった。

エレウシスの大密儀は五年ごとに九月におこなわれ、ギリシャの暦では最も大きな祝祭だった。パルテノン神殿のペディメント〔訳注：古代ギリシャ建築における三角形の切妻壁〕の彫刻に、歓喜に酔いしれる儀式の様子が描かれたものがある。馬に乗ったアテナイの若者が、デメテルの神殿から聖遺物をつかみ、アクロポリスのふもとにある特別な聖堂エレウシニオンへ運んでいく。選ばれた新参者たちに強い感情的影響を与える聖なる儀式のなかで、デメテルとペルセポネの物語が演じられ、望ましいカタルシスを生みだすよう、照明、音楽、踊り、儀式、演出などのすべての効果が活用された。

カタルシスという言葉は、現在ではもっと一般的な意味で、さまざまな感情の解放や打破を示す言葉になっている。心理学では、抑圧された考え、恐れ、感情、記憶を意図的に意識へと浮上させ、感情の解放や打破を触発し、不安をやわらげて緊張感を解く治療プロセスのことを指す。映画や物語、そして芸術や音楽も、心理的に健全なカタルシス反応の引き金になることがある。

喜劇のカタルシス

古典的なギリシャ演劇のシステムでは、演劇的表現にはバランスが必要で、そうでないと観客は圧倒され疲れてしまうという認識があった。喜劇も儀式の演目に加えられ、涙を誘う悲劇で生じた感情の緊張感を、対照的な笑いのカタルシスで解きほぐした。

喜劇は「プレロシス」、つまり儀式のサイクルなかでも「満たす」ための部分だ。一度完全に空にして浄化されたものは、再び健全で魅力的で人生に肯定的な何か、すなわち「鼓舞」と「歓喜」を誘う何かで満たされなければならない。

「喜劇《コメディ》」という言葉は、「お祭り騒ぎ」を意味する「コモス」という言葉から来ている。非常に古い時代の「鼓舞」の儀式には、大宴会の飲食やさまざまな楽しい騒ぎも含まれ、その前におこなわれる「苦行」と「浄化」の儀式の陰鬱な雰囲気とは対照的だ。喜劇は性的衝動をかき立てる側面も持っている。ギリシャ喜劇は、男女間の権力闘争を扱い、誇張された衣装や状況で性行動を賛美するものも多い。フロイトは、笑いと性行動には強いつながりがあると考えていたし、当然ながらセックスは、緊張を解く自然のカタルシスを触発するものだ。

ギリシャ人は、苦行と浄化に役立つ二つか三つの重い悲劇のあと、儀式のサイクルを終わらせるために喜劇をひとつ上演することで、新鮮な気持ちになり、心理的に浄化され、生まれ変わった陽気な気分で次の季節に向かうことができると考えていた。ボードビルの世界でも、「いつも観客を笑わせておけ」とよく言われていたものだ。

光の帰還

古代社会の季節の儀式を特徴づけるものとして、生が死に対しておさめた勝利の象徴となる、中央神殿の聖なる炎の再点火がある。この炎はその後、人から人へと渡りながら運ばれ、家のろうそくや小さなオイルランプへと返され、そこからさらに、文化を「鼓舞」するため、個々の暖炉へも火が入れられる。この暖炉の火を使ってご馳走が料理され、季節のサイクルを締めくくる「歓喜」の一部として供される。

こうした儀式の一部は、現在でもさまざまな形で世界中に残っている。私はニューヨーク・シティで、ギリシャ正教会の復活祭の礼拝を見たことがある。四旬節では、美しく塗られた像や聖像に紫の布をかけ、ろうそくの火をしばらく消すことで、キリストの苦しみ、死、埋葬の悲しみや嘆きを象徴的に再現する。その後、キリストの復活の象徴として、暗い教会で復活祭の大きなろうそくに火を灯す。ニューヨークのギリシャ正教会では、会衆は小さなろうそくを持参し、大きなろうそくから火をもらっていた。礼拝が終わると会衆は教会を出るが、儀式はその先も続く。人々は、新しい季節の火種の象徴であるろうそくの火を消さないよう、手をかざして風から守りながら、歩いて、もしくは車で家に帰り、何千年も前の人々と同じように、その火種を使って象徴としての暖炉に火を灯す。エルサレムでおこなわれる同様の儀式では、ギリシャの巡礼者が、聖なる炎を特別チャーター機で家まで持ち帰ったりする。

現在の演劇や物語も、四万年前の伝統や体験を基盤に作られている。人間はつねに、物語から方向を見いだしたり、感情的解放を求めようとする。現代のエンターテインメントは、年間を通じて均一に提供されてはいるが、それでも季節の儀式の影響は受けている。アメリカのテレビの新番組は、通常は九月の秋分の時期に始まる。家族で休暇の時期に映画に行ったり、『素晴らしき哉、人生!』などのホリデーシーズン映画を毎年観たりといった、心の伝統を持つ人々も多いはずだ。特定の季節を連想させる映画もたくさんある。全般に、春や夏はラブストーリーやスポーツものを観る人が多く、考えさせられる映画は秋や冬に公開されがちだ。冬至がすぎればクリスマスや新年の休暇はすぐそこで、ファンタジー大作映画、特に毎年年末の休暇に公開される三部作などの上映に適した季節だ。夏は超大作映画やアクションものにぴったりだ。

季節の力

現代の人々は、ある程度までは季節の影響から守られており、種まきや刈り入れの周期に合わせて生活しているわけでもないので、そこまで強く季節を意識しない。それでもやはり季節は人間に対して力を持っていて、はっきりしたものから微妙なものまで、生活や気分に影響を与えている。一年の季節やそれにともなう休暇は、書き手にとっては便利で、自然の転換点や時間の経過の尺度、明瞭な感情的連想などを提供してくれる。ひとつの季節の推移は効果的な時間枠を映画に与えたり（『栄光の季節』『サマーリーグ』）、季節の経過に沿って物語を四楽章構造にしたりできる（『四季』）。物語上の季節の変化は、主人公の運や気分の変化を合図するのにも使える。季節の周期にまったく同調できない登場人物を中心に、物語を構築することもできる。

作品を書くなかで、あなたが目的を持っておこなったことは、すべて読者や観客に、ある種の感情的反応をもたらすということを覚えておいてほしい。つねに爆発的なカタルシス反応を起こす必要はないにしても、対立の勃発や主人公の後退をくり返すことにより、観客の身体器官に影響や刺激を与えるよう努めるべきだ。つねに緊張感を上下させ、物語や登場人物にエネルギーを送り込み、笑い、涙、震え、理解に到達したあたたかい満足感といった形で、感情の解放を引き起こそう。人々はいまもカタルシスを求めており、優れた物語は、カタルシスを得るための、最も頼りがいのある楽しい方法なのだ。

考察

1　休暇の時期や季節に応じて観る演劇は、あなたの人生においてはどんな役目を持っているだろう？　あなたの物語においては？　あなたにとって、休暇と感情的カタルシスに関連はあるだろうか？　あなたの書く登場人物にとってはどうだろう？

2　季節の周期に反発したり、それを無視したりするとどうなるだろう？　自分の属する文化圏の、季節の儀式に参加しないとどうなるだろう？

3　スポーツの世界では、カタルシスの季節的なサイクルはどんなふうに動いているだろう？　運動競技をやったり、それを観戦したりすることは、より多くのカタルシスにつながるものだろうか？

4　リアリティ番組の競い合いやコンテスト番組は、なぜそんなに人気があるのだろう？　こうした番組は、どんなカタルシスを与えてくれるだろう？

5　集団で演劇的カタルシスを体験することには、どんな効果があるだろう？　満員の劇場で映画や芝居を観るのと、読書、ひとりで遊ぶコンピュータゲーム、自宅でのテレビ鑑賞とは何がちがうだろう？　あなたが好きなのはどっちだろう？　その理由は？

6　読書、映画や演劇の鑑賞、スポーツ観戦が、カタルシス的な感情の引き金となった体験はあるだろうか？　その体験が読み手にも感じられるように説明してみてほしい。

7
休暇の体験でいちばん忘れられないものはなんだろう？　その体験を、短編小説や一幕ものの芝居、短編映画の脚本の題材にできないだろうか？　登場人物はそのなかでカタルシスを体験するだろうか？

8
季節のサイクルにおいて、ファッションが演じる役割はなんだろう？　人はファッション産業に踊らされているのか、それとも、各季節で異なる色や繊維の品を身にまとうのは自然なことだろうか？

9
あなたの属するコミュニティで現在もおこなわれている、季節の儀式はあるだろうか？　そのなかで、カタルシスを生みだそうとする演劇的効果を使っているものはあるだろうか？　こうした儀式はどんな感情をかき立てるだろう？

10
ある種の感情的・身体的反応の引き金となる状況を求めるという意味では、いま映画はどこへ向かっているのだろうか？　今日の人々を刺激するのは、昔より難しくなっているだろうか？　将来の映画制作者やストーリーテラーは、カタルシスをもたらすために何を使ったらいいのだろうか？

体の知恵

体の知恵

「あなたのいちばん深い哲学よりも、あなたの体のなかにこそ知恵がある」

——フリードリヒ・ニーチェ

物語を加工し表現するためには頭を使うものだが、書き手と物語が相互作用しているあいだは、体の全体にわたってさまざまなことが起きている。自分と同じ人間という生き物を扱った芸術や物語に対し、人は身体器官を使って反応する。実のところ、皮膚、神経、血液、骨、器官といった、体全体がその反応に関わっている。

ジョーゼフ・キャンベルの指摘によれば、アーキタイプは身体器官を通じて直接人々に話しかけてくるもので、人間は一定の象徴的な刺激に対し、あたかもプログラミングされているかのように化学反応を起こすという。たとえば、大きな瞳をした子どもを見ると、どんな種類の生き物であれ共感や保護欲をそそられ、「うわあ、可愛い！」と声をあげたくなってしまう。『シュレック』シリーズに登場する長ぐつをはいたネコは、こうした深層の感情を引きだすコツをよく心得ていて、共感を求めたいときには目を大きくする。感情とは複雑なプロセスであるが、こと人間の環境においては、ある意味で刺激に対する単純な化学反応でもあり、実際、ストーリーテラーはつねにこの感情的効果を得ようとしているものだ。

特定のイメージや活人画は、オートマティックに感情的な影響を与え、人はそれを身体器官で感じ取る。活人画とは、ひとりか複数の人物が、ある背景のなかで原風景を再現することを言う。この原風景は、ほとんど動物的なレベルで人々に直観的な影響をもたらしたり、そのイメージの持つ長い伝統ゆえに感情的な力を持つことができる。最後の晩餐、聖母子像、死んだキリストの体を抱く聖母を描いたピエタなどは、どれも感情の力を持った宗教的活人画である。さらに古い文化に存在する、子を抱くハトホルや、ばらばらにされた夫のオシリスの断片を優しく集めるイシスなど、エジプトの女神たちのイメージも同等の力を持つ。対立する者たち、戦う人々、怪物と取っ組み合う神々や英雄の姿を見ると、人は戦っている誰かと自分を同一視し、みぞおちに緊張を感じる。保護的で寛容な精神のイメージ（優しい祖母、天使、サンタクロースなど）は快くあたたかい気持ちを与えてくれる。十字軍や、矢に貫かれた聖セバスティアヌスなど、さまざまな聖人の殉教を描いた写実的な中世の絵画に登場する人々も、その身体的な苦難が同情を誘い、見る側の身体反応を引きおこす。

古典的なギリシャ演劇では、自分の目をえぐりだして登場するオイディプスなど、驚くほど露骨な舞台演出が使われ、観客の体から強い反応を引きだそうとすることがある。台詞も大胆で容赦がなく、暴力や流血を示唆するために選ばれた鮮烈な言葉が観客に殴りかかる。血まみれの惨事は舞台の外で起きることも多いが、胃がよじれるようなこまごまとした描写を聞かされたり、血だらけの服や、役者が演じる死体など、衝撃的な痕跡を見せられることもある。

ローマ帝国では、ギリシャ演劇をさらに極端にしたものが演じられ、帝国が崩壊に向かうに従って退廃的で残虐なものとなっていった。暴力を象徴した刺激的な演技は、本物の暴力に取って代わられ、罪人が架空の登場人物の運命を演じ、文字どおり血を流して舞台で死んでみせ、ローマの人々を楽しませた。剣闘士は神話の戦士を再現し、劇場で本当に死ぬまで戦った。

一七〇〇年代後半、ギニョールと呼ばれる指人形のキャラクターが、リヨンからパリに入ってきた。その生意気で凶暴な性質は、やがて、拷問、斬首、バラバラ死体といった人体損壊の恐怖や戦慄を煽る、グラン・ギニョールと呼ばれる大衆芝居の波を生みだした。

活動写真が大衆に与えた最初のインパクトは、スクリーン上の映像の現実味や物理的パワーだったと言われる。一九〇三年に『大列車強盗』が初めて公開されたとき、列車が近づいてくる場面でのけぞったり、拳銃を向けられて怯んだりする観客はたくさんいた。

一九五〇年代から六〇年代、観客の身体的反応を呼び起こす達人として知られたアルフレッド・ヒッチコックは、優れた〝オルガニスト〟であり、『サイコ』、『鳥』、『めまい』などの緊迫感満載の映画で、ワーリッツァーのオルガンを弾きこなすかのように観客の臓器《オルガン》を刺激した。ヒッチコックのみならず、優れた映画監督は、身体的にも感情的にも観客に何かを感じさせる道具の使いかたを、本能的によく知っている。道具箱にあるものはなんでも使う——物語、登場人物、編集、照明、衣装、音楽、セット、動き、特殊効果、そして心理学——そうしたものによって、サスペンスの場面で息を止める、驚きに息をのむ、スクリーン上の緊迫感がゆるめば安心して息を吐くなどの身体反応を引きだす。実のところ、物語の秘訣とは、観客の呼吸をコントロールすることかもしれない。ほかの身体器官はどれも、呼吸を通じて調整されるのだから。

一九七〇年代になると、プロデューサーのアーウィン・アレン（『ポセイドン・アドベンチャー』『タワーリング・インフェルノ』）の特殊効果映画が人気を博すが、精神よりも体で演じる俗悪なエンターテインメントの新しい波がやってくるにつれ、こうした映画はときには糾弾された。スピルバーグやルーカス世代の現代的な特殊効果の達人たちが現れると、映画はこれまで以上に、目やほかの身体器官を確実に惹きつけられるようになっていった。香を焚いたギリシャの儀式から、３Ｄ、ＩＭＡＸなどの現代的な驚異の技術、スクリーンでマシンガンの銃撃が始まると振動する座席まで、エンターテインメントや物語の身体的効果を拡大する実験は、これまで数々おこなわれてきた。ローマの劇場や競技場では、香水を噴射したり、香りのいい花びらを降り注がせたりして、神々の存在をほのめかした。一九五〇年代は、3D、映像と匂いを同期する「スメロビジョン」、それに「パーセプト」の実験がおこなわれた。「パーセプト」とは、映画監督ウィリアム・キャッスルのユニークなホラー作品、『ティングラー／背すじに潜む恐怖』のために映画館に準備された特別な装置のことで、人間の背骨に張りつく生物を描写するショッキングな場面がやってくると、ブルブルと座席が振動する仕組みになっていた。

批評の指標としての身体反応

自分の作品やほかの誰かの作品を批評するのは、たやすいことではない。何が悪いのか、この物語をどう感じるか、何が足りないのか、はっきり説明するのが難しいこともある。物語の効果を測り、問題を診断する最善の方法は、「この物語を自分の身体器官はどう感じただろうか？」と問いかけてみることかもしれない。身体的に何か感じただろうか、それともただ精神的に処理しただけで、脳以外の器官はたいして関与しなかっただろうか？血が凍るような感じがしただろうか？　恐怖や喜びで、つい爪先を丸めてみたりしただろうか？　主人公が直面した危険が本当に自分をおびやかしているかのようで、神経系が警報を発したりしただろうか？　もしそういったことがなければ、身体に訴えるもの、身体的な脅威、感情的な緊迫感など、何か足りないものがあるのかもしれない。

プロフェッショナルの物語批評家として、私は原稿が持つ感情的効果や身体的効果に神経を研ぎ澄ませるようになった。物語の質を見定めるため、体の知恵に頼るようになったのだ。物語の出来が悪くて退屈なら、私の体も重苦しくなり、一ページ一ページがものすごく重いものに感じられる。私の目がページを追ううちに、首がうなだれて居眠りが始まれば、その物語は失敗作だとわかる。出来がよく、映画化しても良作ができそうな作品なら、私の体に与える効果も正反対のものになる。読んでいるうちに目が覚める。身体器官がひとつひとつ目覚めてくる。巧みに綴られ、カタルシスをもたらすような物語を読んでいると、体が軽く機敏になり、幸福を感じ、脳のなかの歓喜の中心に液体が注入され、アリストテレスが「適切な喜び」と呼んだ心身の解放を体験することができる。

優れた映画や小説に夢中になっているとき、人は実際に変性意識状態に突入し、科学ツールで検知できるような脳波の適度な変化が起きる。ひょっとすると、呼吸リズムの変化と、物語の空想世界に集中した状態とが合体し、催眠効果のようなものが訪れるのかもしれない。

映画の脚本や物語の批評を仕事にして、間もなく私が気づいたことは、私のレポートは、自分の身体器官がどんな化学反応を起こしたかをまとめたものだということだった。自分のいる環境で、さまざまな心身の状況に反応していると、身体器官は一日中液体を噴出しているわけで、それは映画を観ていても、小説の場面を思い浮かべているときでも変わりはない。ストレスや恐怖を感じれば、副腎が化学物質を放出し、それが心拍数や呼吸のペースを上昇させる信号となり、全身のすみずみまで行きわたる。トラウマとなるような出来事や恐ろしい出来事を見て衝撃を受けたとき、人体は緊急事態に生命の中核を守ろうとするため、一部のプロセスをシャットダウンするためのメッセージを送りだす。

「恐怖《ホラー》」という言葉は、ラテン語で「毛を逆立てる」という意味の言葉から派生したもので、要は、正常な秩序を乱す異様な事件や物事に対し、体に生じる自動的な反応のことである。恐怖の光景が、腕の皮膚の身体反応を触発し、冷気に当たったときと似た反応を示す。ちっぽけな筋肉が腕の毛を立たせることを「鳥肌《ホリピレーション》」と呼ぶ。

恐怖《ホラー》とはすなわち「毛を逆立てること」なのだ。これは人間がもっと毛深かった時代の生き残り術の名残で、脅威を感じたときに分厚い毛が逆立つと、体がより大きく恐ろしげに見えるからだと考える研究者もいる。敵を威嚇するために、毛皮をふくらませたり逆立てたりする動物と同じことだ。

感覚体験マシンの設計者にひとつ教えておこう。突然冷気を浴びると観客は震えるが、感情的な操作や音楽的な操作で緊張しているときには、その効果が強まる。冷気によって、墓地で感じる恐怖の震えや、畏怖、驚嘆、精神的復活といったもっと強い形の身体反応を誘発することができる。

体、特に腕や背中の筋肉が無意識に波を打ったり痙攣して起きる震えは、恐怖だけではなく、感情的な効果でも起きることがある。宗教的な畏怖の念や深い心理的な洞察にいたったとき、非常に心地よい震えが生じることがあるが、これは天からの合図のようなものであり、考えの正しさを示す身体的な裏づけでもある。こうした震えのことを、フランス語では「フリッソン」と呼ぶが、私がこの現象を体験したのは、ある物語の問題を探しだそうと集中し、ほかの人たちとの共同作業の場でオープンな議論をしていたときのことだった。別のアイデアを試そうとしていたとき、誰かが言った言葉が、私の体内で震えの反応を引き起こした。ピリピリとした感触が背筋をおりていき、まるで無数の小さな小石が脊柱を転がり落ちていくようだった。中空の木の管に乾いた豆を入れ、雨が降るような音を出す、レインスティックと呼ばれる楽器の音を聞いているようだった。ときにはほかの人もその震えを感じたり、それと似たような感触を受けていることもある。そうしたときは、彼らの体がびくっとするのがわかるのだ。そのときは、震えが部屋中を駆けめぐった。

私はこうした身体反応を重視することを学んだ。自分が真実や正しいもの、美しいものの目の前にいることを、こういった反応が教えてくれる。物語についての議論中、正しいと思われる問題解決策が出ると、私の存在のさまざまな層でそれとなく身体的信号が送られ、望ましい感情的な結果を生む要素はそろった、物語に筋が通るようになった、現実味を増した、笑えるものになったといったメッセージを知らせてくれる。おそらくは、芸術や感情について正しさを教える内面的な基準線というものがあり、その基準に合わせて作品を配列できれば、心地よい身体反応が起き、電流のような感情のエネルギーが思いきり放出されるようになっているのだろう。物理の理論や数学の解答がエレガントと言われるのと同じで、物語の問題点の解決策にも一定の美しさや優雅さがあるのかもしれない。解決策が、普遍的な真実、世界に不可欠な一定の現実と調和しているということを、われわれも感じ取っているのかもしれない。

ハリウッドの映画会社のために物語の題材を評価するなかで、私は現代のエンターテインメントが、体のさまざまな感情的・身体的中枢にいかに影響を与えるかを考えるようになり、そして優れた物語は少なくとも二つの身体器官に影響を与え、たとえば、緊張感で心拍が速まる一方、登場人物の死への同情心で息が詰まるといったことが起きることに気づいた。涙を流したり、息が詰まったり、凍りついたり、大笑いしたり、そうした身体反応が起きるほど、その物語は優れているということだ。理想としては、物語が感情的な状況の可能性をすべて探っていく過程で、すべての身体器官が刺激を受けることが望ましいかもしれない。こうして、物語の評価者としての私のモットーは、「最低でも自分の体の二つの器官が液体を放出しなければ、その物語はたいしたことはない」というものになった。

本書でも触れたカタルシスは、感情的にも身体的にも、最大級の反応の引き金だ。小さなカタルシスなら、たいていのドラマや物語で得られるものだが、全身に感情的かつ身体的な震えを起こし、すべての体内器官から毒素を一掃したり、完全な方向感覚の変容を起こしたりするような大きなカタルシスは、そう起きるものではない。カタルシスとは、通常は優先事項や信条システムの急激な再編をともなうもので、毎日そんな混乱には遭いたくないものだ。とはいえ、物語とその聴き手がぴったりと一体化したときには起きることであり、それがあるからこそ、ショービジネスや芸術の世界に足を踏み入れたい人間がたくさんいるのだ。彼らはそれを感じたことがある。美しく真に迫り、正直でリアルな作品の前に立ったとき、ガラスを叩き割るハンマーのように何かが自分を打ち壊し、そして突然、自分自身の体験を適切かつ新たな視点に置けるようになる。それを認識し、自分の家族、自分の国、自分の人間性、神や自分が信じる何かとの深いつながりの瞬間を体験したとき、体の芯が震えるのだ。ときに物語は、非常に深い部分で人に触れてくる。ひょっとすると、真実を語る物語に対するその人の準備が整ったとき、物語が新しい世界観や新しい生きる意味を与えてくれるのかもしれない。そうした謎に参加し、ほかの人がそれを体験する手伝いをするために、芸術家やストーリーテラーになりたいと考える人が大勢いるのも、なんら不思議なことではない。

考察

1　力強い物語表現、または、歌手やアーティストの感動的なパフォーマンスを観るとき、あなたはどんな感覚を覚えるだろうか？

2　あなたが特に楽しんだ物語、あなたにとって大きな意味を持つ物語はなんだろうか？　その物語はあなたの身体器官にどんな影響を与えただろうか？

3　あなたが特に感動的で意味深いと感じる、シンボルや活人画はなんだろう？　それらに対して何を感じたのか、ほかの人にも感じ取れるように説明してみよう。

4　恐ろしい状況や命をおびやかされるような状況に対し、あなたの体はどう反応するだろう？　そうした体験を踏まえ、短編小説や短編の映画脚本を書いてみよう。

5　ホラー映画を一本観てほしい。映画制作者が観客の呼吸をあやつるために、編集、サスペンス、音楽のリズム、色彩をどんなふうに活用しているか観察してみよう。

6　あなたがいちばん感情をかき乱されたり、強い身体反応をしてしまうのはどんな場面を観ているときだろう？　背筋が震える、鳥肌が立つ、涙や笑いを誘うなど、特定の感情的反応や身体反応を誘発するような、一連の場面を書いてみよう。

チャクラ

すべてはバイブスだ

「発明されたのではなく、古くに発見された決まりとは
自然は黙している、しかし順序立てられているということだ」
――アレグザンダー・ポープ『批評論』、一七一一年

「すべてはバイブスだぜ、なっ」。私が若く血気盛んだった時代は、誰もがこんなふうにしゃべり、こんなふうに考えていた。世界のいたるところに見えたサイケデリックな幻が、それぞれの周波数で振動《バイブレート》していた。見えるものや聞こえるもの、すべてが光と音の振動波から生じ、触れることのできるどんな物体も、原子に満たないレベルで共鳴するひとかたまりのエネルギーでできていた。場の雰囲気がいいと、ザ・ビーチ・ボーイズみたいに「いい雰囲気《グッド・バイブレーション》を感じるな」と言い、雰囲気が不快で敵意のあるものに変わると「悪い空気《バッド・バイブス》でも感じたのか?」と訊ねたりした。

私はいまでも「すべてはバイブス」だと思っているし、特に物語に関してはそうだ。物語は、観客や読者の振動率を変化させるために作られている、と信じるようになった。人はみな、遺伝的に継承したもの、周囲の環境、そのときどきの気分、自分でくだした人生の選択などを表現するために、どんなときもそれぞれのリズムで振動

している。この振動は、意識した意図的なものか、環境の変動に合わせた無意識の反応かに関わりなく変動するもので、パワフルな物語に感情移入しているときにも変動が生じることがある。意識するか否かに関わらず、物語の世界に没入すると、振動パターンの変化がうながされる。

物語は、人を落ちつかせたり励ましたりすることで、より平穏な振動に導くこともあれば、人の感情を刺激することで、緊迫感や恐怖に反応する体の部位を、さらに活発に振動させることもある。その両方をやってのける物語もある。優れた物語は、人の振動を微調整し、世界との同調を感じさせ、もっと感情に触れ、もっと高次元の意識に目覚めさせる力を持っている。良質の物語は振動場の調整を通じて人を導き、より完全な人間になれるよう、心をひらかせることができるのである。

チャクラ——身体エネルギーの中心

振動という考えかたは、古代のスピリチュアルな伝統、チャクラのコンセプトに通じる部分がある。サンスクリット語で車輪、円、輪を意味するチャクラは、人間の体内に配置されている、目に見えないエネルギーの中心部分のことを指す。チャクラの理論によれば、チャクラはその人の身体、感情、精神の健康状態に応じ、異なるパターンで振動しているという。

私は友人たちとともに、大学卒業後の精神探求の一環として、チャクラを学んだことがある。教えてくれたのは、茶目っけのあるシク教徒の手相占い師、シン・モディ氏で、瞑想やマントラのほか、チャクラがどう機能するかも説明してくれた。人の存在の一部であるチャクラを知り、それを開花させて幸せになる方法を理解できるよう、ユーモアと愛情を持ってわれわれに伝授してくれた。

だが、ハリウッドの映画製作幹部として働くようになってから、チャクラは私にとって理論以上のものになっていった。月曜朝のミーティングの席上で、週末に読んだ脚本の長所を議論しているとき、私はその物語に何を感じたかを説明しながら、体のいろいろな部分を指さしている自分に気づいた。問題に巻き込まれた登場人物への同情に息が詰まったり、登場人物の勇敢さに胸がはちきれそうになったり、サスペンスによって胃が縮む感覚を覚えたりすることがある。優れた物語は、私の体の一ヵ所以上に影響を与える。ある日私は、自分で自分のチャクラを指さしていることに気づき、ストーリーテラーのスキルにある何かが手を貸して、私のチャクラや、そこに付随する身体器官をターゲットとして、私の振動率を微妙に変化させたのではないかと感じた。

チャクラのシステムは、観客の頭や体のなかの感情や精神のターゲットを見つけるのに役立つのではないか、と私は考えるようになった。自分で何か書くときも、刺激や癒やしを与えたいチャクラ、読者や観客の振動率を変動させたい領域のチャクラを意識するようにした。また、物語に生じた対立や試練により、登場人物がこれまでシャットアウトしたり意識しないできた領域に立ち向かわざるを得なくなるなかで、チャクラは登場人物の精神や感情の成長の地図としても使うことができる。登場人物を創作するときに考慮すべきすべてのこと——人間観察、心理学的理論、アーキタイプ、文学や映画のモデル、そして自分自身の想像力——に加え、登場人物の強みや弱みは何か、何が障害となるか、成長や変化をどう見せるかを考えるうえで、七つのチャクラは新たな道筋を提供してくれる。

チャクラとは、精神を探求する人々を何世紀にもわたって導き、霊感を与えてきたコンセプトで、ヒンドゥー教、仏教、ジャイナ教の伝統のなかにも散見される。さまざまに複雑化され、各地のバリエーションも存在する壮大なコンセプトだが、本書では、広く受け入れられてきたバージョン、すなわち、背骨に沿った七つのポイントにエネルギーの中心部分があるという主張に注目していこうと思う。理論上、こうしたエネルギーの中心部分は全身に何百もあるが、特に西洋のスピリチュアリズムにおいて最も重要なのはそのうちの七つで、ひとつひとつつがより高次の意識に向かう道筋の象徴とされている。

七つのチャクラは尾骨から頭頂部に向かって並び、下から順に、根のチャクラ、創造性のチャクラ、力のチャクラ、心のチャクラ、喉のチャクラ、第三の目のチャクラ、そして頭頂部のチャクラと呼ばれている。

背骨に沿って尾骨から頭頂部へ、七つの見えないエネルギーの中心がひとつひとつ配置されているのを想像してみてほしい。思い浮かべ、耳を澄ませば、小さなうなりをあげながら輝き、静かに脈打つ、光を発散する花のようなエネルギーの球体が見えてくるだろう。つぼみのように閉じ、ひらく時を待っているものもあれば、睡蓮のような花びらをひろげているものもある。それぞれが体の特定領域で、重要な仕事を受け持っている。チャクラのシステムを学ぶ人々によれば、チャクラにはそれぞれ、関連する色、宝石、幾何学模様、食べ物、音楽、マントラなどがあり、共鳴するものが近くにあると活発になる。たとえば心のチャクラは、ピンクとグリーンに影響を受けるため、ローズクォーツ、翡翠やエメラルドのような緑の石、ケールやホウレンソウなどの緑の葉物野菜、ミントやユーカリや松の香り、特定の音の周波数、「ヤム」と唱える声などに、癒やしや手助けをもらうことができる。

チャクラの伝統によれば、チャクラの中心部分は、プラーナと呼ばれる謎の生命力から生気をもらっているとされる。一部の瞑想の流派では、マインドフルネスと呼吸の意識的なコントロールによってこの生命力を刺激し、洗練されたエネルギーを徐々に増加させ、各チャクラを順に活性化させていくという。これを頭頂部のチャクラがひらくまで続ければ、幸運な人間なら精神的な悟りを体験できる。完全にひらいたすべてのチャクラの列は、調和して相互に働きかけ、地に足をつけたまま天とつながる。瞑想、ヨガ、ファスティング、マントラの詠唱など、さまざまなスピリチュアル活動をおこなうことで、チャクラを癒やし、浄化し、協調させ、心身の健康の頂点に到達できるようになる。

われわれの目的としてのチャクラのシステムは、感情や精神のさまざまなレベルの覚醒に注意を惹きつけ、人生を通じて進歩を経験するためのシンプルな手段だ。体のさまざまな部分でどんなふうに感情が感じられるのかを、チャクラを用いて考えることができる。睡蓮の花がひらくかのようなチャクラのイメージは、異なる感情の中心がどう開閉するのか、どうすればチャクラの健康と強靱さを保ち輝かせることができるのか、どうなれば病的で弱く怠惰なチャクラになってしまうのかを考えるうえで手助けとなるだろう。愛、希望、信頼といった性質は、花ひらき成長することもあれば、枯れて死んでしまうこともある。

さて、ここから七つのチャクラを紹介していこう。それぞれが体のどこに位置するか、どんな領域に責任を負っているかを説明し、チャクラが物語作りにどう役立つかを示してみようと思う。

主要な七つのチャクラ

根のチャクラ(ムーラダーラ)

背骨の根元にあるチャクラ。これがひらいて活発になるとき、人は地に足がついた居心地のいい状態になり、足の下の大地を信頼することができる。避難できる場所があり、食べる物も充分で、基本的な生き残りに必要なものはすべて満たされている。

ストレスを受けると、このチャクラは身を守るように閉じてしまう。命がおびやかされているとき、空腹で住む場所がないとき、大地が揺れているとき、戦争や不安が安全感覚を阻害しているとき、このチャクラも苦しむことになる。

信頼や自信の喪失は、癒やすのに長い時間がかかることもある。幼いころに安全をおびやかされると、成人しても、身体的な安全がすべて確保されているときでさえ、安心することができなくなる。

根のチャクラは、木の根っこと同じで、大地のエネルギーとつながり、そこから活力を得る。こうした自然のエネルギー源や滋養物を、人々が得られないという状況も起きうるもので、特にテクノロジーに取り憑かれた現代社会では、手に入れて当然と思っていたものがいかにもろいか、誰も気づかずにいることもある。重力の法則を無視し、地に足をつけず、中心となるものからも離れ、人生を軽やかに飛びまわろうとすると、このチャクラから秩序が失われてしまうことがある。こうした行動が軽はずみと見なされることは知っておかなければならないし、高く飛び立ってもいつかは地に戻らねばならず、ときには強引に引きずりおろされる場合もあるということは学ぶべきだろう。

ストーリーテリングにおいては、根のチャクラを活性化し揺り動かすため、意図的な努力をすることができる。多くの物語と同様、主人公の安全感覚を攻撃するところから物語を始めてもいいし、最初は観客と主人公をなだめすかして、居心地がよく支援的な世界に入らせておいてもいい。観客をリラックスさせておいてから、心地よい思い込みをかき乱し、主人公が安全を失うところを見せて緊張感を触発すれば、観客の背骨の根元を締めつけることができる。

ヒッチコックなどのサスペンスの名匠たちは、自由だとか、自分の足の下の地面が崩れることはないという信頼といった、いちばん基本的な物事の安全性に対する思い込みをどう壊せばいいかをよく知っている。ヒッチコックの作品（『めまい』や『北北西に進路をとれ』など）の主人公は文字どおりサスペンスに追い込まれ、高くて危険な場所に爪の先だけでぶら下がるようなはめに陥る。この不安感は、主人公が周囲の人々を信頼できなくなっていることの反映でもあり、主人公は身体的にも感情的にもサスペンス状態に置かれる。

ホラー映画は、あるべき身の安全がひどくおびやかされている登場人物に観客を一体化させ、感情の矢を直接根のチャクラに向ける。スティーブン・キングは、犬（『クジョー』）や車（『クリスティーン』）など、ありふれたものを邪悪な意図の媒介者に変えるのが非常に巧い。幽霊屋敷的なものが登場する映画では、安全と心地よさの原始的なシンボルであるはずの、家そのものが残虐な怪物となり、根のチャクラの安全を攻撃してくる。『オズの魔法使』は、ドロシーの根のチャクラへの攻撃から始まる。竜巻がドロシーの家を安全な地面から引きはがし、ドロシーごと空へと飛ばしてしまう。そのちドロシーは、ほかのチャクラのエネルギーを支配して、創造性を引きだし、力をつかみ、苦しんでいるほかの人々に心をひらいて、不当な扱いに声をあげるようになる。最終的に、根のチャクラは安定を取り戻し、ドロシーはうなされながら見ていた夢から覚め、「おうちがいちばん」という考えを受け入れるのである。

創造性のチャクラ（スワーディシュターナ）

骨盤の、生殖器のつけ根の位置にあるチャクラ。仙骨のそばにあるため、仙骨のチャクラとも呼ばれる。フロイトのリビドーの概念に似て、このチャクラは、芸術表現や問題解決などのあらゆる形式の創造性や、性的なエネルギーの門口となる。

どのチャクラもそうだが、創造性のチャクラは、ほかのチャクラと協調するときにいちばん機能的になる。優れた物語は、各チャクラが象徴する別々の動因のあいだで起きる争いから生まれたり、登場人物が協調する二つ以上のチャクラから学ぶことで、楽しめる教訓的なものになったりする。たとえば、第一の（根の）チャクラの安全がおびやかされた登場人物は、第二の（創造性の）チャクラの創造的エネルギーを使い、第三の（力の）チャクラの領域で力を手に入れようとしたりする。喉のチャクラは創造性のチャクラとは自然な仲間の関係にあり、創造的な衝動が表だった表現を見つけようとするときの出口となる。創造性のチャクラの性的な側面は、心のチャクラを通じて導かれると、最大級の可能性を発揮する。

創造性のチャクラは、閉じたり封鎖されると、その創造性や自己表現も種のように眠りについて開花できる時機を待つが、あまりに長く欲求不満がたまると、放置された植物のようにしおれてしまう。とはいえ、創造性は強い動因なので、一方的に封鎖されていても、ほかのチャクラを通じて表現の方法を探すこともある。創造性を持っているのに、無視されたり認められなかったりしている人は、喉のチャクラからびっくりするような暴言を吐き、これ以上じゃまは許さないことを伝えたりする。

性的な場面や状況で観客を刺激することは、このチャクラの創造エネルギーを活性化させる簡単な方法だが、観客は知的な刺激からも喜びを見いだすもので、パズルを解いたり哲学について考えたりすることも好む。テレンス・マリック、クリストファー・ノーラン、スタンリー・キューブリック、ダーレン・アロノフスキーなどの映画監督は、多面的な意味を持つ複雑な構造を組み立てることに長けている。観客は、そうしたエンターテインメントで少し考えさせられることも好む。創造的な問題解決は、このチャクラによって育てられるスキルのひとつである。

刑事もの、ミステリー、スリラーは、観客の注意を惹きつけようと根のチャクラに挑んでくるが、観客は創造性のチャクラを使ってパズルを解くことにも喜びを感じる。ミステリーにちょっとばかりホットなセックスがあればなおさらである。

力のチャクラ（マニプーラ）

胸骨のいちばん下とへそのあいだにあるチャクラ。アイデンティティと自我のチャクラである。唯一無二の人間として自分を主張するときに、必要な力を生みだす。幼少時代のこのチャクラは、花のつぼみのようなもので、本人が二歳前後で独立したアイデンティティを感じるようになるにつれ、自然と発展していく。完全に開花するのは、発達してきたパーソナリティが自分の限界を試し、能力の可能性を実験するようになる思春期のころだ。

幼年期から成人期へと人生が移行するなかで、力のチャクラは、突発的に制御不能のエネルギー流出を起こすことがある。若い人々は、落ちつきも目的もない、御しきれないこうした力を持てあましてしまう。この過剰な力を健全な方法で逃がそうにも、高次のチャクラもまだ目覚めていないため、自分の激しい衝動を前にしてもなすすべもないことがある。いらだちを募らせた力は、抑えのきかない怒りのままに出口を求める。映画の『スパイダーマン』シリーズは、ティーンエージャーがこのエネルギーを飼い慣らそうとする試みを描いたものでもあり、ピーター・パーカーの蜘蛛のスーパーパワーは、すべての若者が持つコントロール困難な衝動の象徴となっている。

自分の運命を支配しているという感覚を突然失ったりすると、力のチャクラは身を守るために閉じ、それとともに胃が沈み込むような感覚が生じる。突然の悪い知らせで衝撃を受けたり、なんらかの惨事を目撃したときも、このチャクラのあたりに身体的な症状が出ることもある。突然の心的外傷が起きると、体が反応し、生命維持に必要な器官以外への血流を止めるため、感情的な衝撃でひざの力が抜けたり、急に崩れ落ちて気を失ったりすることもある。

自分自身の力を手にすることを、長きにわたって阻まれたり否定されたりすると、不愉快な反応を招くことがある。阻まれた力は、水のように流れながら出口を探し、受動的攻撃性行動、敵意、皮肉、突然の暴力などの形で現れることがある。

このチャクラから生じるむきだしの力を制御する方法は、人によっては生涯学ばなければならないこともある。国、派閥、家族、婚姻関係のパートナー同士のあいだで起きる果てしない権力争いは、みな人間関係という名の闘技場で起きる。力にのみ目を向けるパーソナリティは危険なものになりがちで、ほかのチャクラ、特に心のチャクラを覚醒させ、制御や支配への衝動とバランスを取っていく必要がある。

心のチャクラ（アナーハタ）

胸の中央、心臓の高さにあるチャクラ。心臓は生命維持に欠かせない臓器だ。心筋が完全に機能し、酸素が充分含まれた血液を体の末端まで送るということができなくなると、人間の活動や長期の生命維持は難しくなる。心臓への打撃は致死的な打撃になりうる。その一方、心臓は、愛や勇敢さの概念に関わる象徴的な役割も持っている。

西洋的な考えかたでは、心臓は愛の喜びや痛みを感じる器官であり、愛する人のことを考えると感情があふれ、嫉妬すれば刺すような痛みが湧き、愛が消えれば石のように冷たくなる場所とされている。

愛を感じる場所が心臓なら、目は心臓に通じる経路と見なされる。ジョーゼフ・キャンベルが一二世紀の詩人ギロー・ド・ボルネイユを引用して述べているように、「愛は瞳を通じて心臓に届くのだから、瞳は心臓の偵察兵であり、心臓が手に入れたがるものを偵察に行くのである」。特に映画の世界では、「ひと目惚れ」、つまり、特別な運命の相手をひと目見た瞬間に見ぬく愛というものが大いに好まれる。こうした場面では、意味ありげな視線が交錯したり、複雑な感情、衝動、合図がよぎったりする。

心のチャクラをあたためる別の方法に、贈り物の交換がある。友情や愛情を育てるため、たがいの経路を作る行為だ。映画では、相手とつながりたいという内面の欲求を、外に示す合図となる。『ハクソー・リッジ』では、主人公の恋人となり、最終的には妻となる看護師が、主人公に聖書を贈る。主人公は地獄のような戦地に向かうときにそれを持っていき、彼女の愛情や支えのよすがとして力をもらう。

『レスラー』では、手の込んだ贈り物の交換が、絆を求める普遍的な人間の欲求を表現する。主人公のレスラーは、長年放置してきた娘との絆を結びたがっていて、ストリッパーの助けを借り、娘の誕生日プレゼントにふさわしい品を選ぶ。レスラーはストリッパーへの感謝のしるしに、全盛期の自分をモデルにしたフィギュアを彼女の幼い息子に贈り、彼女と絆を結んで家庭的な男になりたいという気持ちを表そうとする。疎遠になり心をひらかない娘との不安定な絆を必死に結ぼうとするレスラーの姿を描くなかで、この贈り物は一時的に心のチャクラへの戸口をひらく印象的な場面となっている。

心臓は、愛だけでなく、勇気も連想させる。英語で勇気を意味する「カレッジ（courage）」という言葉は、フランス語やラテン語で心臓を意味する言葉から派生している。リチャード一世が「獅子心王《ライオンハート》」、スコットランドの指導者ウィリアム・ウォレスが「勇敢な心《ブレイブハート》」の異名を勝ち取ったのは、そのたぐいまれな勇敢さによるものだ。「元気を出せ《テイク・ハート》」という言いまわしも、要は「勇気を持て」ということだ。戦いの潮目が変わったり、愛された指揮官が倒されたりして、一方の軍の兵士たちが一気に「やる気をなくす《ロスト・ハート》」と、たいていの戦いは大惨事と化してしまう。

心のチャクラが持つもうひとつの側面は、思いやりだ。心をひらくということは、ほかの誰かの苦しみに敏感になり、共感するということだ。マーティン・スコセッシ監督の『最後の誘惑』で描かれた、人々の苦しみをつねに思いやるキリストもまさにそうだ。心のチャクラを固く閉じている登場人物（『クリスマス・キャロル』のスクルージ、『グリンチ』のグリンチなど）も、家族やコミュニティの求めに応じ、一生に一度の突然の共感を体験することがある。

喉のチャクラ（ビシュッダ）

背骨に近いところの喉仏の高さにあるチャクラ。自己表現のさまざまな形をうながすチャクラとされ、人間関係で良好なコミュニケーションをおこなうには、このチャクラがひらく必要がある。歌手や役者、販売業や教師や法律家など、声を出すスキルが必要な仕事をしたければ、幸運にも生まれつき自然に喉のチャクラがひらいている人は別として、このチャクラをひらき、喉の振動を微調整するよう努力すべきだろう。

ひとりで仕事をするライターなら、毎日声を使うことはないかもしれないが、どんなライターも「声を育てる」努力をしなければならない。つまり、自分のアイデアを表現する独自のやりかたを見つけ、登場人物にも会話を通じてはっきりと声を出させなければならない。

ライターのなかには、毎日の仕事で声を出している人もいるかもしれない。自分の書いたものを声を出して読み上げたり、会話をつぶやいてみたり、あるいは叫んでみたりしているかもしれない。効果があるならそれでオーケーだ。

喉のチャクラのパワーを最大級に発揮できるようになるには、身につけるべきスキルがたくさんある。恥ずかしがり屋や小声しか出ない人は、この騒々しい世界で何を言っても聞いてもらえないので、喉のチャクラをひらかなければならない。はっきりしゃべるのが気持ちよくなるまで、大音量で叫ぶ練習ができる場所へ行こう。大きな声は出せるが、耳ざわりにならないよう調整したい人もいるかもしれない。喉のチャクラが充分ひらくようになったら、そのあとは、明白な発声、横隔膜を使った呼吸、部屋の奥まで届く声を出す、聴衆とアイコンタクトをするなど、話したり歌ったり演じたりする仕事で使うほかのスキルを学んでいこう。

喉のチャクラがひらくと、登場人物は真実を話せるようになる。映画のなかにも、コミュニケーションの突破口を見つけようとする登場人物の決定的瞬間を描いたもの（『奇跡の人』『英国王のスピーチ』）や、社会に変化をもたらす真実の物語を語るもの（『大統領の陰謀』『スポットライト　世紀のスクープ』『ペンタゴン・ペーパーズ／最高機密文書』）がある。ジョージ・バーナード・ショーの戯曲『ピグマリオン』とそのミュージカル版の『マイ・フェア・レディ』では、イライザ・ドゥーリトルの喉のチャクラを教授が微調整する。イライザのひどいコックニー訛りやみすぼらしい姿の奥に隠れ、ずっと姿も見えず声も聞こえずにいたすばらしいレディを、教授は見事に表に引きだしてみせる。

喉のチャクラは、感情に圧倒されたり、荒れ狂う感情を表現する言葉が見つからないときには「言葉に詰まり」、一時的に収縮してしまうことがある。長いこと閉じ込めてきた感情を口に出そうとあがく登場人物の姿は、深い感動を呼ぶ。私の子ども時代のエンターテインメントの思い出で、いちばん心痛む瞬間のひとつは、人気子ども向け番組の『ハウディ・ドゥーディ（Howdy Doody）』の最終回、そのラストシーンだ。これまでずっと声を発しなかったピエロのクララベルが、喉のチャクラをひらき、最後にかすれ声で、番組最後の台詞を告げる。「さよなら、みんな！」

第三の目のチャクラ（アージュナー）

眉のあいだにあるチャクラ。スピリチュアリズムの伝統によれば、ひたいの中央には見えない器官の「第三の目」があり、本来の人間の目やほかの認知器官では感じ取れない現象を感じ取ることができるという。この第三の目は、過去や未来を「見る」ことができ、他者の考えを感知し（テレパシー）、人のオーラやそのほかの見えない現象も感じ取れるという。予知能力者や超能力者は、このチャクラがひらいていつでも使える状態で生まれているのかもしれないが、通常の人間の第三の目は普通は閉じていて、たまに直観がひらめくときにだけひらく。まれに、感情的な衝撃や、場合によっては頭部への打撃を受けたときなどにも、突然ひらくことがある。

奇妙な洞察のひらめき、何が起きるかわかっていたかのように生じる予知、遠くで起きた劇的な出来事の感知といった現象は、誰でも経験したことがあるのではないだろうか。偶然の一致という可能性もあるが、「微細な体《サトル・ボディ》」という概念を信じる人々によれば、何かを予知したり、遠くの出来事を感じ取ったりするのは、第三の目のチャクラがひらいている証拠だという。

哲学者や神秘主義者は、第三の目の概念を、脳の深いところにあり脊髄とつながっている、松果体《しょうかたい》と呼ばれる神秘的な身体器官と結びつけようと試みてきた。研究によれば、この器官は米粒ぐらいの大きさで、昼と夜の日常的なサイクルに関する情報を目から受け取り、メラトニンと呼ばれるホルモンを分泌し、睡眠と覚醒の一日の周期や季節の周期を調整している。哲学者のデカルトは、この松果体に特殊な何かを感じ、ここは魂の居場所で、脳と体のあいだの媒介者となるちっぽけな存在が、人間の器官をコントロールしながらここに座っているのではないかと考えていた。実際の二つの目が感覚の信号を松果体に送るのと同じように、第三の目も超感覚の認知を松果体に送信し、そこで処理させているのではないかと考える人々もいる。

体内で超常認知がおこなわれる中心的な場所があると想像してみれば、第三の目というコンセプトも役に立つところがある。スピリチュアリズムの一部の伝統では、積極的に第三の目を想像し、自分の考えをそこに集中させることで、超能力を向上させる試みがおこなわれている。すべてのチャクラを積極的に想像するという行為は、たくさんのスピリチュアルな原理で実践されている。

スピリチュアリズムの伝統いわく、第三の目が完全にひらく体験ができる人はごく少数だという。圧倒的すぎる体験になりかねないからだ。ふるいにかけられていないほかの存在や現実の印象が砲撃のように襲いかかってくれば、まちがいなく混乱するだろう。超感覚情報の果てしない流れを調節したりふるいにかけたりできるまで、訓練や練習も必要になる。

第三の目がひらくというのは、必ずしも超自然的な現象ではない。物語においては、単に洞察が発展したり、直観を信じることを学ぶといった形で表現される。人は、第三の目がひらいて自分の本能を信頼できるようになる前に、まずはすぐ下の四つのチャクラに象徴される成長レベルを通じ、前進しなければならないということかもしれない。

映画では、洞察のひらめき（アハ体験）、予知（『なんだか嫌な感じがする』）、テレパシー（「私と同じことを考えているのでは？」）、遠隔地の出来事の感知（「フォースに乱れを感じる」）といった第三の目の活動を、まったく平凡な登場人物が体験する様子を描くことが多い。

通常、こうした一瞬の超能力は、何もせず手に入るわけではなく、死すれすれの体験、安全や幸福がおびやかされるような体験、衝撃、壊滅的敗北など、なんらかの厳しい試練をくぐりぬけなければ得られないものだ。第三の目の効果は、登場人物が〈ヒーローズ・ジャーニー〉の苦難を通りぬけて間もなく表れることが多い。まるで、怖くなって逃げだしたりもせずに危険に接近したことに対し、世界が思いやりを示して報償を与えているようにも見える。刑事ものでは、主人公が謎の解決につながる洞察を得るのは、たいてい暴行を受けるか、誘拐されるか、薬漬けにされたあとである。

第三の目の活動を目撃すると、身体反応が生じることがある。自分の現実感覚に合わない不気味なものを目にすると、背筋が震えたり、毛が逆立ったりといった身体反応が起きる。通常ではありえない超能力など、奇妙で不自然な体験をしたときは、よく「鳥肌」が立ったという表現も聞かれる。

頭頂部のチャクラ（サハスラーラ）

すべてのチャクラのなかでも最高の次元にあるのが頭頂部のチャクラで、花びらの多い睡蓮の花のようなものとして視覚化され、頭の上に描かれたりする。スピリチュアリズムの強力な実践や、一瞬の深遠な洞察などによってこのチャクラがひらくと、聖なる恩寵の泉があふれだし、ポジティブな振動とともに啓発を受けた人物に降りかかる。この状況を迎えると、現実の体がその境界を越え、オーラが頭上に広がると考えられている。整列しているすべてのチャクラがひらき、個人の自我の境界が消える。個人の意識が最後の大きな跳躍をおこない、神聖な力の源がその中心となる。

一生のうちに一度か二度だけ、このチャクラの瞬間的な目覚めを経験するという人もいるし、スピリチュアリズムの偉大なる師とされる人々は、このチャクラがつねにひらいている。とはいえ、こうしたスピリチュアルな瞬間や、聖なる存在とのつながり、人間や現実世界にあるどんなものよりも大きく強い力への畏怖の念などは、たいていの人間がふとしたときに感じるものだ。映画はこうした精神状態を表現するのが非常に得意だ。凄まじい嵐や滝、目の覚めるような夕陽や月の出、畏敬の念を呼び起こす虹や雲のありさまを目の当たりにすると、人は第三の目の活動によって生まれる現象と似た身体感覚を体験する。普通ではない何か、異世界的な何か、あるいは不気味な何か、完全には説明のつかない何かの近くにいると、背筋が震えたり、鳥肌が立ったり、本能的で自然な反応が起きるものだ。

音楽は、頭頂部のチャクラがひらいたときの崇高な体験を味わわせてくれる。ベートーベンは、交響曲第九番のクライマックスで、聖なる存在に入り込んでいく感覚を呼び起こそうとしている。教会の合唱曲、オルガン楽曲、ロックンロール、どれも超越的な無限の体験を喚起する力を持っている。

ひらいた頭頂部のチャクラが発散するエネルギーは、古今東西の宗教芸術によく描かれている。聖人や天使、ブッダのような啓発を受けた存在、あるいは、父、子、精霊の三位一体の神の頭のまわりによく見られる光輪だ。聖人の絵画や彫像の輝く光輪は、この人物が啓発を受け、神とのコミュニケーションのための洗練された高次の経路を発展させていることを示している。

光輪のコンセプトは、王、女王、貴族の頭を飾る、宝石をちりばめた黄金の冠にも込められた考えかただ。金の冠は、頭頂部のチャクラが発散するエネルギーの物理的表現でもあり、これをかぶった人物は、神に祝福され、地上では神の代理人とされるべき存在で、その半神的な地位の美徳により、自動的に啓発されていることを意味している。

映画は一般に、もっと低い位置のチャクラを刺激し、人々が必要とする安全、セックスや創造性への衝動、力への欲求、愛への熱望、自分の話を聞き理解してほしいという望みなどに訴えかける。とはいえ映画はときおり、人間の可能性のなかでも最も高い領域に手を伸ばし、崇高なるものを垣間見せてくれることがある。映画はつねにその説得力のある幻想の力を活用し、『十戒』や『ベン・ハー』のような宗教劇から、『パッション』やアロノフスキーの『ノア　約束の舟』のような宗教の強いエネルギーに基づいたエンターテインメント映画まで、高貴な心のありかたを誘発してきた。現在使うことのできるパワフルな特殊効果は、スピリチュアルな体験を再現したり、恍惚状態や精神的至福のなかで人の心が生むものに匹敵する、光と音のショーを見せるにはとても理想的である。『２００１年宇宙の旅』は、特殊効果や不可解な音楽を使って強烈な心理体験を再現し、高等なエイリアンの種族とのコンタクトを、あたかも現実がくつがえるような神や天使との遭遇のように描写している。『コンタクト』や『インターステラー』や『プロメテウス』などのＳＦ映画は、高次の精神状態の刺激体験へと観客を誘う。テレビドラマ『エンライテンド』は、精神的な悟りに到達し、自分ではチャクラが完全にひらいたと思い込んでいる人間が、普通の生活に戻ろうとすると何が起きるかを描いたものだ。

頭頂部のチャクラは、おそらくはめったに使われることのないキーボードのキーのようなものだが、登場人物の崇高な超越の瞬間や、神の前に立つ場面を目撃するのは、観客にとってもパワフルな体験になるだろう。

チャクラのコンセプトを物語に適用する

七つのチャクラを簡単に紹介したところで、これをあなたの書く物語の改善に役立てるには、どうしたらいいか考えてみよう。

チャクラのシステムは、のぼっていくにつれて徐々に洗練されていくエネルギー形式のはしごと見ることもでき、〈ヒーローズ・ジャーニー〉とも概略は一致する。根のチャクラは主人公と〈日常世界〉の関係を表現するものと言える。主人公は〈冒険への誘い〉、〈冒険の拒否〉、〈師との出会い〉を経て、創造性と力のチャクラをひらく。チャクラのシステムには明確な〈戸口〉があり、主人公はさらに振動の強い心のチャクラへと跳躍し、そこで手の込んだ〈最も危険な場所への接近〉のために奔走し、劇的な〈最大の苦難〉を迎える。喉のチャクラをひらくのは〈報酬〉のステージに当たり、主人公はここで真実を話す勇気を得る。その後の〈帰路〉で、さらに優れた洞察を手に入れるときには、第三の目のチャクラが動いている兆候も見えたりする。すべてのチャクラの力は〈復活〉のステージのクライマックスで召還され、〈宝を持っての帰還〉のあとには頭頂部のチャクラの開花が垣間見えるかもしれない。神話や文学のなかの〈ヒーローズ・ジャーニー〉では、頭頂部のチャクラがひらくことに象徴される、完全な啓発や意識の拡大へと向かう道のりのなかで、すべてのチャクラが活性化し協調する。これによって人々は、ジョーゼフ・キャンベル言うところの「二つの世界の導師《マスター》」——超越的な何かとの遭遇によって大きく変容し、日常世界に戻ってきた存在——になれるのである。

主人公の変容は、ひとつかそれ以上のチャクラに閉じ込められたエネルギーを放出したり、低いチャクラから高いチャクラにのぼっていったり、長らく触れていなかったチャクラとつながることによって達成されていく。

もちろん、観客の身体的な恐怖や性的興奮、力に耽溺する妄想などを引き起こすために、直接的に低いチャクラを狙うことも可能だ。こうした部分だけにアピールすることを主眼とし、愛の美質や自己表現、精神主義的な洞察や啓発などをまったく放棄して、それでも成功した映画や企業はたくさんある。

チャクラのことを、感情の矢が狙うべき的と考えてみてもいい。高い的を狙っても、低い的を狙ってもかまわないが、自分が何を達成しようとしているかということには、意識的・意図的になるべきだ。自分に深い影響を与えた物語のことを考えてみよう。作者はどのチャクラに狙いを定めたのだろうか？　あなたは体のどの部分（もしくはどのチャクラ）でその感情を感じただろうか？　登場人物はどんなふうにチャクラのエネルギーを阻まれ、どうやってチャクラをひらいたのだろうか？

自分の書く物語や、自分が狙うチャクラについて考えてみてほしい。チャクラがひらくさまを体験させるため、どうやって観客を誘えばいいだろう？　登場人物の自己啓発を共有させるため、力のチャクラをひらく？　心のチャクラを通じ、愛の痛みや喜びを感じさせる？　喉のチャクラを使い、大声で歌い出したり、真実の気持ちを叫んだりする？

チャクラのコンセプトは、人の意識がこの七つの中心に分割され、それぞれのチャクラが、その人の全体的な人格のなかの下位パーソナリティのようなものであることを示している。そのため、ひとつのチャクラを中心にして人生を生き、ほかのチャクラは自分の心理学的ヒエラルキーのなかでは、あまり重要な役割を持っていないと考えることも可能だ。人がなんらかの圧力を受けるなかで、このヒエラルキーを再評価し、放置されていた領域をもっと重視すべく優先順位を検討しなおすという過程を、物語の演劇的問題とすることもできる。あるいは悲劇の物語として、このヒエラルキーの再構成の失敗を描くこともできる。『市民ケーン』の登場人物、チャールズ・フォスター・ケーンは、自分の人生のすべてを力のチャクラと創造性のチャクラだけで表現しようとした。

本当に自分が求めていたものが、心のチャクラのなぐさめだと気づいたときには、すでに手遅れだった。

チャクラは家族と同じようなもので、ときにはたがいに喧嘩し、力を争ったり、相手に背を向けたりもする。だが、全身の器官に恩恵をもたらすような形で、ともに協力し合うことを学ぶこともできる。

ストーリーテラーの仕事は、ばらばらで混沌とした観客の振動する感情を、意識的かつ意図的に作られた物語の布地に織り込んでいき、観客が自分の振動率や意識状態の明確な変化を体験するように仕向けることだ。この変化は、登場人物の感情的試練を見ることで触発される。登場人物の振動率も、敵対者と戦うにつれ変化し、自分自身を学んでいくことになる。

物語を伝えるときは、最後に観客が別の感情を持つようにしなければならない。振動率が変わったことを、多少なりとも観客が気づくようでなければならない。芸術作品が、人生を変えるほどの鮮烈な方向転換をもたらすこともまれにはあるが、たいていの場合は、ちょっとした人生の洞察や観客の状況に対する〝アハ体験〟を与える程度だ。ジョーゼフ・キャンベルは次のように述べている。「意識の増幅は、日本の寺の庭園で、ひとつの場所から次の場所へ上がっていく経験と似ている……上がっていくと突然に新たな景色がひらける。ただその庭園を体験するだけで、意識の増幅を得られるように配置されているのだ」(Joseph Campbell and Phil Cousineau, *The Hero's Journey: Joseph Campbell on His Life and Work*, 1990, p. 150)

いまこの瞬間、あなたはさまざまな部分で振動しているが、それはある意味で、あなたの環境、あなたの遺伝形質、あなたのここまでの人生の選択の総和であるあなたという存在の、独自の振動だ。その振動率は変化する。チャクラのシステムは、あなたが意識的に自分の振動率の改善に乗りだすことができることを示唆している。より調和があり、たやすく動けて、自分の精神と身体が持つすべての可能性に触れられる、あなたの世界で生きていくことができるのだということを。

物語を語るという観点から見たチャクラのシステムは、登場人物を分析し、どう変化させるかを考えるための、もうひとつのツールとして利用することができる。次回あなたの感情をかき乱すような映画を観るときには、自分の体に注目してみてほしい。あなたのチャクラが何かを伝えようとしてくるかもしれない。

それと、これはお忘れなく——すべてはバイブスなのだ。

考察

1 あなたの好きな映画や物語をひとつ思い浮かべてほしい。ストーリーテラーはどのチャクラに狙いを定めているだろうか？　登場人物は、いずれかのチャクラがひらく体験をしただろうか？

2 映画を観たり物語を読んだりしていて、何か感情を感じる場合、あなたは体のどこにそれを感じただろうか？　その感覚について説明してみよう。

3 ストーリーテラーは、認識、洞察、直観、感情の展開、精神の成長など、意識の変動の瞬間をどう表現しているだろうか？　登場人物の性質の発展を阻害するものは、どんなふうに表現されているだろうか？

4 あなたが身体的な生き残り（根のチャクラ）がおびやかされたと感じた瞬間について、短編小説を書いてみよう。その出来事の最中、ほかのチャクラの力が手をさしのべてきたと感じることはあっただろうか？

5 創造性のチャクラに関して考えてみよう。あなたの創造表現を阻害するものはなんだろう？　どうすればそれを取りのぞけるだろう？　あなたが好きな物語の登場人物は、創造性の阻害にどんなふうに対処しているだろう？

6 力を支配する登場人物を描いた物語にはどんなものがあるだろう？　こうした物語からインスピレーションを感じるだろうか？　こうした物語に何を感じるか書きだしてみよう。

7 人を愛する（心のチャクラをひらく）という行為を、説得力を持って描いている映画には何があるだろう？あなたの恋愛体験はどんなふうだっただろう？　体のどこにそうした感覚を感じただろう？　そのときの感情についても説明してみよう。

8 あなたの喉のチャクラはひらいているだろうか、それとも閉じているだろうか？　閉じているとしたら、ひらくにはどうしたらいいだろう？

9 第三の目のチャクラによる、超感覚的な認知体験をしたことがあるだろうか？　もしあれば、どんな感覚の体験だったか説明してみよう。

10 頭頂部のチャクラがひらき、恍惚感や神の前に立つ感覚を味わった登場人物を描く映画や物語には、どんなものがあるだろう？　こうした物語についてあなたはどう思っただろうか？

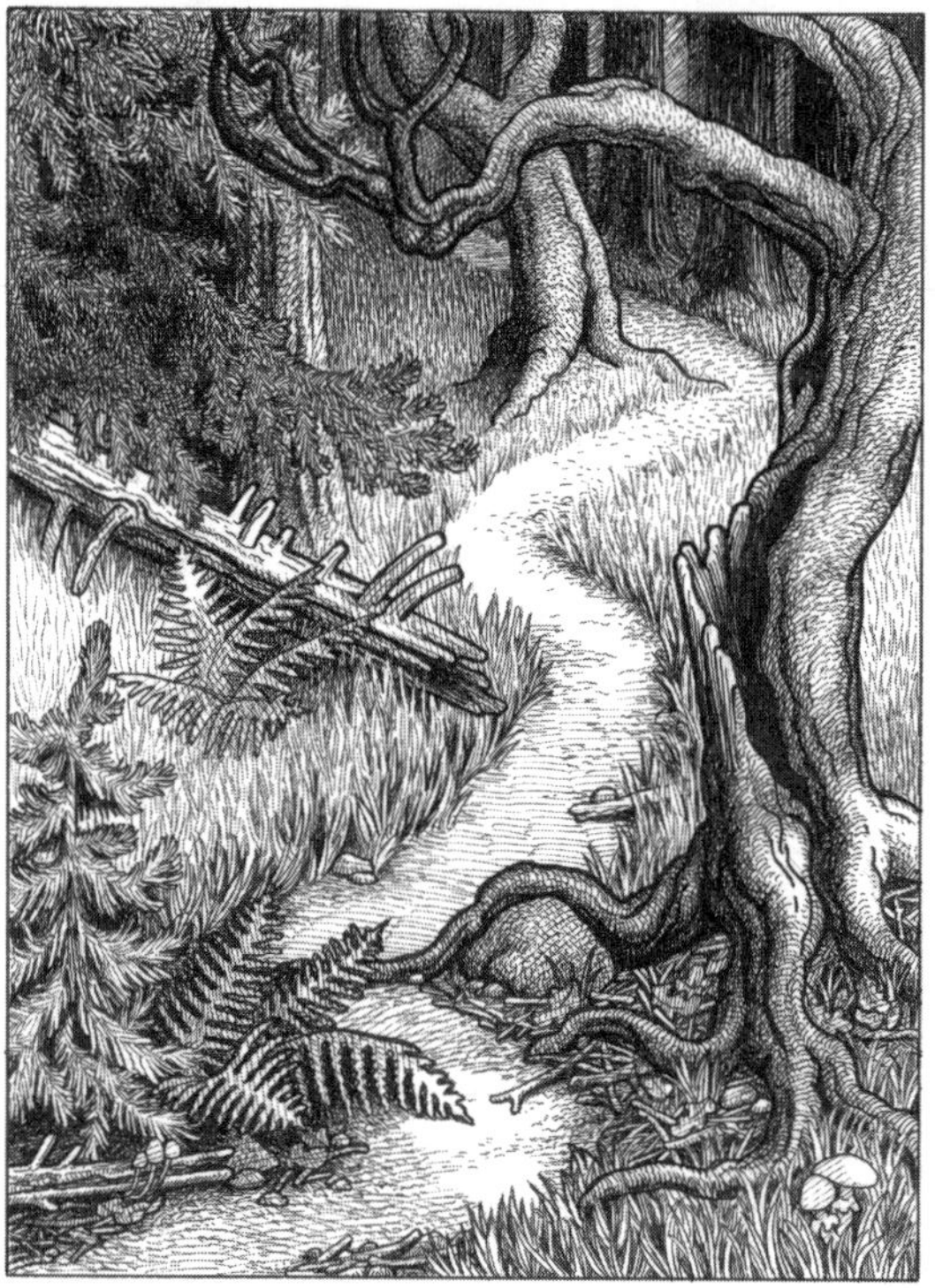

道を信じよ

道を信じよ

「人生の旅のさなか、正しき道を見失い、私は暗い森のなかにいた」
——ダンテ『神曲　地獄篇』

ダンテは『地獄篇』の冒頭でそう言い、私は人生の旅のなかのとある道で、まさにそうなっている自分に気づいた。カリフォルニア州ビッグサーの近くの森を、ひとりで歩いていたときのことだ。そう、そこは暗い森のなかで、私は道に迷っていた。寒くて、空腹で、震え、疲れきって、夜が近づいてくる気配にパニックになっていた。

その冬は雨が多く、嵐に次ぐ嵐で、何年も乾ききっていた丘陵には雨水がしみ込んでいた。私は自分の人生で、重苦しい空模様からの攻撃を受けていたところで、ビッグサーの聖なる田園地帯の北へとやってきて、失った何か、つまり孤高と心の平穏と明晰さを見つけようとしていた。仕事や人間関係の重要な部分で失敗を犯したと感じていた私は、次にどうすべきか混乱していた。自分がどこへ向かうか決断すべきことがいくつかあり、自然のなかに飛び込めば、現在の混乱を抜けだすための将来の見通しが見つかるのではないかと、本能的に感じていた。

ビッグサーの自然の渓谷をくねくねと続く、林野部管理下の識別しやすい小道を歩いているとき、道が荒れていることを警告する小さな標識に気づいた。最近の雨のせいで小道が湿ってどろどろなんだろうと思ったが、間もなく私は、冬の嵐がやわな丘陵に与えた凶暴な打撃を侮っていたことに気づいた。山脈全体が巨大なスポンジのようになり、吸い込んだ雨水をゆっくりと渓谷に排出し、想像を超えた量の水が、新たな谷や小川を作っていた。何度もカーブを曲がるうちに、私の前方の小道が、五〇メートルばかり先で途絶えているのが見えてきた。崩れた泥板岩のじめじめした傷痕と、むきだしの岩に流れ落ちる滝を残して、小道もろとも斜面全体が洗い流されてしまっていた。露出した岩は簡単に崩れ、岩くずとなって水のように斜面を流れ落ち、流砂のようにあやうかった。斜面が崩れた場所の先に、再び小道が続いているのが見える。つるつるして滑落しそうな岩に指と爪先でしがみつき、崩れ落ちる岩くずのなかで踏ん張って、カニのようにじりじりと這って岩を越え、断たれた小道の続きへ進むしかなかった。小道はさらに七、八〇メートルほど山の肩をぐるりと回り、またしても泥の崩落によって消え、私は再び指と爪先でそこを渡らなければならなかった。

最初のうち私は活気づき、原野のちょっとした試練に遭っているぐらいのつもりでいた。だが、三度、四度と、泥水の降ってくる不安定な断崖を切りぬけていくうちに、だんだんつらくなってきた。腕も脚も慣れない努力のせいで震え始め、指も爪先も痙攣するようになってきた。何度となく水に濡れ、それが蒸発すると私の服や肌が冷えて、体の芯まで冷たくなってきた。ときどき、黄色い泥土と泥板岩でできた丘陵全体が、私の下で震動している気がして、ゆっくりと泥崩れを起こしながら滑りだすのではないかと思った。泥を一〇回も渡ったころには、不安になってきた。一時間ほどで終わるはずのハイキングは三時間に及び、まるで終わりが見えなかった。私は泥のなかで二度ほど足場を失いかけ、痙攣する指と震える腕で崩れた岩にしがみつき、なんとか持ちこたえた。ここで落ちたら、何十メートルも転落して、固い平地に叩きつけられることはわかっていた。

その後私の冒険の旅は、もっとひんやりした山の陰にさしかかった。雨で大きな地滑りが起き、地面が渓谷の深くまで崩れ落ちていて、家ぐらいの大きさのごつごつした岩の斜面ができ、横断するにはだいぶ大変そうだった。引き返すべきか、先に進むべきかもわからなかった。私は自分にどのぐらいの強さがあるかを正確に確かめ、そして、死の間際に立たされた人間に訪れる、原始的で本能的な、異様な覚醒状態にある自分に気がついた。木々の輪郭の向こうに夕陽が沈んでいくのを見ながら、私は自分の生命エネルギーが抜けていくのを感じ、新聞記事でよく読む古典的なカリフォルニアの原野の悲劇的状況に、まさに自分がいるのだと自覚した。愚か者が夜の森を征服しに出かけていき、谷に落ちて首の骨を折ったり、何日もさまよい歩いて飢え死にする。しょっちゅうあることだ。今度は私の番なのか?

意識が強まるなかで、私には、体内に残るエネルギーがどのぐらいか、ほとんどカロリー単位でわかった。持ってきた食物は、わずかなトレイルミックス〔訳注:ナッツやドライフルーツなどをミックスしたハイキング用の携帯食料〕だけで、それもだいぶ前に食べてしまった。ナッツやレーズンはすぐにエネルギーを与えてくれたが、あやうい泥板岩をよたよた横断している二、三分のあいだに、あっさりその効き目も消えた。生命を維持できる余裕はあまりない。ここからは、体に蓄積された力が一歩一歩進むたびに減っていくだろう。自分の命の砂時計の砂が、無駄にどんどん落ちていくのが見えるような気がした。

問題は、戻るべきか進むべきかということだった。先に何があるのかもわからない。地滑りの向こう側に小道が続いているのかも見えないし、地滑りしたあとのごつごつの地肌を横断するのもきついが、進むならそうするしかない。すでにだいぶ使っているエネルギーをさらに使うことになるだろうし、向こう側に行って森の小道に戻れるという保証もない。夜が近づくなかで、さらに原野に突っ込んでいくだけかもしれない。

ここまで苦労して進んできた、荒れた小道を引き返すことも考えたが、もしそうしたら、自分は死ぬだろうという恐ろしいほどの確信を感じた。私の手はかぎ爪のように硬直し、ほとんど使い物になりそうもない。腕と脚は震えていて、もしここまで越えてきた泥の断崖を、またしても三ヵ所も四ヵ所も渡らなければならないとしたら、ただでさえ暗くなるのに、落ちないで済むわけがないと思った。

私は力を振りしぼり、アリのように這い、山腹のどうでもいい小さな点となってがれきを越えていった。何百メートルもの高さで岩を空にそびえたたせ、さらにその山腹を切り崩した自然の猛烈な力には感銘を受けた。私はようやく森のなかに戻り、息をあえがせ、寒さに震え、体力の終わりを感じたが、しかしそこで別の問題に気づいた。小道はどこだ？　その形跡が見つからない。漠然とした道筋が、暗がりの奥、いばらの奥、おとぎ話の呪われた城でも囲んでいそうなひんやりとした茂みの奥に続いているようには見える。私は山腹をよろよろとのぼったりおりたりして進み、顔や手には小枝の傷がついた。本来の小道に出会えることを祈ったが、進むほどに無力に迷うばかりで、夜が近づくにつれ半狂乱になってきた。ここを出なければならない。森のなかでなんの準備もなく一夜を明かすのが、絶対に危険なことはわかっている。人はこういうところで野垂れ死にする。私はそのとき初めて、山の空気は一日のさまざまな時間に、水の塊のようになって流れてくるものだということを知った。冷たい空気は私のまわりのいたるところで、斜面をくだり、底なしの渓谷をあふれさせ、私の血を凍らせて私の活力をさらに奪おうとしている気がした。

「迷う」という言葉には恐ろしい響きがあり、ずっとそれを否定してきたが、もはや迷ったと認めないわけにはいかなかった。黒い木の影が渓谷に向かっておりていくのを見ているうちに、なじみのない感覚や考えの群れが、私に向かって押し寄せてきた。心臓が激しく鼓動し、手が震えた。森が私に話しかけ、訴え、呼んでいるように思えた。無数の葉がこすれ合い、「おいで」と魔女のしゃがれ声で呼びかけてくる。「あんたの痛みを終わらせる簡単な方法があるよ。こっちへおいで！　跳ぶんだよ！　走って断崖から渓谷へ飛びだすんだ。一瞬にして全部終わるよ。あとは任せておきな」。そして奇妙なことに、その訴えは魅惑的に響き、理にかなったものにも思え、恐ろしいものにも思え、この恐ろしい瞬間を終わらせたいという気持ちを呼び起こすようにも思えた。

だが、私の脳の別の何かがそれを拒否した。自分が、人間の心理状態のひとつとしてよく知られる、パニックというものを経験していることに気づいた。ギリシャ人は物事に名前をつける天才で、パンと呼ばれる自然の神が来ると起きると信じられていた心理状態が、パニックと呼ばれるようになったと言われている。ヤギの足を持ち、横笛を吹くパンは、人間を鼓舞することもあるが、恐怖を感じさせる力も持っていて、凄い力を自在に使って人間の感覚を圧倒することができ、そのせいで人間は愚行を犯して死ぬことがあるという。

さらにそのときの私は、昔のヨーロッパやロシアの民話に出てきそうな、恐ろしい魔女の存在も感じていた。魔女は太古の森と同じ二面的性質を持っている。森と同じように、あっという間に人間を負かし、破壊し、消滅させることができるが、民話の主人公が魔女をなだめ尊敬することができれば、魔女も主人公に力を貸し、優しいお祖母ちゃんのように守り、敵から隠し、食物や隠れ場所を与えてくれる。そのときの私には、森が意地の悪い、誘惑的な魔女のような顔を向けてきたように思えた。生き生きとして邪悪で腹をすかせた、『ヘンゼルとグレーテル』の魔女のような何かがあり、それが森全体に広がっているように思えていた。実に厄介な状態だ。

私は立ち止まり、深呼吸をした。この単純な動作のおかげで、急に頭がさえ、パニックになった脳に常識的感覚が戻り、私は怯えた動物みたいに慌てるのをやめた。きちんと呼吸もできていなかったせいで息があがり、脳に酸素が行きわたらなくなっていたことに気づいた。体力の消耗と急な寒さで、私は軽いショック状態になり、頭や四肢に血液が行かず、生命力や体温の維持もできなくなっていたのだ。何度か深く息をすると、血が頭蓋内に戻っていくのが感じられた。

やみくもに動きまわるのをやめ、私は周囲を観察し、自分の内にある古来の本能みたいなもの、信頼できる内的な感覚を探り、危険な状況下で何をすべきかを知ろうとした。

その瞬間、頭のなかで、まるで陽の光が射すかのように、明瞭な声が聞こえてきた。〝道を信じよ〟と声は言った。私の奥深くで誰かがしゃべったかのように、本当に声が聞こえたのだ。しかし、私は微笑み、そう感じた自分を嘲った。それこそが問題なんじゃないか、と心につぶやいた。道なんかない。林野部の小道を信じたからこそ、こんなところに来てしまったんじゃないか。もう三〇分も道をさがしているのに、まだ見つかっていない。それに、もっと大きな観点からも、ここ何年にもわたる人生の全体像のなかで、私は真実の道を見失ってしまっていた。

〝道を信じよ〟。声はもう一度、忍耐強く、誠実にそう言った。確かに道はあるはずで、道のすべき仕事を必ずすると信じて大丈夫だ、そんな口調で。

私は地面を見おろし、そして雑草に埋もれた小さな溝があることに気づいた——アリの道だ。私のパニックなど気にもせず、アリは自分たちのちっぽけな仕事をするために、縦列で動きまわっていた。私はアリの道を、自分に見える唯一の道を、目で追ってみた。

道は下生えのなかの少し深い溝へと続いていた。野ネズミなどの小動物が使う、茂みのトンネルのような道だ。それをさらに追うと、間もなく、さらに広いジグザグの小道、山腹ののぼりやすいところをシカがのぼるための小道が見つかった。私はその小道に従い、ゆっくりと歩きだした。やがて、テセウスを迷宮から助けだしたアリアドネの糸に導かれるように、私は迷宮を抜けだした。ほんの何歩か歩いただけで山中のひらけた草地に出て、そこではまだ太陽が輝いていた。草地を横切ると、よく整備された小道が見つかり、私は自分が林野部の公式な正しい道へと戻れたことを悟った。

だいぶ冷静になってその道を歩いていくうちに、私は自分の精神的混乱からも抜けだした。〝道を信じよ〟と私の声は言った。きっとあれは、「人生の次のステージまで歩きつづけよ。後ずさるな、麻痺してパニックになるな、ただ進みつづけよ。自分の優れた自然な本能を信じ、より幸福で安全な場所へ導いてくれると信じよ」という意味だったのだ。そのうちに、ハイキング道は、消防車がすれちがえる幅の林道と交わり、それから三〇分もしないうちに、私は自分のおんぼろフォルクスワーゲンを停めていたハイウェーに戻ることができた。太陽は西の地平線の上でまだぎらぎらと輝いていたが、あの渓谷のなかではすでに夜のとばりが落ちているだろうし、私もそこで死んでいたかもしれないことはわかっていた。

あやうく私をのみ込むところだった山と森の風景を振り返りながら、私は、あの〝道を信じよ〟という言葉は贈り物だったのだと思った。いまその言葉を、あなたにも贈ろうと思う。この言葉は、道に迷い混乱したときでも、あなたが自分で選んだ旅、あるいは、あなたを選んでくれた旅を信じて大丈夫、ということを意味している。あなたの前にも誰かが、この〈作家の旅〉《ライターズ・ジャーニー》、〈物語作家の旅〉《ストーリーテラーズ・ジャーニー》の道を歩んでいるはずだ。あなたが最初ではないし、最後でもない。あなたの旅の経験は、あなた独自のものであり、あなたの視点ならではの価値があるが、同時にあなたは、何かの一部分、人類の始まりまでさかのぼる長い伝統の一部分でもある。旅にはそれぞれの知恵があり、物語はその道のりを知っている。旅を信じよ。物語を信じよ。道を信じよ。

ダンテが『地獄篇』の冒頭で言っているように、「人生の旅のさなか、正しき道を見失い、私は暗い森のなかにいた」。おそらくは誰にでも、さまざまにこうした経験はあり、物書きの人生の旅路を通じて自分を見つけていくのだろうと思う。暗い森のなかで「自己」を見つけていくのだ。あなたの幸運と楽しい冒険を祈り、あなたが自分の旅で自分自身を見つけることを願っている。どうぞよき旅を。

訳者あとがき

本書『作家の旅　ライターズ・ジャーニー――神話の法則で読み解く物語の構造』のオリジナル版が本国アメリカで出版されたのは、一九九二年のことでした。著者のクリストファー・ボグラーは、無数の神話から物語の構造を抽出したジョーゼフ・キャンベルの『千の顔をもつ英雄』に大きな影響を受け、その発想を映画の脚本や小説のライティングに生かすため、人を惹きつける物語の構造とはどういうものかを〈ヒーローズ・ジャーニー〉の12のステージで示そうとしました。ジョージ・ルーカスが『スター・ウォーズ』シリーズを創る際にキャンベルの影響を受けたと明言したこともあり、ボグラーの著書は、脚本家や小説家のみならず物語に興味を持つ多くの人々の心をとらえ、その後も改訂を重ねながら、ストーリーテリングの古典的指南書として長く人気を博してきました。

そしてこのたび、オリジナル版に大幅な増補がおこなわれた、二五周年記念改訂版の邦訳をお届けできることとなりました。お楽しみいただければ幸いです。

「魅力的な物語を作るためのツール」。そんなふうに言うと、疑わしく感じたり、「そんなものは存在しない、あったとしても画一的で中身のない物語ができるだけ」と考える人も、なかにはいるかもしれません。ですが、〈ヒーローズ・ジャーニー〉とはそもそも、物語を型にはめるために作られたテンプレートではありません。むしろ、太古の昔から人々が語り継いできた無数の神話や民話を分析していけば、おのずから浮かび上がってくる物語の基本形のようなものなのです。

キャンベルも影響を受けたという心理学者のユングは、個人の夢や空想に出てくるイメージを研究し、集合的無意識というものの存在を主張しました。集合的無意識とは、人類が民族や国家や人種を問わず共有する、普遍的な無意識のことです。時代や場所が大きく隔たるにもかかわらず、共通点を持った神話や民話が存在するのも、物語がこうした無意識のなかに存在する元型のイメージから生じてくるからだと考えられています。〈ヒーローズ・ジャーニー〉にもこれと似たようなことが言えます。英雄の旅物語の道筋や、そこに登場するアーキタイプは、人々が無意識に共有している物語の様式のようなもので、だからこそ人々は、こうした要素がストーリーのなかに見えたとき、無条件に反応してしまうのかもしれません。

人間は物語を必要とする生き物だと言われます。物語というものが人々のあいだでつねに語り継がれ生き残ってきたのは、娯楽になるからというだけでなく、他者（主人公や登場人物）の成功や失敗を伝えることで、物語の受け手に生き残りのための教訓を与え、実人生でよりよい選択ができるように仕向ける機能を担っているからだとも考えられています。つまり物語は、はるか昔から人々が伝えてきた知恵の蓄積という側面も持っているのです。だからこそ人間は、おもしろい物語に理屈抜きで引き込まれるのかもしれません。人間の身体や神経系には、物語のなかから自分に必要なものを感知し、自然に吸収しようとする仕組みが埋め込まれているのかもしれません。

ボグラーも本書のなかで述べているとおり、〈ヒーローズ・ジャーニー〉とは、「あくまでガイドライン」であり、「料理のレシピ本でもなければ、どんな物語にでも厳密に当てはめることのできる数式でもない。効果的に使うために、物語をこれと一致させる必要はない」ものです。ボグラーは、これを踏み台にして、自由にバリエーションを試したり、独創的な手法でふくらませていくことを大いに奨励しています。〈ヒーローズ・ジャーニー〉が効果的に機能する物語の下地となることは、たとえば本書後半の〈ヒーローズ・ジャーニー〉分析の一例、『パルプ・フィクション』編にも見て取れるのではないでしょうか。九〇年代にその斬新さで世界の話題をさらったあの作品にも〈ヒーローズ・ジャーニー〉の形が見いだせる、それどころかびっくりするほど忠実にその道筋を踏襲しているという分析は、非常に興味深いものです。ライターが必ずしも〈ヒーローズ・ジャーニー〉の形にとらわれる必要はありませんが、〈ヒーローズ・ジャーニー〉の基本を頭のすみに置いておけば、執筆活動の途中で迷ったり混乱したときに、自分がいまどこにいるかを冷静に思い起こすための地図として役立てることもできるものと思います。

先に述べたように、物語は人類の知恵の宝庫でもあります。ボグラーの『作家の旅』が長きにわたって読まれてきたのは、この本がライターのみならず一般の読者にも支持されたからで、〈ヒーローズ・ジャーニー〉を自分の人生や実生活に重ね、自己啓発書やビジネスの参考書のような読みかたをする読者もたくさんいます。

自分の人生と〈ヒーローズ・ジャーニー〉を引き比べながら読んでみるのも一興でしょう。自分の人生はいま12ステージのどこにあるのか、周囲にいる人々はどのアーキタイプに当てはまるのか、自分の「人生の旅」が行き詰まっているのはなぜなのか……。もしかすると、そこに意外な人生の突破口が見つかるかもしれません。

府川由美恵

二〇二二年二月

映画作品リスト

凡例

・邦題の後には製作年を記した。
・日本未公開の場合は邦題の後に「未」を記した。
・シリーズの場合は第1作目の制作年、監督を記した。
・テレビシリーズの場合は製作者を記した。

邦題	原題	監督または制作者	本書該当頁
アーサー王宮廷のコネチカット・ヤンキー(1995)	Connecticut Yankee in King Arthur's Court, A	ラルフ・L・トーマス	34
アイガー・サンクション(1975)	Eiger Sanction, The	クリント・イーストウッド	189
愛と死の間で(1991)	Dead Again	ケネス・ブラナー	141
愛と青春の旅だち(1982)	Officer and a Gentleman, An	テイラー・ハックフォード	35–37, 39, 41, 45, 102, 107, 238
愛と追憶の日々(1983)	Terms of Endearment	ジェームズ・L・ブルックス	329
愛と憎しみの伝説(1981)	Mommie Dearest	フランク・ペリー	65
愛は霧のかなたに(1988)	Gorillas in the Mist	マイケル・アプテッド	66
赤い河(1948)	Red River	ハワード・ホークス	76, 116, 149, 165, 173, 184, 258, 267, 268, 284, 302, 494
あきれたあきれた大作戦(1979)	In-Laws, The	アーサー・ヒラー	103
明日に向って撃て!(1969)	Butch Cassidy and the Sundance Kid	ジョージ・ロイ・ヒル	298
アダム氏とマダム(1949)	Adam's Rib	ジョージ・キューカー	451
アナと雪の女王(2010)	Frozen	クリス・バック、ジェニファー・リー	155
アナライズ・ミー(1999)	Analyze This	ハロルド・ライミス	490
アニー・ホール(1977)	Annie Hall	ウディ・アレン	211
アパッチ砦(1948)	Fort Apache	ジョン・フォード	294
アビス(1989)	Abyss, The	ジェームズ・キャメロン	371, 450
ア・フュー・グッドメン(1992)	Few Good Men, A	ロブ・ライナー	498
アフリカの女王(1951)	African Queen, The	ジョン・ヒューストン	476
アベンジャーズ[シリーズ](2012他)	Avengers, The (series)	ジョス・ウェドン他	22
アメリカン・グラフィティ(1973)	American Graffiti	ジョージ・ルーカス	329
アメリカン・スナイパー(2014)	American Sniper	クリント・イーストウッド	203
アラジン(1992)	Aladdin	ジョン・マスカー、ロン・クレメンツ	465
アラビアのロレンス(1962)	Lawrence of Arabia	デイビッド・リーン	201, 275
アラベスク(1966)	Arabesque	スタンリー・ドーネン	94, 102, 188, 268, 273
アリー/スター誕生(2018)	Star Is Born, A	ブラッドリー・クーパー	194
ある愛の詩(1970)	Love Story	アーサー・ヒラー	303
或る夜の出来事(1934)	It Happened One Night	フランク・キャプラ	299, 377
E.T.(1982)	E.T., The Extra-Terrestrial	スティーブン・スピルバーグ	36, 41, 44, 46, 142, 238
犬ヶ島(2018)	Isle of Dogs	ウェス・アンダーソン	289
インターステラー(2014)	Interstellar	クリストファー・ノーラン	547
インディ・ジョーンズ/最後の聖戦(1989)	Indiana Jones and the Last Crusade	スティーブン・スピルバーグ	195
インディ・ジョーンズ/魔宮の伝説(1984)	Indiana Jones and the Temple of Doom	スティーブン・スピルバーグ	41, 195
ウィロー(1988)	Willow	ロン・ハワード	12
ウォール街(1987)	Wall Street	オリバー・ストーン	498
栄光の季節(1982)	That Championship Season	ジェイソン・ミラー	517

邦題	原題	監督または制作者	本書該当頁
英国王のスピーチ（2010）	King's Speech, The	トム・フーパー	194, 542
駅馬車（1939）	Stagecoach	ジョン・フォード	116, 297
エクスカリバー（1981）	Excalibur	ジョン・ブアマン	297, 326
エデンの東（1955）	East of Eden	エリア・カザン	65
エンライテンド（TVシリーズ）（2011他）	Enlightened (TV series)	マイク・ホワイト、ローラ・ダーン（製作）	547
追いつめられて（1987）	No Way Out	ロジャー・ドナルドソン	323
黄金（1948）	Treasure of the Sierra Madre, The	ジョン・ヒューストン	325
オズの魔法使（1939）	Wizard of Oz, The	ヴィクター・フレミング	34–43, 87, 114, 140–141, 153–154, 166, 178–179, 191–192, 197, 202, 215, 219, 221–233, 260–261, 276–278, 288, 312–313, 317, 334–335, 462, 537
落ちこぼれの天使たち（1988）	Stand and Deliver	ラモン・メネンデス	184
オデッセイ（2015）	Martian, The	リドリー・スコット	155
汚名（1946）	Notorious	アルフレッド・ヒッチコック	93, 163, 307, 484
快傑ダルド（1950）	Flame and the Arrow, The	ジャック・ターナー	297
カサブランカ（1942）	Casablanca	マイケル・カーティス	39, 65, 214, 321
カジノ（1995）	Casino	マーティン・スコセッシ	484
風と共に去りぬ（1939）	Gone With the Wind	ヴィクター・フレミング	313
華麗なる激情（1965）	Agony and the Ecstasy, The	キャロル・リード	498
ガンガ・ディン（1939）	Gunga Din	ジョージ・スティーブンス	62, 200, 221, 301
危険な情事（1987）	Fatal Attraction	エイドリアン・ライン	97, 256, 484
奇跡の人（1962）	Miracle Worker, The	アーサー・ペン	542
疑惑の影（1942）	Shadow of a Doubt	アルフレッド・ヒッチコック	100
キング・コング（1933）	King Kong	メリアン・C・クーパー、アーネスト・B・シューザック	147, 159, 269–270, 313
クジョー（1983）	Cujo	ルイス・ティーグ	537
グッドフェローズ（1990）	Goodfellas	マーティン・スコセッシ	78
クライング・ゲーム（1992）	Crying Game, The	ニール・ジョーダン	451
クリスティーン（1983）	Christine	ジョン・カーペンター	537
クリスマス・キャロル（1984）	Christmas Carol, A	クライブ・ドナー	541
グリンチ（2000）	Grinch Who Stole Christmas, The	ロン・ハワード	541
グローリー（1989）	Glory	エドワード・ズウィック	298, 329
黒騎士（1952）	Ivanhoe	リチャード・ソープ	297
刑事グラハム／凍りついた欲望（1986）	Manhunter	マイケル・マン	275
刑事ジョン・ブック　目撃者（1985）	Witness	ピーター・ウィアー	34, 299
ゲーム・オブ・スローンズ（TVシリーズ）（2011他）	Game of Thrones (TV series)	デイビッド・ベニオフ、D・B・ワイス他（製作）	20, 22, 130
ゲット・アウト（2017）	Get Out	ジョーダン・ピール	335
恋におちたシェイクスピア（1998）	Shakespeare in Love	ジョン・マッデン	482
荒野の決闘（1946）	My Darling Clementine	ジョン・フォード	297
ゴースト／ニューヨークの幻（1990）	Ghost	ジェリー・ザッカー	142, 147, 320
氷の微笑（1992）	Basic Instinct	ポール・バーホーベン	101, 323, 330
ゴッドファーザー（1972）	Godfather, The	フランシス・フォード・コッポラ	137
コンタクト（1997）	Contact	ロバート・ゼメキス	547
再会の時（1983）	Big Chill, The	ローレンス・カスダン	217
サイコ（1960）	Psycho	アルフレッド・ヒッチコック	256, 262, 451, 496, 523
最後の誘惑（1988）	Last Temptation of Christ, The	マーティン・スコセッシ	541

邦題	原題	監督または制作者	本書該当頁
ザ・スタンド (1992)	Medicine Man	ジョン・マクティアナン	325
サマーリーグ (2001)	Summer Catch	マイケル・トリン	517
シー・ホーク (1940)	Sea Hawk, The	マイケル・カーティス	297
シェイプ・オブ・ウォーター (2017)	Shape of Water, The	ギレルモ・デル・トロ	16, 23, 216, 339, 410–431
シェーン (1953)	Shane	ジョージ・スティーブンス	67, 209, 213, 286
ジキル博士とハイド氏 (1941)	Dr. Jekyll and Mr. Hyde	ヴィクター・フレミング	109, 496
シティ・スリッカーズ (1991)	City Slickers	ロン・アンダーウッド	141, 310
市民ケーン (1941)	Citizen Kane	オーソン・ウェルズ	167, 549
シャイニング (1980)	Shining, The	スタンリー・キューブリック	256
シャレード (1963)	Charade	スタンリー・ドーネン	97
ジャンゴ 繋がれざる者 (2012)	Django Unchained	クエンティン・タランティーノ	278
上海から来た女 (1947)	Lady from Shanghai, The	オーソン・ウェルズ	107
十戒 (1956)	Ten Commandments, The	セシル・B・デミル	547
ジュラシック・パーク (1993)	Jurassic Park	スティーブン・スピルバーグ	216, 451
ジョーズ (1975)	Jaws	スティーブン・スピルバーグ	37, 267, 298
ジョン・ウィック (2014)	John Wick	チャド・スタエルスキ	262
白雪姫 (1937)	Snow White	デイビッド・ハンド	103, 108, 455
白いドレスの女 (1981)	Body Heat	ローレンス・カスダン	101, 247, 484
人類創世 (1981)	Quest for Fire	ジャン＝ジャック・アノー	164, 307, 318
スーパーマン (1978)	Superman	リチャード・ドナー	451, 547
ズーランダー (2001)	Zoolander	ベン・スティラー	485
スカーフェイス (1983)	Scarface	ブライアン・デ・パルマ	66
スター・ウォーズ　エピソード4／新たなる希望 (1977)	Star Wars	ジョージ・ルーカス	11, 16, 21, 35, 37–45, 62, 71, 94, 109, 120, 139, 184, 211, 213, 242, 245–247, 270, 305, 310, 432–439, 496
スター・ウォーズ　エピソード5／帝国の逆襲 (1980)	Empire Strikes Back, The	アーヴィン・カーシュナー	211, 310, 433
スター・ウォーズ　エピソード6／ジェダイの帰還 (1983)	Return of the Jedi	リチャード・マーカンド	39, 42, 109, 310, 433, 434
スター・トレック［シリーズ］(1979他)	Star Trek (series)	ロバート・ワイズ他	21
ストレンジャー (1946)	Stranger, The	オーソン・ウェルズ	101
素晴らしき哉、人生！(1946)	It's a Wonderful Life	フランク・キャプラ	118, 516
スパルタカス (1960)	Spartacus	スタンリー・キューブリック	262
スポットライト　世紀のスクープ (2015)	Spotlight	トム・マッカーシー	543
スミス都へ行く (1939)	Mr. Smith Goes to Washington	フランク・キャプラ	34, 189
スリー・ビルボード (2017)	Three Billboards Outside Ebbing, Missouri	マーティン・マクドナー	167
世界にひとつのプレイブック (2012)	Silver Linings Playbook	デビッド・O・ラッセル	289
セッション (2014)	Whiplash	デイミアン・チャゼル	180, 262
007　ゴールドフィンガー (1964)	Goldfinger	ガイ・ハミルトン	237, 296
007　ロシアより愛をこめて (1963)	From Russia with Love	テレンス・ヤング	269
捜索者 (1956)	Searchers, The	ジョン・フォード	67, 147, 437
壮烈第七騎兵隊 (1941)	They Died with Their Boots On	ラオール・ウォルシュ	298
卒業 (1967)	Graduate, The	マイク・ニコルズ	299
卒業白書 (1983)	Risky Business	ポール・ブリックマン	328
ソフィーの選択 (1982)	Sophie's Choice	アラン・J・パクラ	299
それでも夜は明ける (2013)	12 Years a Slave	スティーブ・マックイーン	203
ターミネーター (1984)	Terminator, The	ジェームズ・キャメロン	109, 496
ターミネーター2 (1991)	Terminator 2: Judgment Day	ジェームズ・キャメロン	109, 289, 309, 496
大アマゾンの半魚人 (1954)	Creature from the Black Lagoon	ジャック・アーノルド	411–412, 429
大逆転 (1983)	Trading Places	ジョン・ランディス	34, 329, 485, 490

邦題	原題	監督または制作者	本書該当頁
大脱走(1963)	Great Escape, The	ジョン・スタージェス	211
タイタニック(1997)	Titanic	ジェームズ・キャメロン	16, 339, 343, 344–376, 391, 450, 482
タイタンの戦い(2010)	Clash of the Titans	ルイ・レテリエ	74, 151
大統領の陰謀(1976)	All the President's Men	アラン・J・パクラ	543
大列車強盗(1903)	Great Train Robbery, The	エドウィン・S・ポーター	523
黄昏(1981)	On Golden Pond	マーク・ライデル	259
タワーリング・インフェルノ(1974)	Towering Inferno, The	ジョン・ギラーミン	523
断崖(1941)	Suspicion	アルフレッド・ヒッチコック	100
ダンス・ウィズ・ウルブズ(1990)	Dances With Wolves	ケビン・コスナー	175, 203, 266, 343, 373
チップス先生さようなら(1939)	Goodbye, Mr. Chips	サム・ウッド	190
チャイナ・シンドローム(1979)	China Syndrome, The	ジェームズ・ブリッジス	451
チャイナタウン(1974)	Chinatown	ロマン・ポランスキー	100
ティングラー／背すじに潜む恐怖(1959)	Tingler, The	ウィリアム・キャッスル	524
デューン／砂の惑星(1984)	Dune	デイビッド・リンチ	135
テルマ&ルイーズ(1991)	Thelma & Louise	リドリー・スコット	198, 234
天国漫歩(1937)	Topper	ノーマン・Z・マクロード	488, 489
天使にラブ・ソングを…(1992)	Sister Act	エミール・アルドリーノ	102, 165
特攻大作戦(1967)	Dirty Dozen, The	ロバート・アルドリッチ	211, 329
トッツィー(1982)	Tootsie	シドニー・ポラック	484
ドライビング Miss デイジー(1989)	Driving Miss Daisy	ブルース・ベレスフォード	476
ドラゴン・タトゥーの女(2011)	Girl with the Dragon Tattoo	デビッド・フィンチャー	313
泥棒成金(1955)	To Catch a Thief	アルフレッド・ヒッチコック	307
トワイライト[シリーズ](2008他)	Twilight (series)	キャサリン・ハードウィック他	451
永遠に美しく…(1992)	Death Becomes Her	ロバート・ゼメキス	174
ナッティ・プロフェッサー　クランプ教授の場合(1996)	Nutty Professor, The	トム・シャドヤック	488
2001年宇宙の旅(1968)	2001: A Space Odyssey	スタンリー・キューブリック	547
眠れる森の美女(1959)	Sleeping Beauty, The	ケン・ピーターソン	108, 455, 465
ノア　約束の舟(2014)	Noah	ダーレン・アロノフスキー	547
ノーマ・レイ(1979)	Norma Rae	マーティン・リット	481
ハード・プレイ(1992)	White Men Can't Jump	ロン・シェルトン	328
バードマン あるいは(無知がもたらす予期せぬ奇跡)(2014)	Birdman or (The Unexpected Virtue of Ignorance)	アレハンドロ・ゴンサレス・イニャリトゥ	325
白鯨(1956)	Moby Dick	ジョン・ヒューストン	165
ハクソー・リッジ(2016)	Hacksaw Ridge	メル・ギブソン	540
バック・トゥ・ザ・フューチャー(1985)	Back to the Future	ロバート・ゼメキス	12
パッション(2004)	Passion of the Christ, The	メル・ギブソン	451, 547
ハドソン川の奇跡(2016)	Sully	クリント・イーストウッド	155
花嫁のパパ(1991)	Father of the Bride	チャールズ・シャイア	208
パピヨン(1973)	Papillon	フランクリン・J・シャフナー	482
パラサイト　半地下の家族(2019)	Parasite	ポン・ジュノ	335
ハリケーン(1937)	Hurricane, The	ジョン・フォード、スチュアート・ヘイスラー	93
バルバロッサ(1982)未	Barbarossa	フレッド・スケピシ	190, 294
パルプ・フィクション(1994)	Pulp Fiction	クエンティン・タランティーノ	16, 339, 347, 388–409, 451, 502
ハンガー・ゲーム(2012)	Hunger Games, The	ゲイリー・ロス	194
半魚人の逆襲(1955)	Revenge of the Creature	ジャック・アーノルド	411
半魚人我らの中を往く(1956)	Creature Walks Among Us, The	ジョン・シャーウッド	411, 429
パンズ・ラビリンス(2006)	Pan's Labyrinth	ギレルモ・デル・トロ	410
ピーター・パン(1953)	Peter Pan	ハミルトン・ラスク、ベン・シャープスティーン他	108, 268, 366

邦題	原題	監督または制作者	本書該当頁
引き裂かれたカーテン（1966）	Torn Curtain	アルフレッド・ヒッチコック	249
美女と野獣（1991）	Beauty and the Beast	ゲーリー・トゥルースデイル、カーク・ワイズ	14, 108, 138, 151, 178, 268, 376, 387
ヒックとドラゴン（2010）	How to Train Your Dragon	ディーン・デュボア、クリス・サンダース	234
羊たちの沈黙（1991）	Silence of the Lambs, The	ジョナサン・デミ	108, 194, 287
ピノキオ（1940）	Pinocchio	ベン・シャープスティーン、ハミルトン・ラスク	72, 76, 268
日の名残り（1993）	Remains of the Day	ジェームズ・アイボリー	467
ビバリーヒルズ・コップ（1984）	Beverly Hills Cop	マーティン・ブレスト	36, 38, 41, 45, 68, 126, 177, 198, 207, 221, 238, 250
ファーゴ（1996）	Fargo	ジョエル・コーエン	489
ファイト・クラブ（1999）	Fight Club	デビッド・フィンチャー	496
ファイブ・イージー・ピーセス（1970）	Five Easy Pieces	ボブ・ラフェルソン	86
ファンタジア（1940）	Fantasia	ベン・シャープスティーン、ウォルト・ディズニー製作	108
フィールド・オブ・ドリームス（1989）	Field of Dreams	フィル・アルデン・ロビンソン	91, 92
フィッシャー・キング（1991）	Fisher King, The	テリー・ギリアム	149
フォードvsフェラーリ（2019）	Ford v Ferrari	ジェームズ・マンゴールド	180
普通の人々（1980）	Ordinary People	ロバート・レッドフォード	63, 147, 184, 198, 320
フライド・グリーン・トマト（1991）	Fried Green Tomatoes	ジョン・アヴネット	184
ブラック・スワン（2010）	Black Swan	ダーレン・アロノフスキー	155
ブラックパンサー（2018）	Black Panther	ライアン・クーグラー	278
プラトーン（1986）	Platoon	オリバー・ストーン	496
フランケンシュタインの幽霊（1942）	Ghost of Frankenstein	アール・C・ケントン	105
プリティ・ウーマン（1990）	Pretty Woman	ゲイリー・マーシャル	63, 142, 180
プリティ・リーグ（1992）	League of Their Own, A	ペニー・マーシャル	79, 201, 329
ブレア・ウィッチ・プロジェクト（1999）	Blair Witch Project, The	ダニエル・マイリック、エドゥアルド・サンチェス	451
ブレイブハート（1995）	Braveheart	メル・ギブソン	203, 373
ブレックファスト・クラブ（1985）	Breakfast Club, The	ジョン・ヒューズ	217
プロメテウス（2012）	Prometheus	リドリー・スコット	547
ベイビー・トーク（1989）	Look Who's Talking	エイミー・ヘッカーリング	329
ベスト・キッド（1984）	Karate Kid, The	ジョン・G・アビルドセン	184, 331
ヘルボーイ（2004）	Hell-Boy	ギレルモ・デル・トロ	410
ペンタゴン・ペーパーズ／最高機密文書（2017）	Post, The	スティーブン・スピルバーグ	543
ベン・ハー（1959）	Ben Hur	ウィリアム・ワイラー	547
砲艦サンパブロ（1966）	Sand Pebbles, The	ロバート・ワイズ	298
北北西に進路を取れ（1959）	North by Northwest	アルフレッド・ヒッチコック	146, 198, 220
ポセイドン・アドベンチャー（1972）	Poseidon Adventure, The	ロナルド・ニーム	523
ホビット（2012–2014）	Hobbit, The	ピーター・ジャクソン	216
マイ・フェア・レディ（1964）	My Fair Lady	ジョージ・キューカー	543
マイレージ、マイライフ（2009）	Up in the Air	ジェイソン・ライトマン	452
マスター・アンド・コマンダー（2003）	Master and Commander: The Far Side of the World	ピーター・ウィアー	482
マッドマックス2（1981）	Road Warrior	ジョージ・ミラー	327
マトリックス［シリーズ］（1999他）	Matrix (series)	ラナ・ウォシャウスキー、リリー・ウォシャウスキー	496
招かれざる客（1967）	Guess Who's Coming to Dinner	スタンリー・クレイマー	208
真昼の決闘（1952）	High Noon	フレッド・ジンネマン	94, 167, 225, 297
真夜中のカーボーイ（1969）	Midnight Cowboy	ジョン・シュレシンジャー	146, 160
マリッジ・ストーリー（2019）	Marriage Story	ノア・バームバック	335

邦題	原題	監督または制作者	本書該当頁
マルタの鷹（1941）	Maltese Falcon, The	ジョン・ヒューストン	100
マレフィセント（2014）	Maleficent	ロバート・ストロンバーグ	289
見知らぬ乗客（1951）	Strangers on a Train	アルフレッド・ヒッチコック	160
ミスター・アーサー（1981）	Arthur	スティーブ・ゴードン	119
Mr.インクレディブル（2015）	Incredibles, The	ブラッド・バード	278
ミスター・グッドバーを探して（1977）	Looking for Mr. Goodbar	リチャード・ブルックス	66, 101
ミス・ブロディの青春（1969）	Prime of Miss Jean Brodie, The	ロナルド・ニーム	184
ミセス・ダウト（1993）	Mrs. Doubtfire	クリス・コロンバス	484
未知との遭遇（1977）	Close Encounters of the Third Kind	スティーブン・スピルバーグ	11, 139, 160, 347
三つ数えろ（1946）	Big Sleep, The	ハワード・ホークス	65, 100
めまい（1958）	Vertigo	アルフレッド・ヒッチコック	99, 307, 523, 536
モンテ・クリスト伯（2002）	Count of Monte Cristo, The	ケビン・レイノルズ	36
ヤングガン（1988）	Young Guns	クリストファー・ケイン	207
許されざる者（1992）	Unforgiven	クリント・イーストウッド	137, 212, 221, 234, 238, 249, 334
48時間（1982）	48 Hours	ウォルター・ヒル	34, 329, 377
ライアー ライアー（1997）	Liar, Liar	トム・シャドヤック	489
ライオン・キング（1994）	Lion King, The	ロジャー・アレーズ、ロブ・ミンコフ	16, 120, 339, 376–388,
ライフ・オブ・パイ／トラと漂流した227日（2012）	Life of Pi	アン・リー	278
ラスト・オブ・モヒカン（1992）	Last of the Mohicans, The	マイケル・マン	212
ラスト・ボーイスカウト（1991）	Last Boy Scout, The	トニー・スコット	139
ラッシュアワー［シリーズ］（1998他）	Rush Hour (series)	ブレット・ラトナー他	485
乱暴者（1953）	Wild One, The	ラズロ・ベネディク	65
ランボー（1982）	First Blood	テッド・コッチェフ	36, 172
リーサル・ウェポン（1987）	Lethal Weapon	リチャード・ドナー	149, 485
理由なき反抗（1955）	Rebel Without a Cause	ニコラス・レイ	65
リンカーン（2012）	Lincoln	スティーブン・スピルバーグ	313
ルディ・レイ・ムーア（2019）	Dolemite Is My Name	クレイグ・ブリュワー	234
レイダース／失われたアーク《聖櫃》（1981）	Raiders of the Lost Ark	スティーブン・スピルバーグ	195
レスラー（2008）	Wrestler, The	ダーレン・アロノフスキー	541
レ・ミゼラブル（2012）	Les Miserables	トム・フーパー	216
恋愛小説家（1997）	As Good As It Gets	ジェームズ・L・ブルックス	488
ロイ・ビーン（1972）	Life and Times of Judge Roy Bean, The	ジョン・ヒューストン	213
ロード・オブ・ザ・リング／二つの塔（2002）	Lord of the Rings, The: The Two Towers	ピーター・ジャクソン	496
ロード・ジム（1965）	Lord Jim	リチャード・ブルックス	331
ロケットマン（2019）	Rocketman	デクスター・フレッチャー	180
ロジャー・ラビット（1988）	Who Framed Roger Rabbit?	ロバート・ゼメキス	214
ロスト・イン・トランスレーション（2003）	Lost in Translation	ソフィア・コッポラ	462
ロッキー（1976）	Rocky	ジョン・G・アビルドセン	37, 172
ロビンフッドの冒険（1938）	Adventures of Robin Hood, The	マイケル・カーティス、ウィリアム・キーリー	297
ロビン・フッド（1991）	Robin Hood, Prince of Thieves	ケビン・レイノルズ	297
ロマンシング・ストーン　秘宝の谷（1984）	Romancing the Stone	ロバート・ゼメキス	78, 94, 101, 141, 146, 165, 171, 176, 253, 295, 311–313, 326
ワイルドバンチ（1969）	Wild Bunch, The	サム・ペキンパー	298

参考文献

Benet's Reader's Encyclopedia, Harper & Row 1987.

Bolen, Jean Shinoda, M.D., *Goddesses in Everywoman*, Harper & Row 1985.

Bolen, Jean Shinoda, M.D., *Gods in Everyman*, Harper & Row 1989.

Bulfinch, Thomas, *Myths of Greece and Rome*, Penguin Books 1981.

Campbell, Joseph (with Bill Moyers), The Power of Myth, Doubleday 1988.〔邦訳:ジョーゼフ・キャンベル+ビル・モイヤーズ『神話の力』飛田茂雄訳、ハヤカワ・ノンフィクション文庫、二〇一〇年〕

Campbell, Joseph, *The Hero With a Thousand Faces*, 3rd Edition, New World Library 2008.〔邦訳:ジョーゼフ・キャンベル『千の顔をもつ英雄[新訳版]』(上下巻)倉田真木・斎藤静代・関根光宏訳、ハヤカワ・ノンフィクション文庫、二〇一五年〕

Davidson, H. R. Ellis, *Gods and Myths of Northern Europe*, Penguin Books 1984.

Graves, Robert, *The Greek Myths*, Penguin Books 1979.

Halliwell, Leslie, *Filmgoer's Companion*, 8th Edition, Charles Scribner' s Sons 1983.

Homer, *The Odyssey*, transl. by E. V. Rieu, Penguin Books 1960.〔邦訳:ホメロス『オデュッセイア』(上下巻)松平千秋訳、岩波文庫、一九九四年〕

Johnson, Robert A., *He: Understanding Masculine Psychology*, Harper & Row 1977.〔邦訳:ロバート・A・ジョンソン『He　神話に学ぶ男の生き方』菅靖彦・小金沢正子訳、青土社、二〇〇〇年〕

Johnson, Robert A., *She: Understanding Feminine Psychology*, Harper & Row 1977.〔邦訳:ロバート・A・ジョンソン『She　神話に学ぶ女の生き方』菅靖彦・浦川加代子、青土社、二〇〇〇年〕

Johnson, Robert A., *We: Understanding the Psychology of Romantic Love*, Harper & Row 1983.〔邦訳:ロバート・A・ジョンソン『現代人と愛——ユング心理学からみた『トリスタンとイゾルデ』物語』長田光展訳、新水社、一九八九年〕

Knight, Arthur, *The Liveliest Art*, New American Library 1957.

Lattimore, Richmond, *The Iliad of Homer*, University of Chicago Press 1967.

Leeming, David, *Mythology*, Newsweek Books 1976.

Levinson, Daniel J., *The Seasons of a Man's Life*, Ballantine Books 1978.〔邦訳:ダニエル・レビンソン『ライフサイクルの心理学』(上下巻)南博訳、講談社学術文庫、一九九二年〕

Luthi, Max, *The Fairytale as Art Form and Portrait of Man*, Indiana University Press 1987.〔邦訳：マックス・リュティ『昔話　その美学と人間像』小澤俊夫訳、岩波書店、一九八五年〕

Mast, Gerald, *A Short History of the Movies*, Bobbs-Merrill 1979.

Murdock, Maureen, *The Heroine's Journey: Woman's Quest for Wholeness*, Shambala 1990.〔邦訳：モーリーン・マードック『ヒロインの旅――女性性から読み解く「本当の自分」と創造的な生き方』シカ・マッケンジー訳、フィルムアート社、二〇一七年〕

Pearson, Carol S., *Awakening the Heroes Within*, Harper San Francisco 1991.〔邦訳：キャロル・S・ピアソン『英雄の旅　ヒーローズ・ジャーニー――12のアーキタイプを知り、人生と世界を変える』鏡リュウジ監訳、鈴木彩織訳、実務教育出版、二〇一三年〕

Propp, Vladimir, *Morphology of the Folktale*, University of Texas Press 1979.〔邦訳：ウラジーミル・プロップ『昔話の形態学』北岡誠司・福田美智代訳、水声社、一九八六年〕

Walker, Barbara G., *The Woman's Dictionary of Symbols and Sacred Objects*, Harper 1988.

Wheelwright, Philip, *Aristotle*, The Odyssey Press 1955.

プロフィール

［著者］

クリストファー・ボグラー（Christopher Vogler）

ハリウッドで大きな影響力を持つストーリー・コンサルタントの第一人者。ジョーゼフ・キャンベルの『千の顔をもつ英雄』に大きな影響を受け、キャンベルの〈ヒーローズ・ジャーニー〉理論に、ウラジミール・プロップの民話・昔話を構造分析した物語理論を合わせて発展させ、ハリウッド映画に適用させたメソッドを提唱した。ボグラーによるこのストーリー構造とキャラクター開発の包括的な理論は世界中で高く評価され、以後20世紀フォックス社、パラマウント社、ウォルト・ディズニー社のストーリー開発部門でコンサルタントを務めた。ディズニーの『美女と野獣』『ライオン・キング』『アラジン』などの他、『ファイト・クラブ』『戦火の勇気』『シン・レッド・ライン』『ベオウルフ／呪われし勇者』『レスラー』など、数多くの名作のストーリー開発に関わっている。現在は脚本術、映画、神話に関する講演者としても活躍するほか、映画会社幹部のプロジェクト開発を助ける文芸コンサルティング会社、Storytechの社長も務める。Storytechは、脚本、小説、ストーリー・コンセプトの評価、詳細な開発ノートの作成、著作権訴訟のための専門的なストーリー分析など、ストーリーに関わる多種多様なサービスを提供している。

www.chrisvogler.wordpress.com

［訳者］

府川由美恵（ふかわ・ゆみえ）

明星大学通信教育部教育心理コース卒。主な訳書にボグラー＆マッケナ『物語の法則——強い物語とキャラを作れるハリウッド式創作術』、サルバトーレ『アイスウィンド・サーガ』シリーズ（以上KADOKAWA）、クロン『脳が読みたくなるストーリーの書き方』（フィルムアート社）、ハーパー『探偵コナン・ドイル』、ケント『ダラスの赤い髪』（以上早川書房）など。

作家の旅　ライターズ・ジャーニー

神話の法則で読み解く物語の構造

2022年3月15日　初版発行
2024年7月15日　第2刷

著　クリストファー・ボグラー
訳　府川由美恵

装幀　三浦佑介（shubidua）
編集　藪崎今日子

発行者　上原哲郎
発行所　株式会社フィルムアート社
〒150-0022
東京都渋谷区恵比寿南
1丁目20番6号 プレファス恵比寿南
TEL 03-5725-2001
FAX 03-5725-2626
https://www.filmart.co.jp

印刷・製本　シナノ印刷株式会社

Printed in Japan
ISBN978-4-8459-2010-5　C0074